D1298764

Cantons de l'Est, Centre du Québec, Montérégie

TABLE OF CONTENTS / TABLE DES MATIÈRES

Légende. . . . . Face interne de la couverture
Carte routière . . . . 2 - 3
Index des localités. 3
Cartes urbaines . . . . 183 - 648
Répertoire de renseignements. . . . . 700 - 701
Index des rues . . . . 701 - 732

Legend . . . . Inside Front Cover
Road Map . . . . 2 - 3
Community Index 3
City Maps . . . . 183 - 648
Information Lists . . . . 700 - 701
Street Index . . . . 701 - 732

Comment utiliser cet atlas
How to Use this Atlas

Visitez-nous @ mapart.com

MapArt. DIRECTION + DESIGN

ÉQUIPE DE PRODUCTION

Lisa Alberga   Malcolm Buchan   Brent Carey   Michael Foell
Luna Gao   Karen Gillingham   Mike Grasby   Oksana Kutna
Werner Mantei   Carl Nanders   Jameel Ahmed Nizamani
Dave Scott   Kyu Shim   Samiha Sleiman
Sam Tung-Ding Ho   Matthew Wadley   Craig White
Jessie Zhang   Marlene Ziobrowski

© mapmobility corp. Édition 2009
Publié et distribué par
JDM Géo Inc. & **Les Publications MapArt**
5790 Donahue, Ville St-Laurent, QC H4S 1C1
☎ 514-956-8505   Télécopieur 514-956-9398

Imprimé au Canada   Printed in Canada

DESTINATIONS - indicate the town or city the road or highway leads to.

DESTINATIONS - Indique la route ou l'autoroute à prendre pour arriver à la ville ou au village désiré.

NORTH ARROWS - indicate general direction pointing north.

FLÈCHES du NORD - Indique le nord géographique.

GRID REFERENCES - are used to locate places, streets or roads in the index. See page 700 for further explanation.

GRILLES DE RÉFÉRENCE - Sert à retracer les routes ou rues dans l'index. Voir page 700 pour plus d'explications.

PAGE ARROWS - indicate continued coverage of the map and page.

FLÈCHES SUR BAS DES PAGES - Indique la page où se trouve la suite de cette carte et de cette page.

PAGE NUMBER / NUMÉRO DE PAGE

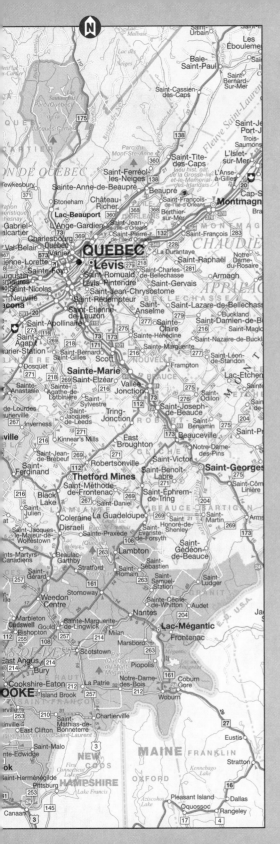

Index des localités

L'index ci-dessous vous aidera à localiser des communautés dans cet atlas.

LES CARACTÈRES GRAS indiquent un nom officiel de municipalité. Les caractères bleus indiquent un nom de communauté locale. Les caractères violets indiquent un nom d'arrondissement.

Communities Index

The index below is provided to help you locate a community in the atlas.

BOLD TYPE indicates an official municipal name. Blue type indicates a local community name. Purple type indicates a borough name.

ACTON VALE 540
Alstonvale 184
Arthabaska 605
ASBESTOS 646-647
Ascot .640
BEAUHARNOIS . . .263-264, 284, 304
BELOEIL 391
BOUCHERVILLE
. . . . .310, 329-330, 349-350
BROMONT 628-629
Brompton (Bromptonville) 633
BROSSARD 348, 368
CANDIAC 347, 367
CARIGNAN 388-389, 409
CHAMBLY 389, 409
CHÂTEAUGUAY . . .304-306, 325-326
COATICOOK 644
Como .204
CONTRECOEUR 550
COTEAU-DU-LAC 202, 222
COWANSVILLE 625-627
Deauville 642
DELSON 347, 367
Dorion 244
DRUMMONDVILLE 608-619
EAST ANGUS 645
FARNHAM 624
Fleurimont 637
GRANBY, VILLE DE 620-623
Grande-Île 242
Greenfield Park **(LONGUEUIL)** . . .
. 348-349
HUDSON 184, 204
Hudson-Heights 184
HUNTINGDON 560
Iberville 511
Jacques-Cartier 635-636
Kahnawake 306, 326-327, 346
LA PRAIRIE 348, 367-368
LAC-MÉGANTIC 648
L'ÎLE-PERROT 244, 264
LeMoyne **(LONGUEUIL)** 328
Lennoxville 641
LÉRY 304-305
LES CÈDRES . .222-223, 242-243, 263
LONGUEUIL . . . .
. . . . .328-329, 348-349, 368-369, 389
MAGOG, CANTON DE 630-631
MAGOG, VILLE DE 630-631
Maple Grove 304
MARIEVILLE 500
MCMASTERVILLE 390-391
Melocheville 284
MERCIER 325
Mont-Bellevue 640
MONT-ST-HILAIRE 391, 411
NAPIERVILLE 570
Nitro .242
NOTRE-DAME-DE-L'ÎLE-
PERROT 264-265, 284-285
Omerville 631
OTTERBURN PARK 390-391

PINCOURT 244, 264
PLESSISVILLE 607
POINTE-DES-CASCADES .263-264
Pointe-du-Moulin 285
PRINCEVILLE 606
RICHELIEU 409, 510
RIGAUD 580
Rock Forest 638
Saddlebrook 183
ST-AMABLE 351
ST-BASILE-LE-GRAND . . .370, 390
ST-BRUNO-DE-MONTARVILLE . .
. . . . .350, 370
St-Charles-de-Drummond .609-610
ST-CHRISTOPHE-
D'ARTHABASKA 603, 604-605
ST-CLET 183, 202-203
ST-CONSTANT . . .346-347, 366-367
ST-CYRILLE-DE-WENDOVER . . .
. . . . .610-611, 614-615
St-Élie-d'Orford 634
ST-GERMAIN-DE-GRANTHAM . . .
. . . . .612, 616
St-Hubert **(LONGUEUIL)** . . . . . .
. . . . .349, 368-369, 389
ST-HYACINTHE 520-522
ST-JEAN-SUR-RICHELIEU . . . . .
. 510-512
ST-JOSEPH-DE-SOREL 530
ST-LAMBERT 328, 348
ST-LAZARE . . .183-184, 203-204, 223
St-Luc 510
ST-MATHIAS-SUR-RICHELIEU . . .
. . . . .390, 409-410
ST-MATHIEU 366
ST-MAJORIQUE-DE-GRANTHAM
. 608
St-Nicéphore 619
ST-PHILIPPE 367
ST-RÉMI 365
St-Timothée 263
St-Thomas-d'Aquin 520
STE-CATHERINE 327, 347
STE-JULIE 330, 350-351, 370
Ste-Rosalie 521
SALABERRY-DE-VALLEYFIELD . . .
. . . . .222, 241-243, 263
SHERBROOKE 633-641
SOREL-TRACY 530
TERRASSE-VAUDREUIL 244
Tracy .530
Trois-Lac 647
VARENNES . . .291-292, 310-311, 330
VAUDREUIL-DORION 183-184,
. . . . .204, 223-224, 243-244, 263-264
VAUDREUIL-SUR-LE-LAC 224
VERCHÈRES 292
VICTORIAVILLE 601-605
WINDSOR 632

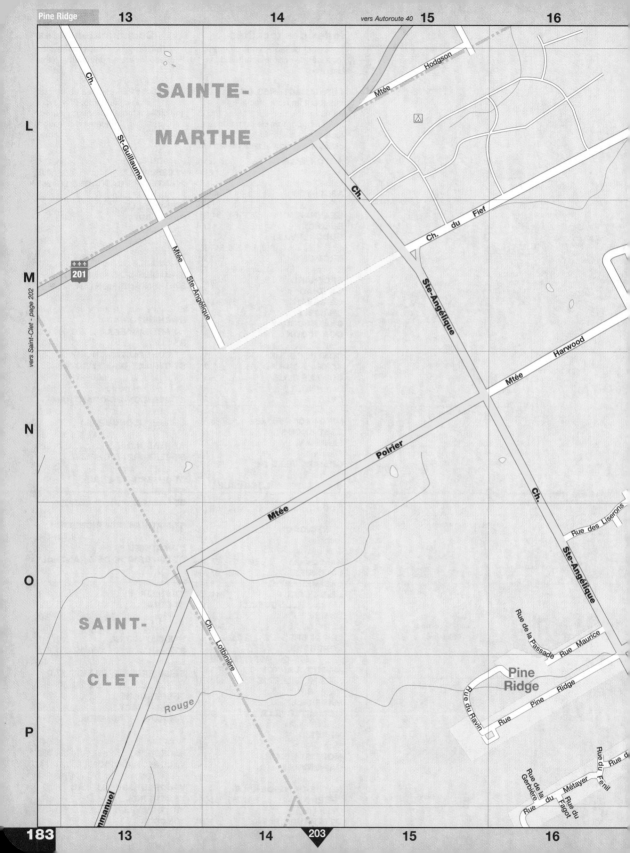

SAINTE-
MARTHE

SAINT-

CLET

Pine
Ridge

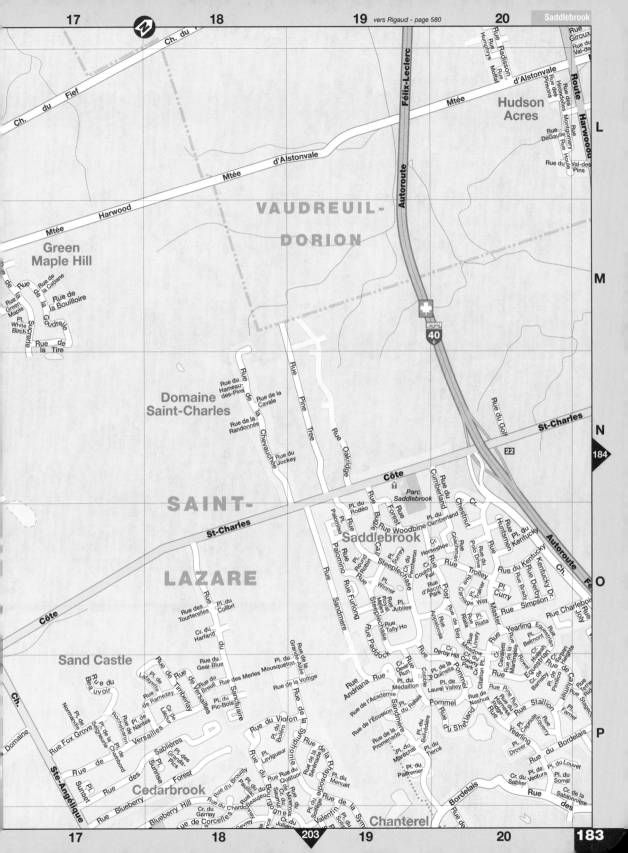

VAUDREUIL-DORION

Hudson Acres

Green Maple Hill

Domaine Saint-Charles

SAINT-

LAZARE

Saddlebrook

Sand Castle

Cedarbrook

Chanterel

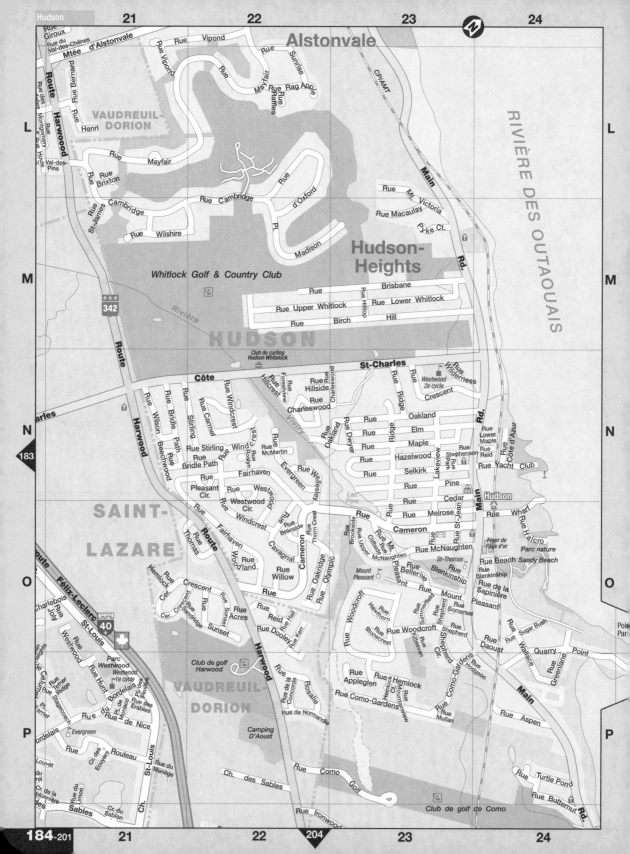

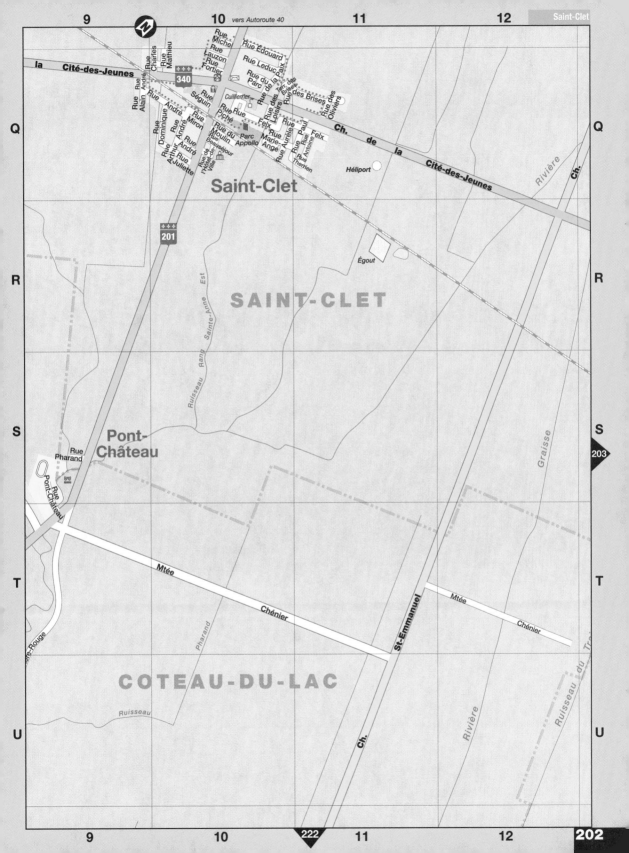

9   **10**   vers Autoroute 40   **11**   **12**

la   Cité-des-Jeunes

Rue Charles
Rue André
Rue Alain
Rue André
Rue Dominique
Rue Arthur
Rue André
Rue Juliette
Rue Séguin
Rue André Miron
Rue de l'Hôtel-de-Ville
Rue du Moulin
Beauséjour

Rue Mathieu
Rue Michel
Rue Lauzon
Rue Fortier
Rue Edouard
Rue Leduc
Rue de la Paix
Rue du Parc
Rue Piché
Parc Appollo
Rue Félix
Rue Marie-Ange
Rue Aurèle
Rue Paul
Rue Antoine
Rue Félix
Cuillierier
Rue des Terr. des Loisirs
Rue des Brises
Rue des Brises
Rue des Oliviers
Rue Therrien

340

Saint-Clet

Héliport

Ch.   de   la   Cité-des-Jeunes

Rivière

Ch.

201

Égout

SAINT-CLET

Rang Sainte-Anne Est

Ruisseau

Graisse

Pont-Château

Rue Pharand

Rue Pont-Château

203

Rue Rouge

Pharand

Mtée

Chénier

St-Emmanuel

Mtée

Chénier

Ch.

COTEAU-DU-LAC

Ruisseau

Rivière

Ruisseau du Tre

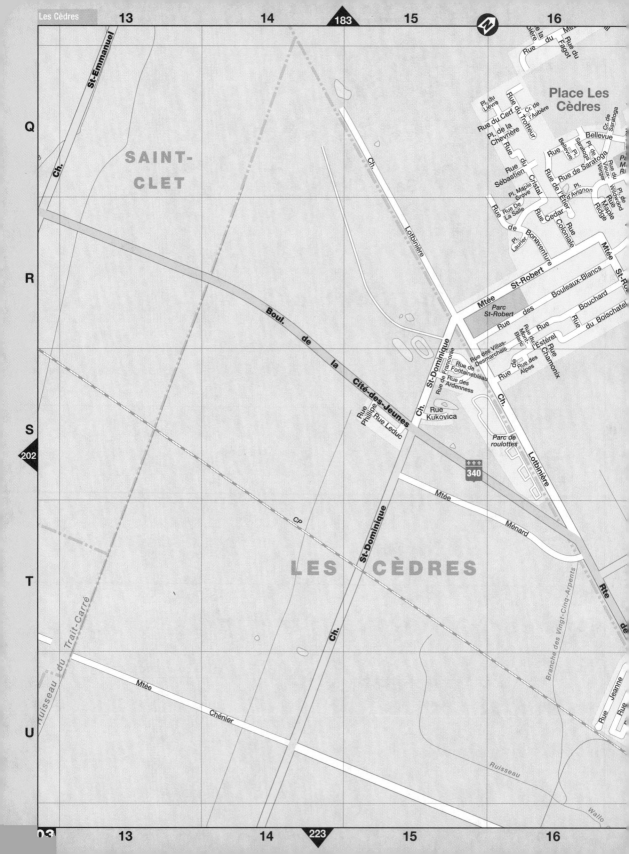

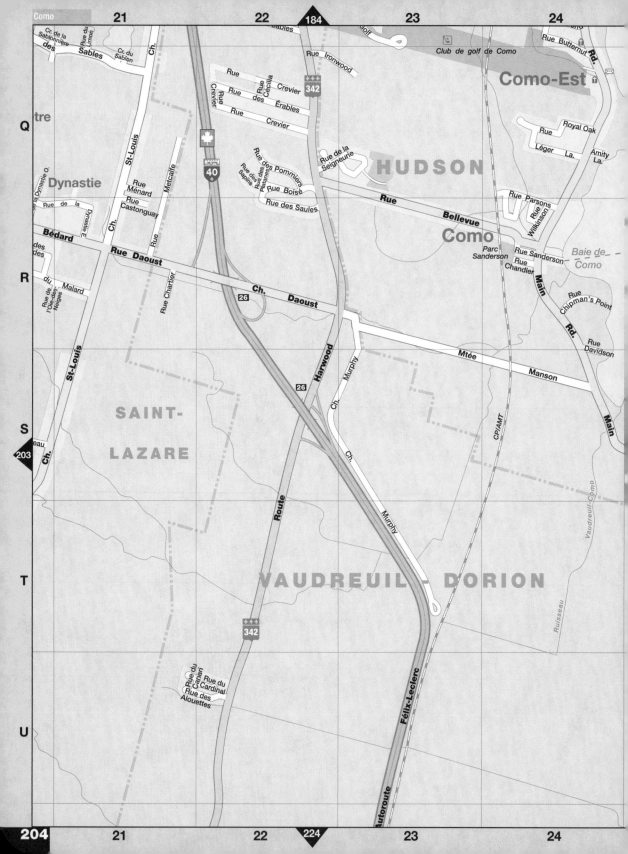

Q

LAC DES DEUX MONTAGNES

Rue St-Laurent

Ch. du Milieu

Rue de la Pinède

l'An

Rue Girouard

Ch. du Milieu

Golf d'Oka

Rue

Rang

de

OKA

Rue Ste-Anne

Rue St-Georges

Rue St-Martin

Rue Ste-Thérèse

Rue St-Dominique

Rue des Anges

Rue St-Joseph

Rue des Pins

St-Michel

Rue St-Jacques

Rue des

Rue St-André

des Pins

Rue Champlain

Rue Picquet

Rue Pèlerins

Rue Chapelles

Pointe d'Oka

Rue St-Pierre

Rue St-Francois-Xavier

Rue Ste-Rose

Rue Notre-Dame

Rue St-Jean-Baptiste

Rue Ollier

Cèdres

Pins

Rue Lefebvre

Rue Carignan

Rue Bernier

Av.

Empain

344

Rue Lafontaine

Rue la Fontaine

Rue St-Richard

Rue Lacombe

Rue Tremblay

Jean-Baptiste

Rue Nadeau

vers Ste-Marthe-sur-le-Lac

R

Rue

Trancheſmontagne

Rue Dupalgne

Sulpice

R. aux Serpents

Baie d'Oka

Pointe Boyer

S

Parc

national

d' Oka

Oka-Sur-le-Lac

Sepaq

Rd.

Ch. de l'Anse

Pointe Cavagnal

Rue Brasseur

Pointe Cavagnal

Pointe aux Bleuets

T

M.R.C. DE DEUX-MONTAGNES

M.R.C. DE VAUDREUIL

Rue Albert

Rue St-Denis

Anse-Vaudreuil

Anse de

l'Anse

Vaudreuil

U

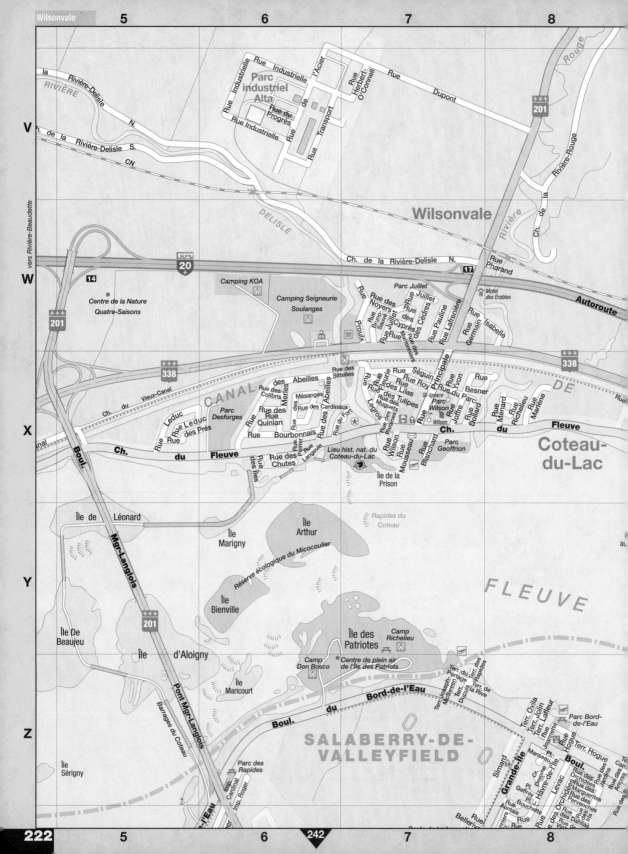

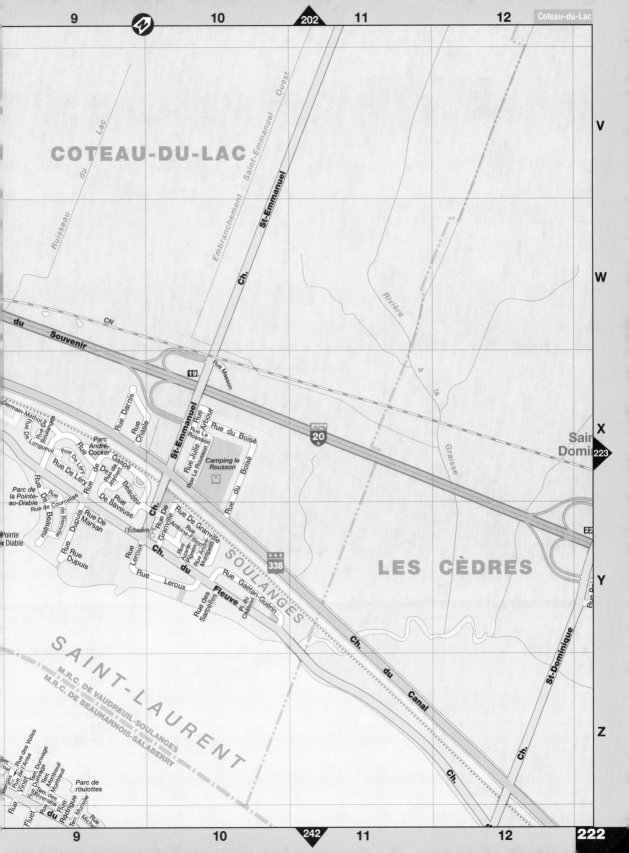

9 10 202 11 12

V

W

X

Y

Z

COTEAU-DU-LAC

Ruisseau du Lac

Embrachement Saint-Emmanuel Ouest

St-Emmanuel

Ch.

Rivière

à la Graisse

du Souvenir

CN

19

Rue Masson

Germain-Méthot
Rue De Soulanges
Rue De Longueuil
Rue De Lévy
Parc André-Cocker
Rue De Lévis
Rue Darnis
Rue Chasle
St-Emmanuel

Rue l'Arbour
Rue du Boisé
Rue Le Rousson
Rue Julie
Rue Le Rousson

Camping le Rousson

Rue du Boisé

Parc de
la Pointe-
au-Diable
Rue De Courcelles
Rue Gaspé
Rue De Bernier
Rue Beaulieu
Rue De Saveuse

Rue De Granville
Rue De Granville
Rue Antoine-Fillorne
Rue Azarie Rongeon
Rue André Montpetit

Pointe
Diable
Rue De Beaupré
Rue de Bienville
Rue Dupuis
Rue De Marsan
l'Éclusière
Ch. du

Rue Leroux
Ch. du

Rue Dupuis
Rue Leroux

SOULANGES

20

LES CÈDRES

338

Rue des Sarcelles
Fleuve
Rue Gaétran Guérin
Pl. du Chatelet

Sain
Domi 223

22

St-Dominique

du Canal

Ch.

SAINT-LAURENT

M.R.C. DE VAUDREUIL-SOULANGES
M.R.C. DE BEAUHARNOIS-SALABERRY

Rue des Voiles
Rue de l'Anse
Terr. Durivage
Terr. Durivage
Terr. Montreuil
Terr. des Riverains
Parc de
roulottes
Fluet
du
Rue Rodrigue
Terr. Muriel
Rue Michel

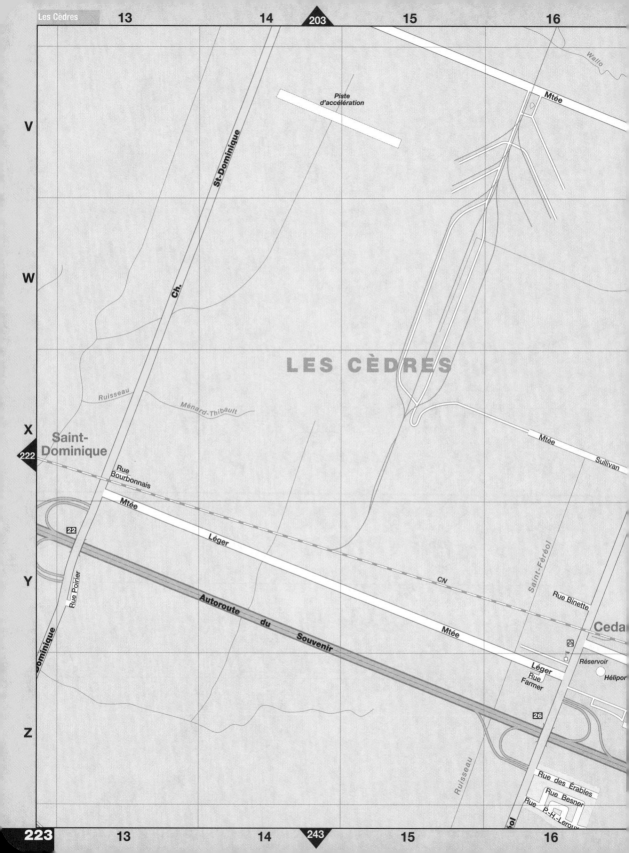

V

W

X

Y

Z

Wallo

Mtée

Piste
d'accélération

St-Dominique

Ch.

LES CÈDRES

Ruisseau

Ménard-Thibault

Saint-
Dominique

222

Mtée
Sullivan

Rue
Bourbonnais

Mtée

22

Léger

Rue Poirier

Autoroute du Souvenir

Mtée

CN

Saint-Féréol

Rue Binette

Ceda

Mtée

Dominique

Léger

Rue
Farmer

Réservoir

Hélipor

26

Ruisseau

Rue des Érables

Rue Besner

Rue P.-H.-Leroux

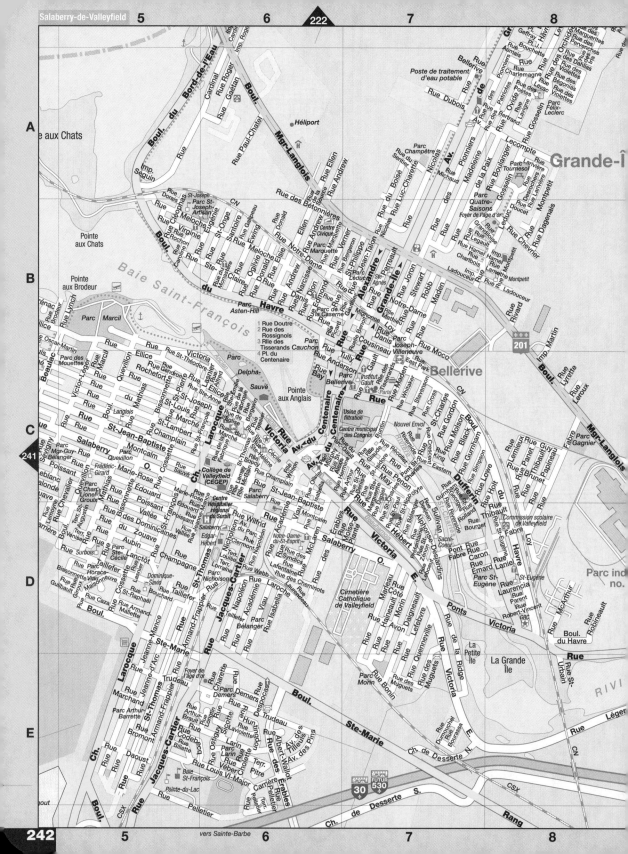

338

LES CÈDRES

Les Cèdres

Rue Besner
Rue P.-H.-Leroux
Érables
St-Férréol
Ch.

Rue Talmesa
Rue Émile
des
Rue Mérish

Mtée
Rue Daviau
Rue des Chênes
Rue Asselin
Curé-Rémillard
Marsan

Rue des Bouleaux
Rue des Noyers
Rue des Frênes
Rue des Pins
Rue des Noyers
Rue Danielle
Rue des Ormes
Rue des Chênes

Ch. du Canal

Rue Beaudry
Rue St-Ursule

Ch. du Fleuve

Parc d'Attractions
Rue Florence
Av. Leech
Av. Lalonde
Av. Leroux
Av. Hungaria
Rue Baillargeon
Pointe à Biron

Rue Sophie
Rue Martin
Rue Richard
Rue Gary
Rue Rachelle
Rue Sophie
Rampart
Rue
Rue Karine
Rue Normand
Ch.

Rue des Émeraudes
Rue des Rubis
Rue des Gardenias
Rue des Marguerites
Rue des Lilas

Blanche
Rue Isabelle
Rue René
Rue Bissonnette

FLEUVE SAINT-LAURENT

Île à l'Ours
Île Juillet
Île aux Vaches
Île Lebeuf
Île Jobin

Pointe des Cèdres

Rue Valade
Rue de la Fabrique
Marguerite-Bourgeoys
Rue St-Joseph
Rue Ste-Geneviève
Rue de l'Hôtel-de-Ville
Rue St-Thomas
Rue St-Pierre
Rue St-Paul
Rue Ste-Catherine
Rue du Moulin
Rue St-Jean
Rue Daoust
Fossé du Milieu

Rue Robert
Ch. du Fleuve

SALABERRY-DE-VALLEYFIELD

Île à l'Ail

Île Beaudry
Pointe Larivière
Île Forest
Rue Maher

Parc régional des Îles de St-Timothée

Parc régional des Îles de St-Timothée

Rue St-Joseph
Rue
Centre Sportif St-Timothée
St-Laurent
Île aux Raisins
Île

Centrale électrique

Sauvé

CANAL

242

VAUDREUIL-
DORION

Autoroute du Souvenir

Parc de roulottes
Rue Parc-
Max-Séjour

Av. Germaine
Rue

Levac
Rue Aimé

Chicoine

Ch. Chicoine

Autoroute du

Rang

Cèdres
Rue Mérisa

St-Grégoire

Ch.

Mtée

Levac

St-Antoine

Rang

Rang

St-Antoine

Ruisseau

Chamberry

Mtée   de   la

Club de golf de Vaudreuil

Rue de la Gigue

338

D E

Ch.

Ch. St-Antoine

Av. des Tourterelles
Av. des

A

B

C   244

D

E

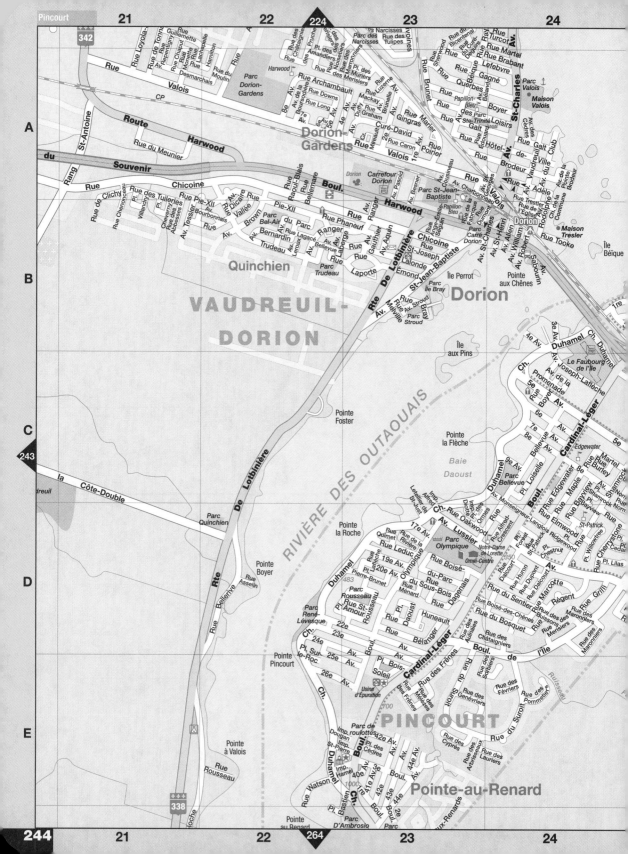

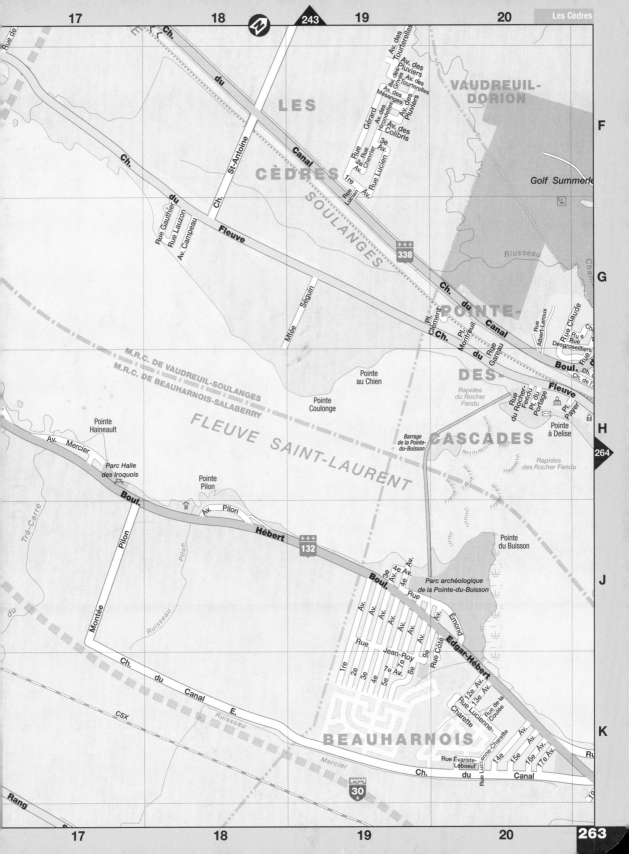

Rue de

Ch. du

LES

Canal

CÈDRES

SOULANGES

Ch.

du

Fleuve

St-Antoine

Ch.

Rue Gauthier
Rue Lauzon
Av. Campeau

Mtée Séguin

VAUDREUIL-
DORION

Golf Summerle

Riusseau

Av. des
Tourterelles
Av. des
Pluviers
Grive
Av. des Tourterelles
des
Av. des
Mésanges
Av. des
Pluviers
Av. des
Hirondelles
Gérard
Av. des
Colibris
Rue Chevrier
3e
Av.
Rue Lucien
Rue
1re
Rue
Lucien

338

Ch. du Canal

POINTE-

Pt. Clément
Ch.
Pt. Montreuil
Rue Gareau
Boul.

DES-

Fleuve

Rue Albert-Leroux
Rue Claude
Rue
Rue
Desgroseilliers
Rue

M.R.C. DE VAUDREUIL-SOULANGES
M.R.C. DE BEAUHARNOIS-SALABERRY

Pointe
au Chien

Rapides
du Rocher
Fendu

Barrage
de la Pointe-
du-Buisson

Rue
du Rocher-
Fendu
Pt. du
Portage

Pt.
Payer

Pointe
à Delise

CASCADES

Rapides
des Rocher
Fendu

Pointe
Coulonge

FLEUVE   SAINT-LAURENT

Pointe
Haineault

Av. Mercier

Parc Halle
des Iroquois

Boul.

Pilon

Pointe
Pilon

Av. Pilon

Hébert

132

Boul.

Pointe
du Buisson

Parc archéologique
de la Pointe-du-Buisson

Tré-Carré

Montée

Ch. du Canal E.

Pilon

Ruisseau

CSX

Ruisseau

Mercier

Ch. du Canal

4e Av.
3e Av.
4e
Av.
Rue

Av.
Av.
Av.
Av.
Av.
Jean-Roy
1re
2e
3e
4e
5e Av.
7e Av.
8e
9e
Rue Côté
Edgar-Hébert
Ernond
Rue de la
Coulée
12e Av.
13e Av.
Rue Lucienne-
Charette

BEAUHARNOIS

Rue Évariste-
Leboeuf
Rue Lucienne-Charette
14e
15e
16e Av.
1re Av.
Av.
Av.

du

Rang

30

F

G

H

264

J

K

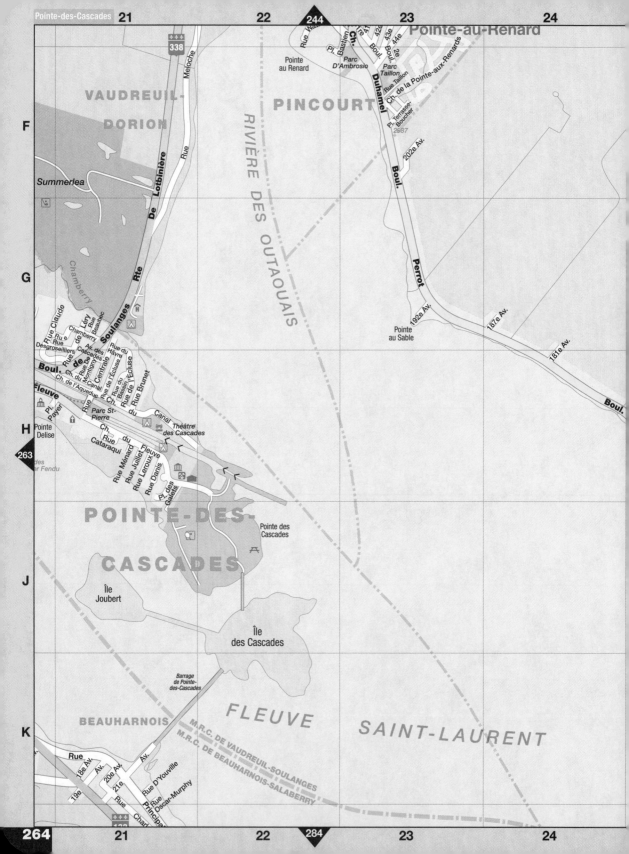

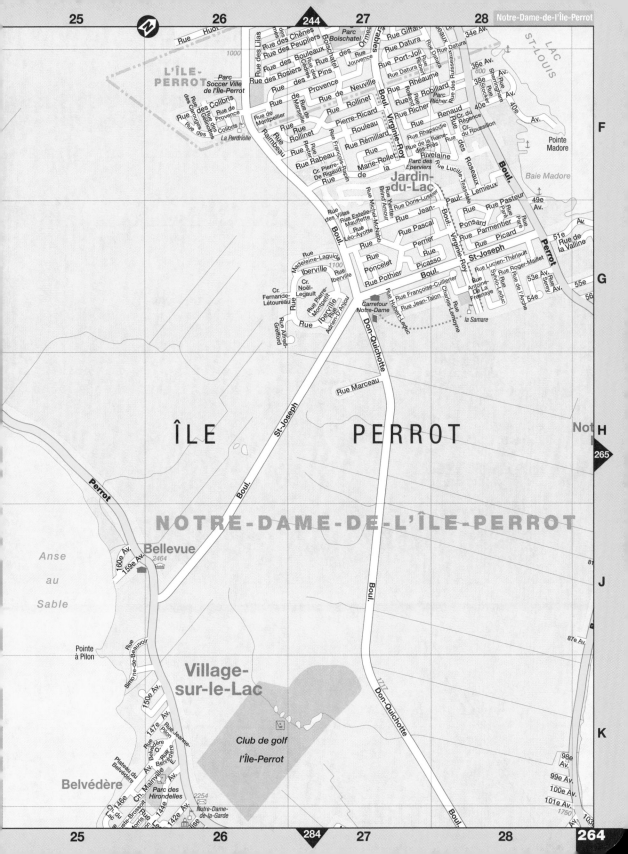

25 **26** **244** **27** **28**

N

LAC ST-LOUIS

L'ÎLE-PERROT

Parc Soccer Ville de l'Île-Perrot

Rue Huot

Rue des Colibris
Rue de Provence
Rue des Cerougnes
Rue des Colibris

La Perdriolle

Rue de Montpellier

Rue Rambeau

Rue des Lilas
Rue des Chênes
Rue des Peupliers
Rue des Bouleaux
Rue des Cèdres
Rue des Rosiers
Rue des Pins

Parc Boischatel

Rue Giffard
Rue Datura
Rue Port-Joli
Rue Datura
Rue Jouvence
Rue Neuville

Rue Datura

34e Av.

36e Av.
38e Av.
Rue Sheringham
Rue Sicker

40e Av.

Pointe Madore

Rue de Marseille
Rue de Provence
Rue de Neuville
Rue Rollinet
Rue Rollinet

Rue Rabeau

Pierre-Ricard
Rue Rémillard
Rue François-Perrin
Cr. Pierre-De Rigaud-Rasin
Marie-Rollet de la

Rue Rouleau

Rue Rhéaume
Boul. Virginie-Roy
Rue Robillard
Parc Richer
Rue Richer
Rue Renaud
Rue Rhapsodie
Rue de la Reine-des-Prés
Rivelaine
Parc des Éperviers
Rue Lucille-Teasdale

Cr. du Roussillon
Cr. du Régence
40e Av.
49e Av.

Baie Madore

F

Jardin-du-Lac

Rue des Villas
Rue Madeleine-Laguide
Rue Iberville
Cr. Noël-Legault
Cr. Fernande-Létoureau

Rue Estelle-Mauffette
Rue Léo-Ayotte
Rue
Rue Poncelet
Rue
Iberville
Rue Pierre-Montpetit
Rue Iberville
Rue Adrien-D'Anjou
Rue Alfred-Grefford

Rue Yvette-Brind'Amour
Rue Michel-Michaud
Rue Doris-Lussier
Rue Jean-
Rue Pascal
Perrier
Picasso
Rue Pothier

Paul-
Ponsard
Rue Picard
Rue Parmentier
Boul.
St-Joseph
Virginie-Roy
Boul.
Rue Françoise-Cuillerier
Rue Jean-Talon

Rue Pasteur
Rue Paré
Rue Paré
Rue Lucien-Thériault
Rue Roger-Maillet
Rue Sylvio-Leduc
Rue Antoine-De La Fresnaye
Charles-Lemoyne

Boul. Perrot

51e Av.
Rue de la Valline
53e Av.
54e Av.
55e Av.
56
Rue Serey

G

Carrefour Notre-Dame
Don-Quichotte
la Samare

Rue Marceau

ÎLE   PERROT

St-Joseph

Not
265

H

Perrot

NOTRE-DAME-DE-L'ÎLE-PERROT

Boul.

Anse au Sable

160e Av.
159e Av.
Bellevue
2464

J

87e Av.

Pointe à Pilon

Rue Simone-de-Beauvoir

150e Av.

147e Av.
Rue Jeanne-Pilon
Av. Belvédère
Av. Belvédère-O.

Village-sur-le-Lac

Club de golf l'Île-Perrot

Don-Quichotte

98e Av.
99e Av.
100e Av.
101e Av.
103

K

Plateau du Belvédère
Ch. 146e
Ch. Mainville
Rue Baptiste-Brossard
142e Av.
144e Av.
2254
Parc des Hirondelles
Notre-Dame-de-la-Garde

Belvédère

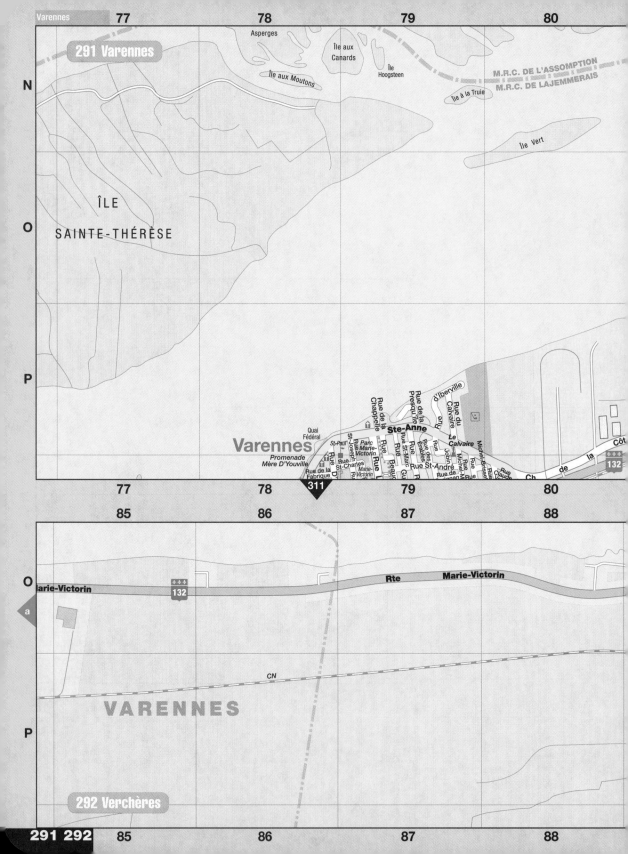

291 Varennes

Asperges

Île aux Canards

Île Hoogsteen

Île aux Moutons

Île à la Truie

M.R.C. DE L'ASSOMPTION
M.R.C. DE LAJEMMERAIS

Île Vert

N

O

ÎLE

SAINTE-THÉRÈSE

P

d'Iberville

Rue de la Chappelle

Presqu'île

Rue du Calvaire

Quai Fédéral

Ste-Anne

Le Calvaire

Varennes

St-Paul

St-Joseph

Parc Marie-Victorin

Rue des Érables

Michel-Brisset

Promenade Mère D'Youville

St-Charles

Rue de la Fabrique

Rue Marie-Victorin

Rue Beaudr

Rue St-Marc

Rue St-André

Jobin

Rue de Renan

Rue Claude

Ch de la Côt

132

311

77   78   79   80

85   **86**   **87**   **88**

O

a

Marie-Victorin

132

Rte **Marie-Victorin**

CN

P

VARENNES

292 Verchères

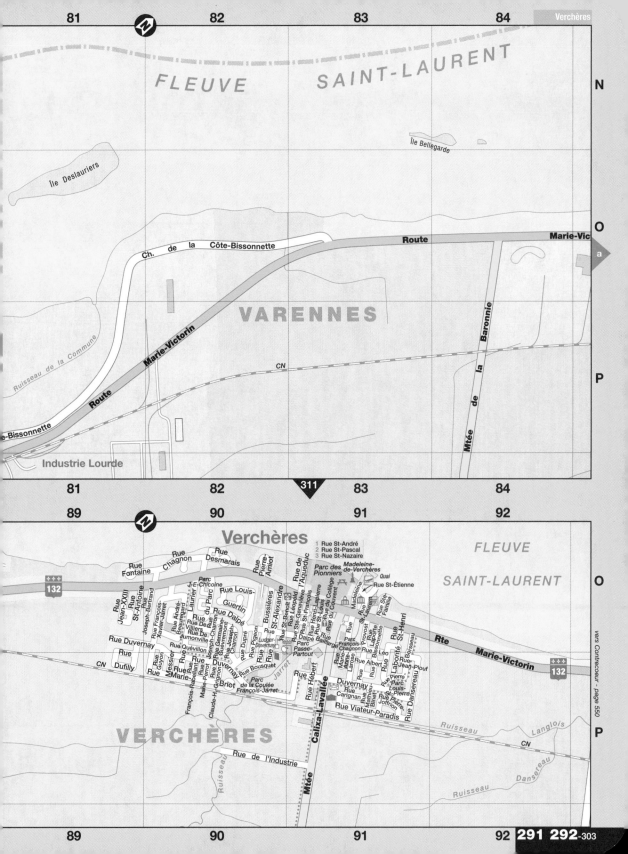

FLEUVE SAINT-LAURENT

N

Île Bellegarde

Île Deslauriers

O

Ch. de la Côte-Bissonnette

Route

Marie-Vic

a

VARENNES

Marie-Victorin

Mtée de la Baronnie

Route

P

Ruisseau de la Commune

CN

e-Bissonnette

Route

Industrie Lourde

81 82 311 83 84

89 90 91 92

FLEUVE

O

SAINT-LAURENT

Verchères

Rue Chagnon
Rue Desmarais
Rue Fontaine
Rue Pierre-Amiot
Rue de l'Aqueduc

1 Rue St-André
2 Rue St-Pascal
3 Rue St-Nazaire

Parc des Pionniers
Madeleine-de-Verchères
Quai
Rue St-Étienne

132

Parc J.-E.-Chicoine
Rue Jean-XXIII
Rue St-Antoine
Rue Joseph-Bertrand
Rue du Parc
Rue Louis-
Laurier
Rue André-Beauregard
Rue De Villiers
Rue De Dumonville
Rue Quévillon
Rue Joseph-Charron
Rue Germaine-Charron
Rue Dupré
Rue Pigeon
Rue Dalpé
Guertin
Rue St-Alexandre
Bussières
Rue St-Benoît
Rue Ste-Geneviève
Rue St-Léopold
Rue St-François
Rue du Collège
Rue du Couvent
Rue Henri-Laberre
Rue St-Pierre
Rue Madeleine
Rue St-Laurent
Rue Ste-Famille
Rue St-Henri

Rue Duvernay
Rue Dufilly
Rue Marie-
Rue Guyon
Messier
Rue Perrot
Rue Bousquet
Ludger-Duvernay
Rue Dalpé
Parc Passe-Partout
Rue Baillargé
Rue St-Louis
Rue François-Chagnon
Parc Chagnon
Rue Marie-Anne-Larose
Rue Léo
Rue Albert
Rue Pruvot
Rue Labonté
Rue Bissonnette
Rue Boisseau
Rue Labonté
Rue Jean-Plouf
Rue Danserau

CN
Rue Marie

François-Rabelais
Claude-H.-Grignon
Jarret
Rue Briot
Parc de la Coulée François-Jarret
Rue Hébert
Calixa-Lavallée
Duvernay
Rue Carignan
Rue Mathieu
Rue Binet
Rue Joffron
Parc Pierre-Louis-St-Pierre
Rue Pierre-St-Pierre
Rue Viateur-Paradis

Rte Marie-Victorin

132

VERCHÈRES

Rue de l'Industrie

Mtée

Ruisseau Langlois

Ruisseau

CN

Ruisseau

Dansereau

P

vers Contrecoeur - page 550

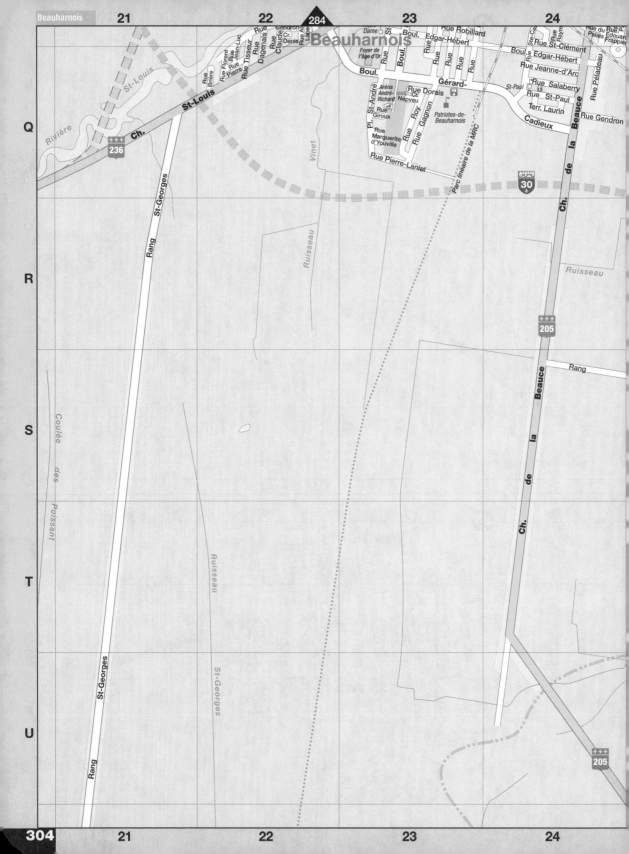

21 22 23 24

Beauharnois

Q

R

S

T

U

21 22 23 24

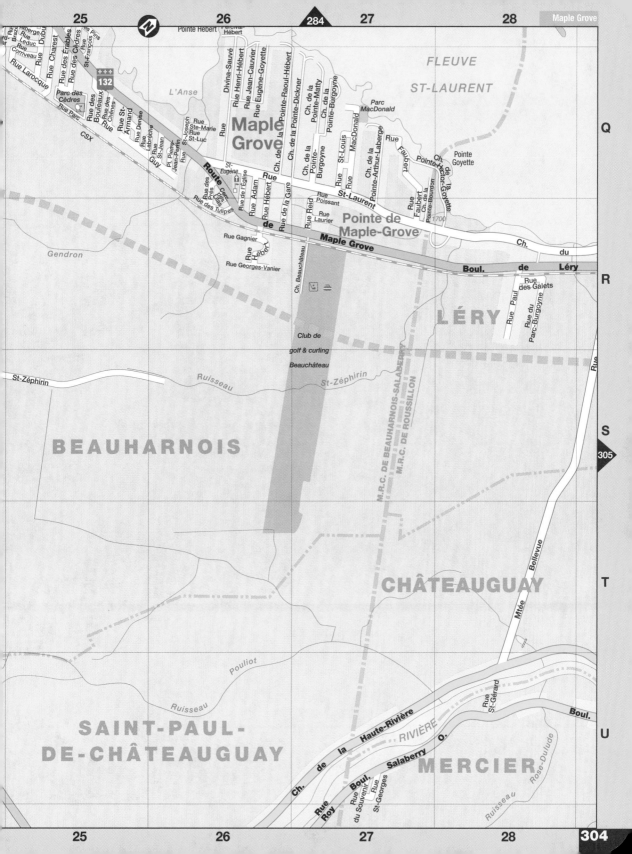

N

Maple Grove

FLEUVE ST-LAURENT

L'Anse

Pointe Hébert

Percival-Hébert

Parc des Cèdres

Rue Larocque

Rue Corriveau

Rue Leduc

Rue Dubu

Rue des Pins

Rue Brazea

l'auberge

Rue Charest

Rue des Érables

Rue des Cèdres

Rue St-François

132

Parc des Cèdres

CSX

Rue des Bouleaux

Rue des Chênes

Rue St-Armand

Rue Denise

Rue Labrèche

Rue St-Jean

Guy

Pl. Pierre-Jean-Perrin

Rue St-Joseph

Rue Ste-Marie

Rue St-Luc

Divina-Sauvé

Rue Henri-Hébert

Rue Jean-Cauvier

Rue Eugène-Goyette

Ch. de la Pointe-Raoul-Hébert

Ch. de la Pointe-Dickner

Ch. de la Pointe-Matty

Ch. de la Pointe-Burgoyne

Parc MacDonald

St-Eugène

Route

Rue de l'Église

Rue Adam

Rue Hébert

Rue de la Gare

Ch. de la Pointe-Burgoyne

Rue St-Louis

MacDonald

Ch. de la Pointe-Arthur-Laberge

Rue Faubert

Ch. de la Pointe-Bourdon

Ch. de la Pointe-Hector-Goyette

Pointe Goyette

Rue des Prés

Parc des Lilas

Rue des Tulipes

Rue Reid

St-Laurent

Rue Poissant

Rue Laurier

Rue Faubert

1700

Pointe de Maple-Grove

Rue Gagnier

Rue Hébert

Rue Georges-Vanier

de

Rue

Maple Grove

Boul.

de

Léry

Ch.

du

Gendron

Ch. Beauchâteau

Rue Paul

Rue des Galets

Rue du Parc-Burgoyne

LÉRY

Club de golf & curling Beauchâteau

St-Zéphirin

Ruisseau

St-Zéphirin

BEAUHARNOIS

M.R.C. DE BEAUHARNOIS-SALABERRY

M.R.C. DE ROUSSILLON

305

CHÂTEAUGUAY

Bellevue

Mtée

Pouliot

Ruisseau

SAINT-PAUL-DE-CHÂTEAUGUAY

Ch.

de

la

Haute-Rivière

RIVIÈRE

O.

Salaberry

MERCIER

Rue St-Gérard

Rue Roy

Boul. du Souvenir

Boul.

Rue St-Georges

Rose-Dulude

Boul.

Ruisseau

Q

R

S

T

U

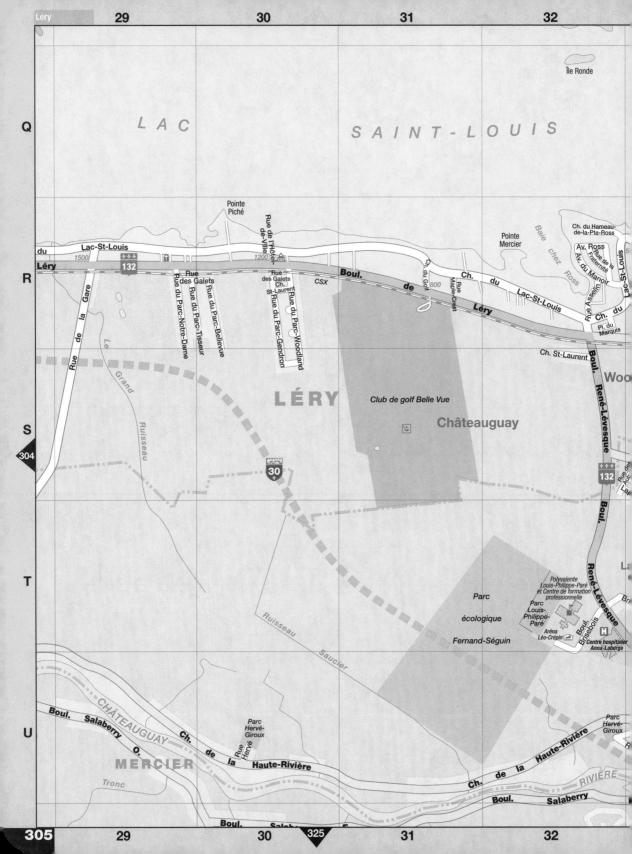

Île

Saint-Bernard

ge faunique
Marguerite-
d'Youville

Q

R

Île St-Nicolas

Johnson-
Beach

Pointe Johnson

Ch. du Bord de l'Eau
Boul. Salaberry N.
Rue Higgins
Rue Maisonneuve
Rue Legaré
Rue Letourneau
Rue Bouchard
Rue Stonehouse
Rue Pelletier
Rue Marin
Rue Dubuc
Parc Pelletier

N.
Rue Scott
Rue Joseph
Salaberry
Rue Latour
Rue
Rue Beauregard

Boul.

Ch.

Rue Jack

du   Christ-Roi

St-Bernard

CHÂTEAUGUAY

Station
d'Épuration
St-Bernard

S

305

Maison
de retraite
Christ-Roi

Rue Robert O.
Rue Aimé
Rue Orchard
Rue Dupont O.
Rue Wright O.
Rue Pine

Delisle Rd.

Big   Fence   Rd.

Pointe Bell

Wigwam-
Beach

Annabelle-
Beach

Goodleaf Rd.
Annabell Beach Rd.
Bell
Delorimier

Old   Châteauguay   Rd.

T

Maple
Rue Hamilton
Cr. Pine
Rue Caryle
Oliver O.
Forest
Rue Dupont E.
Rue Wright E.
Rue Carlyle E.
Birch
Rue Gordon
Pl. des Ormes
Elm
Rue Cédar
Rue Elm
Rue
Rue Hillcrest
Rue Bosquet
Rue Robert E.
Pl. des Mélèzes

Parc
MacDonell

CSX

Cimetière
Christ-Roi

Rue Robert E.

Dell Rd.

Ruisseau

Diabo   Rd.

Bordeau Rd.

s

U

Gabrielle-
Roy
Rue
Pl.
Bellefeuille
Bellefeuille
Elmridge

Parc
Jules-
Léger
Laberge
Jean-
François
Barette
Rue
Willow
Rue Rideau
Rue Olivier E.
Rue Spruce
Rue Lavigne
Rue Boudrias
Rue des trembles
Ch. des Hauts-Boisés
Rue des Chênes

Rue des Doucet
Rue des Cerisiers

Boul.
sson
Milton
Lafayette
Bonaventure
Concordia
Rue
Woodburn
Rue Crestwood
Seigniory
Rue de
Northmont

Dell Rd.

132
138

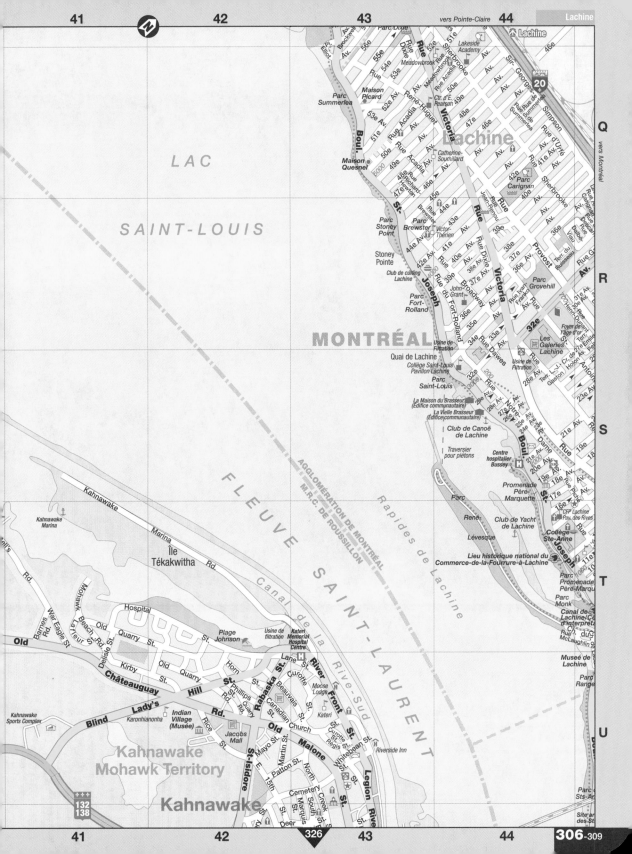

LAC

SAINT-LOUIS

MONTRÉAL

Lachine

Parc Summerlea

Maison Picard

Maison Quesnel

Parc Stoney Point

Stoney Pointe

Club de curling Lachine

Parc Fort-Rolland

Quai de Lachine

Collège Saint-Louis Pavillon Lachine

Parc Saint-Louis

La Maison du Brasseur (Édifice communautaire)

La Vielle Brasseur (Édifice communautaire)

Club de Canoë de Lachine

Traversier pour piétons

Parc

René-Lévesque

Centre hospitalier Bussey

Promenade Père-Marquette

Club de Yacht de Lachine

Collège Ste-Anne

Lieu historique national du Commerce-de-la-Fourrure-à-Lachine

Promenade Père-Marqu.

Parc Monk

Canal de Lachine/Ce d'interprét.

Musée de Lachine

Parc Range

FLEUVE SAINT-LAURENT

Rapides de Lachine

AGGLOMÉRATION DE MONTRÉAL
M.R.C. DE ROUSSILLON

Kahnawake Marina

Île Tékakwitha

Canal de la Rive-Sud

Hospital

Quarry St.

Plage Johnson

Usine de filtration

Kateri Memorial Hospital Centre

Moose Lodge

Kahnawake Sports Complex

Indian Village (Musée)

Karonhianonha

Jacobs Mall

Riverside Inn

Kahnawake
Mohawk Territory

Kahnawake

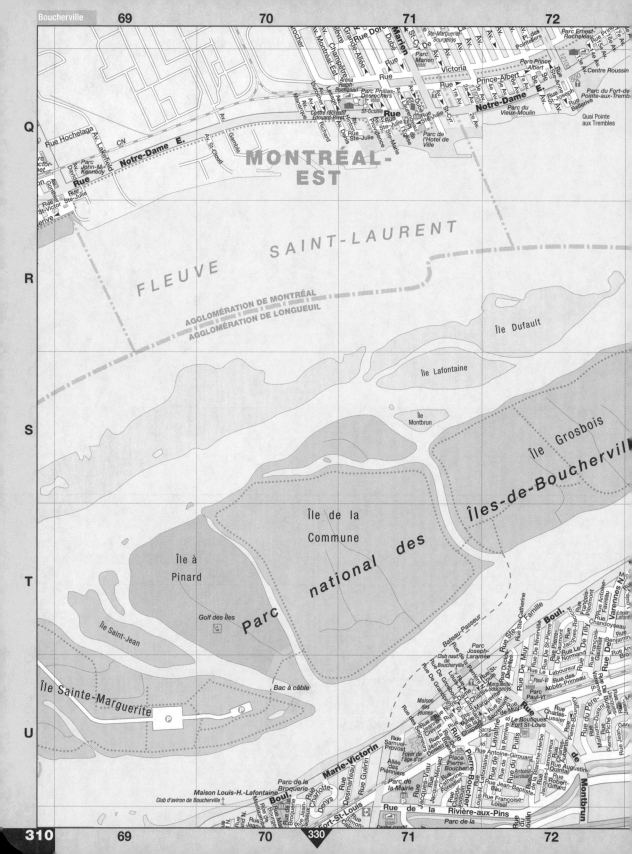

FLEUVE SAINT-LAURENT

MONTRÉAL-EST

AGGLOMÉRATION DE MONTRÉAL
AGGLOMÉRATION DE LONGUEUIL

Île Dufault

Île Lafontaine

Île Montbrun

Île Grosbois

Îles-de-Boucherville

Île de la Commune

Île à Pinard

Parc national des

Île Saint-Jean

Golf des Îles

Île Sainte-Marguerite

Bac à câble

Bateau-Passeur

Maison Louis-H.-Lafontaine
Club d'aviron de Boucherville

Parc de la Broquerie

Boul. Marie-Victorin

Parc de la Mairie

Rue de la Rivière-aux-Pins

Q

Neuville-
sur-Vanne

t-de-
mbles

Île Benesh

Le Grand Chenal

Île St-Patrice

La Grande Île

Île aux Fermiers

Île
Masta

ÎLES DE VARENNES

R

Chenal du Sud

Ruisseau du P

Ch.

Côte-d'en-Haut

Route

S

311

Parc
de la
Frayère

Ch. de la

Rue de

Rue de la
Côte-d'en-Bas

Parc
Porta

Rue de

Rue de

ille

Club nautique
de Mésy

Boul.   Marie-Victorin

Pins

CN

Parc
de la
Frayère

Rue de

Rue de la
Métairie

Langevin

AGGLOMÉRATION DE LONGUEUIL
M.R.C. DE LAJEMMERAIS

Marie-

Victorin

Pl. Marie-
Victorin

Rue
Marie-Anne

Rue

Messier

Rue Jean-
Bochart

Pierre
Chaperon Gilles Hocquart

Rue de

Parc des
Gouverneurs

Rue
Langevin

T

Rue John-Munro
Rue Nicolas-
Hogleman
Rue
Babin

Charles
Guimond
Rue Charles-Roy
Rue Charles-Roy

Rue
Montmagny

Rue Birtz

Rue Jean-
Boussant

Rue
Michel-
Moreau

Rue

De Levilliers

Rue De
Courcelle

Pierre-Joffrion
Rue Anne-
Le Moyne

Rue de
Beauharnois

Rue
Saichet

Antoine-Delaune

Rue de
Callières

Rue De Duquesne

Rue
François-
Pillet

Rue

Rue

Michel-Pelletier
Rue
Joseph-Babin
Rue Honoré-
Desrochers

De
Montarville

Rue Pierre
d'Avignon
Rue
Auguste
Rue Lacaille

Pierre-Viger

De Mésy
De Mésy

Rue Le Gardeur

Rue Marie-
Boulard

Rue

Boul. du   Fort-St-Louis

Rivière

BOUCHERVILLE

Normandin
Rue
Jean-Baptiste-
Riendeau

De Léry
Rue
De
Louis-Lacoste

Rue
Marie-
Chauvin

Père-
Marquette

Rue de
la Seine

Rue de
la Seine

Rue du Poitou

Rue de La Rochelle

aux

Rivière

Louis-H.
Lafontaine

amin-Loiseau

Rue des   Abbés-Primeau

Rue des Abbés-
Primeau

Rue de Tours

Rue François-V.-Malhiot

VARENNES

e Antoine
Brodeur

Rue

Le Jeune
Parc
Jacques-
de-Noyon

Joseph-Bouchette
Rue Jean-Plouf

Rue
Jacques-
Viporte
Rue
Thomas-
Frérot

Rue de
Mésy

Rue

Nicole-Lemaire

132

Gareau

Rue Jean-Plouf
Rue Jean-Poirre

Rue Jean-Bois

Parc Nicole-
Lemaire

Rue

U

Ch.   Général-Vanier

Rue de la Rivière-aux-Pins

Ch.   Général-Vanier

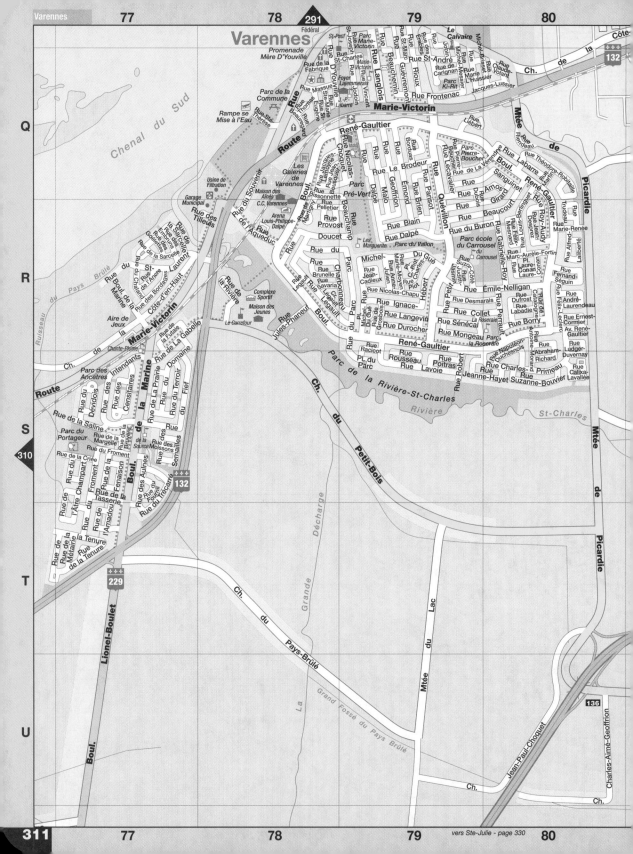

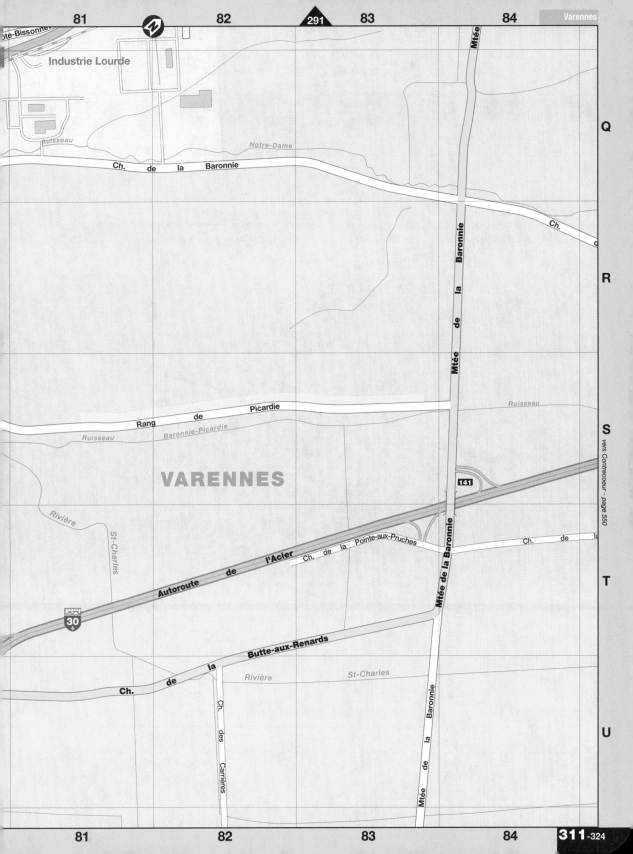

Industrie Lourde

Q

Ruisseau

Notre-Dame

Ch. de la Baronnie

Ch.

R

Mtée de la Baronnie

Picardie

Rang de Picardie

Ruisseau

Ruisseau   Baronnie-Picardie

S

VARENNES

141

Rivière

St-Charles

Autoroute de l'Acier   Ch. de la Pointe-aux-Pruches

Ch. de la

T

30

Mtée de la Baronnie

vers Contrecoeur - page 550

Butte-aux-Renards

Ch. de la

Rivière   St-Charles

Mtée de la Baronnie

Ch. des Carrières

U

Kahnawake

132
138

Cemetery Creek St.
Cemetery Rd.
South Bush St.
Marquis Creek
Deer St.
Kane St.
Redbird St.
Corner St.
Bush St.
Veterans St.
McCumber St.
Cross St.
Lanache St.
Lazare St.

Kahnawake Mohawk Territory

Usine d'épuration

Matty's Park

Pont Honoré-Mercier

138

V

207
221

Club de golf
Kahnawake

Old Malone St.

Canal de la Rive-Sud

FLEUVE SAINT-LAURENT

AGGLOMÉRATION DE MONTRÉAL
M.R.C. DE ROUSSILLON

W

St-Isidore Rd.

Station Rd.

Patton's Glen golf

Adirondack Junction

Club de golf
Caughnawaga

Hydro Tower Rd.

Hydro Tower Rd.

Mohawk Tr.

SL13

X

327

MacGregor Farm Rd.

Indian School Way

SL12

132

Kahnawake Mohawk Territory

Texas

Y

Rivière Suzanne

Mohawk Tr.

CP

Deer Rd.

Farm Rd.

MacGregor

Farm Rd

Old School House Area

Mohawk Tr.

Z

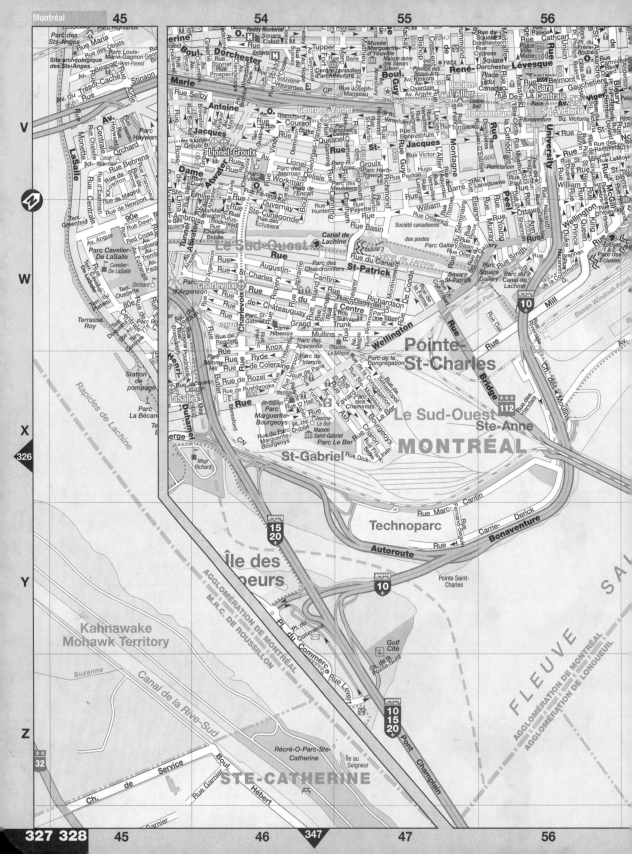

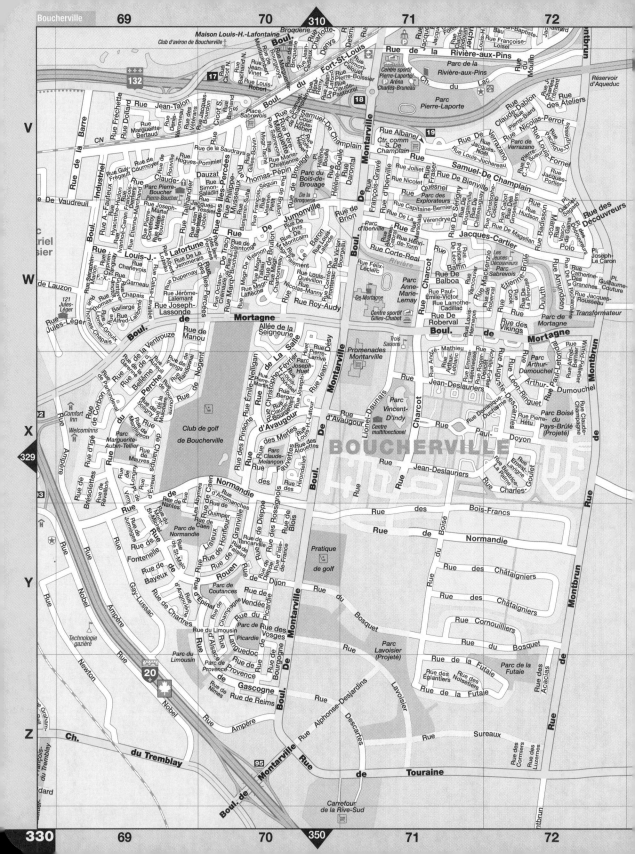

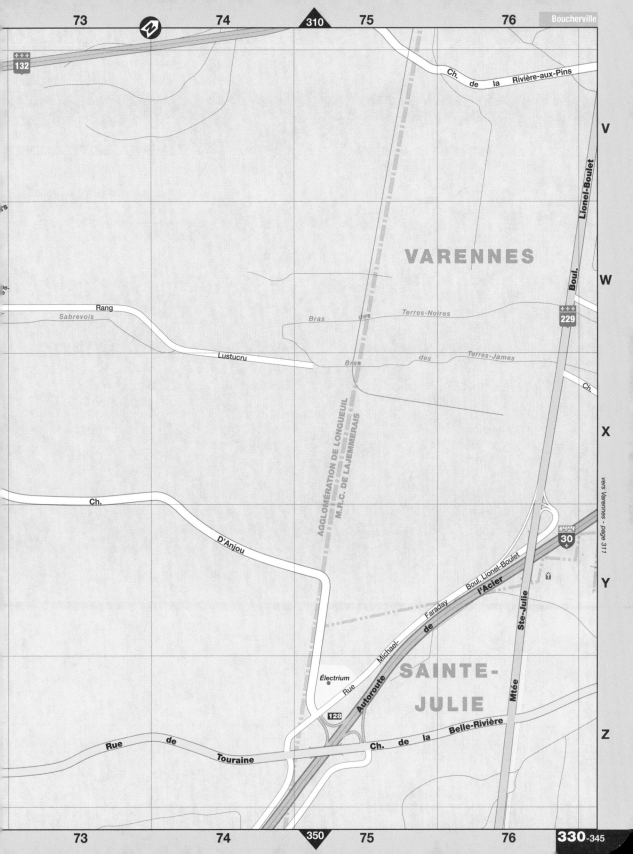

132

Ch. de la Rivière-aux-Pins

V

Lionel-Boulet

VARENNES

Boul.

W

229

Rang

Sabrevois

Bras   des   Terres-Noires

Lustucru

Bras   des   Terres-James

Ch.

X

AGGLOMÉRATION DE LONGUEUIL
M.R.C. DE LAJEMMERAIS

Ch.

D'Anjou

30

vers Varennes - page 311

Faraday

Boul. Lionel-Boulet

l'Acier

Y

Michael-

de

Ste-Julie

Mtée

Électrium

Rue

SAINTE-
JULIE

Autoroute

128

Z

Rue   de

Touraine

Ch.   de   la   Belle-Rivière

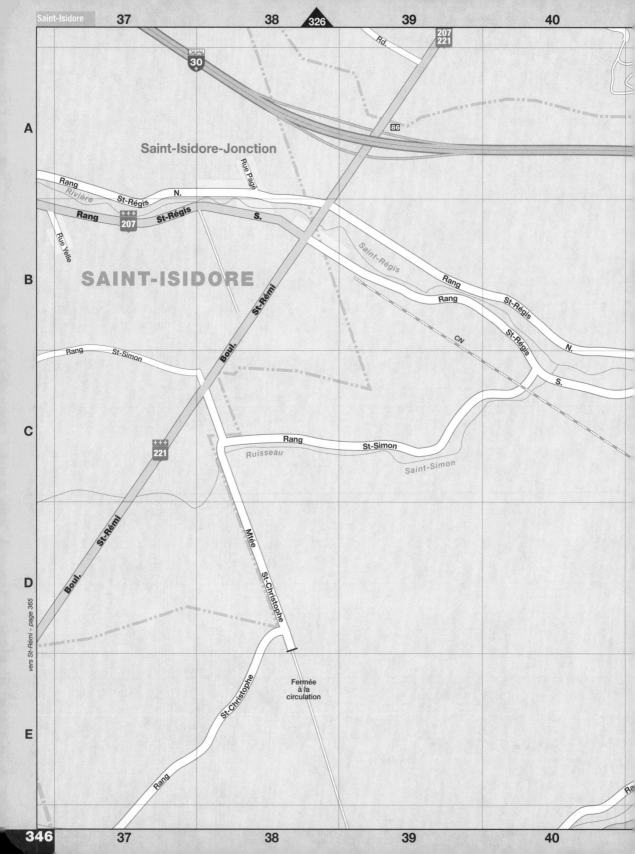

37 38 ▲326 39 40

30

A

Saint-Isidore-Jonction

86

207
221

Rd.

Rang
St-Régis
Rivière
N.
Rue Page

Rang
207
St-Régis
S.

Rue Yelle

B

SAINT-ISIDORE

St-Rémi

Saint-Régis

Rang

Rang

St-Régis

St-Régis

N.

Rang
St-Simon

Boul.

CN

S.

C

221

Rang
St-Simon

Ruisseau

Saint-Simon

St-Rémi

Boul.

D

Mtée

St-Christophe

vers St-Rémi – page 365

Fermée
à la
circulation

St-Christophe

E

Rang

Ra

37 38 39 40

Kahnawake
Mohawk Territory

FUTUR 730
TEMP 30
30
90

Mtée
Rue Ste-Catherine

Rang St-Régis N.
Rivière
Rang
Saint-Régis
St-Régis S.

St-Régis

SAINT-
CONSTANT

Méga-Parc

Armand-
Frappier
Aquarelle
Ste-
Catherine

Parc Mon
Roussillon

Rue Marotte
Cr. Ste-Catherine
Rue Clarke
Rue Vidal
Rue Vinet
Rue Versailles
Rue Veilleux
Rue Vivaldi
Rue Vallières
Rue Veronneau
Rue Vanier
Rue Vuerne
Rue Vachon
Rue Vieira
Rue Valois
Rue Veillette
Rue Valade
Rue Viviane
Rue Vincent
Rue Vallée
Villeneuve
Rue Verdun

Rue Morin
Rue Montour
Rue Moquin
Rue Morand
Rue Montb
Monberte

Rue Turcot
Rue Tourangeau
Rue Tourandeau
Rue Tougas
Rue Touquin
Rue Tougas
Rue Ville-Marie
Cr. Monchamp
Félix-
Leclerc
Thibart
Rue Vigneault
Rue Vign

Bassin
Roch-
Lanctôt
Centre
municipal
Monchamp
Rue Avignon

Cr. de l'Olivier
Rue de l'Oiselier
Ch. Petit-St
Parc
Oligny

Rue de
l'Aster
Rue de
l'Aubépine
Boul.
Rue de
l'Amandier
Rue de
l'Alisier
Rue de
l'Azalée
Rue de l'A

Rue
Rue de la
Rue de la
Bassin
7e Av.
6e
5e
4e Av.
3e Av.
2e Av.
1re

Centre Plein-Air
Hivernal
Monastère
Rue des
Prémontrés
Rue
David
Rue
Hébert
Rue
Mercier
Rue
Victoria
Rue
Boisvert
Rue
Matte
Marie
Beauchesne
Parc
Beauchesne
Côte-Palace
Parc
Cop
Parc
Joseph-
Narcisse-
Cardinal

Rue Duchâtel
Rue de
Dublin
Rue Dorion
Rue Delorme
Rue Delage
Rue des
Pins
Mtée
Rue du Parc
Parc
Leblanc
Jacques-
Leber
Rue
Duval
Leber
Rue De
Beaujour
des
Rue Demais
Rue
St-André
Pierre-Dupuis
Rue Boyer
Rue St-Alexandre
La Salle
Rue St-Roch
Rue Émard
Saules
Rue Église
Rue Létourneau
Brodeur
Baillargeon
Bienvenue
St-Régis
Laurier
Rue Bernard
Berger
Rue Bélair
Parc des
Jardins

St-Pierre
209
Rue St-Pierre
St-Pierre
St-Pierre
Rivière
St-Pierre

St-Pierre
Rue
St-Joseph
Rue
de la
Fabrique
Rue St-Jean
Rue
Champlain
Rue Chantal
Rue Centre
Rue
Chapais
Rue
Cousineau
Rue Côte
Rue Barbeau
Cri
Berger
Bourdeau
Boulé
Belletour
Boisbriand
Bois-de-Boulogne
Beauvais
Rue
Barnett
Rue Boisjoli
Rue Beaumont
Rue Baron
Rue Beau
Brosseau
Boule

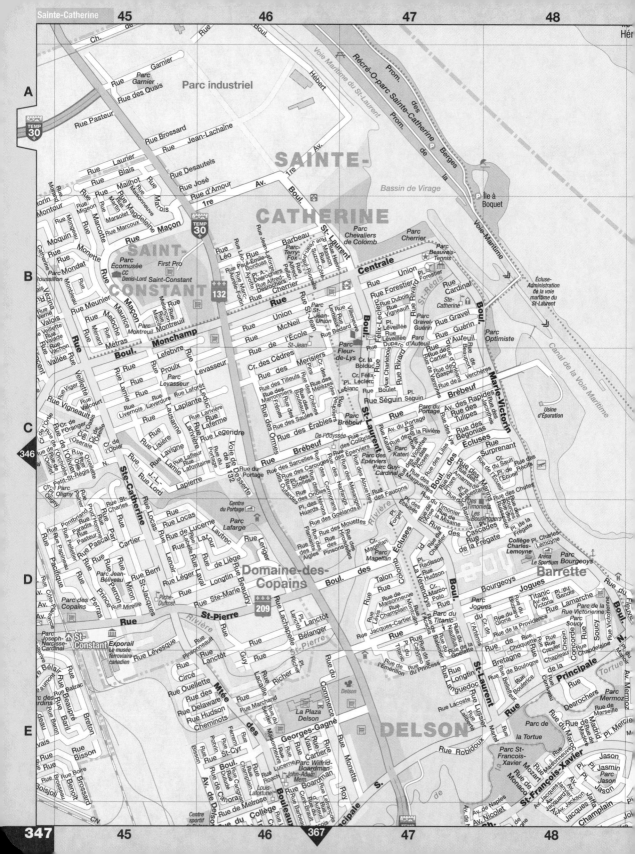

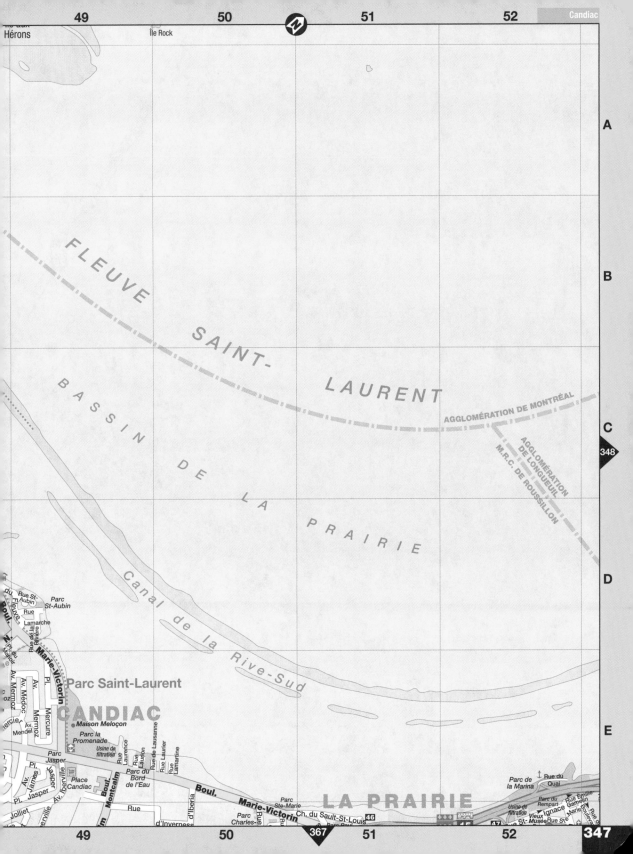

F L E U V E   S A I N T - L A U R E N T

AGGLOMÉRATION DE MONTRÉAL

AGGLOMÉRATION DE LONGUEUIL
M.R.C. DE ROUSSILLON

348

B A S S I N   D E   L A   P R A I R I E

Canal de la Rive-Sud

Île Rock

Hérons

Rue St-Aubin
Parc St-Aubin
Rue Lamarche
du Fleuve
Rue
Boul.
Pl. du Manoir
N
Av. Mercier
Av. Mermoz
Marie-Victorin
Pl.
Av. Médoc
Av.
Mercure
Mermoz
Av. Mendel
Mercure
Pl.
Jasper
Av. James
Jasper
Pl. Jasper
Parc
Jasper
Place
Candiac
Joliet
Av. d'Iberville
Boul. Montcalm
Rue
d'Inverness
d'Iberia
Rue
Parc Saint-Laurent
CANDIAC
Maison Meloçon
Parc la Promenade
Usine de filtration
Rue Laurence
Rue Laurier
Rue Laudon
Rue de Lausanne
Rue Laurier
Rue Lamartine
Parc du Bord de l'Eau
Boul.
Marie-Victorin
Parc Ste-Marie
Parc Charles-
Ch. du Sault-St-Louis
LA PRAIRIE
Parc de la Marina
Rue du Quai
Usine de filtration
Parc du Rempart
Vieux Ignace
Musée Rue Ste-
Rue Émilie Gamelin
Marie Boul.
46
15
47

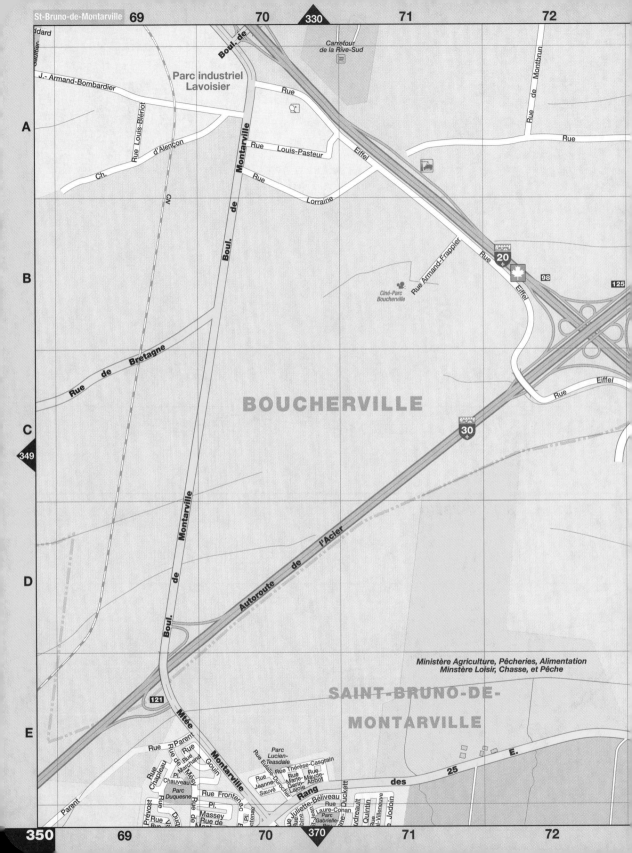

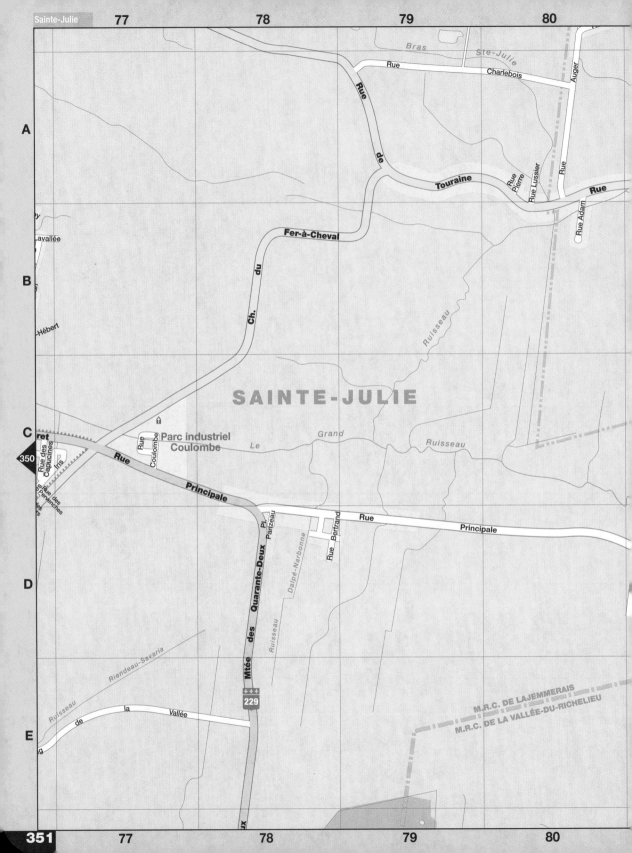

SAINTE-JULIE

Parc industriel
Coulombe

M.R.C. DE LAJEMMERAIS
M.R.C. DE LA VALLÉE-DU-RICHELIEU

SAINT-AMABLE

SAINT-MATHIEU-DE-BELOEIL

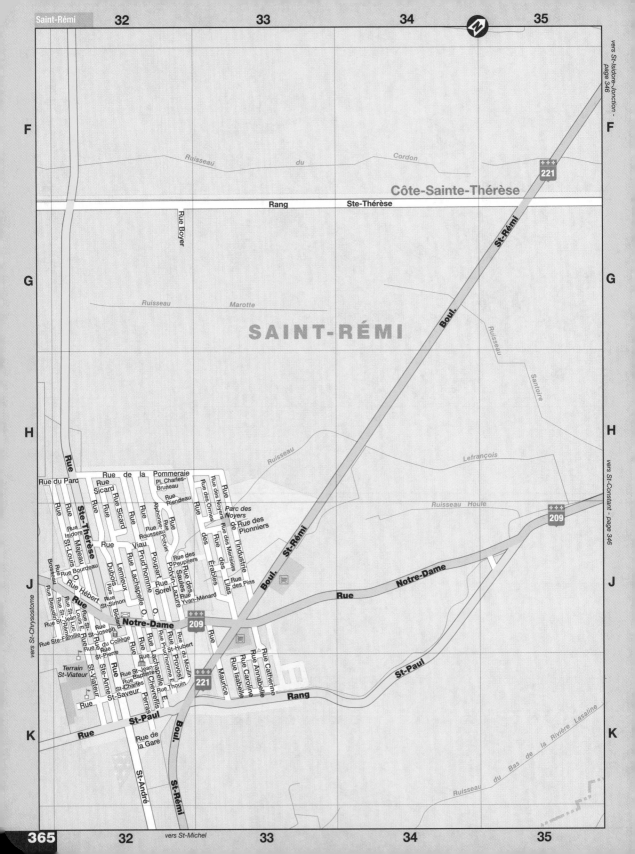

F

vers St-Isidore-Jonction - page 346

Ruisseau   du   Cordon

221

Côte-Sainte-Thérèse

Rang   Ste-Thérèse

St-Rémi

Rue Boyer

G

Ruisseau   Marotte

Boul.

Ruisseau

SAINT-RÉMI

Santoire

H

vers St-Constant - page 346

Ruisseau

Lefrançois

Ruisseau   Houle

209

Rue de la Pommeraie
Pl. Charles-Bruneau
Rue Riendeau
Rue du Parc
Rue Sicard
Rue Sicard
Rue des Noyers
Rue des Ormes
Rue des Merisiers
Parc des Noyers
Rue des Pionniers
Rue Alphonse-Potvin
Rue Rousseau
Ste-Thérèse
Rue Isidore
Rue
Rue
St-Louis
Rue Maijau
Rue
Viau
Rue
Rue des Peupliers
Rue des Lilas
Rue des Érables
Rue de l'Industrie
St-Rémi
Boul.

J

Rue Dubois
Rue Lemieux
Rue Prud'homme
Rue Lachapelle O.
Rue Poupart
Rue Sorel
Rue Potvin-Lazure
Rue des Saules
Rue Yvan-Ménard
Rue des Pins
Rue
Notre-Dame
Rue
St-Paul

Rue Bourdeau
Rue Hébert
Rue St-Simon
Bédard
Notre-Dame
209

Rue Brosseau
Rue Beaudin
Rue St-Rémi
Rue St-Jean Lts
Rue Louis Lts
Rue St-Joseph
Rue du Collège
Rue St-Pierre
Rue du Moulin
Rue St-Hubert
Rue Provost
Rue Catherine
Rue Annabelle
Rue Caroline
Rue Isabelle
St-Paul

Rue Ste-Famille
Terrain St-Viateur
Rue Ste-Anne
Rue St-Viateur
Rue St-Jean-Baptiste
Rue St-Charles
Rue St-Saveur
Rue Lachapelle E.
Rue Chevrefils
Rue Perras
Rue Thouin
Maurice
221

K

Rue
St-Paul
Rue de la Gare
Boul.
St-André
St-Rémi

Rang

Ruisseau   du Bas de la Rivière Lasaline

vers St-Chrysostome

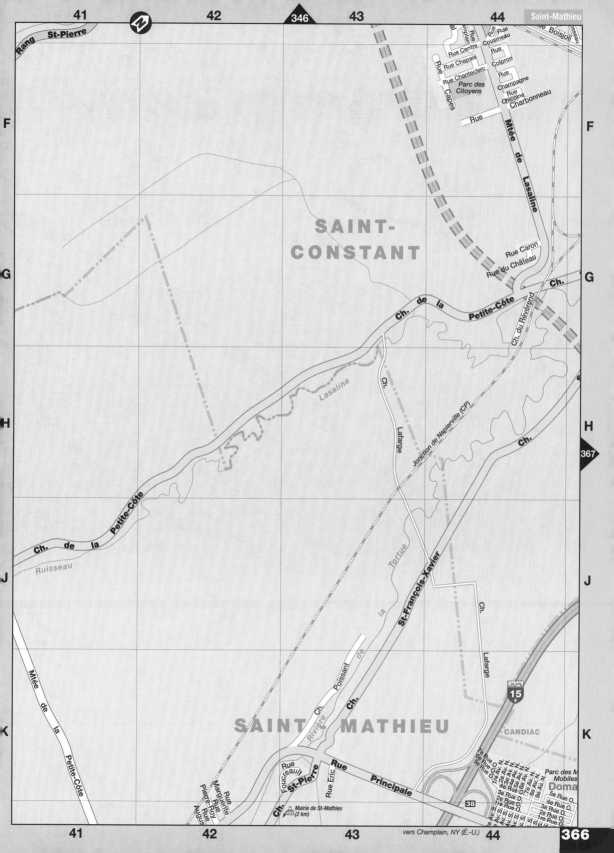

41 42 346 43 44

Rang St-Pierre

Rue Champlain
Rue Centre
Rue Cousineau
Rue
Rue Chapais
Rue Colproni
Rue Chanteclerc
Rue
Rue Champagne
Parc des Citoyens
Rue Chicoine
Charbonneau
Rue Capes
Rue
Boisjoli

Mtée de Lasaline

F F

SAINT-CONSTANT

Rue Caron
Rue du Château

G Ch. de la Petite-Côte Ch. du Révérend Ch. G

Lasaline

Ch.

H Lafarge Jonction de Napierville (CP) Ch. 367 H

Ch. de la Petite-Côte

Ruisseau

Tortue

St-François-Xavier

J la Ch. J

Lafarge

Mtée de la Petite-Côte

15

K **SAINT-MATHIEU** CANDIAC K

Rivière Poissant de Ch.

Ch.

Rue
Foucreault
Rue
Marguerite
Rue
Pierre-Roy
Rue
Augustin
St-Pierre
Rue Éric
Rue
Principale
Domaine

Parc des M
Mobiles

Ch. Mairie de St-Mathieu
(2 km)

38

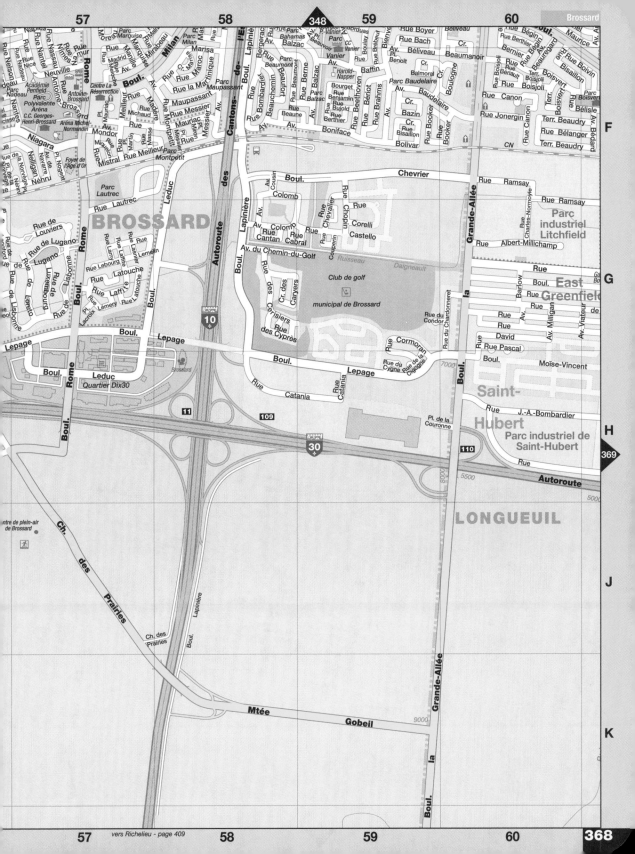

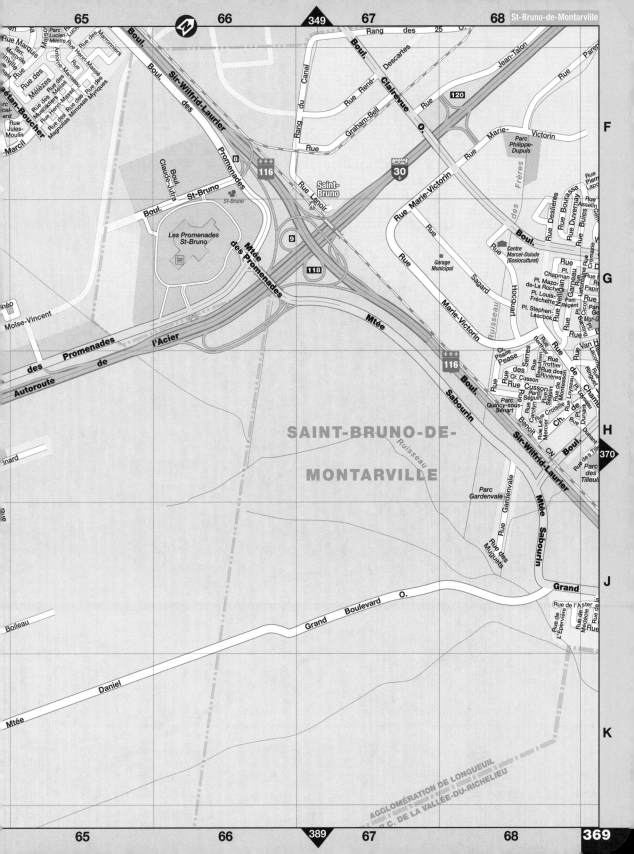

Rang des 25

Boul. Clairevue O.

Boul. Descartes

Jean-Talon

Rue René-

Rue Graham-Bell

Rue du Canal

Rang du Canal

Rue

120

Parc Philippe-Dupuis

Victorin

F

Rue Marie-Victorin

des Frères

Rue Desilières

Rue Bourassa

Rue Duvernay

Rue Bules

Rue

Rue

Pierre

Lapo

Asselin

116

Saint-Bruno

30

Rue Lenoir

Boul. Sir-Wilfrid-Laurier

Boul. des

Promenades

Boul. Claude-Jutra

Boul. St-Bruno

St-Bruno

Les Promenades St-Bruno

9

Mtée des Promenades

Rue

Rue

Garage Municipal

Rue

Sagard

Boul.

Centre Marcel-Dulude (Socioculturel)

Rue

Rue

Rue

Pl. Chapman

Pl. Mazo-de-La Roche

Pl. Neligan

Pl. Louis-Fréchette

Pl. Stephen-Leacock

Crémazie

Rue

Rue

Parc Régent

G

Hocquart

Ruisseau

Marie-Victorin

118

116

Mtée

Van H

Rue

Cr. Pease

Pease

Rue

Serres

Rue Trottier

Berthier

Rivières

des

des

Cr. Cusson

Rue Cusson

Parc Séguin

Séguin

Carolyn

Rue Loyseau

Rue de Montesson

Parc Quincy-sous-Sénart

Mercier

Benoit

CN

Boul.

Ch.

de

Cham

H

370

Rue

Van H.

Rue

Rue

Rue

Rue de

Rue Croisille

Dunant

Dunant

Boul. Dunant

Rue des Till

Parc des Tilleuls

des

Promenades

de

l'Acier

Autoroute

Moïse-Vincent

Rue

Boul. Sabourin

Sir-Wilfrid-Laurier

SAINT-BRUNO-DE-

MONTARVILLE

Ruisseau

Mtée Sabourin

Parc Gardenvale

Gardenvale

Rue des Muguets

Rue

J

Grand

inard

Boileau

Grand Boulevard O.

Rue de l'Aster

Rue de l'Épervière

Rue de Médéole

Rue

Daniel

Mtée

K

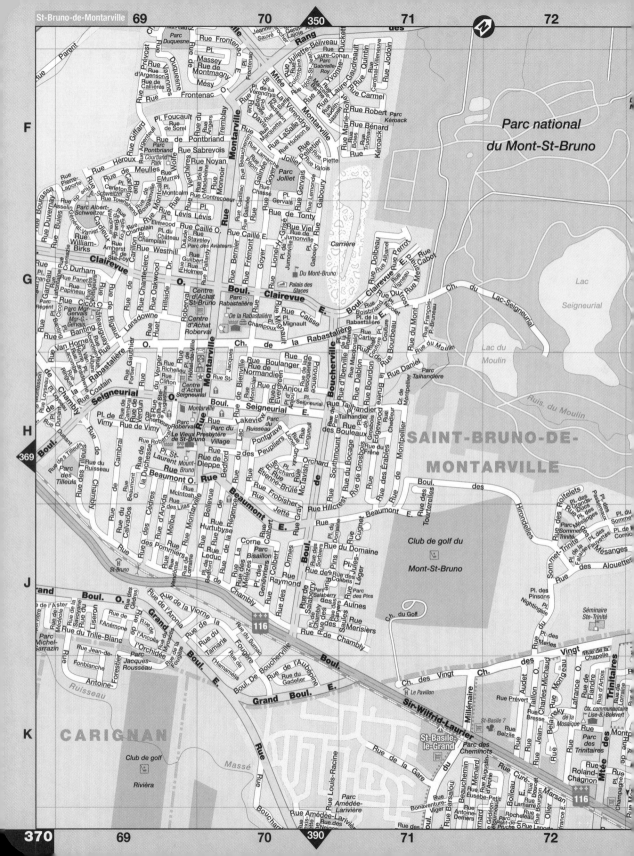

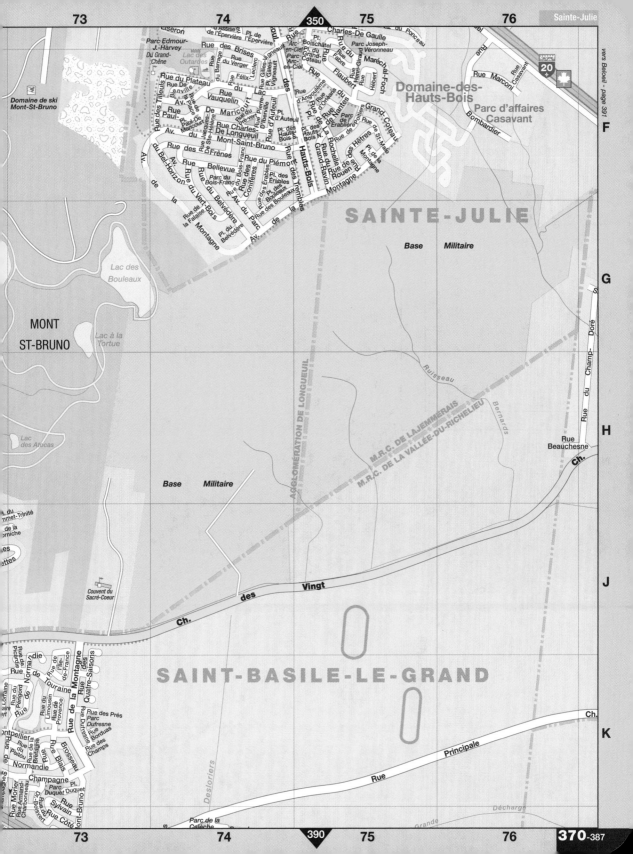

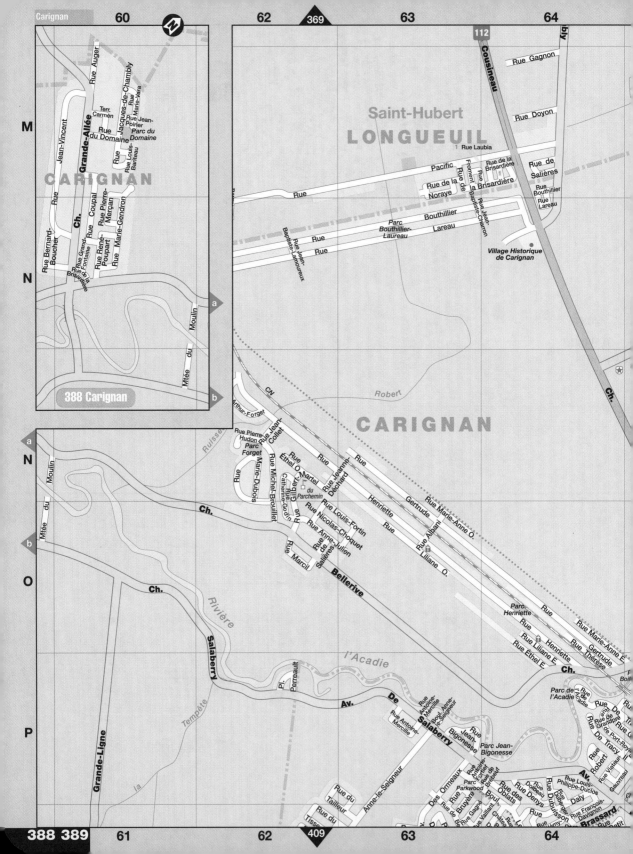

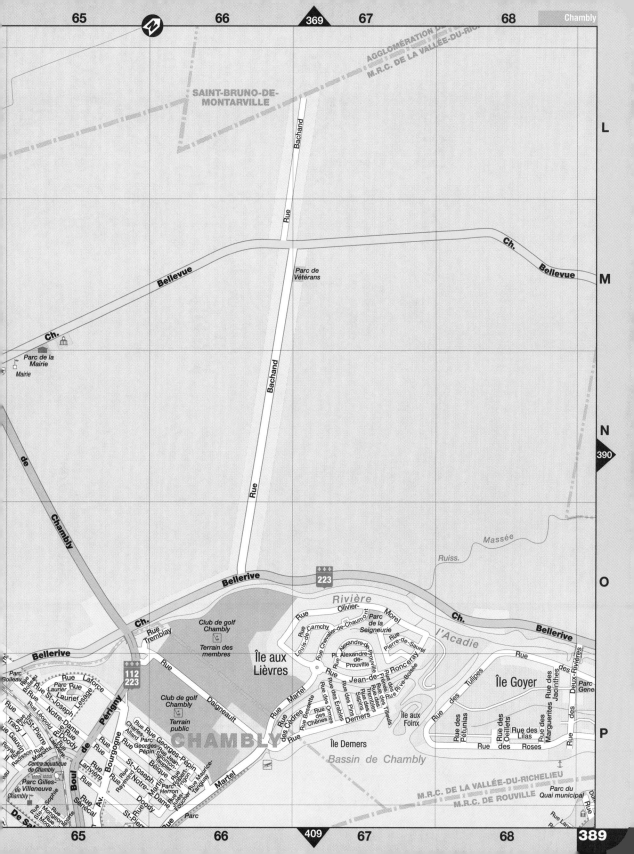

L

M

N

390

O

P

SAINT-BRUNO-DE-MONTARVILLE

AGGLOMÉRATION DE
M.R.C. DE LA VALLÉE-DU-RICH

Bachand

Rue

Ch.

Bellevue

Bellevue

Ch.

Bellevue

Parc de
Vétérans

Ch.

Parc de la
Mairie

Mairie

de

Chambly

Bachand

Rue

Rue

Massée

Ruiss.

223

Bellerive

Ch.

Bellerive

Rivière

Olivier-

Morel

l'Acadie

Rue

Club de golf
Chambly

Terrain des
membres

Ch.

Rue
Tremblay

Rue

Parc
de la
Seigneurie

Pierre-de-Saurel

Rue

des

Rue

Rue des
Tulipes

Île Goyer

Parc
Gene

Deux-Rivières

Jacinthes

Marguerites

Parc
Boileau

Bellerive

Périgny

Boul.

de

Rue

Club de golf
Chambly

Terrain
public

Daigneault

Rue

Martel

Rue

Jean-de-

Ronceray

Rive-Boisée

Île aux
Lièvres

Île aux
Lièvres

Pl. Alexandre-
de-Prouville

Alexandre-
de-Prouville

Louis-René

Rue Chevalier-de-Chaumont

Rue de Camchy

Rue

Île aux
Foinx

Rue des
Frênes

Rue des Tilleuls

Rue des
Trembles

Rue des
Sapins

Rue des Pins

Rue des Érables

Rue des
Chênes

Rue des Ormes

Rue des Cèdres

Rue des

Rue

Île Demers

Demers

Rue des
Pétunias

Rue
des

Rue des
Oeillets

Rue des
Lilas

Rue des
Roses

Rue des

Rue

Parc
St-Joseph

Rue
Laurier

Laforce

Lesage

Rue
Laurier

Rue

Notre-Dame

Rue Georges-Pépin

Rue Georges-Pépin

Charles-
Salomon

Rue Jean-
Baptiste

St-Joseph

St-Pierre

St-Léonald

Rue

Notre-Dame

Bourgogne

Lariviere

Rue

Av.

Rue

Parc
Herron

Raymond Notre-

Robert

Parc
Tanguay

Maurice-
Foucher

Frégot

Rue

Duteddy

St-Pierre

Rue

Sénécal

Mongeon

Sophie

Rue

Gauvin

Royal

Tracy

Radisson

St-Pierre

Centre aquatique
de Chambly

Parc Gilles-
Villeneuve
Chambly

De Sal

CHAMBLY

Bassin de Chambly

Parc

Martel

M.R.C. DE LA VALLÉE-DU-RICHELIEU

M.R.C. DE ROUVILLE

Parc du
Quai municipal

Du

Rue Lang

112
223

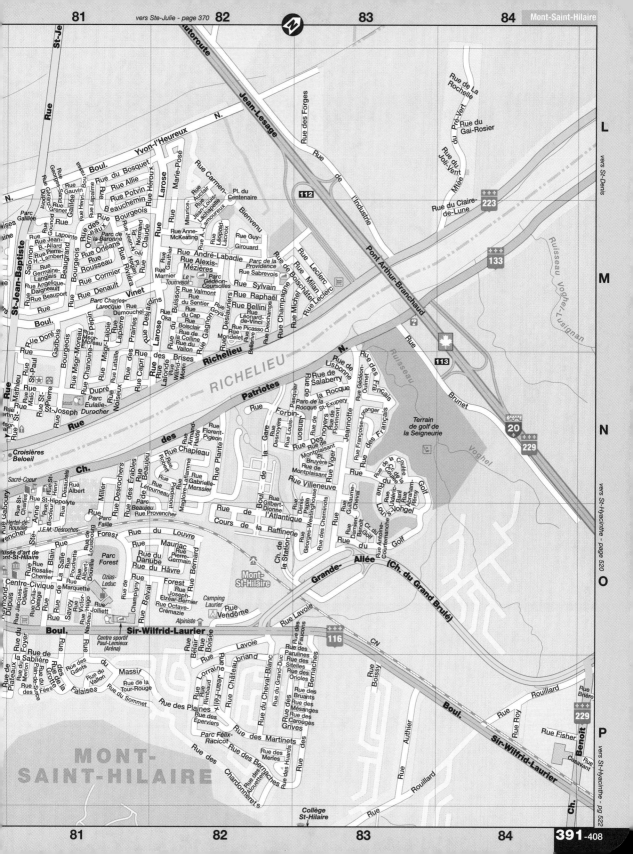

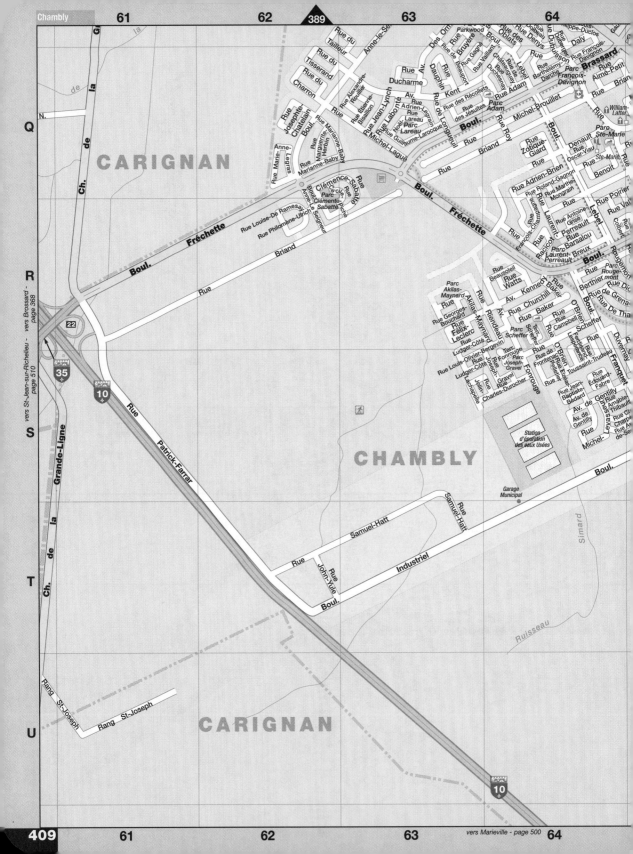

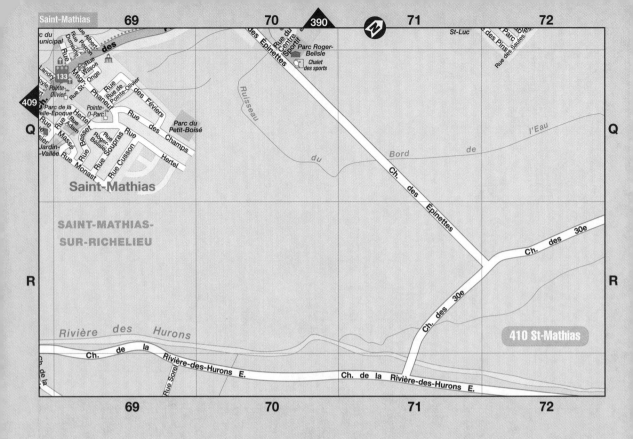

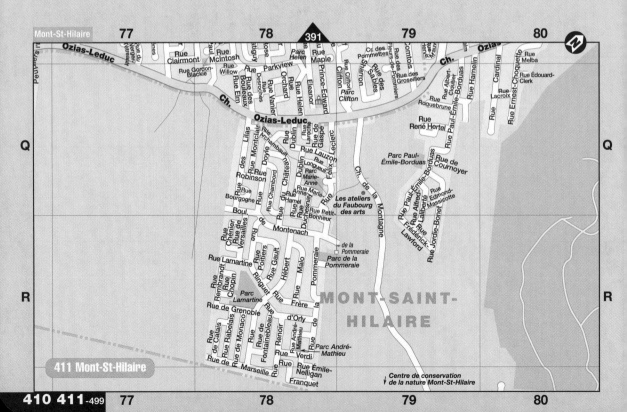

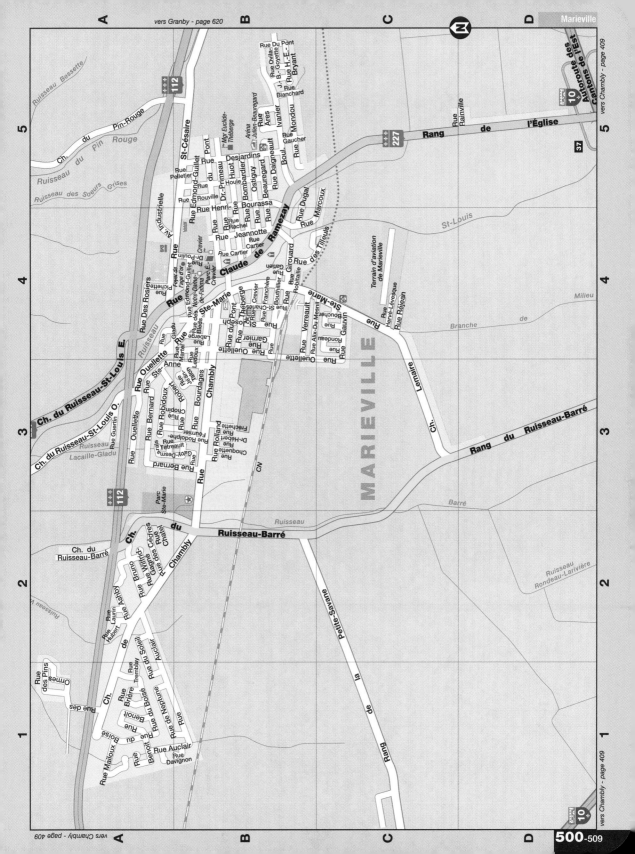

A B C D

5

Ruisseau Bessette

Ch. du Pin-Rouge
Ch. du Pin Rouge
Ruisseau des Soeurs Grises
Ruisseau

112

St-Césaire

Rue Du Pont
Rue Ovila-J.-B.-Goyette
Rue H.-E.-Bryant
Rue Blanchard
Rue Ares
Rue Mondou
Rue Gaucher
Boul. Daigneault
Rue Desjardins
Mgr Euclide-Julien-Beauregard
Aréna
Rue Pelletier
Rue Dr.-Primeau
Rue Edmond-Guillet
Rue Pont
Rue Huot
Rue Houle
Rue Rouville
Rue Bombardier
Rue Ostiguy
Rue Beauregard
Rue Henri-
Rue Rachel
Rue Bourassa
Rue Cartier
Rue Jeannotte
Rue Dr-Crevier
Parc E.-Crevier
Rue Dr-Poulin
Foyer de l'âge d'or
Rue des Notre-Dame-de-Fatima
Ivanier
Rue Dugal
Rue Marcoux
Rue des Tilleuls
Rue Girouard
Rue Gatien
Rue Robitaille

Rang de l'Église

227

Rue Rainville

10

Autoroute des Cantons de l'Est

vers Chambly - page 409

37

St-Louis
Milieu
Branche de

Terrain d'aviation de Marieville
Rue Hervé-Lévesque
Rue Réjean

Rue Des Rosiers
Rue

Rue
Rue Ste-Marie
Rue Pont
Rue Edmond-Guillet
Rue St-Joseph
Rue Gladu
Rue Aubergedes Bleds
Rue Martel
Rue Crevier
Rue St-Charles
Rue Théberge
Rue Franchère
Rue Bouthillier
Rue Ste-Marie
Rue Garnier
Rue Verreault
Rue Alix-Du Mesnil
Rue Boucher
Rue Rondeau
Rue Gauvin
Rue Ouellette
Rue Lemaire
Ch.

Ste-Marie

MARIEVILLE

4

3

Ch. du Ruisseau-St-Louis E.
Ch. du Ruisseau-St-Louis O.
Rue Guérin
Ruisseau Lacaille-Gladu
Rue Ouellette
Rue Ste-Anne
Rue Ouellette
Rue Bernard
Rue Robidoux
Rue Roger
Rue Chopin
Rue Bourdages
Rue Chambly
Rue Rolland
Rue Dr-Hébert
Rue Choquette
Rue Rodolphe-Fournier
Rue Tétreault
Rue Gaby-Desmarais
Rue Fréchette
Rue Bernard
Rue Bernard

Rang du Ruisseau-Barré

Barré

Ruisseau Rondeau-Larivière

2

112

Parc Ste-Marie

CN

Ruisseau

Ch. du Ruisseau-Barré
Ch. du Ruisseau-Barré
Ch. du Chambly
Rue Bruno
Rue Wilfrid
Rue Gagné
Rue des Cèdres
Rue Chatel
Rue Ashby
Rue Laurin
Rue Hubert

Ch. du Ruisseau-Barré

Petite-Savane

1

Rue des Pins
Rue des Ormes
Rue Mailloux
Ch. de
Rue Benoît
Rue Brière
Rue Tremblay
Rue du Soleil
Rue Auclair
Rue du Boisé
Rue Benoît
Rue du Boisé
Rue de Neptune
Rue Auclair
Rue Davignon

Rang de la

10

A B C D

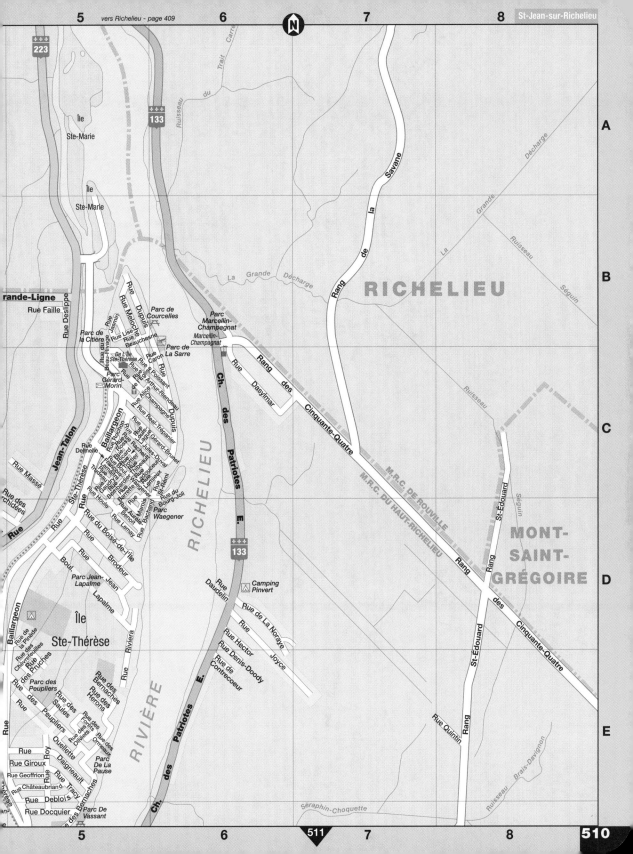

223

133

A

Île
Ste-Marie

Île
Ste-Marie

Décharge

La Grande

Ruisseau du

Trait Carré

Rang de la Savane

B

rande-Ligne
Rue Faille

Rue Deslippe

La Grande Décharge

RICHELIEU

Ruisseau Séguin

La

Parc de
Courcelles

Parc
Marcellin-
Champagnat

Marcellin-
Champagnat

Rue Meloche

Rue Lise

Dupuis

Rue Jasmin

Rue
Beauchesne

Parc de
la Citière

Rue Beau-Rivage

De L'Île
Ste-Thérèse

Rue Caron

Rue St-Poissant

Parc de
La Sarre

Parc
Gérard-
Morin

Rue Alice Rue Arthur-Riendeau

Rue Champagneau

Dupuis

Ch. des Patriotes

Rue Dasylmar

Rang des Cinquante-Quatre

M.R.C. DE ROUVILLE

Ruisseau

St-Édouard

Séguin

C

Rue Réal-Trépanier

Rue Gérard-Brunet

Rue Jules-Duval

Rue Delfinelle

Baillargeon

Jean-Talon

Rue Massé

Rue des
rchidées

Rue

Rue Ste-Thérèse

Rue Houle

Rue du Bourg-Joli

Parc
Waegener

RICHELIEU

133

Rue Daudelin

Rue de La Noraye

Camping
Pinvert

M.R.C. DU HAUT-RICHELIEU

Rang

St-Édouard

MONT-
SAINT-
GRÉGOIRE

D

Rue Riviéra

Boul. Jean

Lapalme

Parc Jean-
Lapalme

Brodeur

Rue du Boisé-de-l'Île

Rue Lemay

Baillargeon

Île
Ste-Thérèse

Rue de
La Pinède

Rue des
Chèvrefeuilles

Rue
des Pruches

Parc des
Peupliers

Rue des
Saules

Rue des
Peupliers

Rue des
Forêts

Rue des
Ormeaux

Rue des
Oliviers

Rue des
Bernaches

Rue des
Héros

Rue Hector

Rue Denis-Doody

Rue de
Contrecoeur

Joyce

RIVIÈRE

Ch. des Patriotes

E.

St-Édouard

Rang

des Cinquante-Quatre

Rue Quintin

E

Rue
Ouellette

Daigneault

Roy

Rue Giroux

Rue Geoffrion

Rue Châteaubrian

Rue Tracy

Rue Deblois

Rue Docquier

Parc De
La Pause

Parc De
Vassant

des Bernaches

Séraphin-Choquette

Ruisseau Brais-Davignon

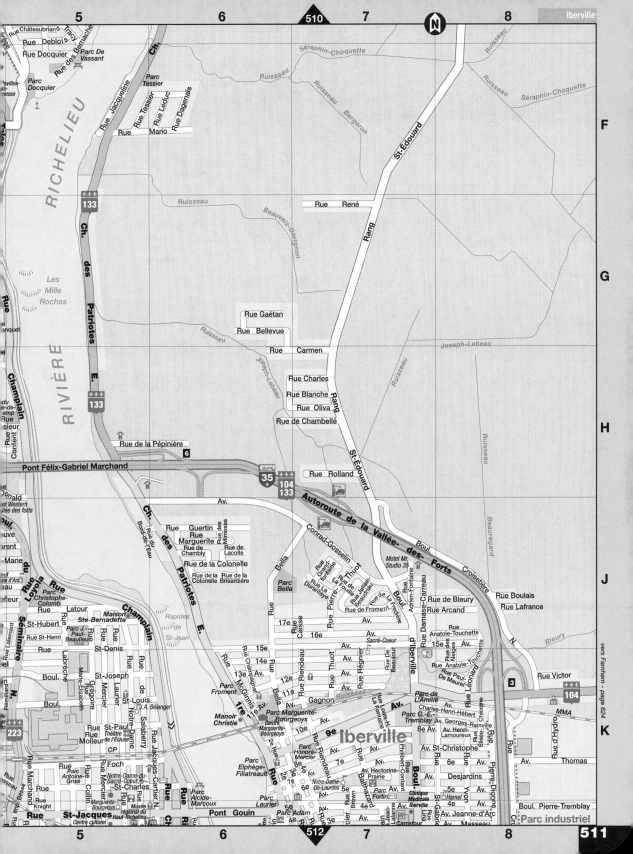

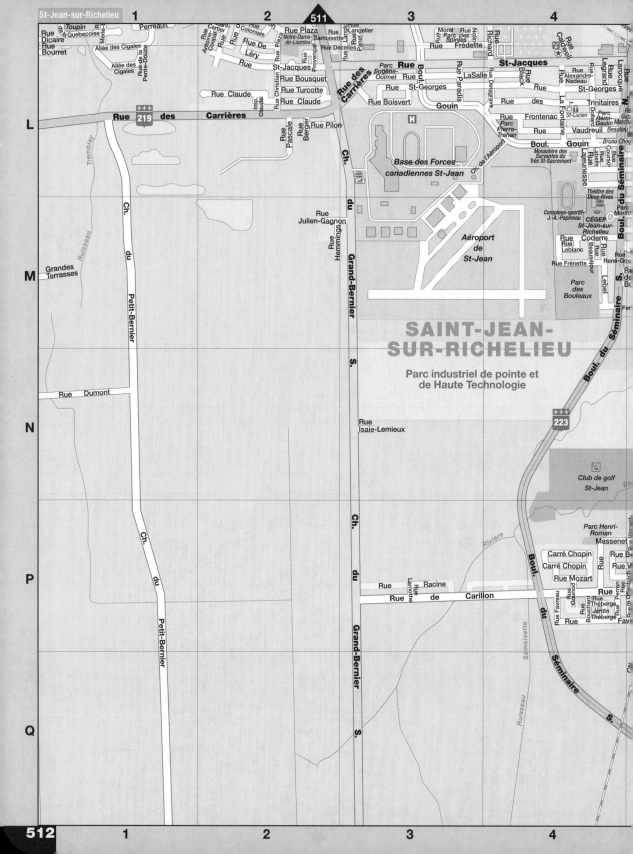

511

SAINT-JEAN-SUR-RICHELIEU

Parc industriel de pointe et de Haute Technologie

Rue Dicaire
Rue Bourret
Rue Toupin
Quebecoise
Perreault
Allée des Cigales
Allée des Cigales

Rue Antoine-Coupal
Rue De
Rue Léry
Rue Colonial
Rue Plaza
Notre-Dame-de-Lourdes
St-Jacques
Rue Bousquet
Rue Turcotte
Rue Claude
Rue Claude
Imp. Claude
Rue Christian

Rue Pascale
Rue Berger
Rue Pilon

Rue 219 des Carrières

Rue des Carrières

Rue Langelier
Samoisette
Rue Decelles

Parc Eugène-Ouimet
Rue St-Georges
Rue St-Georges
Rue Boisvert

Morel
Parc des Spirées
Rue Richard
St-Jacques
Rue Black
Rue LaSalle
Gouin
Boul.
Rue Paradis
Rue Delagrave
Rue Alexandre-Nadeau
St-Georges
Rue des
Trinitaires
St-Lucien
Rue Frontenac
Parc Pierre-Trahan
Parc Beaulieu
Vaudreuil
Rue Frédette
Rue Larocque
Rue Legrand
La Fontaine
Parc Gab Marcha
Rue Caldwell

Boul. Gouin
Monastère des Survantes du Très St-Sacrement
Bruno Choq
Rue Bernard-Courcol
Rue Labelle
Boul. Lajeunesse
Théâtre des Deux-Rives
Complexe-sportif J.-A.-Papineau
CÉGEP St-Jean-sur-Richelieu
Coderre
Rue Leblanc
Rue Frénette
Rue Beauséjour
Rue René-Gou
Parc Montc
Rue Lebel

Base des Forces canadiennes St-Jean

Rue Julien-Gagnon

Rue Isaie-Lemieux

Aéroport de St-Jean

Parc des Bouleaux

H

Ch. de l'Aéroport

Grandes Terrasses

Rue Dumont

Ch. du Petit-Bernier

Ch. du Grand-Bernier S.

Rue Hemmings

223

Club de golf St-Jean

Parc Henri-Roman
Massenet
Carré Chopin
Carré Chopin
Rue Mozart
Rue B
Rue V
Rue Favreau
Rue Gounod
Rue Théberge
Jardin Théberge
Rue
Rue Perron
Rue B Offenbach
Rue
Boul. du Séminaire

Rue Racine
Rue Lamothe
Rue de Carillon

Rivière

Samoisette

Ruisseau

Boul. du Séminaire

Ch. du Grand-Bernier S.

Petit-Bernier

Tremblay

Ruisseau

1   2   3   4

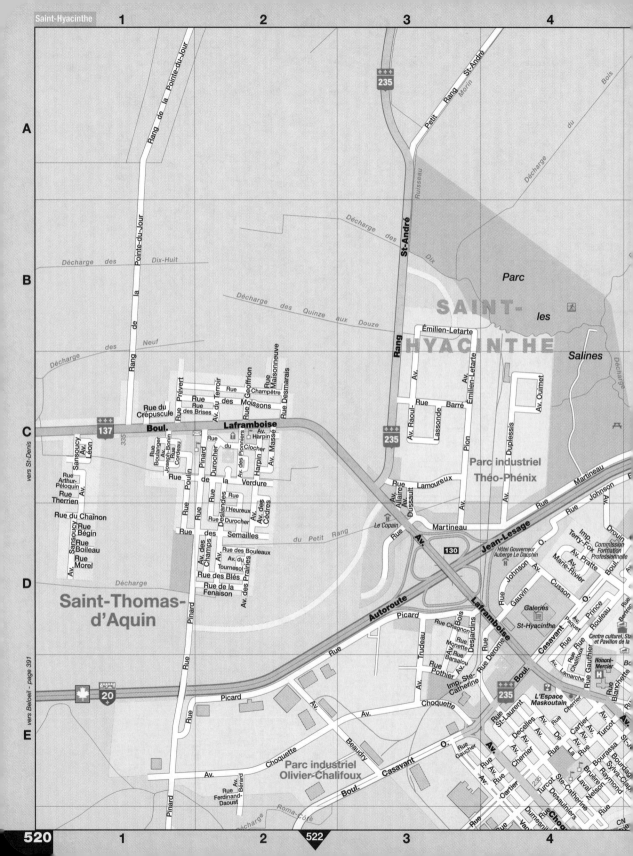

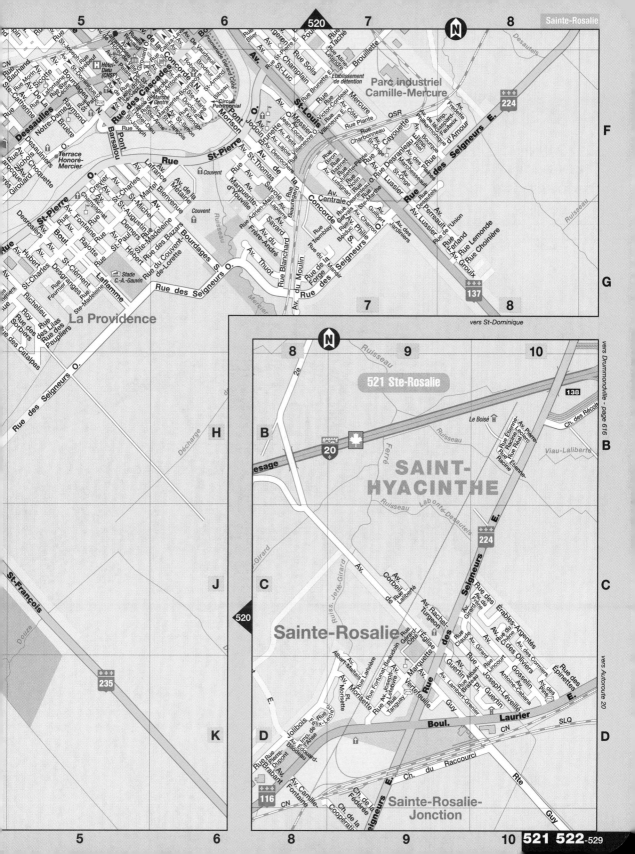

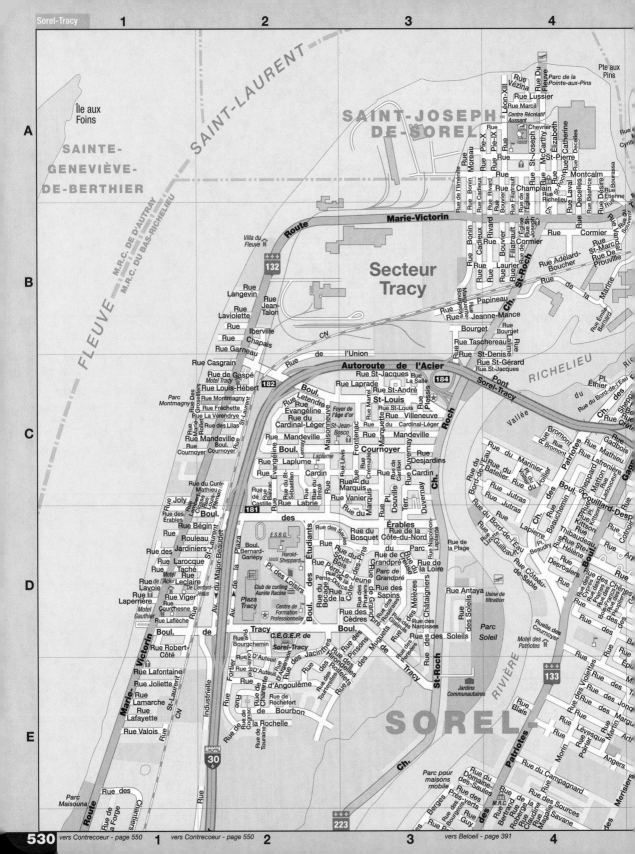

1 **2** **3** **4**

Île aux
Foins

A SAINTE-
GENEVIÈVE-
DE-BERTHIER

ROUTE SAINT-LAURENT

SAINT-JOSEPH-
DE-SOREL

Parc de la
Pointe-aux-Pins

Pte aux
Pins

Centre Récréatif
Aussant

M.R.C. DE D'AUTRAY
M.R.C. DU BAS-RICHELIEU

FLEUVE SAINT-LAURENT

Villa du
Fleuve

Route Marie-Victorin

132

B Rue
Langevin
Rue
Laviolette
Rue
Rue Iberville
Rue Chapais
Rue Garneau

Secteur
Tracy

CN

Rue Papineau
Rue Jeanne-Mance
Bourget
Rue Bourget
Rue Taschereau
St-Denis
Rue St-Gérard
Rue St-Jacques

RICHELIEU

Rue Casgrain
Rue de Gaspé
Motel Tracy
Rue Louis-Hébert
182
Parc
Montmagny
Rue Montmagny
Rue Fréchette
Rue La Vérendrye
Rue des Lilas

de l'Union

Autoroute de l'Acier

Rue St-Jacques
Rue Laprade
Rue St-André
184
Pont
Sorel-Tracy

Vallée

C Rue Mandeville
Boul.
Cournoyer Cournoyer

Boul. Letendre
Rue
Évangéline
Rue du
Cardinal-Léger
St-Jean-
Bosco
Foyer de
l'âge d'or
Rue St-Louis
Rue Martel
St-Louis
Rue St-Louis
Rue Villeneuve
Rue Cardinal-Léger
Mandeville

Rue Cardin
Rue Desjardins

Bromont
Rue
Bromont
Patriotes
Rue Lafrenière
Rue
Mathieu

Rue du Marinier
Rue du
Bord-de-l'Eau
Rue du Batelier
Rue du Voilier
Rue Gadbois

Rue Mandeville
Rue
Cournoyer
Rue
Boul. Évangéline
Rue Laplume
Laplume
Cournoyer
Cardin
Rue
Marquis
Rue du
Brézé
Rue Marquis
Rue Vanier
Rue du
181
des

D Rue du Curé-
Mathieu
Rue Joly
Rue des
Érables
Boul.
Rue Bégin
Rue
Rouleau
Rue des
Jardiniers
Rue Larocque
Rue Taché
Rue de l'Acier
Lavoie
Rue Viger
Rue
Courchesne
Rue Laflèche
Motel
Gauthier

Boul.
Bernard-
Gariépy
Harold-
Sheppard
Club de curling
Aurèle Racine
Plaza
Tracy
Centre de
Formation
Professionnelle

Pl. des
Loisirs

Rue des Saules
Rue du
Bosquet
Côte-du-Nord
Érables
Rue de la
du
Parc
Rue Napoléon-
Laplante

Rue de
la Plage

Rue des
Sapins
Rue des
Mélèzes
Rue des
Châtaigniers
Rue Antaya

Usine de
filtration

Ruelle des
Cournoyer

Motel des
Patriotes

Tracy
C.É.G.E.P. de
Sorel-Tracy
Boul.
Rue des Cèdres
Rue des
Narcisses
Rue des
Soleils

Parc
Soleil

133

E Boul.
Victorin
Rue Robert-
Côté
Rue Lafontaine
Rue Joliette
Rue
Lamarche
Rue
Lafayette
Rue Valois

Rue
Bourgchemin
D'Auteuil
D'Auteuil
d'Angoulême
Rue de
Rochefort
de Bourbon
la Rochelle
Rue de
Touraine
de Cognac

Rue des
Jacinthes
Rue des
Pinsons
Rue des
Hirondelles
Rue des
Tourterelles
Rue des
Muguets
Rue des
Soleils

SOREL-

Jardins
Communautaires

RIVIÈRE

Rue
Blais

Parc pour
maisons
mobile

Rue du
Domaine-
des-Saules

Parc
Maisouna

Rue des
Chantiers

30

223

Patriotes

M.R.C.

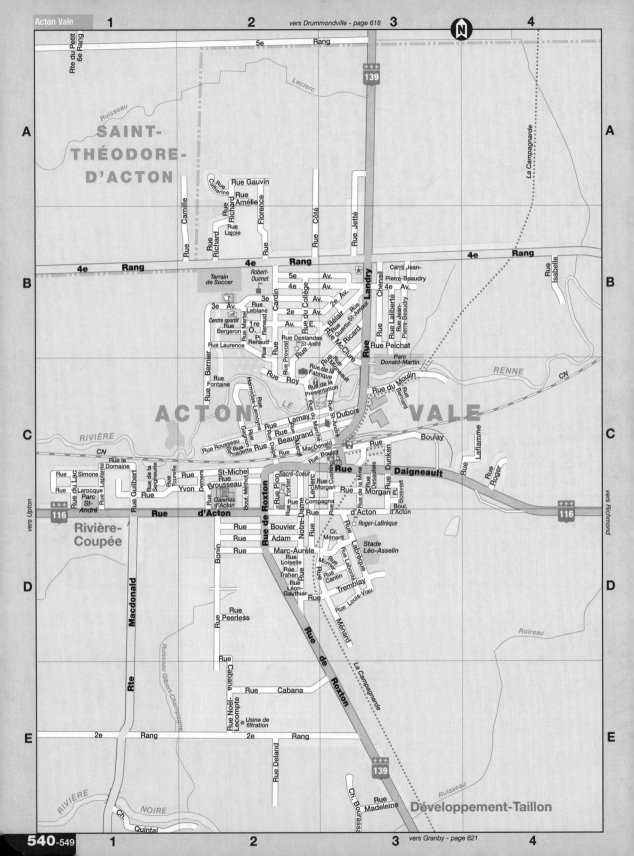

1   2   vers Drummondville - page 618   3   4

N

Rte du Petit
6e Rang

5e   Rang

Leclerc

139

SAINT-THÉODORE-D'ACTON

Ruisseau

A

Rue Gauvin

Rue Catherine

Rue Amélie

Rue Richard

Rue Camille

Rue Richard

Rue Lajoie

Florence

Rue Côté

Rue Jetté

La Campagnarde

4e   Rang   4e   Rang   4e   Rang

Rue Isabelle

B   Landry   Chenail   B

Terrain
de Soccer

Robert-Ouimet

5e   Av.

4e   Av.

Av.

2e Av.

Carré Jean-
Pierre-Beaudry

4e   Av.

Cardin

Rue Laliberté

Rue Pelchat

3e Av.

Rue Leblanc

Rue Renaud

Av.

Rue du Collège

2e   E.

Bélair

Rue St-Amour
Rue Guertin

Rue Jean-
Pierre-Beaudry

Centre sportif

Rue Bergeron

1re O.

Pl. Renaud

Rue E.

Rue McClure

Rue Ricard

Rue Martel

Rue Deslandes
St-André

Parc Donald-Martin

Rue Laurence

Av.

Rue Provost

RENNE

CN

Bernier

Roy

Rue de la Fabrique

Rue Marneault

Rue du Moulin

Rue Fontaine

Rue de la Présentation

Rue Bernard

ACTON   LE   **VALE**

Rue Hormidas-Lemoyne

Rousseau

Rue Ganon

Lemay

Rue Marché

Rue St-Dubois

C   RIVIÈRE   Rue Rousseau   Beaugrand   Boulay   C

CN

Rue Bernadette

Rue Daigle

Rue MacDonald

Rue Boulay

Laflamme

Rue le Domaine

Rue Laplante

Rue Simone

Rue la Seigneurie

Tourelle

Rue Demers

St-Michel

Rue Brousseau

Sacré-Cœur

Rue Cushing

Rue   Rue Roger

Rue   Dunken

Daigneault

Rue du Lac

Rue Larocque
Parc
St-André

Rue

Rue Guilbert

Bout. Methot

Rue Yvon

Galeries
d'Acton

Rue Plon

Rue Fortier

Leclerc

Rue Morgan

Rue de la Mine

Rue Desutels

Pl. Boisvert

Boul. d'Acton

vers Upton

116

Rivière-Coupée

Rue   d'Acton

Rue de Roxton

Notre-Dame

Compagna

Rue Morgan

d'Acton

vers Richmond

116

Rue   Bouvier

Rue   Adam

Rue   Marc-Aurèle

Cr. Ménard

Roger-LaBrèque

Stade
Léo-Asselin

Bonin

Rue Loiselle

Rue Trahan

Rue Morine

Rue Cantin

Rue Labrèque

Rue Labonté

D   Rue Léon-Gauthier   Tremblay   D

Macdonald

Rue Peerless

Rue

Rue Louis-Viau

Roireau

Ruisseau Gilbert-Champagne

Rte

Rue

La Campagnarde

Rue de Roxton

Ménard

Rue Cabana

Rue   Cabana

Rue Noël-Lecompte

Usine de filtration

E   2e   Rang   2e   Rang   E

RIVIÈRE

Rue Deland

139

Ruisseau

NOIRE

Ch. Bourassa

Ch. Quintal

Rue Madeleine

Développement-Taillon

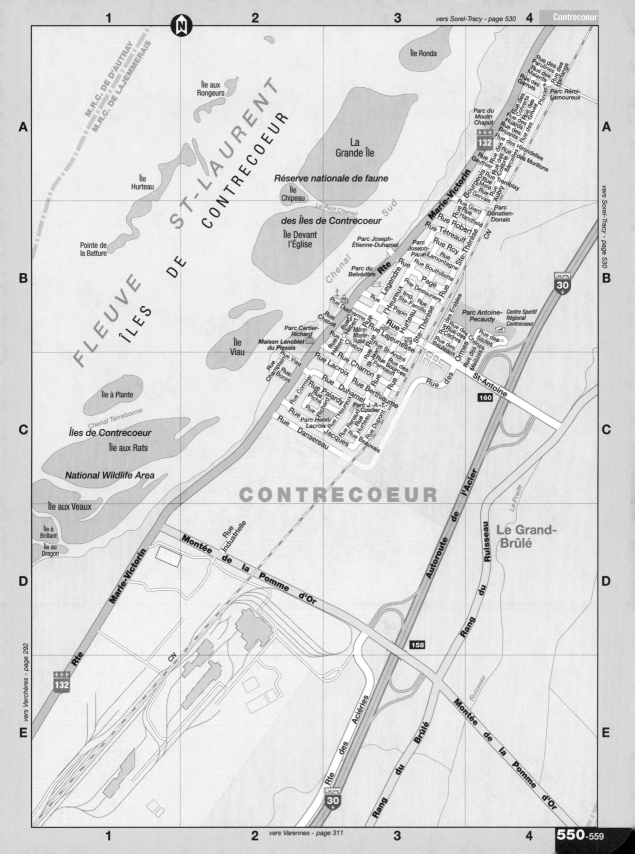

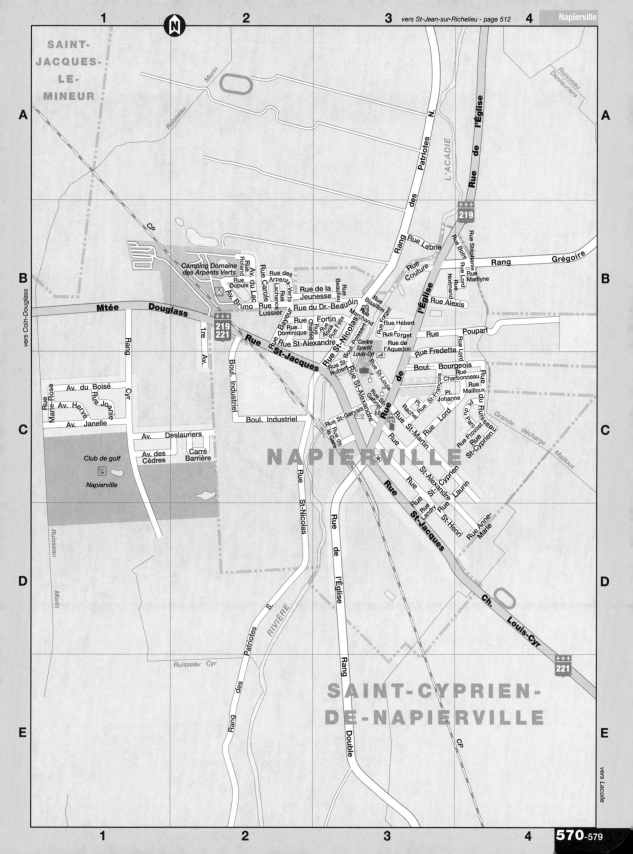

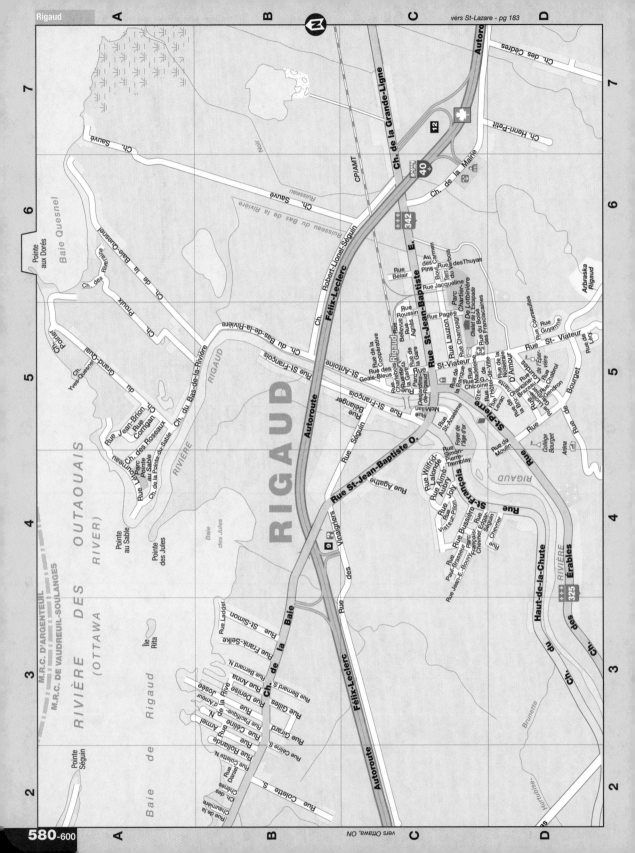

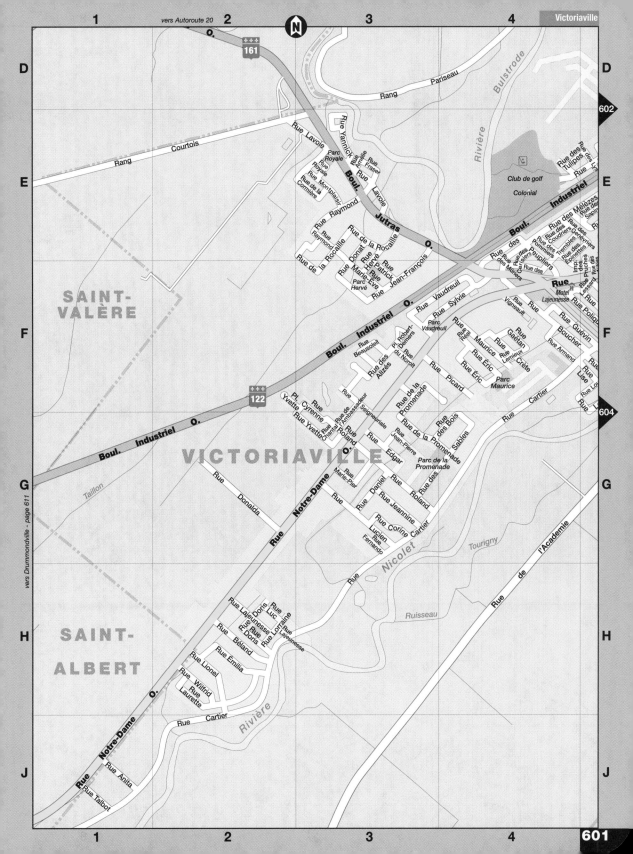

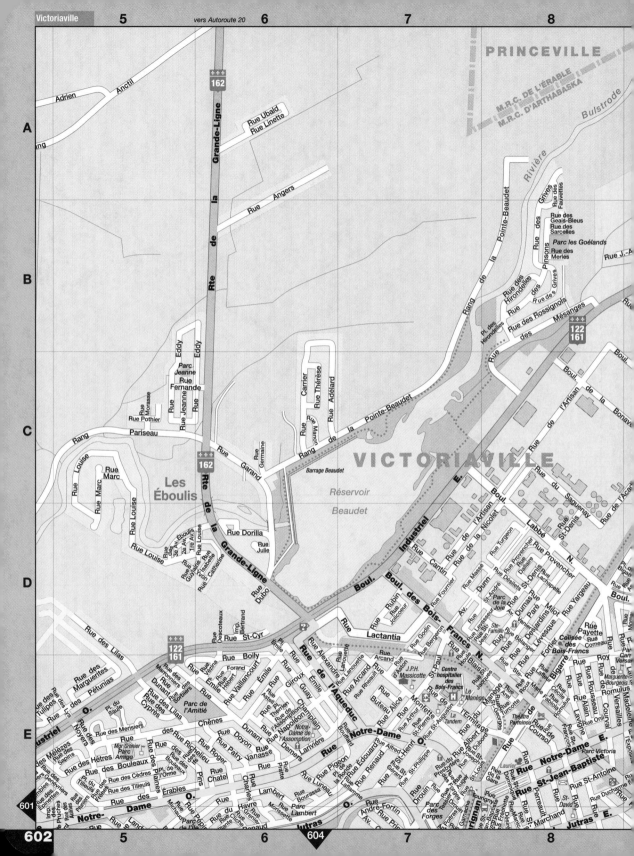

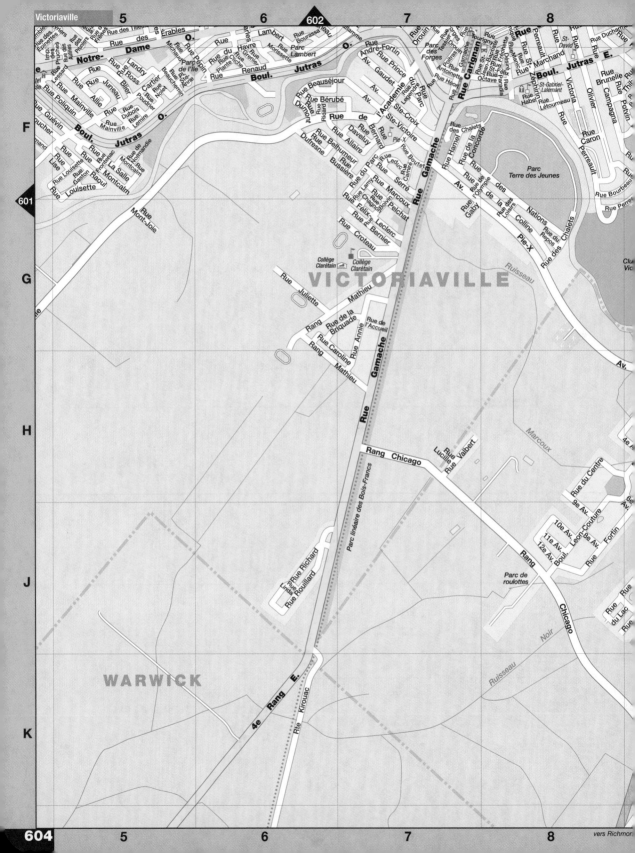

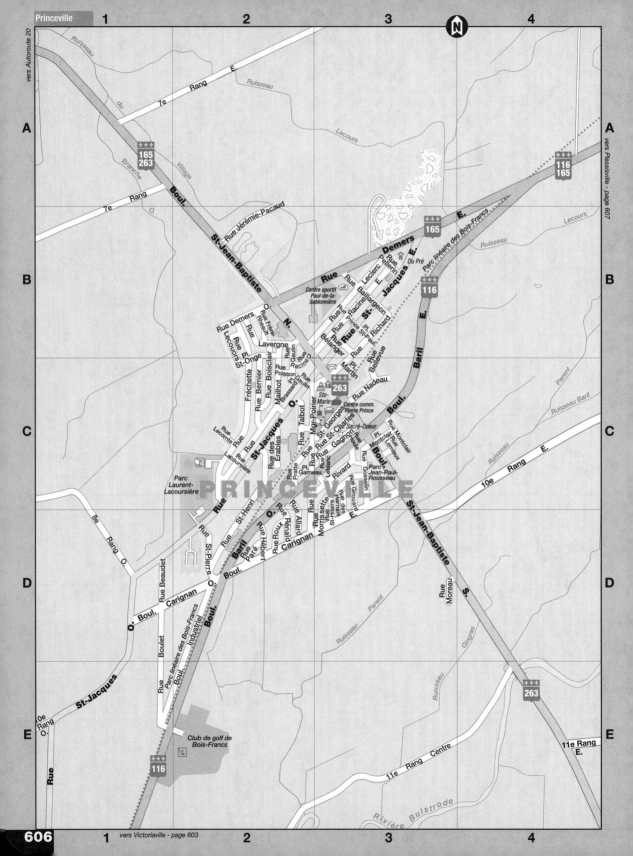

N

A

B

C

D

E

2 3 4

vers Autoroute 20

vers Plessisville - page 607

165
263

116
165

165

116

116

263

Ruisseau

du

Branche

Village

7e Rang E.

Ruisseau

Lecours

Lecours

Ruisseau

Rang

7e Rang O.

Boul. St-Jean-Baptiste

N.

Rue Jérémie-Pacaud

Rue Demers

Rue

Demers

Du Pré

Rue

Rue Leclerc

Perreault

Baillargeon

Rue Racine

Rue

Rue St-Paul

Rue Richard

St-

Rue

Rue

Bélanger

Pl.

Martin

Rue Bellevue

Jacques E.

E.

Baril

Boul.

Parc linéaire des Bois-Francs

Ruisseau

Parent

Ruisseau Baril

Centre sportif
Paul-de-la-
Sablonnière

Rue Frère
Rheault

O.

Rue Racine

O.

Rue
Gaulin

Pl.
St-Onge

Rue Lecours

Rue Bernier

Rue Boisclair

Rue Poisson Gaulin

Rue
Brassard

Ste-
Marie

263

Rue Nadeau

Pl.
Montclair

Rue Montclair

Rue
Lemieux

Rue

Rang E.

10e

Ruisseau

Rue
Lavergne

Fréchette

Mailhot

O.

Talbot

Rue Mgr-Poirier

Rue St-Charles

Centre comm.
Pierre Prince

Sacré-Cœur

Pl.
Gosselin

Rue
Lecomte

Rue

Rue

Lacoursière

Rue
des Érables

St-Jacques

Rue St-Georges

Pl.
Garneau

Rue Leblanc

Rivard

Rue Giroux

Rue Gagnon

Parc
Jean-Paul-
Rousseau

Rue Pratte

Rue

PRINCEVILLE

Parc
Laurent-
Lacoursière

Rue St-Henri

O.

Rue Allard

Rue Renald

Rue Roux

Carignan

Rue Hébert

Rue
Morissette
St-Hilaire
Charland

Rue
des

Rue Girouard

Rue Moreau

Ruisseau

Parent

Ruisseau

Gingras

8e Rang O.

Rue St-Pierre

Boul. O.

Boul.

Baril

Pré

Boul. Carignan

Rue Beaudet

Boul. O.

Parc linéaire des Bois-Francs

Boul. Industriel

Boul.

Rue

St-Jean-Baptiste S.

St-Jacques

0e Rang O.

Rue

Club de golf de
Bois-Francs

116

11e Rang Centre

11e Rang
E.

263

Rivière Bulstrode

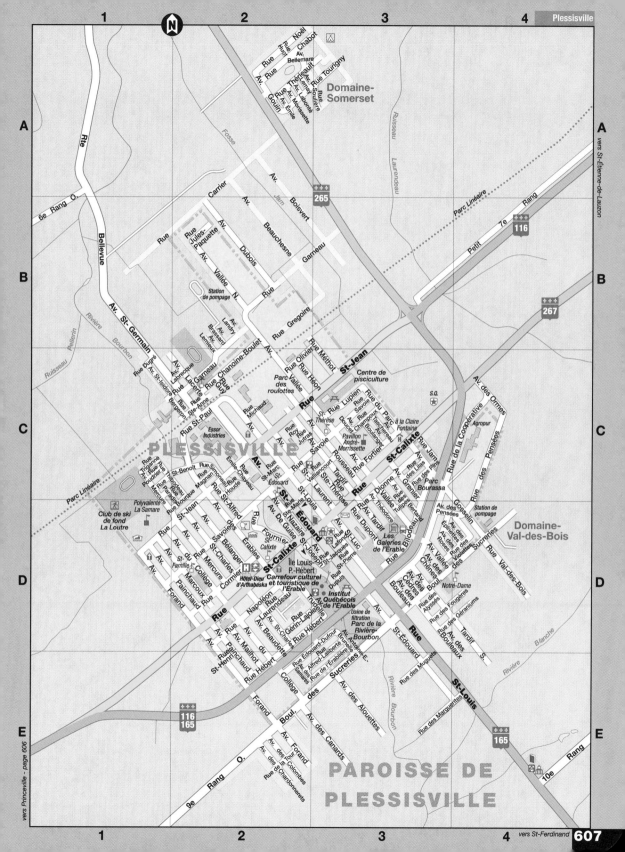

N

Domaine-Somerset

265

vers St-Étienne-de-Lauzon

Parc Linéaire

116

267

Centre de pisciculture

St-Jean

S.Q.

à la Claire Fontaine

Agropur

PLESSISVILLE

Parc des roulottes

Parc Bourassa

Station de pompage

Domaine-Val-des-Bois

Essor Industries

Pavillon André-Morrissette

St-Calixte

Club de ski de fond La Loutre

Polyvalente La Samare

Parc Linéaire

Les Galeries de l'Érable

Île Louis P.-Hébert

Hôtel-Dieu d'Arthabaska

Carrefour culturel et touristique de l'Érable

Institut Québécois de l'Érable

Usine de filtration Parc de la Rivière-Bourbon

116
165

Sucreries

St-Louis

165

PAROISSE DE PLESSISVILLE

1　　　2　　　3　　　4

Forêt de Drummondville

A

Ch. du Sanctuaire

2e Rang

Ruisseau Noir

Rue Marie

Rue Lionel

Sanctuaire du

Rue Carmelle

S A I N T - M A J O R I Q U E -

B

Rue Lecavalier

Rue Élisée

Rue Jean-Yves

Ch.

3e Rang

Rue Paul

Saint-Majorique

2e Rang

2e Rang

D E - G R A N T H A M

Rte Tessier

Rue Joseph Habel

Farley

Rue Jacques

Boul.

St-Joseph

C

Guilbault

Rte

Rte

Boul.

Patrick

Rue Jos

Rivière

aux

Vaches

Rte Lebrun

Embranchement

N. Rue Alida

Rue Yves

Rue Johanne

Rue Linda

Lapéro Rue Lemaire

Rue Doris

D

vers St-François-du-Lac

143

Rue Banville

Pl. Bonneville

Pl. Bonneville

Rue

Rue Colette

Rue Lebel

Rue Bussière

Parc des roulottes

Lagacé

Picotin

Rte Rodier

4e Rang

Rue Gaston

Maillot

Rue Chartrand

Boul.

St-Joseph

Rue Lapéro S.

Rue Villemure

Rue

Rue

Rue Hélène

Rue

Rue Lemaire S.

Rue Desrosiers

Rue Masson

Rue Isabelle

Rue Olivier

Rue Martine

Rue Gisèle

Rue Furi

Rue

E

Rte Rodier

Autodrome Drummond

Boul.

Rue Christiane de la Ferme

Elisabeth

Rue Genest

Rue Barrière

Pl. Des

Quatre

Rue

Rue Centre

Rue Grandmo

Rue Barrière

Rue du

Cormier

Rue Gaude

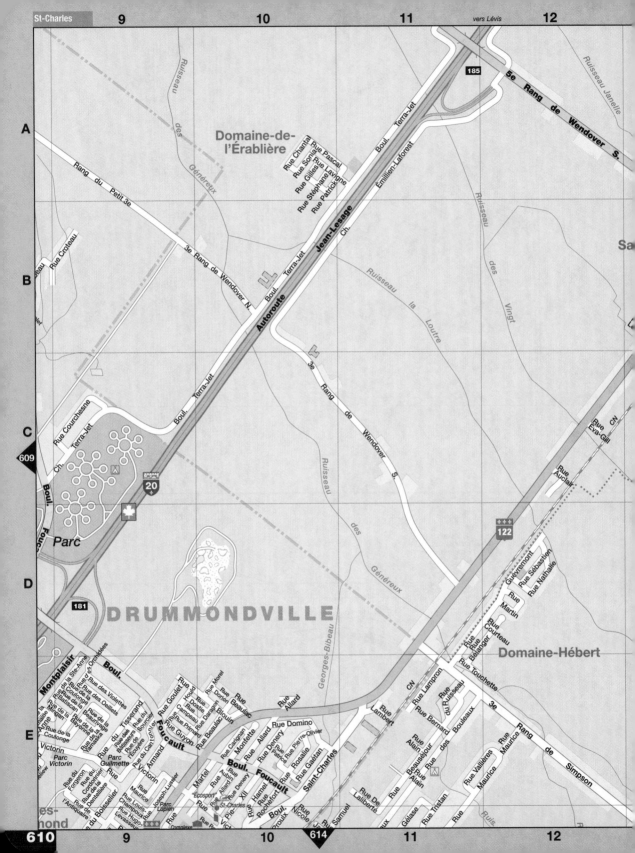

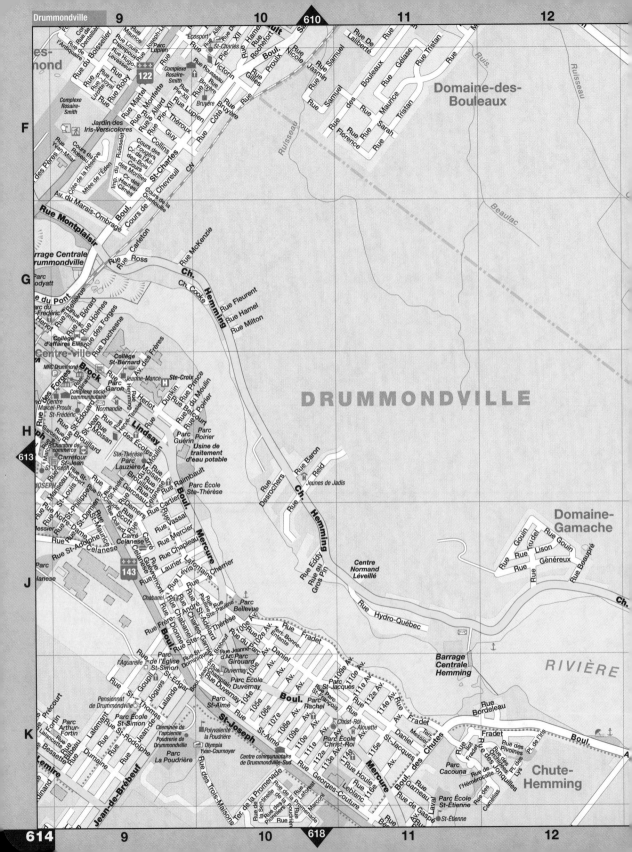

DRUMMONDVILLE

Domaine-Poirier

WICKHAM

DRUMMONDVILLE

Domaine-Caya

Service correctionnel du Canada
Établissement de Drummond

Hemming

St-Joseph

Autoroute

La Route Verte

Transquébécois

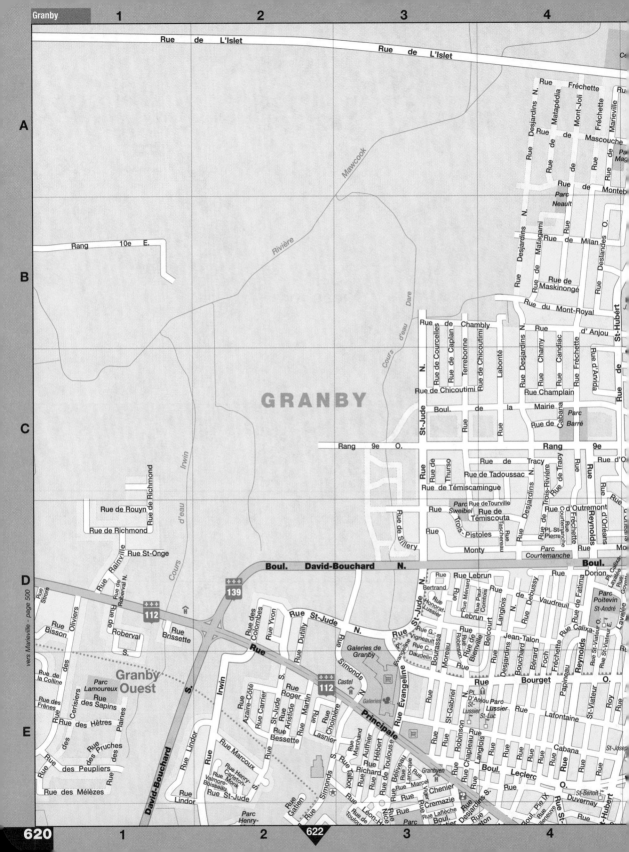

ROXTON POND

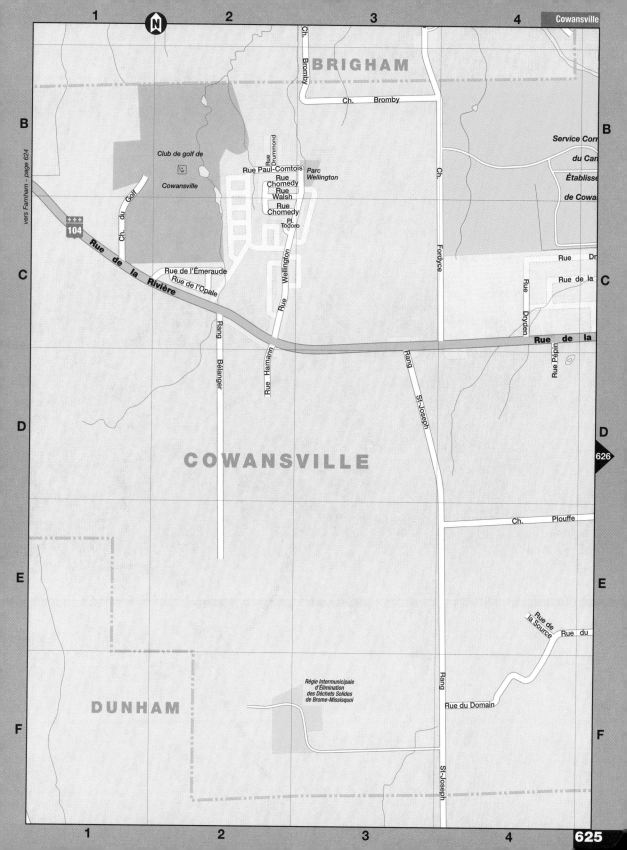

B

B

vers Farnham - page 624

Club de golf de

Cowansville

Rue Paul-Comtois

Rue Drummond

Rue Chomedy

Rue Walsh

Rue Chomedy

Pl. Todoro

Parc Wellington

Ch.

BRIGHAM

Ch. Bromby

Bromby

Service Cor
du Car

Établisse
de Cowar

104

Ch. du Golf

Rue de la Rivière

Rue de l'Émeraude

Rue de l'Opale

Rue Hamann

Rue Wellington

Fordyce

Rue Dryden

Rue
Rue de la

Rue de la

Rue Pépin

C

C

Rang Bélanger

Rang St-Joseph

COWANSVILLE

626

D

D

Ch. Plouffe

E

E

Rue de
la Source

Rue du

DUNHAM

Régie Intermunicipale
d'Élimination
des Déchets Solides
de Brome-Missisquoi

Rang

Rue du Domain

F

F

St-Joseph

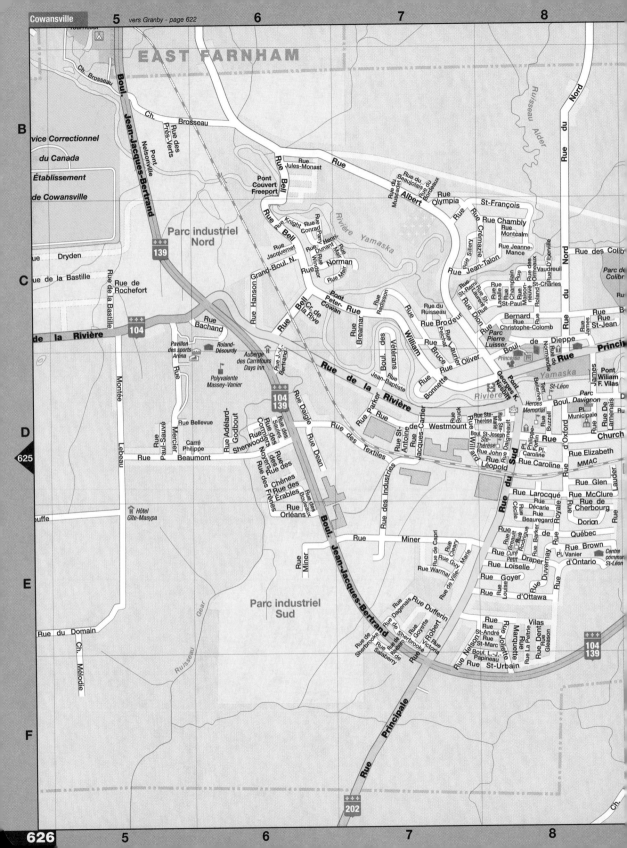

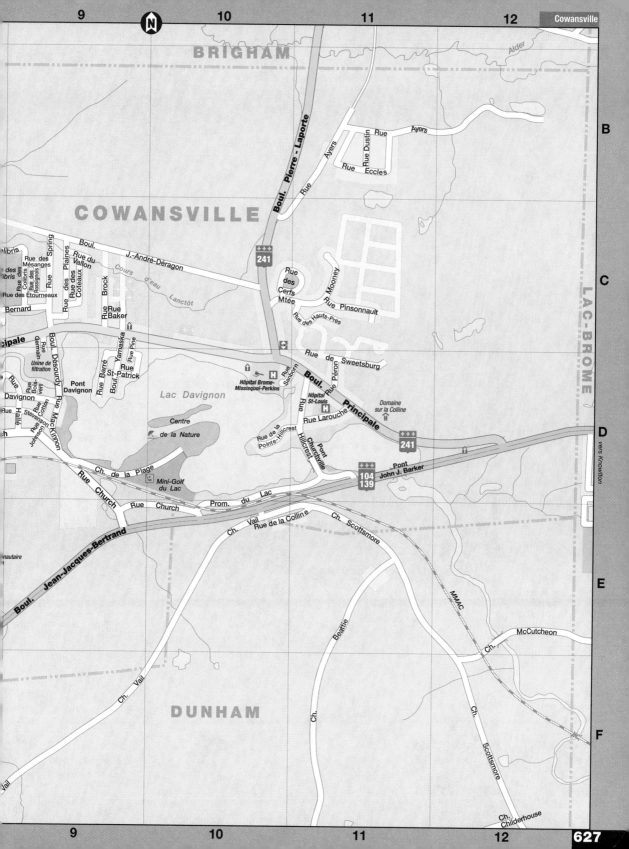

BRIGHAM

COWANSVILLE

LAC-BROME

Alder

B

Rue Ayers
Rue Dustin
Rue Eccles
Ayers
Rue Ayers

Boul. Pierre - Laporte

241

Rue des Cerfs Mtée
Mooney
Rue Pinsonnault
Rue des Hauts-Prés

C

Spring
Boul. J.-André-Déragon
Rue du Vallon
Rue des Plaines
Rue des Coteaux
Rue des Mésanges
Rue des Colibris
Rue des Colibris
Rue des Rossignols
Rue des Étourneaux
Bernard
Brock
Rue Baker

Cours d'eau Lanctôt

Rue de Sweetsburg
Rue des Hauts-Prés
Rue Péron

cipale
Boul. Désourdy
Rue Germain
Rue Barré
Rue St-Patrick
Yamaska
Rue Pine
Rue Pont Davignon

Usine de filtration

Lac Davignon

Centre de la Nature

Hôpital Brome-Missisquoi-Perkins
Rue Sanborn
Boul. Principale
Hôpital St-Louis
Rue Larouche
Domaine sur la Colline

241

D

vers Knowlton

Rue de la Pointe-Hillcrest
Pont Churchville Hillcrest
Pont John J. Barker

104 139

Rue Davignon
Rue Bois vert
Rue MacKinnon
Rue Cotton
Rue Stevenson
Rue Johnston
Rue Halle

Pont Davignon

Ch. de la Plage
Mini-Golf du Lac
Rue Church
Prom. du Lac
Rue Church
Rue de la Colline
Ch. Vail
Ch. Scottsmore

E

Boul. Jean-Jacques-Bertrand
nautaire

MMAC

Ch.
McCutcheon

Beattie

Ch. Vail

DUNHAM

Ch.

Ch.

Scottsmore

F

Ch. Childerhouse

vers Marieville - page 500

74

1 2 3 4

GRANBY

Ch.
Bergeron

Autoroute des Cantons de l'Est

10

A

Ch. Racine

Ch. Compton

Pl. Compton

Ch. Compton

Club de golf
Le Royal Bromont

Taylor

B

Darcy

Ruiss.

Ruiss.

Ruiss.

Rue François-1er

Rue Casteline
de-Médicis

Rue de la Couronne

Rue Henri-IV

Rue Louis-XIV

Rue Charles-X

Rue de l.

Rue du Meunier

Ch. Compton

Rue des Patriotes

Rue du Charpentier

Rue du Bourgmestre

Rue du Forg

Rue du Violoneux

Parcours du
Vieux Village

Ch. de Granby Ch. Bérard

BROMONT

Rue Louis-Philippe-1er

Rue du Chapelier

Rue Jacques-Cartier

C

Ruiss.

Golf des Lacs

Ch. de Granby

Boulay

Supérieure

Rue des Pins

Rue des Patriotes

Rue Magny

Shefford

Auber
Badou

Rue des Randonneurs

Rue des
Golfeuses

Rue des
Cavaliers

Rue
Skieurs

Rue des
Nageuses

Rue
Bea

Ch. de Montréal

Pierre-Laporte

Rue de l'Émeraude

la Topaze

Rue du Rubis

Rue du Saphir

du Diamant

Rue de
Diamant

Domaine
Saint-André

André

Rue Madeleine

Rue Maurice

Rue Huguette

Rue du Pacifique E.

Rue de l'Atlantique

Rue des Lila

D

Parc industriel
de Haute
Technologie

Boul.

Usine de
filtration

Rue Dominique

Rue

Rue Laura

Rue du Pacifique O.

Ch. des

Carrières

Yamaska

Boul. de l'Aéroport

Rue de Soulanges

MMAC

Shefford

Rue Cèdres

241

Rue

Rue de Bedford

Rue des Lauriers

Gaspé

Ch. de

Ch. de
Laprairie

E

Rivière

Rue de la Rivière

Plage
Carroussel

Camping
Carroussel

Mont Gale

Colline Hoak

1 2 3 4

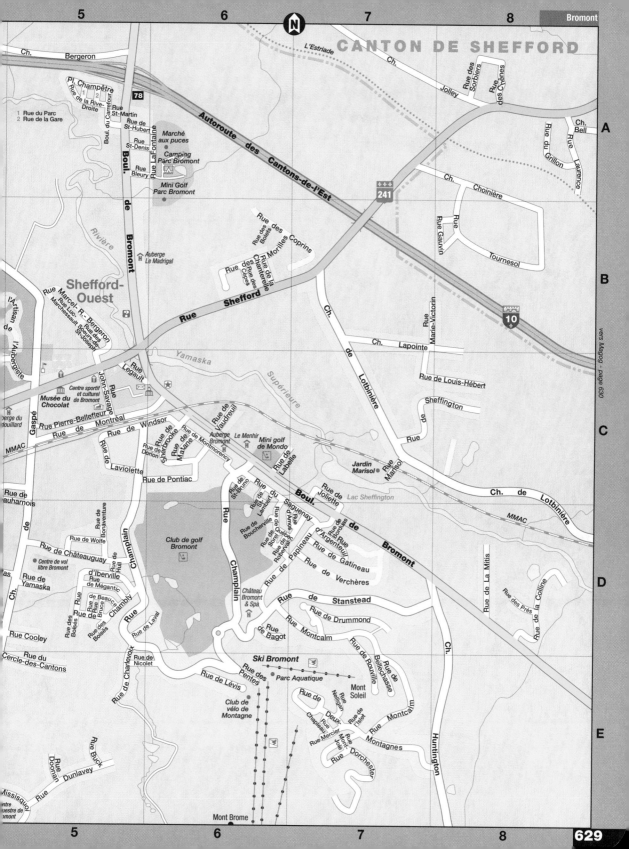

CANTON DE SHEFFORD

A
B
C
D
E

5   6   N   7   8

Ch. Bergeron
L'Estriade
Ch.
Jolley
Rue des Sorbiers
Rue des Chênes
Ch. Bell

Pl. Champêtre
Rue de la Rive-Droite
Rue St-Martin
78
Rue du Grillon
Rue Laurence

1 Rue du Parc
2 Rue de la Gare
Rue de St-Hubert
Rue St-Denis
Marché aux puces
241
Ch. Choinière

Boul. du Carrefour
Rue Bleury
Camping Parc Bromont
Ch.
Rue Gaavin
Tournesol

Autoroute des Cantons-de-l'Est
Mini Golf Parc Bromont

Rivière
Rue des Bolets
Rue des Coprins
Rue Morilles
10
vers Magog - page 630

Boul. de Bromont
Auberge Le Madrigal
Rue de la Chanterelle
Rue des Cèpes
Rue Marie-Victorin

Shefford-Ouest
Rue Marcel-R.-Bergeron
Rue Shefford
Ch.
Ch. Lapointe

Rue Marchessault
Rue Luc
Rue des St-Joseph
Rue de Lotbinière
Rue de Louis-Hébert

Gaspé
Yamaska
Rue Legault
Sheffington

l'Auberge
l'Artisan
Rue Pierre-Bellefleur
John-Savage
Centre sportif et culturel de Bromont
Supérieure
Rue
Ch. de Lotbinière

MMAC
Musée du Chocolat
Rue de Montréal
Rue de Windsor
Rue de Vaudreuil
Auberge Bromont
Le Menhir
Mini golf de Mondo
Rue Marisol
Jardin Marisol

Rue de Sherbrooke
Rue de Matane
Rue de Montmorency
Rue de Labelle
MMAC

Rue de Laviolette
Rue Dorion
Rue de Pontiac
Rue de St-Bruno
Boul. de Bromont

Rue de Beauharnois
Rue de Bonaventure
Rue de Boucherville
Rue du Saguenay
Rue de Joliette
Lac Sheffington

Rue de Wolfe
Rue de Lambert
Rue d'Anne
Rue d'Argenteuil
Rue de Gatineau

Centre de vol libre Bromont
Rue de Châteauguay
Rue de Québec
Rue de Papineau
Rue de Verchères
Rue de La Mitis

Rue de Yamaska
Rue d'Iberville
Rue de Mégantic
Château Bromont & Spa
Rue de Stanstead
Rue des Prés
Rue de la Colline

Rue de Beauce
Rue Bruce
Rue de Drummond

Rue des Boisés
Chambly
Rue de Laval
Rue Montcalm
Rue de Rouville

Rue Cooley
Champlain
Rue de Bagot
Ski Bromont
Parc Aquatique
Rue de Bellechasse

Rue du Cercle-des-Cantons
Rue de Nicolet
Rue des Pentes
Mont Soleil
Ch. Huntington

Rue de Charlevoix
Rue de Lévis
Club de vélo de Montagne
Rue de Deux-Montagnes
Rue Mont-Joie
Rue Montcalm

Rue Buck
Rue Nélligan
Rue Mercier
Rue Montagnes

Rue Doonan
Rue Dunlavey
Rue Mont-Chapleau
Rue de Dorchester

Missisquoi
Rue Mont Brome

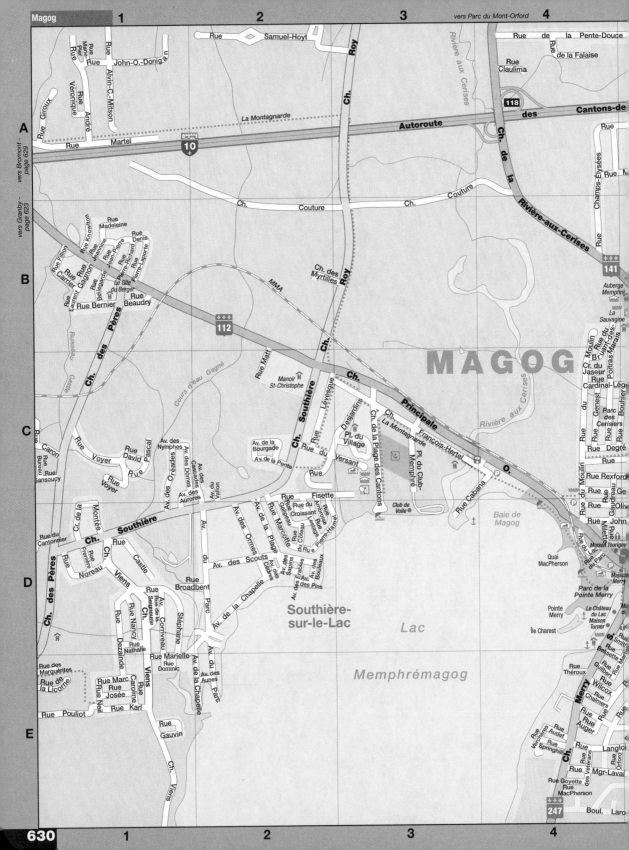

VAL-JOLI

WINDSOR

VAL-JOLI

Saint-
Grégoire-
de-Greenlay

SAINT-FRANÇOIS-XAVIER-DE-BROMPTON

Ch. 11e Rang

Ch. 11e Rang

Rue St-Georges

Île
Louillard

Rue de la Poudrière

La
Poudrière

Parc
Carmen-
C.-Juneau

La
Poudrière
de Windsor
(Parc
Watopeka)

Watopeka

Rivière

Centre
J.-A.-Lemay

Boul. Desharnais

RIVIÈRE

SAINT-

FRANÇOIS

Rue Principale N.

Rue Greenlay N.

Rue de la Gare

Rue des Prés

Rue Langlois

Rue Ste-Marie

Rue Jeanne-Mance

Île
Morin

Île
St-
André

Rue Roussin-
Vigneux

Rue
Henry-Wheeler

Rue du Parc-Industriel

Rue des
Jacinthes

Rue des
Lys

Pl.
des Fleurs

Rue des
Bois-Joli

Rue
Simonneau

J.-E.-Lemieux

Av.

10e Av.

9e Av.

Rue des Pins

Pl. des
Cèdres

Pl. des
Érables

8e

Rue
du Parc

Rue
Crabtree

Rue
Harley

Rue
Booth

Rue
Allen

Rue des
Hauts-Bois

Rue
St-Paul

Rue St-Christophe

Rue
St-Jean

Rue
St-Paul

Rue
Abram

Rue
St-
Baptiste

Rue
St-Ambroise

Rue
St-Georges

Rue Dearden

Moulin

Tournesol

Rue
du
Watopeka

5e Av.

4e Av.

3e Av.

2e Av.

1re Av.

Rue St-Frédéric

Rue St-Georges

Ctr. hosp.
St-Louis

Ctr. comm.
René-Lévesque

Parc du
Vieux-Moulin

WINDSOR

Rue Fraser

Pl. Goyette

Rue St-
Bellevue

Rue St-
Andrew N.

Rue
Frye O.

Rue
Rankin

Rue St-Philippe

2e Rue Bolduc

Rue
St-Louis

Rue St-
Philippe

Rue Albert Brown

Rue
Craig

Rue
Longpré

Rue Lemire

Rue
Vigneux

Rue des Sources

Rue
Bouffard

Rue
Labrecque

Rue
Vaillancourt

Rue
Dubreuil

Rue
Thomas-
Logan

Rue
Chabot

Rue
Bellevue

Rue
Bourbeau

Rue
Dessureault

Rue
Lepage

Rue de la Croix

Rue
Gardner

Rue
Jolin

Rue
Vertu

Rue du
Souvenir

Rue St-Laurent

Rue
Stanley

Rue St-Jean

Rue St-Joseph

Rue Bisson

Rue St-Jean

Rue St-Gérard

Rue St-Pierre

Rue St-Laurent

Rue
Rita

Rue
Rondeau

Rue St-François

Rue
Gabriel

Rue
St-Antoine

Rue
Patrice
Rouillard

Rue Laporte

Rue
Principale

Rue St-André

Rue
Dufresne

Rue Greenlay S.

143

249

249

55

71

143

vers Drummondville - pg 619

vers Drummondville - page 619

Aut. Transquébécoise

2e Rang O.

2e Rang E.

12e Rang

Rue
Goyette

SLR

SLR

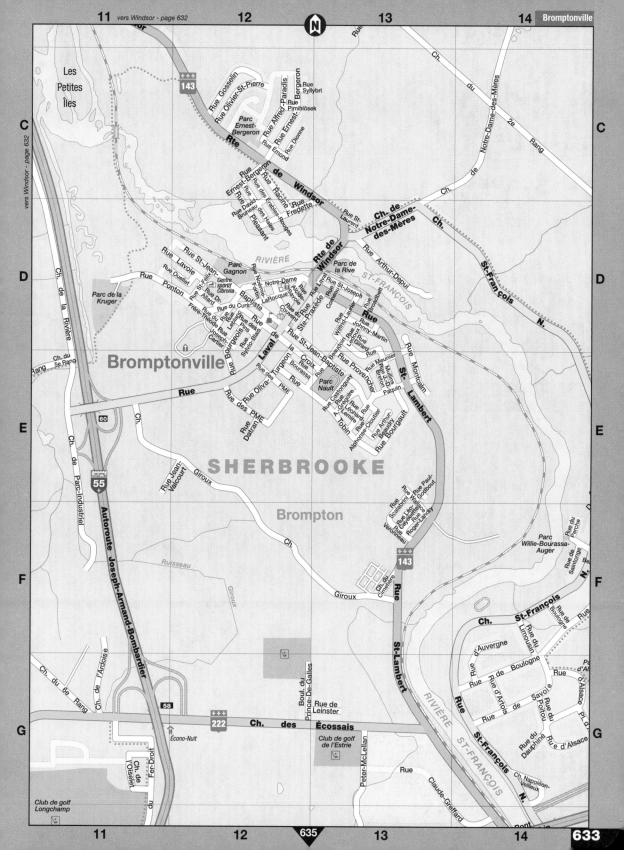

Les Petites Îles

C

vers Windsor - page 632

143

Rue Gosselin
Rue Olivier-St-Pierre
Rue Alfred-Paradis
Rue Bergeron
Rue Syllybri
Rue Pimihlôsek
Parc Ernest-Bergeron
Rue Ernest-Bergeron
Rue David-Bruneau
Rue des Érables-Rouges
Rue des Hales
Rue Dionne
Rue Émond
Rte de Windsor

D

Rue Ernest-Bergeron
Rue Racine
Rue Pleasant
Rue Fredette

Ch. de Notre-Dame-des-Mères
Rue St-Laurent
Rue Arthur-Deptui
ST-FRANÇOIS
Ch.
Ch. de
Notre-Dame-des-Mères
2e Rang
St-François N.

St-François

RIVIÈRE

Rte de Windsor

Rue St-Jean
Rue Lavoie
Rue Ouellet
Rue Ponton
Parc Gagnon
Centre sportif Cibrona
Notre-Dame
Rue Néémie-Fortin
Rue St-Félix
Rue Dr. Allard
St-Baptiste
LaRocque
Rue Alcide
Rue Gareau
Rue St-Joseph
Rue Laval
Rue Broadbent
Parc de la Rive

Parc de la Kruger

Ch. du 5e Rang

Rang

Rue du Curé
Frère-Théode
Joseph-Cartier
Rue Lehardy
Rue des Pins
Rue Bourgeois
Rue Sylvio-Blais
Rue Covent
Rue Ste-Prateede
la Croix
Rue Turgeon
Rue Laval de
Rue St-Jean-Baptiste
Rue Wilfrid-Lautier
Rue Johnny-Martin
Rue Girard
Rue Ladoux
Rue
Rue Beaudoin
Rue Bourassa
Rue Castonguay
Parc Nault
Rue Meunier
Rue Briton
Rue Paquin
St. Lambert
Rue Montcalm

Bromptonville

Rue Provencher

60

E

55

Autoroute Joseph-Armand-Bombardier

Ch. de Parc-industriel

Rue Jean-Valcourt
Giroux
Rue des PME
Rue Oliva-PME
Rue Datran
Rue Gregoire
Rue St-Léonard
Rue Lemitre
Rue Cloutier
A. Tobin
Rue Alphonse-Cloutier
Rue Beaudry
Rue Arthur
Rue Bourgault

SHERBROOKE

Brompton

Rue Scalabrini
Rue Paul-Godbout
Rue Cavdettes
Rue Paul-Godbout
Rue Roger-Landry
Rue Veronneau
Parc Willie-Bourassa-Auger

143

Rue du Perche
St-François N.
Rue de Saintonge
Parc Willie-Bourassa-Auger

F

Ch. de la Rivière

Ruisseau

Giroux

Ch.

Giroux

St-Lambert

Ch. du Cimetière

Ch. St-François
Rue du Limousin
Rue d'Auvergne
Rue de Boulogne
Rue de Boulogne
Rue d'Artois
Rue du Poitou
Savoie
Pl. d'Alsace
Parc d'Al...

RIVIÈRE ST-FRANÇOIS

Ch. du 6e Rang
Ch. de l'Ardoise

58

Boul. du Prince-De-Galles

Rue de Leinster

Rue d'Alsace
Rue du Dauphine
Rue d'Alsace
Rue du Dauphine

G

Ch. de l'Oiselet
Ch. Fer-Droit
Écono-Nuit

222

Ch. des Écossais
Peter-McLellan

Club de golf de l'Estrie

St-François

Rue
Ch. Napoléon-Veilleux
Claude-Greffard

Club de golf Longchamp

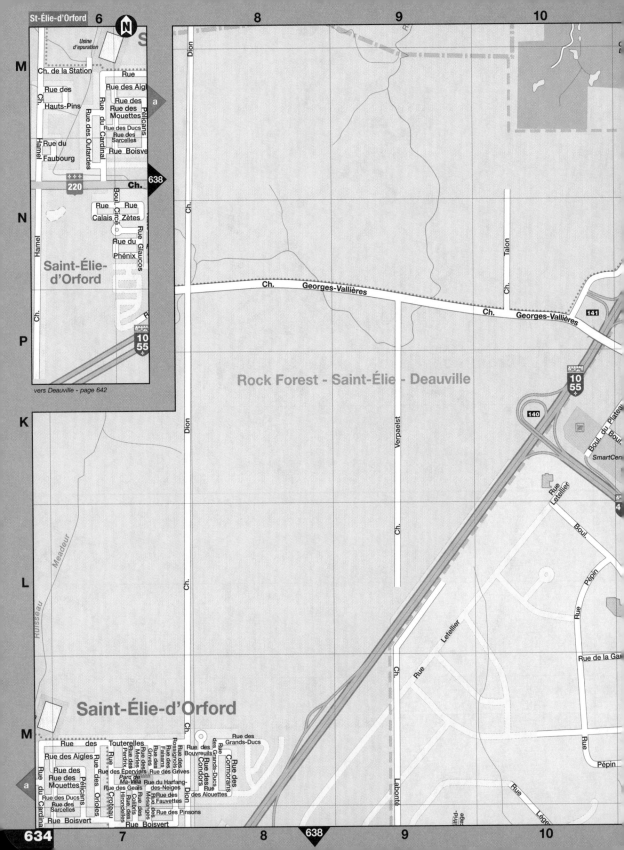

vers Deauville - page 642

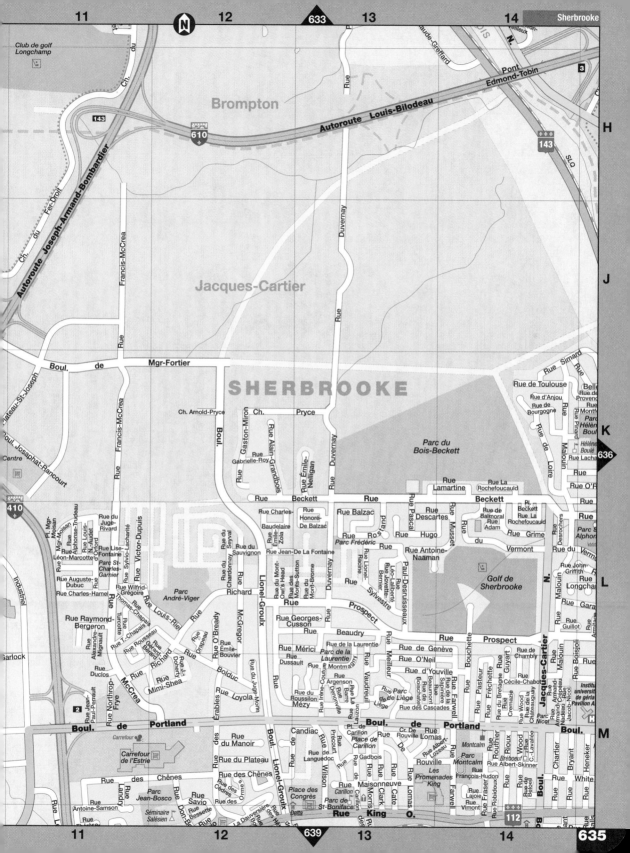

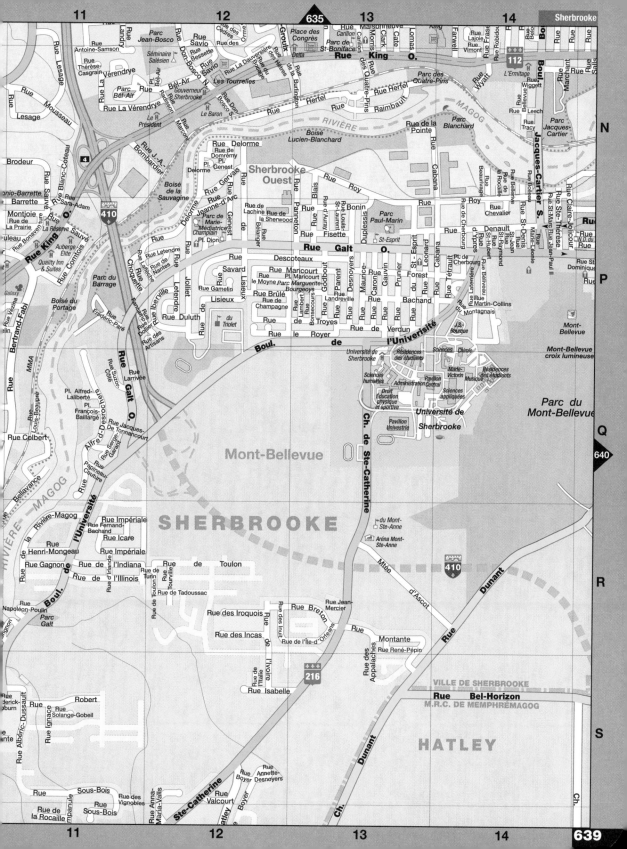

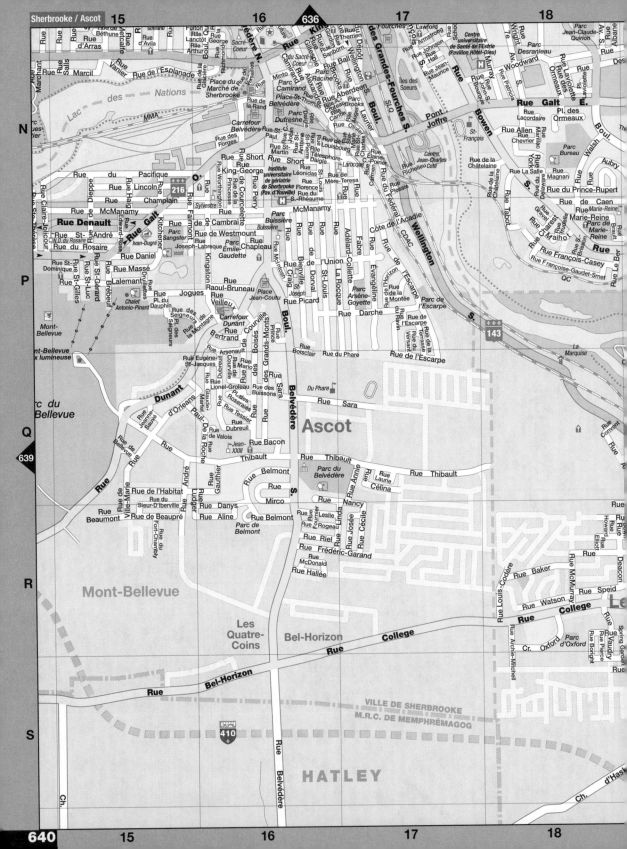

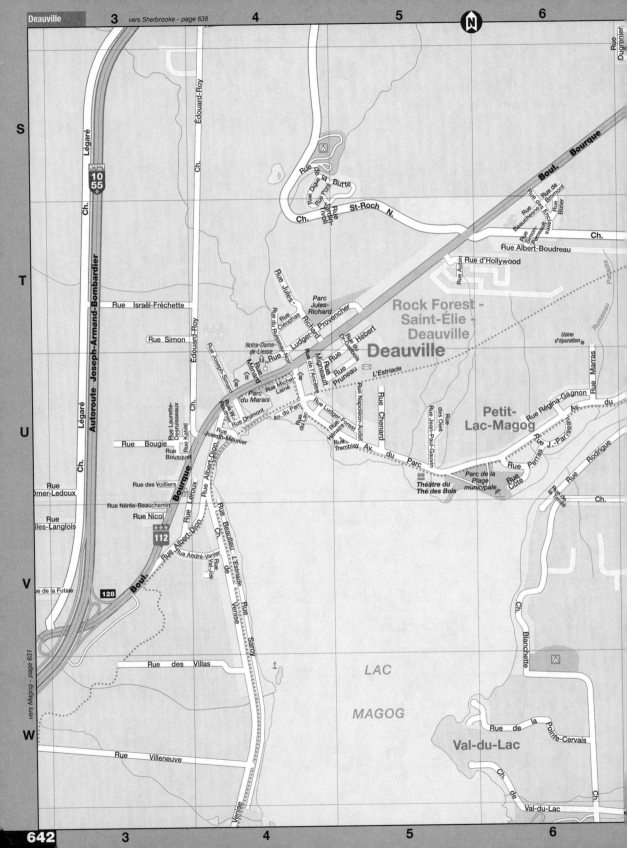

Rue Dugrenier

Boul. Bourque

S

Autoroute Joseph-Armand-Bombardier

10 55

Ch. Légaré

Rue de Bromont
Rue des Enclaves
Rue Bizier
Rue de Beauchesne
Rue Simon-Pérreault

Ch.

Rue Albert-Boudreau

Rue Aubin
Rue d'Hollywood

Rue Digue de la Butte
Rue Pont
Rue Jardin-Tivoli

Ch. St-Roch N.

T

Rue Israël-Fréchette

Rue Jules

Rue Cléophas

Parc Jules-Richard

Richard Provencher

Rock Forest -
Saint-Élie -
Deauville

Ruisseau Paradis

Usine d'épuration

Rue Simon

Édouard-Roy

Rue du Ruisseau-Noir

Ludger Richard

Rue Hébert
Rue du Dr-Carbois

Deauville

L'Estriade

Rue Marras

Notre-Dame-de-Liesse

Rue Joseph-Simard

Rue Ménard

Rue
Rue Pruneau
Rue de l'Ancêtre
Migneault

Rue Chenard

Petit-
Lac-Magog

U

Rue Laurette-Desruisseaux
Rue Kateri

Rue W. Rodrigue

Rue Drumont

Parc du Marais

Rue Michel-Lainé

Av. du Parc
Rue du Lac

Rue Ludger-Forest

Rue Napoléon-Audet

Rue des Oies

Rue Jean-Paul-Gauvin

Av. Regina-Gagnon

Av. du

Rue Pétras J.-Pariseau

Rue Rodrigue

Rue Bougie

Rue Bousquet

Rue Joseph-Meunier

Rue Hénault

Rue Tremblay

Av. du Parc

Rue Côté

Rue de Santé

Ch.

Rue Omer-Ledoux

Rue des Voilliers

Boul. Leroux

Rue Albert-Dion

Théâtre du Thé des Bois

Parc de la Plage municipale

Rue Nérée-Beauchemin

Rue Nicol

Rue Jules-Langlois

Boulque

Rue Beaulieu

Ch. de Val-Voi

112

Rue Albert-Dion

Rue André-Vanier

L'Estriade

Ch.

Rue de la Futaie

128

Boul.

V

Rue Venise

Rue Saroy

Blanchette

Ch.

vers Magog - page 631

Rue des Villas

LAC

MAGOG

Rue de la Pointe-Cervais

W

Rue Villeneuve

Venise

Val-du-Lac

Ch. de Val-du-Lac

Ch.

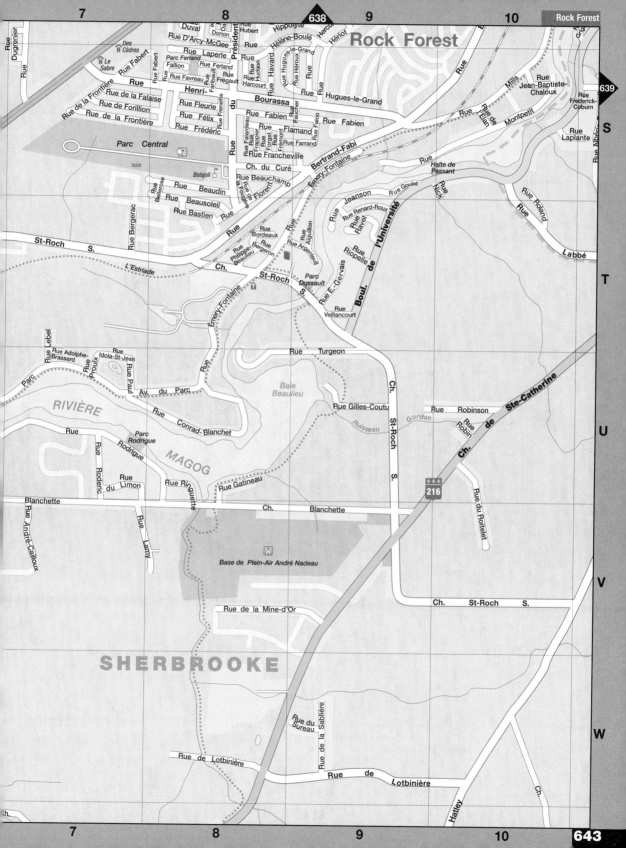

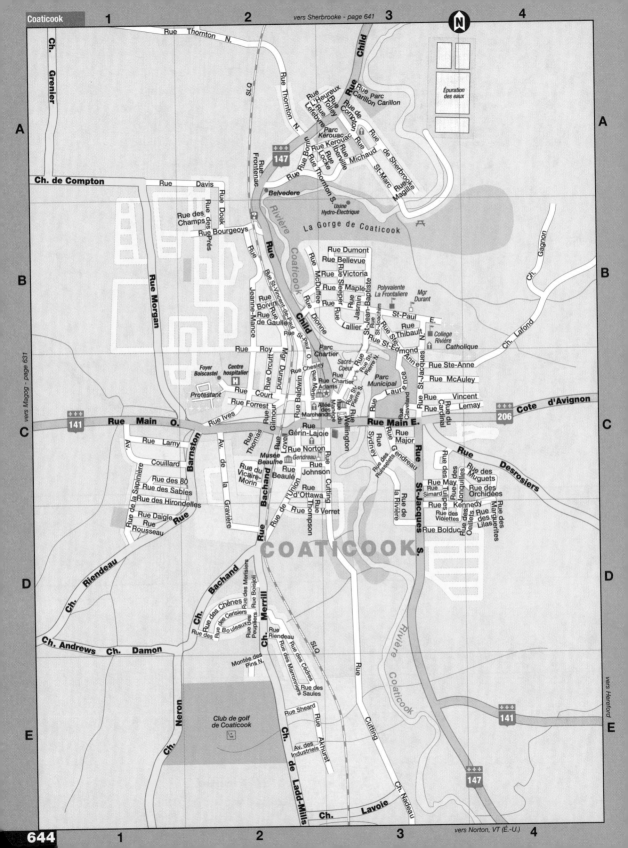

N

Épuration des eaux

Ch. Grenier

Rue Thornton N.

SLO

Rue Thornton N.

Rue Frontenac

Rue L'Heureux
Rue Tolley
Rue Lefebvre

Rue Carillon
Parc Carillon
Rue Corriton
Rue de Sherbrooke

Parc Kérouac
Rue Kérouac
Rue Locke
Rue Barville
Michaud

Rue de Compton
Rue Davis
Rue Doak

Rue Thornton S.

Belvedere

Usine
Hydro-Électrique

St-Marc
Rue Magill

Rue des Champs
Rue des Prés
Rue Bourgeoys

La Gorge de Coaticook

Rue Morgan

Rivière Coaticook

Rue McDuffee

Rue Dumont
Rue Bellevue
Rue Victoria
Rue Sleeper
Maple
Jasmin

Polyvalente
La Frontalière

Mgr Durant

Ch. Gagnon

Ch. Lafond

Rue Jeanne-Marce
Rue St-Vincent-de-Paul
Rue Boivin
Rue de Gaulle
Rue Dionne

Rue
Lallier
Rue Jean-Baptiste
St-Paul
Rue Joachim
Rue Ste-
Rue Thibault

St-Paul
Rue Roy
Mgr Durant
Rue Orcutt
Rue Chesley
Parc Chartier
Sacré-Cœur
Rue Pierre N.
Rue St-Edmond
Anne

Collège Rivière Catholique

Rue Ste-Anne

Rue McAuley

Foyer Boiscastel
Centre hospitalier
Rue Court
Rue Forrest
Rue Ives

Rue Chartier
Rue Adams
Parc Municipal
Laure

Vincent
Lemay

Rue du Cardinal

Cote d'Avignon

Protestant

Rue Main O.

Rue Lamy
Couillard

Rue Thomas
Rue Gérin-Lajoie
Musée Beaulne
Rue Norton
Gendreau
Rue Johnson

Rue Wellington
Rue Main E.
Rue Major
Rue Sydney
Rue Gendreau

Rue Desrosiers

Barnston
Av. de la Gravière
Rue du Vicaire-Morin
Rue Beaulé

Rue des Ruisselets
Rue de la Rivière

Rue May
Rue Simard
Rue des Tulipes
Rue des Violettes
Kennedy
Rue des Œillets

Rue des Muguets
Rue des Orchidées
Rue des Lilas
Rue des Marguerites

Rue des 80
Rue des Sables
Rue des Hirondelles
Rue Daigle
Rue Rousseau

Rue Bachand
Rue Glimour
Rue Union
Rue d'Ottawa
Rue Thompson
Rue Cutting
Rue Verret

COATICOOK

Rue St-Jacques S.

Rue Bolduc

Ch. Rieneau
Ch. Andrews
Ch. Damon
Ch. Neron

Ch. Bachand
Rue des Chênes
Rue des Cerisiers
Rue des Merisiers
Rue Boispôl
Rue des Peupliers
Rue des Bouleaux
Ch. Merrill
Rue Rieneau
Rue des Cèdres
Rue des Marronniers
SLO

Rivière Coaticook

Montée des Pins N.

Rue des Saules

Club de golf de Coaticook

Rue Sheard
Av. des Industriels
Rue Akhurst

Ch. de Ladd-Mills

Ch. Lavoie

Ch. Nadeau

vers Magog - page 631

vers Hereford

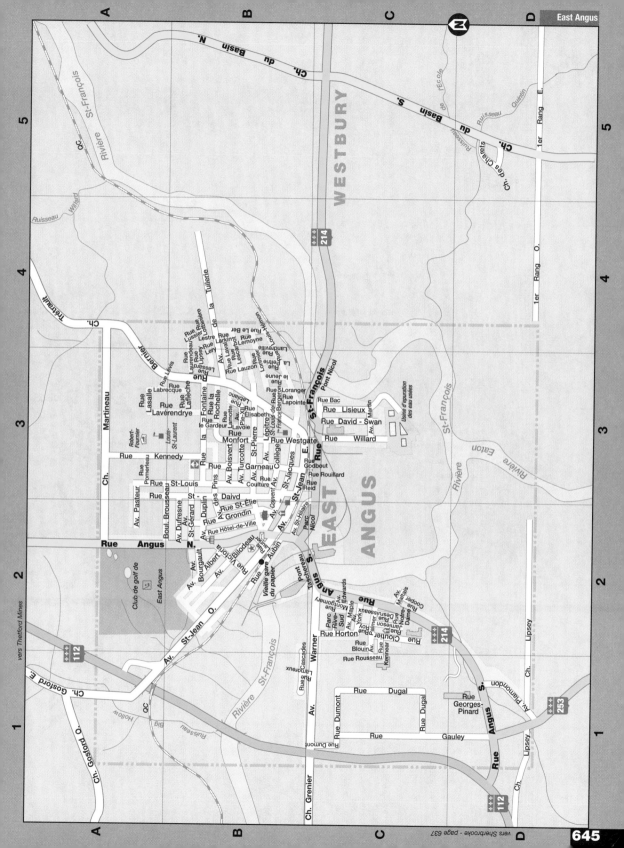

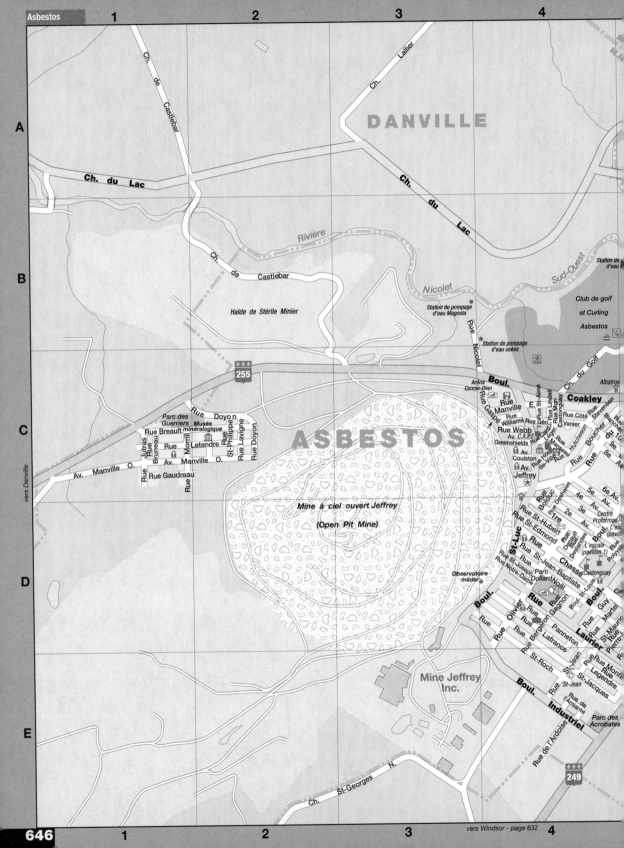

TINGWICK

Le Secteur-des-Lacs

La Petite-Venise

M.R.C. D'ARTHABASKA
M.R.C. DES SOURCES

Lac du

Ch.

Camping l'Oiseau Bleu

Camp musical d'Asbestos

Harmonie d'Asbestos

Rue Pruneau

Rue

Rue Veilleux

Dusseault

des

Parc l'Oiseau-bleu

Rue St-Hilaire

Rue des Grives

Rue des Allié

Mésanges

Rue Plamondon

Rue Béliveau

Récré-Eau parc

Les Trois Lacs

Plage municipale Secteur Trois-Lacs

Parc Léon Boisvert

30e Av.

Larochelle

23e Av.

21e Av.

20e Av.

19e Av.

18e Av.

Rue Pinard

Rue Héron

Rue Harvey

Rue Aubut

A

Club de tir à l'arc

Trois-Lacs

Rue de la Montagne

14e Av.

12e Av.

Rue des Sentelles

15e Av.

16e Av.

Dusseault

L'Oiseau-Bleu

Rue Beaumont

Butte à Dion

Boul. l'Oiseau-Bleu

Boul. Larochelle

Parc Julien-Vachon

Larochelle

Ch. des Trois-Lacs

Boul. l'Oiseau-Bleu

Domaine-Plein-Air

Rue Robitaille

Rue Lemire

Rue Payette

Rue Jako

Rue Fortin

Rue Amy

Trois-Lacs

B

Rue Baillargeon

Rue Turgeon

Rue Marcoux

Rue Giguère

Rue Lefebvre

Rue Beaulieu

Rue Hamel

Rue Racine

des

Rue René

Rue Charland

Rue Garant

Rue Grimard

Boul. Coakley

Rue Genest

Rue Poitras

Rue Belleville

Rue Poisson

Rue Couture

Rue Girard

Rue Leleau

Domaine-Picard

Golf Club

Rue

255

Roi

Rue Vigneux

Boul. Carmard

Rue Binette

Rue Genest

Rue Fréchette

Rue Beaulie

Rue Ratté

Rue Lapierre

Rue Gilbert

Filion

La Tourelle

Rue Pinard

Rue des Érables

C

Parc des bouts de chou

Parc des Explorateurs

Ch.

Boul.

Centre de plein-air

Rue des Vétérans

Morin

Rue Mercier

9e Av.

Rue Tardif

Av.

5e Av.

Av.

Rue Paul

Théode

Rue Lebel

Demers

Rue des Cèdres

Rue Gérard

Simoneau

Ch. Blanchette

Simoneau

Parc du Centenaire

Conseil

du

D

vers Wottonville

255

Le Williams

Rue Dupuis

Rue Bourbeau

DANVILLE

Laporte

Rue Gosselin

Rue Brown

Rue Roux

Boul.

Rue

WOTTON

E

Rue Boudreau

Rue Sylvestre

Rue St-Pierre

Parc des roulottes

Domaine-Boudreau

Rue des Sources

Rue des Quatre-Vents

Laurier

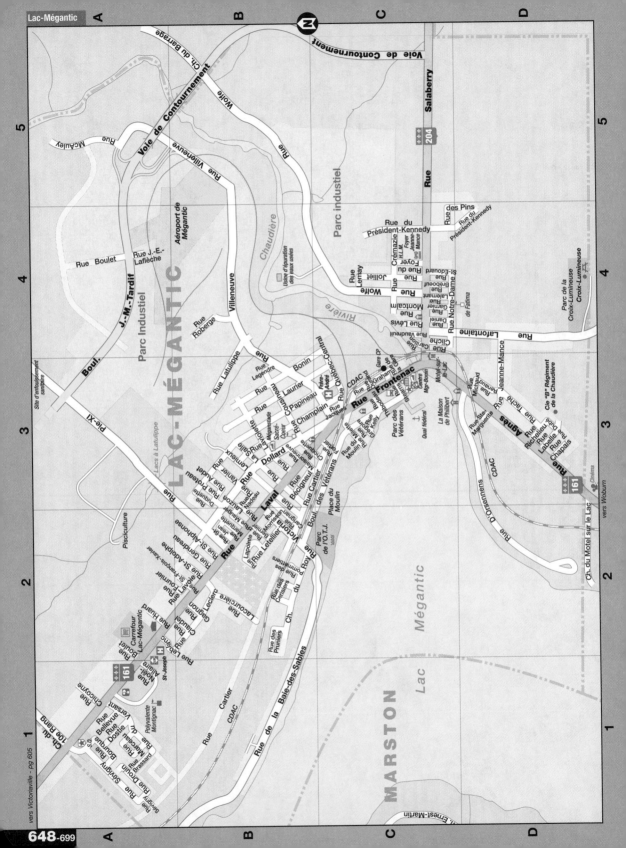

Index des rues

Street Index

Comment utiliser l'index

Pour trouver une rue, chercher dans les colonnes par ordre alphabétique. Le code de trois lettres à côté du nom de la rue indique la municipalité dans laquelle se trouve la rue. Noter le numéro de page et les coordonnées à côté du nom de la rue. Par exemple, pour trouver la rue Benni à Huntingdon:

Benni, Rue *HUN* **560** C2

Tourner à la page **560** et trouver le carré C2. Vous y trouverez la rue Benni.

How to use the index

To find a street, search through the alphabetically arranged columns. A three letter code beside the street name indicates which municipality the street is located in. Note the page number and the reference square to the right of the street name. For example, to find the location of Dover Street in Longueuil:

Dover, Rue *LNG* **329** Z63

Turn to page **329** and locate square Z63. Scan the square to find the street.

Codes des localités

Community Codes

ACTON VALE ..... *ACV*
Alstonvale ..... *HUD*
Arthabaska ..... *VTV*
ASBESTOS ..... *ASB*
Ascot ..... *SHE*
BEAUHARNOIS ..... *BHN*
BELOEIL ..... *BEL*
BOUCHERVILLE ..... *BCV*
BROMONT ..... *BRO*
Brompton (Bromptonville) ..... *SHE*
BROSSARD ..... *BRS*
CANDIAC ..... *CAN*
CARIGNAN ..... *CAR*
CHAMBLY ..... *CHB*
CHÂTEAUGUAY ..... *CTG*
COATICOOK ..... *COA*
Como ..... *HUD*
CONTRECOEUR ..... *CON*
COTEAU-DU-LAC ..... *CDL*
COWANSVILLE ..... *COW*
Deauville ..... *SHE*
DELSON ..... *DEL*
Dorion ..... *VDR*
DRUMMONDVILLE ..... *DMV*
EAST ANGUS ..... *EAN*
FARNHAM ..... *FAR*
Fleurimont ..... *SHE*
GRANBY, VILLE DE ..... *GRA*
Grande-Île ..... *SVD*
Greenfield Park **(LONGUEUIL)** ..... *GFP*
HUDSON ..... *HUD*
Hudson-Heights ..... *HUD*
HUNTINGDON ..... *HUN*
Iberville ..... *SJR*
Jacques-Cartier ..... *SHE*
Kahnawake ..... *KAH*
LA PRAIRIE ..... *LPR*
LAC-MÉGANTIC ..... *LMG*
L'ÎLE-PERROT ..... *IPR*
LeMoyne **(LONGUEUIL)** ..... *LEM*
Lennoxville ..... *SHE*
LÉRY ..... *LER*
LES CÈDRES ..... *CED*
LONGUEUIL ..... *LNG*
MAGOG, CANTON DE ..... *MAG*
MAGOG, VILLE DE ..... *MAG*
Maple Grove ..... *BHN*
MARIEVILLE ..... *MAR*
MCMASTERVILLE ..... *MCM*
Melocheville ..... *BHN*
MERCIER ..... *MER*
Mont-Bellevue ..... *SHE*
MONT-ST-HILAIRE ..... *MSH*
NAPIERVILLE ..... *NAP*
Nitro ..... *SVD*
NOTRE-DAME-DE-L'ÎLE-PERROT ..... *NDP*
Omerville ..... *OMV*
OTTERBURN PARK ..... *OTT*
PINCOURT ..... *PIN*
PLESSISVILLE ..... *PLS*
POINTE-DES-CASCADES ..... *PDC*
Pointe-du-Moulin ..... *NDP*
PRINCEVILLE ..... *PRN*
RICHELIEU ..... *RCH*
RIGAUD ..... *RIG*
Rock Forest ..... *SHE*
Saddlebrook ..... *SLZ*
ST-AMABLE ..... *SAM*
ST-BASILE-LE-GRAND ..... *SBG*
ST-BRUNO-DE-MONTARVILLE ..... *SBM*
St-Charles-de-Drummond ..... *DMV*
ST-CHRISTOPHE-D'ARTHABASKA ..... *SCH*
ST-CLET ..... *SCL*
ST-CONSTANT ..... *SCT*
ST-CYRILLE-DE-WENDOVER ..... *SCW*
St-Élie-d'Orford ..... *SHE*
ST-GERMAIN-DE-GRANTHAM ..... *SGG*
St-Hubert **(LONGUEUIL)** ..... *SHU*
ST-HYACINTHE ..... *SHY*
ST-JEAN-SUR-RICHELIEU *SJR*
ST-JOSEPH-DE-SOREL ..... *SJS*
ST-LAMBERT ..... *SLB*
ST-LAZARE ..... *SLZ*
St-Luc ..... *SJR*
ST-MATHIAS-SUR-RICHELIEU ..... *SMS*
ST-MATHIEU ..... *SMU*
ST-MAJORIQUE-DE-GRANTHAM ..... *SMG*
St-Nicéphore ..... *DMV*
ST-PHILIPPE ..... *SPH*
ST-RÉMI ..... *SRE*
St-Timothée ..... *SVD*
St-Thomas-d'Aquin ..... *SHY*
STE-CATHERINE ..... *SCA*
STE-JULIE ..... *SJU*
Ste-Rosalie ..... *SHY*
SALABERRY-DE-VALLEYFIELD ..... *SVD*
SHERBROOKE ..... *SHE*
SOREL-TRACY ..... *SRT*
TERRASSE-VAUDREUIL ..... *TVD*
Tracy ..... *SRT*
Trois-Lac ..... *ASB*
VARENNES ..... *VAR*
VAUDREUIL-DORION ..... *VDR*
VAUDREUIL-SUR-LE-LAC ..... *VSL*
VERCHÈRES ..... *VRC*
VICTORIAVILLE ..... *VTV*
WINDSOR ..... *WIN*

Points of Interest

Attraits

Attraits

Agence Spatiale Canadienne *LNG* **349** E66
Amazoo Parc aquatique *GRA* **621** D5
Autodrome Drummond *DMV* **608** E3
Bois des Pins, Parc du *SHY* **520** D-E5
Canal de Chambly *CHB* **409** R66 T66
Carrefour culturel et touristique de l'Érable *PLS* **607** D2-3
Centre d'interpretation de la naturedu lac Boivin *GRA* **621** D8
Colisée des Bois-Francs *VTV* **602** D8
Commission scolaire de Jacques-Cartier *VTV* **329** Y65
Conseil national de récherche du Canada *BCV* **329** W-X68
Coteau-du-Lac, Lieu historique national du *CDL* **222** X6-7
Électrium *SJU* **330** Z75
Fort-Chambly, Lieu historique national du *CHB* **409** R66
Indian Village (Musée) *KAH* **306** U42
Institut Québecois de l'Érable *PLS* **607** D3
Jardin Zoologique de Granby *GRA* **621** D5
L'Espace Maskoutain *SHY* **520** E4
Le village québecois d'Antan *DMV* **613** F8
Les ateliers du Faubourg des arts *MSH* **411** Q78-79
Les Légendes Fantastigues *DMV* **613** F8
Maison Louis-H.-Lafontaine *BCV* **310** U70
Mont-Bellevue croix lumineuse *SHE* **639** P-Q14 **640** P-Q15
Musée Marcel *SLB* **328** Y59
Parc aquatique *BRO* **629** E6-7
Refuge faunique Marguerite-d'Youville *CTG* **305** R36 **306** R37
Sanctuaire de Drummondville *DMV* **608** A1-3
Terrain de l'Exposition *VTV* **603** E9
Village historique de Carignan *CAR* **389** M64

Centres commerciaux

Acton, Galeries d' *ACV* **540** C2
Bois-Francs, Carrefour des *VTV* **603** E9
Bois-Francs, La Grande Place des *VTV* **603** E10
Carnaval, Mail *LNG* **348** C59
Carrefour, Place du *CAN* **367** F49-50
Centre-Ville, Centre commercial *LNG* **329** Y64
Champlain, Mail *BRS* **348** C-D58
Charpentier, Centre commercial *DMV* **619** M13
Châteauguay, Centre régional *CTG* **325** V35-36
Delson, La Plaza *DEL* **347** E46
Desormeaux, Place *LNG* **349** A63
Don-Quichotte, Carrefour *IPR* **244** D26
Dorion, Carrefour *VDR* **244** A23
Drummond, Les Galeries *DMV* **613** F6
Drummondville, Les Promenades *DMV* **613** F5
Érable, Les Galeries de l' *PLS* **607** D3
Estrie, Carrefour de l' *SHE* **635** M11-12
First Pro St-Constant *SCT* **347** B45
Granby, Galeries de *GRA* **620** D-E3
Grandes-Fourches, Promenade des *SHE* **636** M17
Greenfield Park, Place *LNG* **348** B59-60
Jacques-Cartier, Centre *LNG* **329** X63
King, Les Promenades *SHE* **635** M13-14
Lac-Mégantic, Carrefour *LMG* **648** A2
Le Faubourg de l'Île *PIN* **244** C24
Les Foyers Fanham Inc. *FAR* **624** B2-3
Les Promenades de Sorel *SRT* **530** C5
Longueuil, Place *LNG* **329** W61
Marché, Centre du *CAN* **367** F49
Montarville, Promenades *BCV* **330** W-X71
Montcalm, Centre *CAN* **367** F49
Montenach, Mail *BEL* **391** N79
Orford, Galeries *MAG* **631** C7
Pierre-Boucher, Place *BCV* **310** U71
Portobello, Place *BRS* **348** E57
Quatre-Saisons, Les Galeries *SHE* **636** K18
Richelieu, Carrefour *SJR* **511** H3
Rock Forest, Les Terrasses *SHE* **638** Q8-9
St-Bruno, Les Promenades *SBM* **369** G66
St-Hyacinthe, Galeries *SHY* **520** D4
St-Lambert, Carré *SLB* **328** Z58-59
Tracy, Plaza *SRT* **530** D2
Varennes, Les Galeries de *VAR* **311** Q78

Cinémas / Salles de spectacle

Bois-Francs *VTV* **603** E9
Boucherville *BCV* **329** X68
Brossard *BRS* **348** D58
Capitol *DMV* **613** G-H8
Carnaval *CTG* **325** W35
Carrefour *SHE* **635** M11
Cinema 9 *SHE* **639** P11
Ciné-Parc Châteauguay *CTG* **325** Y34-35
Cine-parc *DMV* **612** K1
Ciné-parc Odéon *BCV* **350** B71
Cineplex *VDR* **244** A23
Delson *DEL* **347** E47
Encore *CTG* **325** V35
Famous 8 *LNG* **348** C59
Fleur-de-Lys *GRA* **621** D5
Foyer Jeanne-Mance *LMG* **648** C4
Galeries *GRA* **620** E2
Guzzo *LNG* **329** X-Y63
Laurier *VTV* **602** E6
Le Vieux Presbytère de St-Bruno *SBM* **370** H69-70
Magog *MAG* **631** D5
Maison du Cinema *SHE* **636** M17
Palace *GRA* **623** F5
Paladium *SJR* **512** M7
Princesse *COW* **626** D8
St-Basile *SBG* **370** K72
St-Bruno *SBM* **369** F-G66
Taschereau *LNG* **348** B59-60
Théâtre A Wilfrid *VTV* **603** E9
Théâtre de l'Écluse *SJR* **511** K5
Théâtre de la Ville *LNG* **329** X63
Théâtre des Cascades *PDC* **264** H21-22
Théâtre des Deux-Rives *SJR* **512** L-M4
Théâtre du Thé des Bois *SHE* **642** U5
Théâtre Parminou *VTV* **602** E8

Galeries d'art / Musées

Centre cultural de Drummondville *DMV* **613** H7-8
Centre d'art *FAR* **624** D2
Exporail-Le musée ferroviaire canadien *SCT* **347** E45
Maison Lenoblet du Plessis *CON* **550** B2
Musée Beaulne *COA* **644** C2

1e Rang E. *EAN* **645** D5
1e Rang O. *EAN* **645** D4
1er Boul. *PIN* . . . **244** E23 **264** F23
1er Boul. *TVD* **244** B24-25
1re Allée, Rue *DMV* **619** M13
1re Av. *ACV* **540** B2
1re Av. *ASB* **646** D4 **647** D5
1re Av. *CED* **263** F19
1re Av. *CTG* **305** U35
1re Av. *DEL* **367** F46
1re Av. *DMV* **615** J-K17
1re Av. *FAR* **624** C4
1re Av. *IPR* **244** D27
1re Av. *MCM* **391** N77
1re Av. *NAP* **570** B-C2
1re Av. *SCA* **347** A-B46
1re Av. *SCH* **605** H9
1re Av. *SCT* **346** D44
1re Av. *SJR* **512** L7-8
1re Av. *SVD* **263** F13
1re Av. *VDR* **244** A23
1re Av. *VTV* **602** D5
1re Av. *WIN* **632** C2-3
1re Av. (MAP) *BHN* **284** P25
1re Av. (MEL) *BHN* **263** J-K19
1re Av. N. *IPR* **244** D27
1re Av. N. *SMU* **366** K44
1re Rue *DMV* **615** K15
1re Rue *LNG* **369** H62-63
1re Rue *RCH* **409** S67 T66
1re Rue *SJR* **511** K6 **512** L7
1re Rue O. *SMU* **366** K44

2e Allée, Rue *DMV* **619** M13-14
2e Av. *ACV* **540** B2-3
2e Av. *ASB* **646** D4
2e Av. *BHN* **263** J-K19
2e Av. *CED* **263** F19
2e Av. *CTG* **305** U35
2e Av. *DEL* **367** F46
2e Av. *DMV* **615** J16
2e Av. *FAR* **624** C4
2e Av. *IPR* **244** D27
2e Av. *MCM* **391** N77
2e Av. *SCH* **605** H9
2e Av. *SCT* **346** D44
2e Av. *SJR* **512** L7-8
2e Av. *SVD* **263** F13
2e Av. *TVD* **244** B25
2e Av. *VDR* **244** A23
2e Av. *VTV* **602** D5
2e Av. *WIN* **632** C2-3
2e Av. N. *IPR* **244** C-D27
2e Av. N. *SMU* **366** K44
2e Boul. *PIN* . . . **244** E23 **264** F23
2e Boul. *TVD* **244** B24-25 C26
2e Rang *ACV* **540** E1-2
2e Rang *SHY* **520** A-B8
2e Rang *SMG* **608** A2 B-C3
2e Rang, Ch. du *DMV* **615** F17
2e Rang, Ch. du *SHE* . . . **633** C13-14
2e Rang E. *WIN* **632** E1
2e Rang O. *WIN* **632** E2
2e Rue *DMV* **615** K15
2e Rue *IPR* **244** E27
2e Rue *LNG* **369** H63
2e Rue *RCH* **409** T66-67
2e Rue *SJR* **511** K6 **512** L7
2e Rue O. *SMU* **366** K44

3e Av. *ACV* **540** B2-3
3e Av. *ASB* **646** D4 **647** D5
3e Av. *BHN* **263** J-K19
3e Av. *CED* **263** F19
3e Av. *CTG* **305** U35
3e Av. *DEL* **367** F46
3e Av. *DMV* **615** J17
3e Av. *FAR* **624** C4
3e Av. *IPR* **244** D27-28
3e Av. *MCM* **391** N77
3e Av. *PIN* **244** B24
3e Av. *SCH* **605** H9
3e Av. *SCT* **346** D44
3e Av. *SHE* **636** M17
3e Av. *SJR* **512** L7
3e Av. *SVD* **263** F13
3e Av. *TVD* **244** B25
3e Av. *VTV* **602** D5
3e Av. *WIN* **632** C3
3e Av. N. *IPR* **244** C-D27
3e Av. N. *SMU* **366** K44
3e Boul. *PIN* **244** E23
3e Boul. *TVD* . . . **244** B24-25 C25-26
3e Rang *DMV* **615** H-J16
3e Rang *SMG* **608** B1
3e Rang de Simpson *SCW* . . . .
. . . . . . **610** E12 **615** G14-15 J16

3e Rang de Wendover N. *SCW* . . . . . .
. . . . **610** B9-10
3e Rang de Wendover S. *SCW* . . . . . .
. . . . **610** C10-11
3e Rue *DMV* **615** K15 **619** L15
3e Rue *IPR* **244** E27
3e Rue *RCH* **409** T66-67
3e Rue *SJR* **511** K6-7
3e Rue *SVD* **263** F13
3e Rue O. *SMU* **366** K44
3e-Septembre, Rlle du *SHY* . . . **522** F5

4e Av. *ACV* **540** B2-3
4e Av. *ASB* **646** C-D4
4e Av. *BHN* **263** J-K19
4e Av. *CTG* **305** U35
4e Av. *DEL* **367** F46
4e Av. *DMV* **615** J17
4e Av. *IPR* **244** D27-28
4e Av. *MCM* **391** N77
4e Av. *PIN* **244** B24
4e Av. *RCH* **409** S67
4e Av. *SCH* **604** H8 **605** H9
4e Av. *SCT* **346** D44
4e Av. *SJR* **511** K8 **512** L6-7 L8
4e Av. *SVD* **263** F13
4e Av. *TVD* **244** B25
4e Av. *VDR* **244** A22-23
4e Av. *WIN* **632** C3
4e Av. N. *SMU* **366** K44
4e Boul. *TVD* **244** C25
4E Concession, Ch. de la *HUN* . . **560** E1
4e Rang *ACV* **540** B1-2 B4
4e Rang *SMG* **608** E1-2
4e Rang de Simpson *SCW* . . **611** C-D15
4e Rang E. *VTV* **604** K6
4e Rue *DMV* **615** K15 **619** L15
4e Rue *IPR* **244** D-E27
4e Rue *RCH* **409** S67
4e Rue *SJR* **511** K7 **512** L7
4e Rue *SVD* **263** F13 F-G14
4e Rue O. *SMU* **366** K44

5e Av. *ACV* **540** B2-3
5e Av. *ASB* **646** C-D4
5e Av. *BHN* **263** J-K19
5e Av. *CTG* **305** U35
5e Av. *DEL* **367** F46
5e Av. *DMV* **615** J17
5e Av. *IPR* **244** D27-28
5e Av. *MCM* **391** N77
5e Av. *PIN* . . . **244** C24-25 D25-26
5e Av. *SCT* **346** D44
5e Av. *SHE* **636** M18
5e Av. *SJR* **511** K7-8 **512** L6
5e Av. *SVD* **263** F13
5e Av. *TVD* **244** B-C25
5e Av. *VDR* **244** A22
5e Av. *WIN* **632** C3
5e Av. N. *SMU* **366** K44
5e Boul. *TVD* **244** C25
5e Rang *ACV* **540** A2-3
5e Rang, Ch. du *SHE* **633** E11
5e Rang, Petit *DMV* **512** K4
5e Rang de Wendover S. *SCW* . **610** A12
5e Rang E. *DMV* . . . **617** L5 M7
5e Rang O. *DMV* **612** J1 K3
5e Rue *DMV* **619** L15
5e Rue *RCH* **409** T67
5e Rue E. *SMU* . . . **366** K44 **367** K45
5e Rue O. *SMU* **366** K44

6e Av. *ASB* **646** C-D4
6e Av. *DEL* **367** F46
6e Av. *IPR* **244** D27-28
6e Av. *LNG* **349** C61-62
6e Av. *PIN* **244** C24
6e Av. *RCH* **409** S67
6e Av. *SCH* **605** H-J9
6e Av. *SCT* **346** D44
6e Av. *SHE* **636** M18
6e Av. *SJR* **511** K7-8
6e Av. *SVD* **263** F13
6e Av. *TVD* **244** B25
6e Av. *VDR* **244** A22
6e Av. *WIN* **632** C3
6e Av. (DMV) *DMV* **613** H-J8
6e Av. (SCD) *DMV* **615** J17
6e Av. N. *SMU* **366** K44
6e Boul. *TVD* **244** C25
6e Rang, Ch. du *DMV* **614** G11
6e Rang de Wendover S. *SCW* **611** A14
6e Rang O. *PLS* **607** B1
6e Rue *DMV* **619** L15

6e Rue *IPR* **244** E27
6e Rue O. *SMU* **366** K44

7e Av. *BHN* **263** J-K19
7e Av. *IPR* **244** D26-28
7e Av. *LNG* **349** C61
7e Av. *PIN* **244** C24
7e Av. *RCH* **409** S67
7e Av. *SCT* **346** D44
7e Av. *SJR* **511** K6-7
7e Av. *SVD* **263** F13
7e Av. *TVD* **244** B-C25
7e Av. *VDR* **244** A22
7e Av. *WIN* **632** B-C3
7e Av. (DMV) *DMV* **613** H-J8
7e Av. (SCD) *DMV* **615** J17
7e Av. N. *SHE* **636** L18
7e Av. N. *SMU* **366** K44
7e Rang *DMV* **617** Q6-7
7e Rang *PRN* **606** A1
7e Rang *SGG* **616** L1-2 N4
7e Rang E. *PRN* **606** A1-2
7e Rang *DMV* **619** L15
7e Rue *IPR* . . . **244** D26 E26-27
7e Rue O. *SMU* **366** K44

8e Allée, Rue *DMV* **619** M-N14
8e Av. *ASB* **646** C4 **647** C5
8e Av. *BHN* **263** J-K19
8e Av. *IPR* **244** D26-28
8e Av. *LNG* **349** C61
8e Av. *RCH* **409** S67
8e Av. *SCH* **604** J8
8e Av. *SCT* **346** D44
8e Av. *SJR* **511** K7-8
8e Av. *SVD* **263** F13
8e Av. *TVD* **244** B-C25
8e Av. *VDR* **244** A22
8e Av. *WIN* **632** B3
8e Av. (DMV) *DMV* **613** H-J8
8e Av. (SCD) *DMV* **615** J17
8e Av. N. *SHE* **636** L-M18
8e Av. N. *SMU* **366** K44
8e Av. S. *SHE* **636** M18
8e Rang *PRN* **606** D1
8e Rang *SCH* **605** H12
8e Rang *SGG* **616** M-N1
8e Rang S. *SGG* **616** P-Q3
8e Rue *DMV* **619** L15
8e Rue *IPR* **244** E26

9e E. , Rang *GRA* **621** B8 C6-7
9e O. , Rang *GRA* . . . **620** C3-4 **621** C5
9e Allée *DMV* **619** M14
9e Av. *ASB* **646** C4 **647** C5
9e Av. *BHN* **263** J-K20
9e Av. *LNG* **349** C61
9e Av. *PIN* **244** C24
9e Av. *RCH* **409** T67
9e Av. *SCH* **604** H-J8
9e Av. *SJR* **511** K7
9e Av. *SVD* **263** F13
9e Av. *TVD* **244** B-C25
9e Av. *WIN* **632** B3
9e Av. (DMV) *DMV* **613** H-J8
9e Av. (SCD) *DMV* **615** J17
9e Av. N. *SHE* **636** L-M18
9e Av. N. *SMU* **366** K44
9e Av. S. *SHE* **636** M18
9e Rang *SCH* **605** J-K12
9e Rang O. *PLS* **607** E2
9e Rue *DMV* **619** L15

10e E. , Rang *GRA* **620** B1
10e Av. *ASB* **646** C4 **647** C5
10e Av. *IPR* **244** D27-28
10e Av. *RCH* **409** T67
10e Av. *SCH* **604** J8
10e Av. *SJR* **511** K7
10e Av. *TVD* **244** B-C26
10e Av. *WIN* **632** B3
10e Av. (DMV) *DMV* **613** J8
10e Av. (SCD) *DMV* **615** J17
10e Av. N. *SHE* **636** L18
10e Av. S. *SHE* **636** M18
10e Rang *PLS* **607** E4
10e Rang, Ch. du *LMG* **648** A1
10e Rang E. *PRN* **606** C3
10e Rang O. *PRN* **606** E1

11e Av. *DMV* **613** J8
11e Av. *RCH* **409** T67
11e Av. *SCH* **604** J8
11e Av. *SJR* **511** K6-7

11e Av. *TVD* **244** B-C26
11e Av. N. *SHE* **636** L18
11e Av. S. *SHE* **636** M18
11e Rang *LMG* **648** A3
11e Rang *SCH* **605** K9-10
11e Rang, Ch. *WIN* . . . **632** A3
11e Rang E. *PRN* **606** E2
11e Rang Centre *PRN* . . . **606** E3
12e Av. *ASB* **647** A7
12e Av. *BHN* **263** K20
12e Av. *DMV* **613** J8
12e Av. *RCH* **409** T67
12e Av. *SCH* **604** J8
12e Av. *SJR* **511** K6-7
12e Av. *TVD* **244** B-C26
12e Av. N. *SHE* . . **636** H-L18 **637** H19
12e Av. S. *SHE* **636** M18
12e Rang *WIN* **632** E4

13e Av. *BHN* **263** K20
13e Av. *DMV* **613** J8
13e Av. *RCH* **409** T66-67
13e Av. *SJR* **511** K6
13e Av. N. *SHE* **636** K-L18
13e Av. S. *SHE* **636** M18

14e Av. *ASB* **647** A7
14e Av. *BHN* **263** K20
14e Av. *DMV* **613** J8
14e Av. *RCH* **409** T66-67 U67
14e Av. *SJR* **511** K6-7
14e Av. S. *SHE* **636** M18

15e Av. *ASB* **647** A-B7
15e Av. *BHN* **263** K20
15e Av. *DMV* **613** J8
15e Av. *RCH* **409** T66
15e Av. *SJR* **511** J8 J-K16
15e Av. S. *SHE* **636** M18

16e Av. *ASB* **647** A-B7
16e Av. *BHN* **263** K20
16e Av. *DMV* **613** J8
16e Av. *MAG* **631** D-E7
16e Av. *RCH* **409** T-U66
16e Av. *SJR* **511** J7

17e Av. *BHN* **263** K20
17e Av. *DMV* **613** J8
17e Av. *MAG* **631** D-E7
17e Av. *PIN* **244** D23
17e Av. *SJR* **511** J6-7

18e Av. *ASB* **647** A8
18e Av. *BHN* **264** K21
18e Av. *DMV* **613** J7-8
18e Av. *MAG* **631** E7
18e Av. N. *SHE* **637** L19
18e Rang, Ch. du *MAG* . . . **631** A-B5

19e Av. *ASB* **647** A8
19e Av. *BHN* **264** K21
19e Av. *DMV* **613** J7-8
19e Av. *MAG* **631** E8
19e Av. *PIN* **244** D23

20e Av. *ASB* **647** A8
20e Av. *BHN* **264** K21
20e Av. *DMV* **613** J7-8
20e Av. *IPR* **244** E27
20e Av. N. *SHE* **637** L19

21e Av. *ASB* **647** A8
21e Av. *BHN* **264** K21
21e Av. *DMV* **613** K8
21e Av. *IPR* **244** E27
22e Av. *BHN* **284** L22
22e Av. *DMV* **613** J7 K8
22e Av. *IPR* **244** E26-27
23e Av. *DMV* **613** K7-8
23e Av. *IPR* **244** E26-27
23e Av. *PIN* **244** D22-23
24 Juin, Rue du *SHE* . . . **636** K17-18
24e Av. *BHN* **284** L22
24e Av. *DMV* **613** K7-8
24e Av. *IPR* **244** E26-27
25 E. , Rang des *SBM* **350** E70-72
25 O. , Rang des *SBM* **349** E67-68
25e Av. *ASB* **647** A8
25e Av. *BHN* **284** L22
25e Av. *DMV* **613** K7-8
25e Av. *IPR* **244** E27
25e Av. *PIN* **244** E22-23

26e Av. *BHN* **284** L22
26e Av. *DMV* **613** K7-8
26e Av. *PIN* **244** E22-23
27e Av. *BHN* **284** L-M22
27e Av. *IPR* **613** K7
27e Av. *PIN* **244** E27-28
28e Av. *BHN* **284** L-M22
28e Av. *IPR* **613** K7
28e Av. *PIN* **244** E28
29e Av. *BHN* **284** L22
29e Av. *DMV* **613** K7

30e Av. *ASB* **647** A8
30e Av. *DMV* **613** K7
31e Av. *DMV* **613** K7
34e Av. *IPR* **244** E28
38e Av. *NDP* **264** F28
40e Av. *NDP* **264** F28
40e Av. *PIN* **244** E23
41e Av. *PIN* **244** E23
42e Av. *PIN* **244** E23
43e Av. *PIN* **244** E23
44e Av. *PIN* **244** E23
49e Av. *NDP* **264** F-G28
51e Av. *NDP* . . **264** G28 **265** G29
52e Av. *NDP* **264** G28
54, Rang des *SJR* . . . **510** C6-7 D-E8
55e Av. *NDP* . . **264** G28 **265** G29
56e Av. *NDP* **265** G29

60e Av. *NDP* **265** G29
62e Av. *NDP* **265** G29
64e Av. *NDP* **265** G-H29
68e Av. *NDP* **265** H29

80, Rue des *COA* **644** C1-2
86e Av. *NDP* **265** J29
87e Av. *NDP* . . **264** J28 **265** J29

98e Av. *NDP* **264** K28
99e Av. *NDP* . . **264** K28 **265** K29

100e Av. *DMV* **614** J10
100e Av. *NDP* . . **264** K28 **265** K29
101e Av. *NDP* . . **264** K28 **284** L28
101e Av. *DMV* **614** J10
102e Av. *DMV* **614** J10
103e Av. *NDP* . . **284** L28 **285** L29
103e Av. *DMV* **614** J-K10
103e "A" Av. *NDP* **285** L29
104e Av. *DMV* **614** K10
104e Av. *NDP* . . **284** L28 **285** L29
105e Av. *DMV* **614** K10
106e Av. *DMV* **614** K10
107e Av. *DMV* **614** K10
108e Av. *DMV* **614** K10
109e Av. *DMV* **614** K10-11
110e Av. *DMV* **614** K10-11
111e Av. *DMV* **614** K10-11
112e Av. *DMV* **614** K10-11
113e Av. *DMV* **614** K10-11
114e Av. *DMV* **614** K11
115e Av. *DMV* **614** K11
116e Av. *DMV* **614** K11
117e Av. *DMV* . . . **618** L11 M10
118e Av. *DMV* . . . **618** L11 M10
119e Av. *DMV* **618** L11
120e Av. *DMV* **618** L11-12
121e Av. *DMV* **618** L11-12
122e Av. *DMV* **618** M11
124e Av. *DMV* **618** M11
125e Av. *DMV* **618** M11
128e Av. *DMV* **618** M11
130e Av. *DMV* **618** M11
131e Av. *DMV* **618** M10-11
132e Av. *DMV* **618** M-N11
142e Av. *NDP* . . **264** K26 **284** L26
144e Av. *NDP* . . **264** K26 **284** L26
146e Av. *NDP* . . **264** K25 **284** L25
147e Av. *NDP* **264** K25-26
158e Av. *NDP* **264** J25-26
159e Av. *NDP* **264** J25-26
160e Av. *NDP* **264** J25
181e Av. *NDP* **264** G-H24
187e Av. *NDP* **264** G24
192e Av. *NDP* **264** G23

202e Av. *NDP* **264** F23

A

A.-Croteau, Rlle *SHE* **640** N16-17
A.-Desrochers, Pl. *SCA* . **347** B46
A.-Fauteux, Rue *BCV* **330** V-W69
A.-Maillé, Rue *SHE* . **637** L21-22
Abbaye, Av. de l' *CAN* . . **367** G49

Abbé-Duguay, Rue de l' *VTV* . . .
. . . . **605** F11
Abbé-Théoret, Av. de l' *SJU* . . . .
. . . . **350** B-C76
Abbés-Primeau, Rue des *BCV* . . .
. . . . **310** T73-74 T-U73 U72
Abbesses, Rue des *VDR* **244** B21
Abbotsford, Rue d' *CTG* **305** S36
Abbott, Rue *MAG* **631** D5

Abbott, Rue *SHE* **641** R19
Abeilles, Rue des *CDL* . . **222** X6
Abel, Rue *LPR* **368** G53
Abénaquis, Rue des *SHE* . . . .
. . . . **636** M16
Abénaquis, Terr. des *LNG* . . . . .
. . . . **329** Z65 **349** A65
Abercrombie, Pl. *SHE* . . . .
. . . . **391** N-083
Aberdeen, Rue *VAR* . . . .
. . . . **311** R-S80

Aberdeen, Rue *GRA* . . **623** F-G6
Aberdeen, Rue *SBM* . **370** G-H69
Aberdeen, Rue *SHE* . **640** N16-17
Aberdeen, Rue *SLB* . . . **328** Y59
Aberdeen, Rue des *SLB* . . . . .
. . . . . . **203** U18-19
Abraham-Remy, Rue *MSH* . . . .
. . . . **391** N-083
Abraham-Richard, Rue *VAR* . . . .
. . . . **183** P19

Abran, Rue *WIN* **632** B3
Acacias, Av. des *CAN* . **367** G49
Acacias, Pl. des *CAN* . . **367** G49
Acacias, Rue des *BCV* . **330** Z72
Acacias, Rue *SVD* . . **242** C-D6
Académie, Rue de l' *SHE* . . . . . .
. . . . **636** M16
Académie, Rue de l' *SLZ* . . . . . .
. . . . **183** P19

Académie, Rue de l' *VTV* . . . .
. . . . **601** G-H4 **604** F6-7
Academy, Rue *SHE* . . . .
. . . . **640** R18 **641** R19
Acadia, Rue de l' *SCA* . **347** D47
Acadie, Côte de l' *SHE* . **640** P17
Acadie, Rue *BRS* **348** D59
Acadie, Rue de l' *CHB*. . **389** P64
Acadie, Rue de l' *OTT* . . **391** P77

Acadie, Rue de l' SRT 530 A5
Acadie, Rue de l' VTV . . 603 B-C9
Accueil, Rue de l' VTV . . 604 G7
Achille-Barrière, Rue SRT 636 J15
Achille-Fortier, Rue BCV 330 W71-72 X72
Achin, Cr. SLB 328 Z59
Acier, Aut. de l' CON 550 C4 C-D3
Acier, Autoroute de l' LNG 368 H60 369 G66 H61 H65
Acier, Autoroute de l' SJU 330 Y75-76 Z75
Acier, Autoroute de l' SRT 530 C3-6
Acier, Autoroute de l' VAR 311 T82
Acier, Autoroute de l' BCV 350 A73-74 B73 C70
Acier, Rue de l' CDL . . . 222 V6
Aciéries, Rue des CON . 550 E2-3
Acres, Rue VDR 184 O22
Acton, Boul. d' ACV . . 540 C-D3
Acton, Rue ACV 540 D2-3
Adage, Pl. de l' LPR . . . 368 G53
Adam, Rue ACV 540 D2
Adam, Rue BEL 391 M79
Adam, Rue BHN . . . 304 Q-R26
Adam, Rue BRS 348 E58
Adam, Rue CHB 409 Q64
Adam, Rue CTG . . 325 V-W35
Adam, Rue LNG 348 C60
Adam, Rue SAM . . 351 A-B80
Adam, Rue SHE 635 L14
Adam, Rue SMS 410 Q69
Adam, Rue VDR 224 W24
Adams, Av. CAN 367 G49
Adams, Rue COA . . . 644 C2-3
Adelaide, Rue GRA . . . 622 F4
Adélaïde, Rue LNG 349 E62 E63-64
Adélaïde, Rue SRT . . 530 A6 B5
Adélaïde, Av. d' CAN 367 G49-50
Adélaïde, Pl. d' CAN 367 G49-50
Adélard, Rue MAG . . . 631 E7
Adélard, Rue VTV 602 C6
Adélard-Boucher, Rue SRT 530 B4
Adélard-Colette, Rue SHE 640 N-P17
Adélard-Dumas, Rue SHE 637 K19
Adélard-Dumas, Rue SHE 411 N19
Adélard-Godbout, Rue COW 626 D6
Adélard-Godbout, Rue SJU 350 B74-75
Adélard-Godbout, Rue VDR 224 V-W24
Adèle, Rue VDR 244 A24
Adjutor, Rue SHE . . . 638 Q-R8
Adolphe-Brassard, Rue SHE 643 T-U7
Adolphe-Chapleau, Rue SJU 350 B-C75
Adolphe-Chapleau, Rue VDR 224 V23
Adolphe-Lavigne, Rue GRA 623 H8
Adoncour, Rue LNG 329 W65 X64 Y64
Adrien, Rang VTV . . . 602 A5
Adrien, Rue BRS 348 D59
Adrien, Rue CTG . . . 305 T33
Adrien-Brien, Rue CHB . 409 Q64
Adrien-D'Anjou, Rue NDP 264 G27
Adrien-Fontaine, Rue SJR 511 J3
Adrien-Legrain, Rue CHB 409 Q63
Adrien-Malo, Rue SHY . 522 F-G6
Adrien-Meloche, Rue SVD 242 B10
Adrien-Patenaude, Rue NDP 224 X23-24
Aéronca, Rue de l' SHE 636 J-K16
Aeroport, Rte de l' LNG 349 D64-66 E66
Aéroport, Boul. de l' BRO 628 E1
Aéroport, Ch. de l' DMV 619 L-M15
Aéroport, Ch. de l' SJR. 512 L3-4
Aéroport, Rte de l' VTV 603 A-B10
Aéroport, Rue de l' SHE 636 J-K17
Affaires, Rue des SCH 605 H-J10
Affluent, Rue de l' VAR 222 Y22
Agates, Rue des SHE . 637 M22
Agathe, Rue BRS . . 348 D59-60
Agathe, Rue RIG 580 C4
Agincourt, Rue LNG . . 348 G60
Agnès, Rue BRS . . 348 D58-59
Agnès, Rue LMG . . . 648 D3
Agnès, Rue RIG 580 C5
Aigle, Cr. de l' PIN . . 244 D-E25
Aigle, Rue de l' ASB . . . 647 C5

Aigles, Pl. des GRA . . . 621 C7
Aigles, Rue des DMV 619 N14-15
Aigles, Rue des GRA . . . 621 C7
Aigles, Rue des SCA . . 347 D46
Aigles, Rue des SHE . . 634 M6-7
Aiguillon, Rue SHE. . . . 643 T9
Aikman, Rue FAR 624 D2-3
Ail-des-Bois, Cr. de l' DMV . . . 614 F9
Aimé, Rue CED 243 A18
Aimé, Rue CTG 305 S36 306 T37
Aimé, Rue GRA 621 B-C5
Aimé, Rue SAM 351 B81
Aimé-Aubry, Rue RIG . . 580 C4
Aimé-Petit, Rue CHB . . 409 Q64
Aimé-Vincent, Rue VDR . . . .
Aisés, Rue des SVD . . . 263 B5
Akherst, Rue COA . . . 644 E2-3
Akilas-Maynard, Rue SHE 409 R63-64
Alain, Rue BRS . . . 348 D59-60
Alain, Rue DMV 613 J6
Alain, Rue LPR 368 G-H53
Alain, Rue SAM 351 B81
Alain, Rue SCL 202 Q9
Alain, Rue SCW 610 E11
Alain, Rue SJR 512 P7
Alain, Rue VTV 602 E8
Alain-Grandbois, Rue NDP 285 M29
Alain-Grandbois, Rue SHE 635 K12
Alain-Grandbois, Rue SJU 350 B76
Alarie, Rue BRS 348 D59
Alban-Brazeau, Rue SHY 521 D9
Albanel, Rue BCV 330 V71
Albanel, Rue CAN . . . 367 H48
Albanel, Rue SBM . . . 370 G71
Albanel, Rue SHE 636 M18 640 N18
Albani, Rue CAR 389 063
Albani, Rue GRA 621 D-E6
Albani, Rue LNG 329 X61
Albani, Rue SBM 370 H69
Albanie, Av. BRS . . 348 D59-60
Albatros, Cr. de l' PIN. 244 D-E25
Albatros, Rue des DMV . . . . . .
Albéric-Dussault, Rue SHE 639 S11
Albert, Av. EAN 645 B2
Albert, Rue BHN 284 P23
Albert, Rue BRS 348 C59
Albert, Rue CTG. 325 S34
Albert, Rue GRA 622 F-G4
Albert, Rue LNG . . . . .
Albert, Rue MSH 391 N81
Albert, Rue SHE . . . 636 M16-17
Albert, Rue SJR 511 F2-3
Albert, Rue SRT 530 A5-6
Albert, Rue SVD 242 D10
Albert, Rue VDR . . . 204 T-U25
Albert, Rue VRC 292 P91
Albert, Rue VTV 602 E7
Albert, Rue WIN 632 C2
Albert, Rue (Cowansville) COW . .
Albert-Beaulne, Rue SLZ. 203 T-U19
Albert-Bélanger, Rue LNG 328 Z60
Albert-Boudreau, Rue SHE 642 T6
Albert-Cloutier, Rue MSH 411 Q79
Albert-Côté, Rue SHE . 641 Q19
Albert-Dion, Rue SHE. . . . . . .
Albert-Douville, Rue MSH 642 U4 U-V5
Albert-Dumouchel, Rue DMV . . . 609 E6
Albert-Einstein, Boul. CTG . . . .
Albert-Einstein, Boul. CTG . . . 325 W36 326 W37
Albert-Ferland, Rue SJU 350 A-B76
Albert-Gamble, Rue MCM 390 M76 391 M77
Albert-Laberge, Rue BHN 284 P22 304 Q22
Albert-Lacoste, Rue CHB 409 R65
Albert-Leal, Rue MCM . 390 N76
Albert-Leroux, Rue PDC 263 G20
Albert-Lozeau, Rue BCV 330 X69
Albert-Lozeau, Rue SHE. . . . . . .
Albert-Lozeau, Rue SJU 350 B76
Albert-Maltais, Av. SHY 521 C9
Albert-Millichamp, Rue LNG . . . .
Albert-Mines, Ch. SHE . 640 S15
Albert-Perron, Rue SHE . . . . . .
Albert-Seers, Rue CTG . 305 U33
Albert-Skinner, Rue SHE 635 M14

Albert-Tessier, Rue SJU . . . . . .
Albert-Wallot, Rue SVD. . 242 E6
Albini, Rue BRS . . . . .
Alcide, Rue BRS . . . . .
Alcide, Rue 348 C58-59 D58-59
Alcide-Côté, Rue SJR . 512 P-Q6
Alcide-Métivier, Rue SHE 634 M6-7
Alcide-Savoie, Rue SHE 633 D12
Alcide, Rue SAM 351 B82
Alençon, Ch. d' BCV . . 350 A69
Alençon, Rue d' SHE . . 637 M19
Alexander, Rue BEL . 391 M-N78
Alexandra, Av. SLB. . . . .
Alexandra, Rue 328 Z58 348 A59
Alexandra, Rue BRS 348 D59-60
Alexandra, Rue DMV . . 613 N6
Alexandra, Rue LNG . . 349 B61
Alexandre, Av. CAN . 367 H48-49
Alexandre, Pl. LPR. . . . .
Alexandre, Rue 367 F52 368 F53
Alexandre, Rue BRS 348 D59-60
Alexandre, Rue DMV . . 613 N6
Alexandre, Rue MAG . . 631 D5
Alexandre, Rue RCH. . . 409 U66
Alexandre, Rue SJR . . 511 K2
Alexandre, Rue SVD . . 242 B6-7
Alexandre, Rue VDR . . . .
Alexandre-Bourcier, Rue CTG . . . .
Alexandre-de-Prouville, Pl. CAR. . . . 389 O-P67
Alexandre-de-Prouville, Rue CAR 389 O-P67
Alexandre-Dumas, Rue GRA 622 F-G2
Alexandre-Mignault, Rue SHE 635 L-M11
Alexandre-Nadeau, Rue SJR 512 L4
Alexandre-Rouiller, Rue CHB. 409 Q62-63
Alexandre-Tashereau, Rue VDR 224 V23
Alexis, Rue CAN 367 H50
Alexis, Rue LNG 349 D63
Alexis, Rue NAP 570 B3-4
Alexis-Carrel, Rue CTG 325 W36
Alexis-Jette, Rue SBG. . 390 L70
Alexis-Lebert, Boul. SJR . 511 G2
Alexis-Mézières, Rue BEL . . . . . .
Alexis-Trottier, Rue NDP 265 H30
Alfred, Av. BRS . . 348 D58-59
Alfred, Cr. PIN 244 D24
Alfred, Imp. PIN . . . 244 C-D23
Alfred, Pl. BRS . . . 348 D58-59
Alfred, Rue SRT . . . 530 A-B6
Alfred, Rue SVD . . . 242 C6
Alfred, Rue VTV . . . 602 E7
Alfred-Bernier, Rue BCV. . . . . . .
Alfred, Rue 330 W-X72
Alfred-Campeau, Rue SLZ. . . . . . .
Alfred, Rue 203 U19-20
Alfred-Champigny, Rue SHE 637 H22
Alfred-Desrochers, Rue NDP 285 M29
Alfred-Desrochers, Rue SCA 347 B46
Alfred-Dorais, Cr. CTG . 305 U33
Alfred-Grefford, Rue NDP . . . 264 G26-27
Alfred-Haineault, Rue BHN . . . . .
Alfred-Laliberté, Pl. SHE 639 Q11
Alfred-Laliberté, Rue BCV. . . . .
Alfred-Laliberté, Rue MSH 411 Q-R79
Alfred-Laliberté, Rue NDP. . . . . .
Alfred-Laliberté, Rue PLS . . . . . .
Alfred-Laliberté, Rue VAR 311 R80
Alfred-Larivière, Rue RCH. . . . . .
Alfred-Paradis, Rue SHE 633 G12
Alfred-Pellan, Boul. DMV 609 E6-7
Alfred-Pellan, Rue GRA . 622 K3
Alfred-Pellan, Rue LNG 329 X-Y66
Alfred-Pellan, Rue NDP . 284 L28
Alfred-Pellan, Rue SCA . 347 B46
Alfred-Pellan, Rue SJU . 350 E75
Alhènes, Rue d' DMV . . 613 G5
Alice, Rue SAM . . . 351 B81
Alice, Rue SJR . . . 510 C5-6
Alice-Reid, Rue CTG. . . 305 T34
Alida, Rue DMV 608 D4
Alida, Rue MAG 631 A5
Aline, Rue BRS . . 348 D59 E60
Aline, Rue SHE 640 R16
Aline-Letendre, Rue SHY . . . .
Alisier, Rue de l' SCT . 346 D44

Alix du Mesnil, Rue MAR . . . . .
Alix, Rue 500 B-C4
Alizé, Rue de l' DMV . . 615 K15
Alizées, Boul. des LPR 368 H54
Alizés, Rue des SHE . . 638 N7
Alizés, Rue des VTV . . 601 F3
Allaire, Rue SHY . . . 520 C-D3
Allaire, Rue VTV . . . 604 F6-7
Allan, Rue GRA 623 F6
Allan, Rue SLB . . 348 B58-59
Allan, Rue MER . . . 325 W33-34
Allard, Boul. CAN . . . 614 K12
Allard, Rue 615 K13-14 K16 619 L16
Allard, Rang VTV . . . 603 B9-10
Allard, Rue BRS 348 C59
Allard, Rue CTG. . . . 305 U33
Allard, Rue DMV. . . . 610 E10
Allard, Rue PRN . . . 606 C-D2
Allard, Rue SHE. 637 L-M21 641 N21
Allen, Av. VDR 244 B24
Allen, Cr. BRS 348 D60
Allen, Pl. WIN 632 B2
Allen, Rue SHE 640 N18
Allen, Rue WIN 632 C2
Allie, Rue ASB 647 A7
Allie, Rue BEL 391 L81
Allie, Rue VTV 604 F5
Allier, Rue de l' SJR . . 512 M8
Alma, Av. BRS . . . 348 D60
Alma, Rue d' GRA . . 621 C5
Alma, Rue SVD . . . 263 F13
Alma, Rue d' GRA . . 621 C5
Alouettes, Cr. des PLS . 607 C3
Alouettes, Rue des BCV 330 X70
Alouettes, Rue des BEL . . . . .
Alouettes, Rue des 391 L78-79
Alouettes, Rue des DMV. . . . . .
Alouettes, Rue des 619 N14-15
Alouettes, Rue des 621 C-D6
Alouettes, Rue des LNG 329 W65
Alouettes, Rue des MSH 391 P82
Alouettes, Rue des SBG 390 M71
Alouettes, Rue des SBM. 370 J72-73
Alouettes, Rue des SCA 347 C-D47
Alouettes, Rue des SHE 634 M7-8
Alouettes, Rue des VDR 204 U21-22
Alpes, Rue des SHE . . 637 K21
Alpes, Rue des SLB . . 348 B58
Alpes, Rue des SLZ . . 203 S16
Alpha, Rue DMV . . . . . .
Alpha, Rue 619 L16-17 M16-17
Alpha, Rue SHE 641 S22
Alphonse, Rue BRS . 348 D59-60
Alphonse, Rue CTG . . 305 S34
Alphonse-Cloutier, Rue SHE . . . . .
Alphonse, Rue 633 E13
Alphonse-Desjardins, Rue BCV 330 Z70-71
Alphonse-Desjardins, Rue CTG 305 T34
Alphonse-Desjardins, Rue 242 C-D7
Alphonse-Dulude, Rue LNG. 349 B-C64
Alphonse-Gervais, Rue SJR. . . . . .
Alphonse-Grégoire, Rue SHE 512 P-Q5
Alphonse, Rue 633 E13
Alphonse-Laramée, Rue SHE 636 L-M18
Alphonse-Potvin, Rue SRE 365 H-J32
Alphonse-Richer, Rue MSH. 391 P79
Alphonse-Trudeau, Rue SHE 635 L11
Alsace, Av. SLB . . . 348 A57-58
Alsace, Av. d' CAN . . 367 H48-49
Alsace, Pl. BRS . . . 348 D59
Alsace, Pl. d' BCV . . 330 Y-Z70
Alsace, Pl. d' SHE . . 633 G14
Alsace, Rue d' BCV . 330 Y-Z70
Alsace, Rue d' SHE . . 633 G14
Alsace, Rue d' SJU . . 350 D75
Alsigon, Rue SHE. . . 638 N9
Alstonvale, Mtée d' VDR 183 L20
Alstonvale, Rue d' HUD . 184 L21
Alto, Pl. de l' SLZ . . . 203 Q19
Alvares, Rue SBG. . . 390 L74
Alvares-Cabral, Rue BCV . . . . .
Alvares, Rue 330 W71
Alvéoles, Rue des MAG . 631 B6
Alvin-C.-Mitson, Rue MAG 630 A1
Alysses, Rue des PLS . . 607 D3
Amable-Thibault, Rue CHB . . . . .
Amadou, Rue de l' VAR . 311 T77
Amandier, Rue de l' SCT. . . . . .
Amandiers, Cr. des LNG 369 G61
Amandiers, Pl. des VDR . . . . .
Amandiers, Rue 224 Z22 244 A22
Amandiers, Rue des LNG . . . . .
Amandiers, Rue 369 F-G61
Amandiers, Rue des SBG . . . . .
Amandiers, Rue 390 M72
Amarante, Rue de l' SJR . 511 F2
Amarantes, Av. des CAR 390 P69

Amarantes, Rue des VDR . . . . .
Amarantes, Rue 224 Z22-23
Amarres, Rue des SCA . 347 C47
Amaryllis, Rue de l' SCT 346 D44
Amaryllis, Rue des VDR . . . . .
Amaryllis, Rue 224 Z22-23
Ambassadeur, Rue de l' VTV . . . . .
Ambassadeur, Rue 601 F-G3
Amboise, Pl. d' SJU . . 350 C74
Amboise, Rue SLB . 348 B58-59
Ambroise, Rue MAG . . 630 C-D2
Ambroise-Dearden, Rue WIN. . . . . .
Ambroise, Rue 632 B-C3
Amédée-Larivière, Rue SBG . . . . .
Amédée, Rue 370 K70 390 L70
Amélie, Rue ACV . . . 540 A2
Amélie, Rue BRS . . 348 D59-60
Amélie, Rue DMV . . . 613 J6
Amélie, Rue VTV . . . 601 E3
Amesbury, Rue SHE . . . . . .
Amesbury, Rue 640 018 641 Q19
Améthystes, Rue des SHE . . . . .
Améthystes, Rue 637 M22
Amherst, Rue SBM. . . 370 G69
Amherst, Rue SHE . . 636 L-M15
Amiante, Rue de ASB . 646 E4
Amiral, Rue de l' SHE . 637 J19
Amiral, Rue de l' VTV . 603 D10
Amity La. HUD . . . 204 Q24
Amos, Rue VAR . . 311 Q79-80
Amos, Rue d' BRO . . 629 D6-7
Amos, Rue d' MER . 325 W33-34
Amour, Rue SHY . . 522 F7-8
Amour, Rue d' SLZ . 347 A46
Amours, Rue d' LNG . 329 V-W63
Ampère, Rue BCV . . . . . .
Ampère, Rue 330 X69 Y69 Z70
Ampère, Rue CTG . . . . . .
Ampère, Rue 325 W36 326 W37
Amqui, Rue d' GRA . 621 C5
Amqui, Rue d' MER . 325 W33
Amundsen, Rue BCV . 330 W72
Amy, Cr. SLZ 223 V19
Amyot, Cr. BRS . . . 348 D60
Amyot, Rue SJR . . . 511 K2
Anaclet-Leclair, Rue SGG . . . . .
Anatole-Touchette, Rue SJR . . . . .
Anatole, Rue 511 J7-8
Ancêtres, Rue des SHE . . . . . .
Ancêtres, Rue 634 M7-8
Ancêtres, Rue des MAG 631 E7
Ancêtres, Rue des SHE . . . . .
Ancêtres, Rue 637 J-M19 641 N-S19
Ancêtres, Rue des SJR . 511 F4
Ancêtres, Rue des SLZ 203 T-U19
Ancolie, Rue de l' DMV . 613 G5
Ancolie, Rue de l' SBM . 370 J69
Ancolies, Rue des CAR 390 P69
Ancolies, Rue des IPR . 244 E27
Ancre, Rue de l' VAR . 311 T71
Ancres, Rue des SVD . 222 Z8
Anctil, Rang VTV . . 602 A5
Anderson, Rue BCV. 605 Q11-12 13
Andes, Rue des DMV . 618 P10
Andre, Rue BRO . . . 628 D2
André, Rue BRS . . 348 C-D59
André, Rue HUN . . . 560 A-B1
André, Rue MAG . . . 630 A1
André, Rue MCM . . 391 M78
André, Rue SBG . . . 390 L71-72
André, Rue SCL . . . 202 Q9-10
André, Rue SHE . . 640 Q-R15
André-Babeu, Rue LPR . 367 H52
André-Beauregard, Rue VRC. . . . . .
André, Rue 292 O90
André-C. Hamel, Rue DMV . . . . . .
André, Rue 613 H-J5
André-Chartrand, Rue VDR . . . . . .
André, Rue 224 Y-Z22 244 A22
André-Fortin, Rue VTV . 604 F7
André-Labadie, Rue BEL 391 M82
André-Lacombe, Rue IPR . . . .
André, Rue 244 D-E26
André-Laurendeau, Rue VAR . . . . .
André, Rue 311 R80
Andre-Line, Rue GRA . 622 H1
André-Mathieu, Rue SHE. . . . . . .
André, Rue 330 W-X71
André-Mathieu, Rue MSH. . . . . . .
André, Rue 411 R78
André-Montpetit, Rue CDL . . . . .
André, Rue 222 Y10
André-Ste-Marie, Rue LNG . . . . .
André, Rue 349 E62 369 F62
André-Vanier, Rue SHE 642 V3-4
André0-Cailloux, Rue SHE 643 V7
Andrew, Rue SVD . . 242 A6-7 B6
Andriana, Rue SLZ . . 183 P19
Andrien, Rue LNG . . 349 C-D61
Andy, Rue VAR 311 T77
Anémone, Rue de l' DMV 613 G5
Anémone, Rue de l' SBM 370 J69
Anémones, Rue des SJU 350 E74
Anémones, Rue des VDR 224 Z23
Ange-Émile-Séguin, Rue VDR . . . . .
Ange, Rue 244 B23
Angèle, Rue BRS . . 348 C59-60
Angélique, Rue de l' SCT 346 D44
Angélique-Daigneault, Rue BEL . . . . .
Angélique, Rue 391 M81
Angéliques, Rue des SHE . . . . . .
Angéliques, Rue 638 R9-10

Angers, Rue BRS. . 348 C59-60
Angers, Rue SBM. . . 370 F70
Angers, Rue SRT . . . 530 E4
Angers, Rue VTV . . 602 A-B6
Angoulême, Rue d' BCV 330 Y69
Angoulême, Pl. d' SJU. 370 F75
Angoulême, Rue d' SRT . 530 E4
Angus N. , Rue EAN . 645 A-B2
Angus S , Rue EAN . 645 C2 D1
Anik, Rue SCW . 615 H15 H-J14
Anita, Rue VTV 601 J1
Anjou, Av. d' CAN . . . 367 G49
Anjou, Av. d' SLB . . 348 A57-58
Anjou, Cr. d' BRS . . 348 D59-60
Anjou, Cr. d' SLZ . . . 203 Q18
Anjou, Pl. d' SBM. . . 370 H70
Anjou, Rue d' DMV . . 613 J6-7
Anjou, Rue d' LNG . . 329 W63
Anjou, Rue d' GRA . . 620 B4
Anjou, Rue d' SBM . . 370 H70
Anjou, Rue d' SHE . . 635 K14
Anjou, Rue d' SJU . . 350 D75
Ann, Rue OTT 391 P79
Anna, Rue NAP 570 B3
Anna, Rue RIG. 580 B3
Anna, Rue VTV . . 602 D8 603 D8
Anna-Maria-Valls, Rue SHE. . . . . .
Anna, Rue 639 S12
Annabell Beach Rd KAH 306 T40
Anne-Hébert, Pl. NDP 284 L-M28
Anne-Julien, Rue CAR . . . . .
Anne-Julien, Rue 389 062-63
Anne-Julien, Rue VAR . 311 R79
Anne Le Moyne, Rue BCV. . . . . .
Anne, Rue 310 T73
Anne-Le Seigneur, Boul. CHB . . . . .
Anne, Rue 349 Q63 Q-R62
Anne-Marie, Rue NAP . 570 D4
Anne-McKeating, Rue BEL . . . . . .
Anne, Rue 391 L-M82 M82
Annecy, Pl. d' SLZ . . 350 C74
Annette, Rue GRA . . 621 C-D5
Annette-Bédard, Rue VTV 603 C9
Annette-Desnoyers, Rue SHE . . . . . .
Annette, Rue 639 S12
Annick, Rue GRA . . . 622 H2
Annie, Rue MAG . . . 631 B5
Annie, Rue SHE . . . 640 Q17
Annie, Rue VTV. . . . 604 G-H7
Anny, Rue ASB 647 B6
Anny, Rue VTV 615 K16
Anse, Ch. de l' VDR . . . . . .
Anse, Rue 204 U25 224 V25
Anse, Imp. de l' SHY . 520 D8
Anse, Rue de SCA . . 347 D47
Anse, Rue de l' MAG . 631 C5
Anse, Rue de l' SBM . 370 J69
Anse, Rue de l' CAR . 222 Y69
Anse, Rue de l' SHE. . 636 J-K18
Ansé, Rue de l' IPR . 244 E27-28
Antaya, Rue SRT . . . 530 D3-4
Anthony, Rue BRS . . 348 D59-60
Antiquaire, Rue de l' DMV. . . . . .
Antiquaire, Rue 610 E9 614 F9
Antle, Rue LNG . . . 349 D61
Antoine, Rue MAG . . 631 E5
Antoine, Rue SCL . . 202 Q11
Antoine-Brodeur, Rue BCV. . . . . .
Antoine, Rue 310 T72-73
Antoine-Brossard, Rue BRS . . . . . .
Antoine, Rue 368 F57
Antoine-Cabana, Av. SHY . . . . .
Antoine, Rue 521 D10
Antoine-Caya, Rue DMV . . . . .
Antoine, Rue 618 P10-11
Antoine-Chaudillon, Rue SRT. . . . . .
Antoine, Rue 530 D5
Antoine-Coupal, Rue SJR . . . . .
Antoine, Rue 511 K2 512 L2
Antoine-Courtemanche, Rue MSH 391 084
Antoine-De La Fresnaye, Rue NDP 264 G28
Antoine-Delaunée, Rue BCV 310 T74
Antoine-Demers, Rue SBG 370 K71 390 L71
Antoine-Doré, Rue SJR . 510 D1
Antoine-Dorion, Rue SHE . . . . . .
Antoine, Rue 636 L18
Antoine-É.-Brunelle, Av. PLS 607 D-E3
Antoine-Favreau, Rue BCV . . . . .
Antoine, Rue 310 T72
Antoine-Filion, Rue CDL 222 Y10
Antoine-Forestier, Rue CAR. . . . . .
Antoine, Rue 370 K69
Antoine-Fortier, Rue CHB . . . . . .
Antoine, Rue 389 P63-64
Antoine-Girouard, Rue BCV. . . . . .
Antoine, Rue 310 U71-72
Antoine-Grisé, Rue CHB 409 R64
Antoine-Hénault, Rue NDP . . . . . .
Antoine, Rue 244 E26
Antoine-Manseau, Rue LNG 349 E65 369 F65
Antoine-Mercille, Rue CHB . . . . . .
Antoine, Rue 389 P63
Antoine-Morand, Rue VAR. . . . . .
Antoine, Rue 311 R-S80
Antoine-Naaman, Rue SHE. . . . . .
Antoine, Rue 635 L13-14
Antoine-Pagé, Rue LNG 349 D63

Antoine-Plamondon / Beauchesne

Antoine-Plamondon, Rue GRA 622 K3
Antoine-Quiriac, Rue SJR 511 G2
Antoine-Samson, Rue SHE 635 M11 639 N11
Antoinette, Rue VTV 604 F7
Antonio-Barette, Rue DMV 609 E7
Antonio-Barrette, Rue VDR 224 V23
Anyon, Rue LNG 348 B-C59
Apache, Rue de l' SHE 636 J16
Apollo, Rue d' SHE 636 K17
Appalaches, Rue des SHE 639 R-S13
Appalaches, Rue des VTV 605 F12
Appaloosa, Rue SLZ 183 O20
Appleglen, Rue HUD 184 P23
Aqueduc, Rue PDC 263 H20 264 H21
Aqueduc, Rue de l' VAR 311 R78
Aqueduc, Rue de l' VRC 292 O91
Aqueduc, Rue de l' VTV 602 D-E6 E7
Aqueduc, Rue de l' NAP 570 B3
Aquin, Av. VDR 244 B23
Aragon, Av. d' CAN 367 G49
Aragon, Rue BEL 391 M80
Aragon, Rue d' SJR 511 F3
Arbour, Rue BRS 348 C-D59
Arbour, Rue CDL 222 X10
Arbrisseaux, Rue des PIN 244 E23
Arbrisseaux, Rue des SLZ 203 R19
Arbrisseaux, Rue des VSL 224 X26
Arcade, Rue de l' SJU 350 C74
Arcand, Rue LNG 329 Z66 349 A66
Arcand, Rue SJR 511 J7-8
Arcand, Rue VTV 602 D-E7
Archambault, Av. SHY 520 D-E7
Archambault, Rue FAR 624 B-C2
Archambault, Rue GRA 622 J4
Archambault, Rue LNG 349 A65-66
Archambault, Rue MSH 411 Q78
Archambault, Rue RCH 409 T67
Archambault, Rue SVD263 F-G14
Archambault, Rue VDR 244 A22-23
Archambeault, Rue SJR 512 P6
Archand, Croissant FAR 624 D2
Archand, Rue FAR 624 D2
Arche, Rue de l' NDP 264 G28
Archevêque, Rue l' MAG 631 E5
Archie-Mitchell, Rue SHE 640 R-S18
Archille, Rue SMM 522 J1
Ardener, Av. BEL 391 N77
Ardennes, Av. des SLB 348 B58
Ardennes, Pl. BRS 348 D59
Ardennes, Rue des CED 203 S15
Ardennes, Rue des LPR 368 G53
Ardennes, Rue des MCM 391 M-N77
Ardennes, Rue des VTV 605 G12
Ardoise, Ch. de l' SHE 633 F-G11
Ardoise, Rue de l' ASB 646 E4
Arel, Rue DMV 618 M12
Arel, Rue VTV 602 E8
Aréna, Rue MAG 631 D5
Aréna, Rue de l' VTV 603 E9
Ares, Rue MAR 500 B5
Argenson, Rue SHE 635 M13
Argenson, Rue d' BCV 310 T74
Argenson, Rue d' SBM 370 F69
Argenteuil, Rue SBM 370 F69
Argenteuil, Rue SHE 643 T8-9
Argenteuil, Rue d' BRO 629 D7
Argenteuil, Rue d' GRA 621 B-C5
Argus, Cr. MER 325 W34
Argyle, Av. SLB 328 Y59
Argyll, Rue SHE 636 L-M15
Ariane, Av. BRS 348 D60
Aristide, Av. SHY 520 D-E6
Aristide, Rue GRA 620 E2
Arlequin, Rue CTG 325 V34
Arlequins, Rue des VDR 224 Y25
Arlington, Av. LNG 369 H62 J62
Arlington, Rue SHE 636 M15
Armand, Av. LNG 349 D63
Armand, Rue DMV610 E9 614 F9
Armand, Rue GRA 622 H-J4
Armand, Rue MAG 631 C6
Armand, Rue SMM 522 J1
Armand, Rue SVD 242 D9 E10
Armand, Rue VTV 601 F4
Armand-Charbonneau, Rue SBG 370 K73 390 L73
Armand-Crépeau, Rue SHE 635 M14
Armand-Frappier, Boul. SJU 350 C73-74 D74-75
Armand-Frappier, Rue BCV 350 B71
Armand-Frappier, Rue LNG 368 H60 369 H61-62
Armand-Frappier, Rue SVD 242 D5-6 E5
Armand-Gilmore, Rue COW 625 C-D4
Armand-Halde, Rue MSH 391 N82
Armand-Lamoureux, Rue BEL 391 M82
Armand-Mallette, Rue SVD 242 D5
Armand-Nadeau, Rue SHE 635 M14
Armel, Rue RIG 580 B2-3
Armitage, Rue SHE 636 L15
Armstrong, Rue CTG 325 X35
Armstrong, Rue SHE 636 M17 640 N17
Armurier, Pl. de l' SLZ 203 Q20
Arnold-Price, Rue SHE 635 K12
Arona, Rue de l' SHE 636 L18
Aronia, Rue de l' SBM 370 J69
Arpenteur, Pl. de l' DMV 615 K14
Arpents Verts, Rue des NAP 570 B2
Arpin, Rue BRS 348 D59
Arpin, Rue SJR 511 J3
Arpin, Rue SRT 530 D4-5
Arran, Rue SLB 328 Z58-59
Arras, Rue d' SHE 636 M15
Arromanches, Rue d' BCV 330 X-Y70
Arsenault, Imp. SHY 522 F4
Arsenault, Rue SHE 640 P-Q16
Arsène, Rue LNG 329 V67
Arseneault, Rue BHN 284 L22
Artémis, Cr. de l' SCA 347 D47-48
Arthabaska E., Boul. VTV 603 A-B10
Arthabaska O., Boul. VTV 603 E10 605 F10 J9
Arthur, Rlle SHE 636 M16 640 N15-16
Arthur, Rue BRS 348 D59-60
Arthur, Rue CTG 325 W34
Arthur, Rue LNG 349 B61
Arthur, Rue SCL 202 Q10
Arthur, Rue SJR 511 F4
Arthur, Rue SRT 530 E4-5
Arthur, Rue SVD 242 C6-7
Arthur, Rue VTV 602 E7
Arthur-Beaudry, Rue SHE633 E13
Arthur-Brault, Rue SVD 242 E5-6
Arthur-Buies, Rue SJU 350 B76
Arthur-de-Senneville, Rue CHB 409 S64-65
Arthur-Depui, Rue SHE 633 D12
Arthur-Dumouchel, Rue BCV 330 W-X72
Arthur-Durocher, Rue GRA 623 G8
Arthur-Forget, Rue CAR 389 N62
Arthur-Halley, Rue LNG 369 G63
Arthur-Houle, Rue LNG 369 G63
Arthur-Laliberté, Rue GRA623 G8
Arthur-Larivière, Rue NDP 284 L25-26
Arthur-Leblanc, Rue BCV330 X71
Arthur-Péladeau, Rue SVD 242 D10
Arthur-Péloquin, Rue SGG 616 N1-2
Arthur-Péloquin, Rue SHY520 C1
Arthur-Pigeon, Rue HUN 560 C3
Arthur-Riendeau, Rue SJR 510 C5-6
Arthur-Rochon, Rue DMV 609 D-E7
Artisan, Rue de l' BRO 628 B4 629 B5
Artisan, Rue de l' VTV 602 C8
Artisans, Rue des SGG 616 L1
Artisans, Rue des SHE 639 P11-12
Artisans, Rue des SJR 511 F4
Artistes, Rue des SJR 512 L5-6
Artois, Av. d' SLB 348 A57-58
Artois, Rue d' FAR 624 C2
Artois, Rue d' SBG 370 K72
Artois, Rue d' SHE 633 G14
Arvida, Rue SBM 370 H-J69
Arvida, Rue d' GRA 620 C4
Ascot, Mtée d' SHE 639 R13
Ascot Park, Rue d' SLZ 183 O19-20
Ashby, Rue MAR 500 A2
Ashmore, Rue CTG 305 T36
Aspen, Rue HUD 184 P24
Asselin, Av. CAN 367 G-H49
Asselin, Rue BEL 391 M79
Asselin, Rue BRS 348 D59
Asselin, Rue CED 243 B15-16
Asselin, Rue LER 305 R32
Asselin, Rue LNG 329 Z65-66 349 A65-66
Asselin, Rue NDP 265 H30
Asselin, Rue SBM 370 F-G69
Asselin, Rue VDR 244 D22
Assigny, Rue d' LNG 328 W60 329 W61
Assomption, Rue OMV 631 A7-8
Assomption, Rue de GRA 622 G4
Assomption, Rue de l' MAG 631 A8
Assomption, Rue de l' VTV602 E6
Assomption, Rue de l' SHE 636 L17-18
Astell, Rue VTV 602 E6
Aster, Rue de l' SCT 346 C43-44
Aster, Rue de l' SBM 369 J68 370 J69
Astilbes, Rue des SCW 611 A13
Aston, Rue d' VTV 602 D-E7
Astrale, Rue CTG 325 W35
Ateliers, Av. des SHY 522 H2
Ateliers, Rue des BCV 330 V72
Athelstan, Ch. d' HUN 560 D-E2
Athénes, Av. BRS 348 D59
Atkins, Rue GRA 622 H4
Atlantique, Rue de BRO 628 D4
Atlantique, Rue de l' MSH 391 O82-83
Atlas, Rue de l' SHE 637 K21
Âtre, Rue de l' VAR 311 S-T77
Atto, Rue SHE 641 Q20
Attwood, Rue CTG 305 U33
Aubépine, Rue de l' SBM370 K70
Aubépine, Rue de l' SCT 346 C-D44
Aubépines, Rue des CTG 305 S32-33
Aubépines, Rue des SPH 367 J48-49
Aubépines, Rue des VSL 224 X25-26
Auber, Rue SRT 530 C7
Aubère, Cr. de l' SLZ 203 Q16
Aubergiste, Rue de l' BRO 628 B4 C4 629 B5
Aubert, Av. BRS 348 D59
Aubert, Pl. CAN 367 G49
Aubert, Rue LNG 329 Z65 349 A65
Aubert-De-Gaspé, Rue SJU 350 B76
Aubin, Av. LNG 349 E61
Aubin, Rue DMV 610 E10
Aubin, Rue EAN 645 B2
Aubin, Rue LNG 349 A65
Aubin, Rue SHE 642 T5
Aubin, Rue SVD 242 D5
Aubry, Rue BRS 348 D60
Aubry, Rue CON 550 D1-2
Aubry, Rue LNG 349 A65
Aubry, Rue SHE 640 N18 641 N-P19
Aubry, Rue SJR 511 K2-3
Aubut, Rue ASB 647 A8
Auclair, Rue BRS 348 D59-60
Auclair, Rue MAR 500 A2 A-B1
Auclair, Rue MSH 391 O79
Auclair, Rue NDP 284 L26
Auclair, Rue OTT 391 P78
Auclair, Rue SCW 610 C12
Audet, Rue DMV 613 H5
Audet, Rue DMV 618 P9-10
Audet, Rue LMG 648 B3
Audet, Rue MAG 630 E4
Audet, Rue SBG 370 K72
Audette, Rue BRS 348 D59
Audette, Rue FAR 624 E3
Auger, Rlle SHE 640 N17
Auger, Rue BEL 391 M-N80
Auger, Rue CAR 388 M60
Auger, Rue CTG 305 U33
Auger, Rue GRA 622 G2
Auger, Rue MAG 630 E4
Auger, Rue SAM 351 A80
Auger, Rue VTV 602 E7
Augusta, Rue SRT 530 A4-5
Auguste, Av. BRS 348 C-D60
Auguste, Rue CTG 305 T34
Auguste, Rue DMV 613 J6
Auguste-Brossoit, Rue NDP 264 K25 284 L25
Auguste-Descarries, Rue BCV 330 W-X72
Auguste-Dubuc, Rue SHE 635 L11
Auguste-Lacaille, Rue BCV 310 T73
Auguste-Renoir, Rue GRA 622 K3-4
Auguste-Robert, Rue IPR 244 C-D27
Augustin, Av. CAN 367 H50
Augustin-d'Arche, Rue SBG 370 K71-72
Augustin-Gauthier, Rue SJR 511 G2
Augustin-Quintal, Rue BCV 310 U72
Aulnaies, Rue des PIN 244 D23
Aulnes, Rue des SBM370 J70-71
Aulnes, Rue des SHE 637 M21
Aulnes, Rue des SJR 512 P7
Aulnes, Rue des VAR 311 S-T77
Aulnes, Rue des VTV 602 E5 604 F5
Aumais, Rue NDP 284 L28 285 L29
Aumais, Rue SVD 222 Z7-8
Aumont, Av. BRS 348 D59
Aunes, Av. des MAG 630 E2
Auray, Rue d' SHE 639 P13
Aurèle, Rue DMV 615 J-K16
Aurèle, Rue LNG 348 E60 349 E61-62
Aurèle, Rue SCL 202 Q10-11
Aurèle-Benoit, Rue SJR 510 D5
Aurèle-Bradley, Pl. MCM 390 M76
Aurèle-Joliat, Rue VDR 224 Y22-23
Aurelien-Seguin, Rue IPR 244 D27
Aurores, Av. des MAG 630 C1-2
Austin, Rue CTG 305 T36
Autels, Rue des SJU 350 E75
Auteuil, Av. BRS 348 D58 D59-60
Auteuil, Ch. d' CAN 367 G49
Auteuil, Pl. d' SJU 370 F74
Auteuil, Rue BEL 391 O78
Auteuil, Rue LNG 329 W64
Auteuil, Rue d' BCV 330 W-X69
Auteuil, Rue d' DEL 347 E46 367 F46
Auteuil, Rue d' SCA 347 B-C47
Auteuil, Rue d' SJR 511 H-J3
Auteuil, Rue d' SJU 370 F74
Auteuil, Rue d' SRT 530 D-E2
Authier, Rue BRS 348 C-D59
Authier, Rue GRA 620 E3
Authier, Rue MSH 391 P83
Auvergne, Av. d' SHY 520 D7
Auvergne, Pl. d' CAN 367 G49
Auvergne, Rue BRS 348 C60
Auvergne, Rue LNG 329 W63
Auvergne, Rue d' SHE 633 F-G14
Auvergne, Rue d' SJU 350 C75
Auvergne, Rue d' SLB 348 A57
Avalon, Pl. SLZ 203 Q19
Avalon, Rue LNG 349 D61-62
Avaugour, Rue d' BCV 330 X70-71
Avelin-Péloquin, Rue SRT 530 A7
Aventuriers, Rue des SLZ 203 U19
Avery, Rue GRA 623 G-H7
Aviation, Rue de LNG 349 C65
Avignon, Pl. d' CAN 367 G49
Avignon, Pl. d' SLZ 203 Q16
Avignon, Rue BRS 348 D59
Avignon, Rue SCT 346 C44
Avignon, Rue d' SJU 350 C75
Avignon, Rue d' VDR 224 X-Y26
Avila, Pl. CAN 367 G-H49
Avila, Rue d' SHE 636 M15
Avon, Rue LNG 349 E63 369 F63
Avon, Rue SVD 242 D7
Ayers, Rue COW 627 B11-12
Aylmer, Pl. BRS 348 D58
Ayotte, Rue DMV 613 F5
Azaire-Côté, Rue GRA 620 E2
Azaleé, Rue de l' SCT 346 D44
Azarie-Pigeon, Rue CDL 222 Y10

B

Babin, Rue GRA 621 D6
Babuty, Rue SJR 512 P4-5
Bac, Rue EAN 645 C3
Bach, Rue BRS 348 E59
Bach, Rue CTG 325 W35
Bach, Rue DMV 613 K7
Bachand, Rue CAR 389 L67 N66
Bachand, Rue COA 644 C-D2
Bachand, Rue COW 626 C6
Bachand, Rue LNG 349 B-C66
Bachand, Rue SHE 639 P13
Bachand, Rue SHY 522 F4-5
Bachand, Rue SJR 510 D5-6
Bachand N., Rue BCV 330 V70
Bachand S., Rue BCV 330 V70
Back, Rue GRA 623 F5
Bacon, Rue SHE 640 Q16
Baffin, Av. BRS 368 F59
Baffin, Av. CAN 367 G48
Baffin, Rue BCV 330 W71
Baffin, Rue LNG 329 Z65
Baffin, Rue SBM 370 F70
Bagot, Rue LNG 329 Z64
Bagot, Rue de BRO 629 D6
Bahamas, Rue BRS 348 E59
Bahl, Rue DMV 619 N14
Baie, Ch. de la RIG 580 A-B2 B3
Baie, Rue de la VSL 224 W25
Baie-Comeau, Rue de GRA 621 B-C6
Baie-des-Sables, Ch. de la LMG 648 B1-2
Baie-Quesnel, Ch. de la RIG 580 A6
Baie-Saint-Thomas, Mtée de la RIG 580 B2
Baillargé, Rue BCV 330 W69
Baillargé, Rue VRC 292 O91
Baillargeon, Rue ASB 647 B6
Baillargeon, Rue BRS 348 D59 E59-60
Baillargeon, Rue CED 243 C-D14
Baillargeon, Rue CTG 325 Y36
Baillargeon, Rue PRN 606 B3
Baillargeon, Rue SCT 346 D44
Baillargeon, Rue SGG 616 N1-2
Baillargeon, Rue SJR 510 C-E5
Baillargeon, Rue (LNG) LNG 329 Z64
Baillargeon, Rue (SHU) LNG 348 E60
Baines, Rue LNG 349 D61
Baird, Boul. HUN 560 D2
Baker, Rue BRS 348 E58
Baker, Rue CHB 409 R64
Baker, Rue COW 627 C9
Baker, Rue LNG 349 D61-62
Baker, Rue SHE 640 R18
Balbuzards, Rue des DMV 619 N14-15
Baldwin, Rue COA 644 C2
Baldwin, Rue SJR 511 J4
Baleinier, Rue du SCA 347 D-E47
Ball, Rue SHE 640 N16-17
Balleray, Rue LNG 329 Z65
Balmoral, Av. de LPR 368 F53
Balmoral, Cr. BRS 368 F59
Balmoral, Rue LNG 349 C61
Balmoral, Rue OTT 390 P76 391 P77
Balmoral, Rue de SHE 635 L14
Balthazard, Rue SJR 511 K7 512 L7
Balzac, Av. BRS 348 E58-59 368 F59
Balzac, Av. CAN 367 G49
Balzac, Rue GRA 622 F-G2
Balzac, Rue SCT 346 E44 347 E45
Balzac, Rue SHE 635 L13
Balzac, Rue SRT 530 C2
Banff, Av. CAN 367 G48
Banff, Rue BRS 348 D-E59
Bank, Rue SHE 636 M16
Banks, Rue FAR 624 D2
Banque, Rue de la RIG 580 C5
Banting, Pl. SBM 369 G68 370 G69
Banting, Rue BEL 391 M79
Banting, Rue SBM 369 G68 370 G69
Banuil, Rue DMV 608 D4
Banville, Rue DMV 608 D4
Barabé, Rue SRT 530 B-C7
Baraby, Rue SJR 512 N6
Barbeau, Cr. SCT 346 E44
Barbeau, Rue DEL 347 E46 367 F46
Barbeau, Rue SCA 347 B46
Barbeau, Rue (LNG) LNG 329 Z66
Barbeau, Rue (SHU) LNG 369 F61-62
Barcelone, Av. de CAN 367 G48-49
Barcelone, Rue de SJU 350 C74
Barden, Rue LNG 348 C59
Bardier, Rue SRT 530 C5
Barette, Av. SHY 520 D7
Baril, Rue DMV 613 J7
Baril, Rue SCT 346 E44 347 E45
Baril, Rue VTV 603 E9-10
Baril E., Boul. PRN 606 B-C3
Baril O., Boul. PRN 606 D2
Bariteau, Rue LNG 349 A65
Barker, Rue COW 626 E8
Barlow, Av. LNG 368 G60
Barnabé, Rue DMV 613 J-K8
Barnes Rd KAH 306 T41
Barnett, Rue SCT 346 E44
Barnsby, Cr. de SLZ 183 P20
Barnston, Rue COA 644 C-D2 D1
Baron, Rue DMV 614 H10
Baron, Rue LNG 348 D60
Baron, Rue SCT 346 E44
Baron, Rue du SHE 636 J16-17 K16-17
Baronnie, Ch. de la VAR 311 Q81-82 R84
Baronnie, Mtée de la VAR 291 P84 311 Q-T84 T-U83
Barr, Rue GRA 623 F6
Barrage, Ch. du LMG 648 A-B5
Barrage, Ch. du MAG 631 C8
Barrage, Cr. du CTG 305 U34
Barrage, Rue du SJU 370 F74
Barre, Rue de la BCV 330 V69
Barré, Rue CHB 409 Q64-65
Barré, Rue COW 627 D9
Barré, Rue GRA 621 C6-7
Barré, Rue OTT 391 P78-79
Barré, Rue RCH 409 U66
Barré, Rue SHY 520 C3
Barrette, Rue CTG 305 T34
Barrette, Rue SHE 638 N-P10 639 P11
Barrette, Rue SJR 510 C-D5
Barrette, Rue SVD 241 C-D4
Barrière, Carré NAP 570 C2
Barrière, Pl. RCH 409 U67
Barrière, Rue DMV 608 E4
Barrière, Rue de la SVD 241 D4
Barry, Av. BRS 348 E58-59
Barsac, Cr. du SLZ 203 Q18
Barsalou, Rue CHB 409 R64
Barsalou, Rue SBG 370 K71 390 L71
Barsalou, Rue SHY 520 D-E3
Barthe, Rue SRT 530 A6 B7
Barthe, Rue VTV 605 F10-11
Barthélémy, Rue LNG 329 X63
Barthélémy-Darche, Rue CHB 409 Q64
Bartlett, Ch. SHE 641 S22
Barton, Rue SHE 638 N9
Bas-de-la-Rivière, Ch. du RIG 580 A-B5
Bashaw, Pl. RCH 409 T-U66
Basile-Daigneault, Rue SBG 390 L-M72
Basile-Letendre, Rue SGG 616 N2
Basile-Routhier, Rue SJU 350 B76
Basset, Rue LNG 329 Z65-66
Bassin, Rue du PDC 264 H21
Bassin, Rue du SCT 346 D44
Bastien, Pl. PIN 244 E23 264 F22-23
Bastien, Rue DMV 619 L16
Bastien, Rue SHE 643 T8
Bastien, Rue VDR 224 Y23
Bastille, Rue de la COW 625 C4 626 C5
Bastille, Rue de la DMV 615 J14
Bastogne, Rue de MCM 391 M-N78
Batelier, Rue du SRT 530 C4
Bateliers, Rue des SCA 347 C-D47
Batiscan, Rue GRA 621 C7
Batiscan, Rue de MER 325 V33
Batiscan, Rue de la DMV 610 E9
Batiscan, Rue de la VTV 603 B9
Bâtisseurs, Rue des DMV 610 E9
Baudelaire, Av. BRS 368 F59-60
Bavière, Av. de CAN 367 G48
Bavière, Rue de LNG 349 A65
Baxter, Rue CTG 305 T36
Bay, Rue SVD 242 C6
Bay Meadow, Rue de SLZ 183 O20
Bayard, Av. CAN 367 G49
Bayard, Pl. BRS 348 E59-60
Bayeur, Rue NAP 570 B2
Bayeux, Rue de BCV 330 Y69
Bayeux, Rue de SHE 637 M19
Bayonne, Rue de la DMV 610 E9
Bayview, Pl. PIN 244 C-D24
Bayview, Rue PIN 244 C-D24
Bazars, Rue des SHY 522 G5-6
Bazin, Cr. BRS 368 F59
Bazinet, Rue SHY 522 F7
Beach, Rue HUD 184 O24
Beacon, Rue GRA 621 E5 623 F5
Beacours, Rue SHE 633 F14
Béarn, Av. du SLB 348 A58
Béarn, Rue du SJR 511 G3
Béatrice, Rue SAM 351 B81
Béatrice, Rue SJS 530 A-B4
Béatrice-La Palme, Rue BCV 330 X72
Beattie, Ch. COW 627 E-F11
Beattie, Rue CHB 409 S66
Beattie, Rue SHE 641 Q20
Beau-Fort, Rue du LPR 348 E53 368 F53
Beau-Rivage, Rue du SJR 510 B-C5
Beau-Rivage, Rue du VDR 224 W-X25
Beaubec, Rue PDC 264 G21
Beaubien, Rue CTG 325 X35
Beaubien, Rue LNG 329 Z62-63
Beaubien, Rue SBM 369 H68
Beaubien, Rue SHY 520 E6-7
Beaubien, Rue SJR 512 N6
Beauce, Ch. de la BHN304 Q-T24
Beauce, Rue de BRO 629 D5
Beauchamp, Rue CTG 305 T35
Beauchamp, Rue LNG 328 X60 Y60 329 X61
Beauchamp, Rue MER 325 V33
Beauchamp, Rue SHE 638 S8
Beauchamp, Rue SJR 511 G4
Beauchamp, Rue VAR 311 R79
Beauchâteau, Ch. BHN 304 R27
Beauchemin, Av. BRS 368 F58
Beauchemin, Rue BEL391 L-M81
Beauchemin, Rue DMV 613 G5-6
Beauchemin, Rue LPR 368 F53
Beauchemin, Rue MER 325 W33-34
Beauchemin, Rue SBG 370 K71 390 L71
Beauchemin, Rue SBM 370 F70
Beauchemin, Rue SCT 346 D44
Beauchemin, Rue SJU 350 B75
Beauchemin, Rue SRT 530 C-D4
Beauchemin, Rue VAR 311 Q79
Beauchemin, Rue VTV 604 F5
Beauchêne, Rue LNG 329 Z64
Beauchesne, Av. PLS 607 A-B2
Beauchesne, Cr. SJU 350 B-C76
Beauchesne, Rue SCT 346 D44
Beauchesne, Rue SGG 616 M2

Beauchesne, Rue SHE . . 642 T6
Beauchesne, Rue SJR . 510 B5-6
Beaucours, Terr. LNG . . 329 Z64
Beaucourt, Rue VAR 311 R79-80
Beaudet, Rue PRN 606 D1
Beaudet, Rue SRT. . . 530 C4-5
Beaudet, Rue SVD . . . 241 B-C4
Beaudet, Rue VTV . . . 605 G10
Beaudette, Av. PLS . . . 607 D-E2
Beaudin, Rue SHE 638 S8
Beaudoin, Rue DMV . . . 613 K8
Beaudoin, Rue LNG . . . 329 X61
Beaudoin, Rue MAG . . . 631 B6
Beaudoin, Rue SBG . 390 L71-72
Beaudoin, Rue SHE . . . 633 D-E13
Beaudry, Av. SHY 520 E2-3
Beaudry, Pl. SRT 530 D4
Beaudry, Rue CED . . . 243 A-B13
Beaudry, Rue MAG . . . 630 B1
Beaudry, Rue SCT . . . 347 D46
Beaudry, Rue SHE . . . 635 L13
Beaudry, Rue SJR . . . 511 H4
Beaudry, Rue SVD . . . 263 F13-14
Beaudry, Rue de MER . . 325 V33
Beaudry, Terr. LNG. . . .
. . . . . . 368 F60 369 F61
Beaufort, Rue BRS . . . 368 F58
Beaufort, Rue BRA . . . 622 F-G2
Beaugrand, Rue ACV . . . 540 C2
Beaugrand, Rue LNG . . 329 Z64
Beaugrand, Rue MEL . 391 M81
Beauharnois, Rue LNG . 329 Z65
Beauharnois, Rue VTV. 637 M19
Beauharnois, Rue de BCV . . . .
. . . . 310 T74
Beauharnois, Rue de CTG. . . .
. . . . 325 V36
Beauharnois, Rue de GRA621 C7
Beauharnois, Rue des BRO. . . .
. . . . 628 E4 629 C-D5
Beaujeu, Rue de MSH . 391 N81
Beaujeu, Rue du SLZ . . . . .
. . . . . 183 P18 203 Q18
Beaujeu, Terr. LNG . . 329 Z64-65
Beaujolais, Av. du CAN. . . . .
. . . . . . 367 G48-49
Beaujolais, Rue BRS . . 348 E58
Beaujolais, Rue de VDR . . . .
. . . . . . 224 X-Y26
Beaujolais, Rue du COW. 626 B7
Beaujolais, Rue du LNG 349 A65
Beaujolais, Rue du SLZ. 203 Q18
Beaujour, Rue de SCT . . . . .
. . . . . . 346 E43-44
Beaulac, Rue BRS . . . 348 D58
Beaulac, Rue DMV. . . 610 E9-10
Beaulac, Rue LPR. . . . 368 F53
Beaulac, Rue SVD . . . 241 C4
Beaulac, Rue de MSH 391 O-P80
Beaulé, Rue COA. . . . 644 C2
Beaulieu, Av. SHY . . . 520 D7
Beaulieu, Rue ASB . . 647 B-C6
Beaulieu, Rue BRS . . 348 E58
Beaulieu, Rue DMV . . 618 P9-10
Beaulieu, Rue GRA . . . 622 K2
Beaulieu, Rue MCM . 391 M-N77
Beaulieu, Rue NAP. . . . 570 B3
Beaulieu, Rue SGG . . 616 M2-3
Beaulieu, Rue SHE . . 642 U-V4
Beaulieu, Rue SJR . . . 512 P5-6
Beaulieu, Rue VTV. . . .
. . . . . . 603 E10 605 F10
Beaumanoir, Cr. BRS . . . . .
. . . . . 348 E60 368 F60
Beaumont, Rue ASB 647 A6-7 B6
Beaumont, Rue BRS 368 F58-59
Beaumont, Rue COW . 626 D5-6
Beaumont, Rue CTG. . . 325 V34
Beaumont, Rue GRA . . 622 F-G3
Beaumont, Rue LPR . . 368 F53
Beaumont, Rue LNG . . 329 Z65
Beaumont, Rue SCT . . 346 E44
Beaumont, Rue SHE 635 M13-14
Beaumont, Rue SHE . . 640 R15
Beaumont, Rue VDR . . 224 Y-Z25
Beaumont E., Rue SBM. . . . .
. . . . 370 H-J70 J70-71
Beaumouchel, Rue LNG 329 Z65
Beaune, Rue BRS . . 368 F58-59
Beaunoyer, Rue SGG . . 616 P1
Beauparlant, Av. SHY . . 520 E5
Beauparlant, Rue SBG . 390 L71
Beauport, Rue BEL . 391 M81
Beauport, Rue de CHB . . . . .
. . . . 389 P63 409 Q63
Beauport, Rue de GRA 621 B-C6
Beauport, Rue de MER . 325 V33
Beauport, Rue de SCA347 B-C47
Beauport, Terr. de MER . 325 V33
Beaupré, Rue DMV. . . 644 J12
Beaupré, Rue SCT . . . 347 E45
Beaupré, Rue SGG . . . 616 P1
Beaupré, Rue VTV. . . . 605 F11
Beaupré, Rue de GRA . 621 C7
Beaupré, Rue de MER . . . . .
. . . . . . 325 V33-34
Beaupré, Rue de SHE . 640 R15

Beauregard, Av. LNG . . . . .
. . . . . . 348 E60 368 F60
Beauregard, Av. SJR. . 512 L7
Beauregard, Pl. RCH . . 409 U67
Beauregard, Rue COW. . 626 E8
Beauregard, Rue CTG. . 306 S37
Beauregard, Rue GRA . 621 D6
Beauregard, Rue LNG . . . . .
. . . . . 329 Y-Z62 Z61
Beauregard, Rue MAR. 500 B4-5
Beauregard, Rue SHY. . . . .
. . . . 522 F6-7 E46
Beauregard, Rue VAR. . 311 Q78
Beaurivage, Rue SHE . 639 N14
Beaurivage, Rue de la DMV. . .
. . . . . . 610 E9
Beausejour, Rue LPR . . 368 F53
Beauséjour, Rue LNG 369 F61-62
Beauséjour, Rue MCM . 391 M77
Beauséjour, Rue SCL . . 202 Q10
Beauséjour, Rue SCW . 610 E11
Beauséjour, Rue SJR . . 512 M7
Beauséjour, Rue VTV. . 604 F6-7
Beauséjour, Rue de SHE 636 L15
Beauséjour, Terr. LNG . 369 F61
Beausite, Rue ASB . . . 647 C5
Beausoleil, Rue CHB . . 409 R64
Beausoleil, Rue LPR . . 368 F53
Beausoleil, Rue SHE . .
. . . . . . 638 S8 643 T8
Beausoleil, Rue VTV. . . 601 F3
Beauvais, Rue CON . . . 550 C3
Beauvais, Rue DEL . . . 367 F-G46
Beauvais, Rue GRA . . . 623 G8
Beauvais, Rue LNG. . . 329 Z65
Beauvais, Rue SCT . . .
. . . 346 E44 347 E45
Beauvais, Rue SJR. . . 512 M7-8
Beauvais St KAH. . 306 U42-43
Beauvais Quarry KAH. . . . .
. . . . 306 U42-43 326 Z40
Beauvoir, Pl. BRS . . . .
. . . . 389 S68 369 F59
Beauvoir, Rue MCM . 391 M-N77
Beauvoir, Rue de SLZ . 183 P17
Beauvoir, Rue de SHE 636 L15
Beauvoir, Rue VTV. . . . 601 F3
Bécancour, Rue de GRA . 621 B6
Bécancour, Rue de VTV . . . .
. . . . . . 604 F8 605 F9
Bécassines, Rue des DMV . . .
. . . . 619 N15
Bécigneuil, Rue LMG . 648 B3
Beck, Rue LNG 348 C59
Beckett, Pl. SHE . . 635 K-L14
Beckett, Rue SHE . . . .
. . . . 635 L12-14 636 L15
Bécotte, Rue VTV. . . . 605 F10
Becs-Scie, Rue des VDR. . . .
. . . . . . 224 Y25-26
Bédard, Av. LNG. . . . 369 F61
Bédard, Rue SLZ. . . .
. . . . 203 R19-20 S18 204 R21
Bédard, Rue LNG 329 X-Y66 Z66
Bédard, Rue SCA . . 347 B46-47
Bédard, Rue SHE. 638 N7
Bédard, Rue VDR. . . . 365 J32
Bédard, Rue VDR. . . 224 Y-Z24
Bedford, Av. SLB . . . 328 Z58
Bedford, Pl. de SBM. . 370 J70
Bedford, Rue de BRO. . 628 E2
Bedford, Rue de MER . 325 V33
Bedford, Rue de SBM 370 H-J70
Beechwood, Rue HUD . 184 N21
Beethoven, Rue BRS. . 368 F59
Beethoven, Rue CTG325 W34-35
Beethoven, Rue DMV. . 613 K7
Bégin, Rue DMV. . . . 618 L11
Bégin, Rue GRA . 620 E4 621 D5
Bégin, Rue SHE. 637 M19
Bégin, Rue SHY. 520 D1
Bégin, Rue SJR 512 P5
Bégin, Rue SRT 530 D1-2
Bégin, Rue (LNG) LNG . 349 B63
Bégin, Rue (SHU) LNG . . . . .
. . . . . 348 E60 368 F60
Bégonia, Rue du SAM. . 351 B81
Bégonias, Rue des LNG . . . .
. . . . 369 G-H62
Bégonias, Rue des SCA . . . .
. . . . . . 347 C47-48
Bégonias, Rue des SJR. 510 D4
Bégonias, Rue des SVD . 242 A8
Bégonias, Rue des VDR. 224 Z22
Béïque, Av. VDR. 244 A23
Béïque, Rue RCH. . . . 409 U67
Béïque, Rue CHB. . . 389 P65-66
Bélair, Rue DMV. . . . 615 K15
Bélair, Rue SHY. 522 H3-4
Bélair, Rue SMS 409 Q68
Bél-Air, Pl. SHE . . . 639 N11-12
Bél-Air, Rue SHE. . . 639 N11-12
Belainsky, Rue SBG . . . 370 K72
Bélair, Rue ACV 540 B2-3
Bélair, Rue BRS 348 E59
Bélair, Rue GRA. 622 H4
Bélair, Rue LNG. . . . 349 A64-65

Bélair, Rue MSH 391 O-P82
Bélair, Rue RIG 580 C6
Bélair, Rue SCT 346 E44 347 E45
Bélair, Rue SJR. 510 D-E1
Bélair, Rue VTV. 603 D10
Béland, Av. VDR . . . 244 A23-24
Béland, Rue DMV. . . 617 M7-8
Béland, Rue VTV 601 H2
Bélanger, Rue PLS. . . . 607 D2
Bélanger, Rang COW . 625 C-D2
Bélanger, Rue CTG. . . 325 X36
Bélanger, Rue PIN . . . 244 D23
Bélanger, Rue PRN . . . 606 B-C3
Bélanger, Rue RIG. . . . 580 B-C5
Bélanger, Rue SCW . . 610 D-E11
Bélanger, Rue SVD . . . 242 C-D7
Bélanger, Rue VTV. . . . 602 D8
Bélanger, Rue (LNG) LNG329 Z66
Bélanger, Rue (SHU) LNG. . . .
. . . . . . 368 F60 369 F61
Belcourt, Rue DMV . . 614 H9-10
Belcourt, Rue GRA . . 620 D4 E3
Belcourt, Rue LNG . . .
. . . . 329 Z65 349 A65-66
Belcourt, Rue de MER. . 325 V33
Belhumeur, Rue VTV . . 604 F6-7
Bélisle, Rue VTV 605 F11
Bélisle, Rue DMV 618 M12
Bélisle, Rue de LNG . . . . .
. . . . . . 368 F60 369 F61
Bélival, Rue des LNG. . . . .
. . . . . . 638 S8 643 T8
Béliveau, Av. BRS . . . .
. . . . 348 E59 E59-60 368 F59
Béliveau, Boul. LNG. . . . .
. . . . . 329 Z65 349 A-B65
Béliveau, Rue ASB . . . 647 C7
Béliveau, Rue GRA. . . 620 E3
Béliveau, Rue LNG . 369 F61-62
Béliveau, Rue SHE . . . 639 P14
Béliveau, Rue VTV . . . 603 E9
Bell, Ch. BRO 629 A8
Bell, Rue COW 626 B-C6
Bell, Rue CTG 325 V36
Bell, Rue DMV 618 L10
Bell's Rd KAH. . . . 306 T40-41
Bella, Rue SJR. 511 J6
Bella, Rue SJR 511 K6
Bella-Vista, Ch. SJR. . . . .
. . . . . 390 L-M71 M70
Bellavance, Rue SHE . . . . .
. . . . 638 R10 639 Q11 R11
Belle-Rive, Rue DMV . . 615 K13
Belle-Rivière, Ch. de la SJU . .
. . . . 330 Z75-76
Belle-Source, Rue de la MCM. .
. . . . 391 M77
Belle-Vue, Rue de la SHY . . .
. . . . 522 H3-4
Belle Plage, Rue de la VDR . .
. . . . 224 W-X25
Belleau, Rue DMV . . . 608 E17
Belleau, Rue SHE. . . . 636 L17
Bellechasse, Rue de la LNG . .
. . . . . . 329 V-W67
Bellechasse, Rue de BRO 629 E7
Bellefeuille, Pl. CTG . . 306 U37
Bellefeuille, Rue CTG . 306 U37
Bellefeuille, Rue de MER 325 V33
Bellefleur, Rue SBM . . 347 E48
Bellefleur, Rue LPR. . . 368 F53
Bellefleur, Rue SCT. . . 346 E44
Bellefleur, Rue SHE . .
. . . . 635 K14 636 K15
Bellegarde, Rue MAG . . 630 B1
Bellemare, Av. PLS. . . 607 A2-3
Bellemare, Rue SHY. . . 520 D5
Bellemare, Rue VDR . . 244 A-B22
Bellème, Rue de BCV . . 330 X69
Bellerive, Av. SJR . . . 512 L-M6
Bellerive, Rue CAR. . . . . .
. . . 389 062-63 065-68 P64-65
Bellerive, Rue BEL . . 391 M-N82
Bellerive, Rue BRS. . . 348 D59
Bellerive, Rue EAN . . . 645 B-C1
Bellerive, Rue HUD . . . 184 O23
Bellerive, Rue LNG 329 W63-64
Bellerive, Rue SBG. . . 390 O73
Bellerive, Rue SCT . . 346 D-E44
Bellerive, Rue SHE 512 M-N6 P7
Bellerive, Rue SMS. . 390 P71-72
Bellerive, Rue SVD . . 242 A-B7
Bellerive, Terr. COW. . . 626 B7
Bellerose, Rue de LNG 329 Y-Z64
Bellerose, Rue SHE . . . . .
. . . . . . 638 S8 643 T8
Belleville, Av. LNG . . 328 Y60
Belleville, Rue DMV . . 613 F5
Belleville, Rue SHE . . 351 A81
Belleville, Av. VDR . . 244 B22-23
Bellevue, Rue CAR. . . . . .
. . . . . . 389 M65-66 M68
Bellevue, Mtée DMV. . 304 T28
Bellevue, Pl. SLZ . . . 203 Q16
Bellevue, Pl. WIN . . . 632 D2
Bellevue, Rte PLS . . . 607 A-B1
Bellevue, Rue ASB . . . 647 C6
Bellevue, Rue BRS . . 348 D-E59
Bellevue, Rue SCT . . 346 E44

Bellevue, Rue COA. . . . 644 B3
Bellevue, Rue COW . . 626 D5-6
Bellevue, Rue DMV . . . 614 G9
Bellevue, Rue GRA621 E6 623 F6
Bellevue, Rue HUD . . 204 Q-R23
Bellevue, Rue LMG . . . 648 A1
Bellevue, Rue LPR . . . 368 F53
Bellevue, Rue OTT. . . 391 O-P79
Bellevue, Rue PIN . . . 244 C-D24
Bellevue, Rue PRN . . . 606 B-C3
Bellevue, Rue RIG 580 C5
Bellevue, Rue SBM . . 370 H-J70
Bellevue, Rue SHE . . . 639 N14
Bellevue, Rue SJR . . . 511 G6
Bellevue, Rue SJU . . . 370 F74
Bellevue, Rue SLZ . . . 203 Q16-17
Bellevue, Rue VSL . . . 224 W26
Bellevue, Rue VTV . . . 605 F9-10
Bellevue, Rue WIN . . . 632 D2
Bellevue, Rue de SHE . 640 Q15
Bellevue, Rue de MAG 631 D-E5
Bellevue N. , Rue LNG . . . . .
. . . . . . 348 C60 349 C61
Bellevue O. , Rue MAG 631 D-E5
Bellevue S. , Rue LNG . . . . .
. . . . . . 348 D60 349 D61
Bellini, Rue BEL 391 N79
Belmont, Pl. SLZ 183 O20
Belmont, Rue CTG . . . 305 S34
Belmont, Rue GRA. . . . 623 G6
Belmont, Rue MCM . . 391 M77
Belmont, Rue SHE . . . 640 Q16
Belmont, Rue SHE . . . 640 R16
Belmont, Rue VTV . . . 605 F-G10
Belmont, Rue (LNG) LNG349 A64
Belmont, Rue (SHU) LNG . . . .
. . . . . . 368 G60 369 G61-62
Beloeil, Rue BEL 391 N79
Beloeil, Rue de GRA. . . 621 B6
Beloeil, Rue de MER . . 325 W33
Beloeil, Rue de SHE. . . 635 M13
Belval, Rue MSH 391 O81
Belval, Rue SVD . . . 263 G14-15
Belvédère, Pl. du SJU . 370 G74
Belvédère, Pl. du SLZ . 183 P19
Belvédère, Plateau du NDP . .
. . . . 264 K25
Belvédère, Rue BRS. 348 E58-59
Belvédère, Rue SHE . . 348 E60
Belvédère, Rue SJR . 512 Q5-6
Belvédère, Rue du MAG631 E6-7
Belvédère, Rue du SJU370 F-G74
Belvédère, Rue du VTV . . . .
. . . . . 603 E10 E9 605 F9
Belvédère E. , Rue NDP. 264 K26
Belvédère N. , Boul. SHE . . .
. . . . . 636 M16 640 N16
Belvédère O. , Rue NDP 264 K26
Belvédère S. , Boul. LNG. . . .
. . . . 640 P-Q16
Belzile, Rue SBG 370 K72
Bénard, Rue SAM 351 B81
Bénard, Rue SHE 370 F71
Benjamin, Rue BRS . . 368 F59
Benjamin, Rue SAM . . 351 B81
Benjamin-Constant, Rue SJR . .
. . . . 328 X60 329 X61
Benjamin-Holmes, Rue SJR . .
. . . . 511 G2
Benjamin-Loiseau, Rue BCV . .
. . . . 310 T72-73
Benjamin-Sulte, Rue BCV. . . .
. . . . 330 V-W70
Benjamin-Sulte, Rue SJU . . .
. . . . 350 B-C76
Bennett, Rue CHB . . . 409 S66
Benni, Rue HUN 560 C2
Benny, Rue CTG. 325 V34
Benoit, Rue RCH 409 U67
Benoit, Rue CHB 409 Q64
Benoit, Rue DMV . . . 618 L-M12
Benoit, Rue GRA. 622 H4 623 H5
Benoit, Rue MAR 500 A1
Benoit, Rue SHY 520 D5
Benoit, Rue SHY 367 K49
Benoit, Rue VDR. . . 224 V-W24
Benoit, Rue VTV. 605 F9
Benoît, Ch. MSH 391 P84
Benoît, Pl. BRS 368 F59
Benoit, Rue RCH 409 U67
Benoit, Rue SAM 351 B81
Benoit, Rue SCT . . . . .
. . . . 346 E44 347 E45
Benoit, Rue SHE 637 M19
Benoît, Rue SJU. 370 F74
Benoit, Rue de LNG 329 Y63 Y64
Benoit O. , Rue LNG 329 Y62-63
Benoît-Charlebois, Rue LPR . .
. . . . 367 H50-51

Berger, Rue SJR. 512 L2
Berger, Rue SMM . . . 522 H-J1
Bergerac, Pl. du SLZ. . 203 Q18
Bergerac, Rue BRS . . . . . .
. . . . 348 E58 368 F58
Bergerac, Rue SHE . . . 643 T7
Bergerac, Rue de LNG . 349 A65
Bergère, Rue de la SJR . . . .
. . . . . . 510 C-D1 D2
Bergères, Rue de la LNG 329 Z65
Bergerie, Rue de la CTG 305 T36
Bergeron, Av. ACV . . . 540 B2
Bergeron, Rue ASB . . . 646 D-E4
Bergeron, Rue DMV. . . . . .
. . . . 612 H4 613 J5-6
Bergeron, Rue EAN . . . 645 B3
Bergeron, Rue HUN . . 560 A-B2
Bergeron, Rue LNG . 369 F61-62
Bergeron, Rue PLS . . . 607 C1-2
Bergeron, Rue SHE . . . 643 T8
Bergeron, Rue SRT . . . 530 C7
Bergeron, Rue SVD . . 242 B6-7
Bergeron, Rue VTV. . . 602 D-E7
Berges, Prom. des SCA 348 A47
Berges, Rue des SRT . . 530 E3
Berges, Rue des SVD . 222 Z8-9
Bergevin, Rue BRS . . . 348 E59
Bergevin, Rue CTG. . . 305 U33
Bergevin, Rue SVD. . . 242 C6
Bériault, Rue (LNG) LNG 329 W66
Bériault, Rue (SHU) LNG 368 F60
Bériot, Rue BRS 410 O69
Berkley, Av. SLB . . . 328 X-Y60
Berlin, Rue de DMV . . 613 G5
Berline, Pl. de la SBG . 390 L74
Berlioz, Pl. CAN. 367 G49
Berlioz, Rue BRS . . . 348 E58
Berlioz, Rue DMV. . . . 613 K7
Berlioz, Rue SJR . . . 512 P4-5
Bernache, Rue de la SLZ203 R20
Bernaches, Rue des MSH . . .
. . . . 391 P83
Bernardes, Rue des SJR . . . .
. . . . . 510 E5 511 F5
Bernadette, Rue ACV . . 540 C2
Bernadette, Rue SJU . . 350 D76
Bernadette, Rue VTV . . 603 B10
Bernard, Av. BRS 348 E59
Bernard, Rue ACV 540 C3
Bernard, Rue BEL . . . 391 M-N80
Bernard, Rue COW . . . . . .
. . . . 626 C8 627 C9
Bernard, Rue CTG. 325 W35 X36
Bernard, Rue GRA . . . 622 G-J1
Bernard, Rue LNG . . . 369 G64
Bernard, Rue MAG . . . 631 D-E6
Bernard, Rue MAR . . . 500 A-B3
Bernard, Rue MSH . . . 391 O82
Bernard, Rue SBG . 390 L71-72
Bernard, Rue SCW . . . 610 E11
Bernard, Rue SHE . . . 638 T10
Bernard, Rue SHY 520 D7-8 E6-7
Bernard, Rue SJR . . . 512 P5-6
Bernard, Rue SPH . . . 367 K49
Bernard, Rue SRT . . . 530 A6
Bernard, Rue VTV. . . . 604 F7
Bernard, Terr. LNG . . 184 L21
Bernard N. , Rue RIG . . 580 B3
Bernard S. , Rue RIG . . 580 B3
Bernard-Boucher, Rue CAR. . .
. . . . 388 N60
Bernard-Gariépy, Boul. SRT. . .
. . . . 530 D2
Bernard-Lamontagne, Rue SHY.
. . . . 520 D6
Bernard-Léveillé, Rue GRA . . .
. . . . 623 G7
Bernard-Pilon, Rue BEL. . . .
. . . . 391 L-N78
Bernard-Racicot, Rue LNG . . .
. . . . 369 F63
Bernardin, Av. VDR. . 244 B22
Bernardin, Rue DMV 619 M-N14
Berne, Rue de BRS. . . 368 F59
Bernier, Av. SHY. 520 D5
Bernier, Rue ACV . . . 540 B-C2
Bernier, Rue BEL . . . 391 M79
Bernier, Rue DMV 612 H4 613 F5
Bernier, Rue FAR . . . 624 B3
Bernier, Rue GRA . . . 621 D5
Bernier, Rue LMG . . . 648 B2
Bernier, Rue LNG. . . . . . .
. . . . . . 348 E60 368 F60
Bernier, Rue LPR . . . 367 G51
Bernier, Rue MAG . . . 630 B1
Bernier, Rue PRN . . . 606 C3
Bernier, Rue SBM . . . 370 G70
Bernier, Rue SHE 637 K18
Bernier, Rue VTV . . . 605 F11
Bernières, Rue de SJR . 511 G4
Bernières, Rue de GRA 621 B-C6
Berri, Rue BRS 348 E59
Berri, Av. du SLB . . 348 A57-58
Berri, Rue SCT 347 D45
Berry, Rue de SJR. . . 512 P-Q5

Bertand, Av. PLS. . . . 607 C-D3
Berthelot, Rue SJR . . . 511 G-H2
Berthiaume, Rue CON . 550 C3
Berthier, Rue BRS . . . 368 F59
Berthier, Rue CHB . . . 409 R64
Berthier, Rue SBM . . . 369 G-H68
Berthier, Rue SJR . . . 511 H4
Berthier, Rue (LNG) LNG 349 A64
Berthier, Rue (SHU) LNG 348 E60
Berthier, Rue de GRA . . 621 B6
Berthier, Rue de MER . 325 V33
Berthon, Rue LNG . . . 329 Z65
Bertin, Rue LNG . . . 349 A64-65
Bertrand, Imp. VTV . . . 602 D6
Bertrand, Rue BRS . . 348 E60
Bertrand, Rue DMV . . 613 K8
Bertrand, Rue GRA . . . 620 D3
Bertrand, Rue LNG . . 329 X61
Bertrand, Rue SHE . . 640 P16
Bertrand, Rue SHY . . 520 D4-5
Bertrand, Rue SJU. . 351 D78-79
Bertrand, Rue SRT . . 530 E4
Bertrand, Rue SVD . . 242 A7-8
Bertrand, Rue VTV . . . 602 D-E7
Bertrand-Fabi, Rue SHE . . . .
. . 638 R-S10 S9 639 P-Q11 643 T8
Bérubé, Rue VTV. . . . 604 F6-7
Besner, Av. VDR . . . 244 A-B23
Besner, Rue CDL. . . . 222 X7-8
Besner, Rue CED . . . . . .
. . . . 223 Z16 243 A16
Besner, Rue SVD 241 C4
Besner, Rue VSL . . . 224 X25-26
Besse, Imp. SJR . 511 K5 512 L5
Bessette, Av. SJR . . . 512 L-M7
Bessette, Pl. LNG . . . . . .
. . . . . . 349 E61 369 F61
Bessette, Rue CAR. . . 389 P67
Bessette, Rue DMV . . . . . .
. . . . . 613 K8 614 K9
Bessette, Rue GRA . . . 620 E2
Bessette, Rue LNG . . . 349 A64
Bessette, Rue MAG . . 630 D-E4
Bessette, Rue SHE . . . 639 N12
Béthanie, Rue de GRA . 621 B-C6
Béthanie, Rue de SHE . 636 M15
Bétonnières, Rue des SVD . . .
. . . . 242 A-B6
Bétournay, Av. SLB. . 39Y-Z58
Bétournay, Rue LNG . . 329 Z65
Bettez, Rue DMV . . . 619 L16-17
Beurling, Rue CTG . . . 325 V34
Bianca, Rue SAM 351 B81
Biarritz, Rue BRS . . 348 C58-59
Bibaud, Rue LNG. . . . 349 A65
Bibeau, Ch. SHE . . . 637 J-K22
Bibeau, Rue SHY 522 F6
Bibeau, Rue SRT 530 F7
Bibeau, Rue (DMV) DMV . 614 K9
Bibeau, Rue (SJC) DMV . 609 J88
Bicentenaire, Rue du VDR. . . .
. . . . 224 Z23
Biche, Rue de la LNG . 329 X66
Biencourt, Rue de LNG . 329 Z66
Bienvenue, Av. BRS . . . . . .
. . . . 348 E59 368 F59
Bienvenue, Av. SHY. 522 F5-6 G6
Bienvenue, Rue GRA . 623 F6-7
Bienvenue, Rue SCT. . 346 D44
Bienville, Av. BRS . . 348 E59 E60
Bienville, Av. SHY . . 522 G3-4
Bienville, Rue BEL . . 391 M80
Bienville, Rue LNG . . 329 X62
Bienville, Rue SHE . . 640 P16
Bienville, Rue de CDL . 222 X-Y9
Bienville, Rue de CTG . 305 T33
Bienville, Rue de GRA . 620 D-E3
Bienville, Rue de SBM . 370 H70
Big Fence Rd KAH . . . 306 S38
Bigarré, Pl. de VTV. . . 602 D8 603 D9
Bigarré, Rue de VTV . . 602 D8 603 D9
Bill-Durnan, Rue VDR . 224 Y22
Billette, Rue SVD 242 E5
Bilodeau, Av. EAN . . . 645 B2
Bilodeau, Rue PLS . . . 607 D3
Bilodeau, Rue SCW . . . . . .
. . . . . 611 A13-14 B14
Bilodeau, Rue SHE . . 637 M20
Binette, Rue ASB . . . 647 C5
Binette, Rue CED . . . 223 Y16
Binette, Rue VTV . . . 603 D10
Birch, Av. SLB 328 X59 Y59
Birch, Rue CTG 306 T37
Birch Hill, Rue HUD . 184 M22-23
Birchill, Pl. SLZ . . . 203 Q16-17
Biron, Rue BEL 391 N-079
Biron, Rue DMV . . . 613 H6-7
Biron, Rue SHE 636 M17
Biron, Rue VTV 605 F11
Birtz, Rue BCV 310 S-T74
Birtz, Rue DMV 613 G-H7
Bisaillon, Rue BRS . . 348 E59
Bisaillon, Rue DEL . . 367 F46
Bisaillon, Rue GRA . . 621 C6
Bisaillon, Rue NAP . . . 570 B3
Bisaillon, Rue SJR . . . 511 J3
Bishop, Rue LNG . . . 349 C64
Bissett, Rue SJR. . . . 511 G4

Bisson, Rue BRS . . 348 E59-60
Bisson, Rue DEL . . 347 E45-46
Bisson, Rue GRA 620 D1
Bisson, Rue SCT . . . 347 E45
Bisson, Rue WIN . . . 632 D3
Bissonnet, Rue LNG . . 348 A59
Bissonnette, Rue BHN. . 284 P23
Bissonnette, Rue CED . . . . . .
. . . . 243 D14-15
Bissonnette, Rue SJR. . . 512 P7
Bissonnette, Rue SVD. 242 C-D5
Bissonnette, Rue VAR. . 311 O78
Bissonnette, Rue VRC . . . . . .
. . . . 292 O-091
Bizard, Rue LNG . . 349 A64
Bizet, Rue CTG . . . 325 W35
Bizier, Rue SHE . . . 642 T6
Black, Rue SJR . . . 512 L4
Black, Rue SVD 242 C7
Blackwood, Rue LNG . . 348 A65
Blain, Rue MSH . . . 391 O81
Blain, Rue SJU . . . 350 C75-76
Blain, Rue VAR . . . 311 R79
Blainville, Rue LNG 349 A64-65
Blais, Rue LNG . . . 349 A64
Blais, Rue SBG . . . 370 K73
Blais, Rue SCT. . . . 347 A45
Blais, Rue SHE . . . 639 N-P13
Blais, Rue SRT. . . . 530 E4
Blais, Rue VTV. . . 602 D-E7
Blaise-Pascal, Rue SJU. 350 D74
Blanc-Coteau, Rue SHE . . . . . .
. . . . 639 N-P11
Blanchard, Rue CDL . . 222 X7
Blanchard, Rue MAR . . 500 B5
Blanchard, Rue SGG . . 616 M2
Blanchard, Rue SHE . 641 N-P19
Blanchard, Rue SHY. . 522 G6
Blanche, Rue CED . . 243 D14-15
Blanche, Rue SJR. . . 511 H6-7
Blanche-Herbe, Rue de la BCV .
. . . . 310 U72
Blanchet, Rue LNG 349 A64-65
Blanchette, Ch. ASB . 647 C-D7
Blanchette, Ch. SHE . . . . . .
. . 642 U-W6 V6 643 V7-9
Blanchette, Rue . . . .
. . . . . . 646 C4 647 C5
Blanchette, Rue SHY. . 520 E4-5
Blanchette, Rue (DMV) DMV . .
. . . . 613 F5-6
Blanchette, Rue (SNP) DMV. . .
. . . . 619 Q13
Blé, Rue du SJR . . . 511 F2
Bleds, Rue des MAR . . 500 N4
Blenkinship, Rue HUD . . . . .
. . . . 184 O23-24
Blés, Rue des SHE . . 636 K18
Blés, Rue des SJR. . . 520 D2
Blés, Rue des VSL . 224 W-X25
Bleury, Rue BRO . . . 629 A5
Bleury, Rue de SJR . . 511 J7-8
Blier, Rue SHY. . . . 520 E6
Blier, Rue VTV. . . . 604 F5
Blind Lady's Hill Rd KAH. . . .
. . . . 306 U41-42
Blizzard, Rue du DMV . 619 L14
Blizzard, Rue du SCA . 347 D48
Blizzard, Rue du SJU . 520 D-E1
Blois, Pl. de SJU . . 350 C73-74
Blois, Rue de BCV . . 330 Y70
Blondin, Rue SHY . . . 522 G3
Blouin, Rue DMV. . . 610 E9-10
Blouin, Rue EAN . . . 645 C1-2
Blueberry Forest, Rue SLZ . . .
. . . . . . 183 P17-18 203 R19
Blueberry Hill, Rue SLZ . . . .
. . . . 203 O17-18
Board, Terr. LNG . . 348 C59
Boardman, Rue DEL . . 347 E46
Bocage, Rue du SBM . . 370 H71
Bocage, Rue du SHE . . 639 N12
Bocage, Rue du SRT . . 530 D2
Bocage, Rue du SVD . . 241 C3
Bockus, Rue LNG. . . 348 A59
Bohème, Pl. de CAN 367 G48-49
Boies, Rue SBM. . . . 348 A59
Boileau, Rue BRS. . . 348 E60
Boileau, Rue CTG . . 305 S-T33
Boileau, Rue SBG . . . .
. . . . . . 370 K72 390 L72
Boileau, Rue SHE . . 639 N-P14
Boileau, Rue SHY . . . 520 D1
Boileau, Rue (LNG) LNG 329 Z66
Boileau, Rue (SHU) LNG. . . . .
. . . . 369 G64-65
Boileau, Rue CHB . . 389 P65
Boileau, Rue VDR. . . 224 X23
Boily, Rue VDR . . . 224 W24
Boily, Rue VTV . . . 602 D-E6
Boire, Rue NAP. . . . 570 B3-4
Boire, Rue SCT . . . 347 E45
Bois, Av. SHY . . . 520 D-E3
Bois, Rue des SJR . . 512 M4-5
Bois, Rue des VTV. . 601 G3-4
Bois, Rue du SLZ . . . 203 S18
Bois-Brillant, Rue du MCM . . .
. . . . 391 M77
Bois-de-Boulogne, Rue SCT . . .
. . . . 346 E44
Bois-des-Fillions, Rue de GRA. .
. . . . 621 C6

Bois-Dormant, Rue du SLZ . . . .
. . . . 203 R19
Bois-Franc, Rue du SJU 370 F74
Bois-Francs, Rue des BCV . . . .
. . . . 330 Y71-72
Bois-Francs, Rue des GRA . . . .
. . . . 621 C6
Bois-Francs, Rue des SJR 510 E1
Bois-Francs, Rue des SRT530 D4
Bois-Francs N. , Boul. des VTV .
. . . . 602 D-E7
Bois-Joli, Rue du WIN . . 632 A-B3
Bois-Joli, Rue du SAM351 B-C81
Bois-Soleil, Pl. PIN . . 244 D-E23
Bois-Soleil, Rue du SLZ 203 R19
Bois-vert, Rue COW . . . 627 D9
Boisbriand, Rue BCV . . . . . .
. . 603 E9 605 F9 F-G10 G-H11
Boisbriand, Rue SBM . . 370 G71
Boisbriand, Rue SCT. . . 346 E44
Boisbriand, Rue de GRA . . . . .
. . . . 621 B-C6
Boischatel, Rue IPR . . . . . .
. . . . 244 E27 264 F27
Boischatel, Rue de GRA . 621 C6
Boischatel, Rue de SHE 635 M13
Boischatel, Rue de SLZ . . . . .
. . . . 203 R16-17
Boischatel, Pl. SJU . . . 350 E75
Boischatel, Rue de BEL . . . . .
. . . . 391 M82-83
Boisclair, Rue BEL . . . 391 M82
Boisclair, Rue BRS . . . 348 E59
Boisclair, Rue DMV . . . 609 D-E5
Boisclair, Rue PRN . . . 606 B-C2
Boisclair, Rue SCT . . . 346 E44
Boisclair, Rue de SHE . 640 P-Q16
Boisclerc, Rue LNG . . 329 Z65
Boisé, Rue du NAP . . . 570 C1
Boisé, Rue du VDR . . . 204 Q22
Boisé, Rue du BCV . . . 330 Y71
Boisé, Rue du CDL . . 222 X-Y10
Boisé, Rue du CTG . . . 306 T37
Boisé, Rue du IPR . . . 244 D26-27
Boisé, Rue du MAR . . . 500 A1
Boisé, Rue du MCM . . . 391 N77
Boisé, Rue du SVD . . . 242 A-B7
Boisé-de-l'Île, Rue du SJR . . .
. . . . 510 C-D5
Boisé-des-Chênes, Rue PIN. . . .
. . . . 244 D23-24
Boisé-du-Parc, Rue PIN. 244 D23
Boisé des Franciscaines, Rue du
RIG 580 C5-6
Boisée, Rue MSH . . . 391 O-P82
Boisés, Rue des BRO . . 629 D5
Boisés, Rue des OMV. . 631 B7
Boisés, Rue des SHE. 640 P-Q16
Boisjoli, Rue COA . . . 644 B2
Boisjoli, Rue LNG . . . 368 F60
Boisjoli, Rue SCT. . . . .
. . . . . . 346 E44 347 E45
Boisjoli, Rue SHE. . . . .
. 635 L14 M14 636 L15 M15
Boisjoli, Rue VTV . . . 605 G11
Boisjoli, Rue de GRA . . 621 C6
Boismenu, Terr. LNG. . . 368 F60
Boismenu, Rue de LNG . 329 Z65
Boisseau, Rue du DMV . 613 K8
Boisselier, Rue du DMV . . . . .
. . . . 610 E9 614 F9
Boissy, Rue BEL . . . 391 P83
Boissy, Rue SLB . . . 348 A58-59
Boisvert, Av. EAN. . . . 645 B3
Boisvert, Av. PLS . . . 607 A-B2
Boisvert, Pl. ACV . . . 540 C3
Boisvert, Rue ASB . . . .
. . . . 646 E4 647 D-E5
Boisvert, Rue DMV . . . 613 H6-7
Boisvert, Rue LNG . . . 368 F60
Boisvert, Rue SCT. . . . 346 D-E44
Boisvert, Rue SHE634 N6 638 N7
Boisvert, Rue VDR . . 224 Y24-25
Boisvert, Rue VTV . . . 605 F9
Boisvin, Rue LNG . . . 329 Z66
Boivin, Boul. GRA 622 F4 623 F5
Boivin, Rue COA . . . 644 B2
Boivin, Rue CTG . . . 305 S35
Boivin, Rue DMV . . . 619 L17
Boivin, Rue du MAG . . 631 E7-8
Boivin, Rue du PIN 244 D23-24
Boivin, Rue du SLZ . . 203 U19
Boivin, Rue du SRT. . . 530 D3
Boivin, Rue du VSL 224 W-X25
Boivin, Rue LNG368 F60 369 N61
Boivin, Rue VTV. . . . 604 G7
Bolduc, Cr. la SCA . . . 347 C47
Bolduc, Rue ASB . . . 646 C-D4
Bolduc, Rue COA . . . 644 D3
Bolduc, Rue DMV. . . 615 K14
Bolduc, Rue LNG 329 Z64-65
Bolduc, Rue SHE . . 635 L-M12
Bolduc, Rue WIN. . . . 632 C2-3
Boléro, Pl. du SLZ . . 183 P18
Bolets, Rue des BRO . . 629 B6
Bolivar, Cr. BRS . . . 368 F59
Bolton, Av. de SLB . . . .
. . . . 328 Z58 348 A58
Bombardier, Rue BRS . 368 F58
Bombardier, Rue CTG . 325 Y36
Bombardier, Rue MAR . 500 B4-5
Bombardier, Rue SJR . . 512 P4
Bombardier, Rue SJU . 370 C5

Bombardier, Rue SJU . . 370 F76
Bon-Air, Rue du MAG . . 631 E7
Bonair, Rue BEL. . . . 391 N78
Bonaparte, Rue LNG . . . . . .
. . . . . . 348 A60 349 A61
Bonaventure, Boul. de la VTV . .
. . . . . . 602 C8 603 C9-10
Bonaventure, Pl. BRS . 348 E59
Bonaventure, Rue LNG . 329 Z65
Bonaventure, Rue SHE . 639 P11
Bonaventure, Rue SRT . . 530 A7
Bonaventure, Rue de BRO629 D5
Bonaventure, Rue de CTG. . . .
. . . . . . 305 U36 306 U37
Bonaventure, Rue de GRA621 B6
Bonaventure, Rue de SLZ. . . . .
. . . . 203 R16
Bonaventure-Viger, Rue SBG. . .
. . . . . . 370 K71 390 L71
Boniface, Av. BRS . 368 F58-59
Bonin, Rue ACV. . . . 540 D2
Bonin, Rue COA . . . 644 A2
Bonin, Rue CON . . . 550 C2
Bonin, Rue LMG . . . 648 B-C3
Bonin, Rue SHE . . . 639 P13
Bonin, Rue SJS . . . 530 A-B3
Bonin, Rue SRT. . . . 530 B3
Bonin, Rue SVD . . . 242 E7
Bonne-Entente, Terr. DMV. . . .
. . . . 614 J10
Bonne-Renommée, Rue de la
LPR 367 H51
Bonneau, Rue SJR. . . 511 H4
Bonnette, Rue COW. . 626 D7
Bonneville, Rue HUN . . 560 B3
Bonneville, Rue LNG. . 349 A64
Bonnier, Rue MER . . 325 X30
Bonsecours, Rue GRA 621 D6
Booker, Rue BRS . . 368 F59-60
Booth, Rue WIN. . . . 632 B2
Borbeau, Rue GRA. . 622 H4
Bord-de-l'eau, Boul. du SVD. . .
. . 226 Z6-9 242 A5-6 A9 B10
Bord-de-l'Eau, Ch. du CTG . . .
. . . . 306 Q-R38
Bord-de-l'eau, Imp. de la SHY. .
. . . . 522 H4
Bord-de-l'eau, Rue du SJR . . . .
. . . . 511 J5-6
Bord-de-l'eau, Rue du SRT. . . .
. . . . 530 C3-4 D3-4
Bord-de-l'Eau E. , Rue du LNG .
. . . . 329 V63
Bord-de-l'Eau O. , Rue du LNG .
. . . . 329 V61-62
Bord-du-Lac, Rue du LNG . . . .
. . . . 369 F62-63
Bordages, Rue des VAR 311 R77
Bordeau Rd KAH . . . .
. . . . . . 306 T-U40 326 Z39
Bordeaux, Rue BRS . 348 E59-60
Bordeaux, Rue SHE . . 643 T8
Bordeaux, Rue de VDR . 224 X26
Bordeaux, Rue du COW626 B-C7
Bordeaux, Rue du SLZ . 203 Q18
Bordelais, Rue du LNG 349 A65
Bordelais, Rue du SLZ . . . . .
. . 183 P20 184 P21 203 Q18-20
Borden, Rue OTT . . 391 O-P77
Borduas, Pl. BRS . . . 348 E59
Borduas, Pl. SJU . . . 350 C74
Borduas, Rue BEL . . 391 M79
Borduas, Rue SBG . . 370 K73
Borduas, Rue SJU . . . .
. . . . . . 350 C74 C74-76
Borduas, Rue SRT . . . 530 C7
Borduas, Rue VAR . . 311 Q79
Borduas, Rue de BRO . 629 D7
Boright, Rue SHE . . 640 R-S18
Borlase, Rue SHE. . . 636 K15
Borry, Rue VAR . . . 311 R80
Bosquet, Pl. de CTG. . 306 U37
Bosquet, Rue du BCV. . . . . .
. . . . . . 330 Y70-71 Y71-72
Bosquet, Rue du MAG . 631 E7-8
Bosquet, Rue du PIN 244 D23-24
Bosquet, Rue du SLZ . . 203 U19
Bosquet, Rue du SRT. . 530 D3
Bosquet, Rue du VSL 224 W-X25
Bossé, Rue LNG. . . . 329 Z65
Bossuet, Rue LNG . . 329 Z65-66
Botrel, Rue CTG. . . . 305 U35
Bottine, Rue de la SJR. 512 P6-7
Boucanier, Rue du SLZ . 203 Q20
Boucault, Rue LNG 329 Z65-66
Bouchard, Pl. SHY . . 520 D5-6
Bouchard, Rue du MAG. 631 E7-8
Bouchard, Rue CTG. . 306 R37
Bouchard, Rue GRA . 620 D-E4
Bouchard, Rue SBG. . . . . . .
. . . . . . 370 K70 390 L70
Bouchard, Rue SJR . . 512 P4
Bouchard, Rue SLZ. . . 203 R16
Bouchard, Rue SVD . . 242 D5
Bouchard, Rue (LNG) LNG. . . .
. . . . 329 V65

Bouchard, (SHU) LNG. . . . . . .
. . . . 369 F61
Boucher, Rue ASB . . 646 C4
Boucher, Rue CTG. . 305 S-T33
Boucher, Rue DMV. . . 613 G7
Boucher, Rue MAR. . . 500 C4
Boucher, Rue MSH . . 391 O80
Boucher, Rue SJR . . 511 H2-3
Boucher, Rue SRT . . 530 A6
Boucher, Rue VTV. . . 601 F4
Boucher, Rue (LNG) LNG. . . . .
. . . . 349 A64-65
Boucherville, Rue de BRO 629 D6
Boucherville, Rue de DMV . . . .
. . . . 613 F6-7
Bouchette, Rue GRA . 623 H5
Bouchette, Rue HUN . 560 C2
Bouchette, Rue SHE 635 L-M14
Bouchons, Rue des SHE 637 J21
Boudreau, Rue ASB . . 647 E5
Boudreau, Rue EAN. . 645 A3-4
Boudreau, Rue LNG . 328 Y60
Boudreau, Rue SHE . 637 L21-22
Boudreau, Rue SJR . . 512 P5-6
Bouffard, Rue VTV. . 602 E6-7
Bouffard, Rue WIN. . 632 D2
Bougainville, Rue LNG . . . . .
. . . . 329 Z65-66
Bougainville, Rue de SBM. . . . .
. . . . 370 F-G69
Bougie, Rue SHE . . . 642 U3
Bougie, Rue SVD . . 242 D10
Bouhier, Rue MAG . . . .
. . . . . . 630 C4 631 C5
Bouilloire, Rue de la SLZ. . . . .
. . . . 183 M17
Boulais, Rue FAR . . 624 D3
Boulais, Rue SJR . . 511 J8
Boulanger, Av. PLS . . 607 C3
Boulanger, Pl. VTV. . 603 E9
Boulanger, Pl. SBM . 370 H70
Boulanger, Rue SHE 637 L21-22
Boulanger, Rue SHY. . 520 C1
Boulanger, Rue SVD . 242 E7
Boulanger N. , Rue VTV. 603 D9
Boulanger S. , Rue VTV 603 D-E9
Boulay, Rue ACV . . . 540 C2-3
Boulay, Rue BRS . . . .
. . . . . . 348 E59 368 F59
Boulé, Rue LNG . . . 329 X64
Boulé, Rue SCT . . . 346 E44
Bouleau, Rue du SAM 351 B-C81
Bouleaux, Av. des DMV 613 F-G7
Bouleaux, Av. des MAG . 630 D2
Bouleaux, Mtée des DEL. . . . .
. . . . 347 D46
Bouleaux, Pl. des SJU 370 F-G74
Bouleaux, Rue des CED . . . . .
. . . . 243 B15-16
Bouleaux, Rue des COA . 644 D2
Bouleaux, Rue des CON . . . . .
. . . . 550 B-C3
Bouleaux, Rue des COW . . . . .
. . . . 626 D-E6
Bouleaux, Rue des FAR . 624 D2
Bouleaux, Rue des IPR . . . . .
. . . . 264 F26-27
Bouleaux, Rue des MER 325 X30
Bouleaux, Rue des OMV. . . . . .
. . . . 631 A-B7
Bouleaux, Rue des SBG 390 L72
Bouleaux, Rue des SCA 347 C46
Bouleaux, Rue des SCW. . . . . .
. . . . . . 610 E11 614 F10-11
Bouleaux, Rue des SHE . . . . .
. . . . 637 M20-21
Bouleaux, Rue des SHY 520 D2
Bouleaux, Rue des SJR. . 510 E1
Bouleaux, Rue des SJU. . . . . .
. . . . 370 F-G74
Bouleaux, Rue des SRT 530 D4-5
Bouleaux, Rue des VTV. 602 E5
Bouleaux-Blancs, Rue des SJR .
. . . . 512 P6-7
Bouleaux-Blancs, Rue des SLZ .
. . . . 203 R16
Bouleraie, Rue de la SLZ . . . .
. . . . 223 W20
Boulerice, Rue DEL . . 347 E48
Boulet, Rue LMG . . 648 A2-A4
Boulet, Rue OMV . . 631 A8
Boulet, Rue PRN . . . 606 D-E1
Boulet, Rue SCA . . . 347 C47
Boulevard, Rue du LPR. . . . . .
. . . . . . 367 F52 368 F53
Boullard, Rue LNG . . 329 Z65
Boullé, Av. SHY. . . . 522 G3
Boullé, Rue BEL . . . 391 M80
Boulogne, Cr. BRS . 368 F59-60
Boulogne, Rue LNG . . . .
. . . . . . 329 Z62 349 A62
Boulogne, Rue de SHE . 633 G14
Boulogne, Rue de SHE . 633 F14
Bourassa, Ch. ACV. . . 540 E3
Bourassa, Pl. BRS . . 348 E59
Bourassa, Rue DMV . 613 F6-7

Bourassa, Rue GRA . . 620 D-E3
Bourassa, Rue SBM . 369 F-G68
Bourassa, Rue SHE . . 633 E12
Bourassa, Rue SHY . . . .
. . . . . . 520 E4 522 F5
Bourassa, Rue SJR . . 511 F2
Bourassa, Rue SJS . . 530 A-B4
Bourassa, Rue SVD . . 242 E7
Bourassa, Rue VTV . . 602 E6
Bourassa, Rue (LNG) LNG . . . .
. . . . 329 X-Y62
Bourassa, Rue (SHU) LNG . . . .
. . . . 369 F61
Bourbeau, Rue ASB . . 647 D5
Bourbeau, Rue SBM . 370 G-H71
Bourbeau, Rue VTV . . . .
. . . . . . 604 F8 605 F9
Bourbonnais, Av. VDR. . . . . . .
. . . . 244 B21-22
Bourbonnais, Rue CDL . 222 X6
Bourbonnais, Rue CED . 223 X13
Bourbonnais, Rue TVD . 244 C26
Bourcier, Rue BHN . . 284 L22
Bourcier, Rue CTG . . 305 S36
Bourcier, Rue MER . . 325 X31
Bourdages, Rue LNG . 329 Z65
Bourdages, Rue MAR . . 500 B3
Bourdages N. , Av. BCV . . . . .
. . . . . . 520 E4-5 522 F5
Bourdages S. , Av. SHY 522 F5-6
Bourdeau, Rue TVD . . 244 C25
Bourdeau, Rue DEL . . 367 F45
Bourdeau, Rue MER . . 325 X31
Bourdeau, Rue SCT . . 346 E44
Bourdeau, Rue SRE . . 365 J32
Bourdeau, Rue SVD . . 241 C4
Bourdon, Av. CTG . . 305 T33
Bourdon, Pl. BRS . . 348 E59
Bourdon, Rue LNG . . 329 Z64-65
Bourdon, Rue MER . . 325 V-W33
Bourdon, Rue SBM. . . 370 H71
Bourdon, Rue SVD . . 242 D10
Bourg-Joli, Rue de la CTG 305 T33
Bourgade, Av. de la MAG 630 C2
Bourgade, Rue de la CTG 305 T33
Bourgade, Rue de la DMV. . . . .
. . . . 615 J-K14
Bourgault, Rue EAN. . . 645 B2
Bourgault, Rue SHE . . 633 E13
Bourgchemin, Rue SRT. . 530 E2
Bourgchemin, Terr. LNG 349 A65
Bourgeault, Rue DMV. . . . . . .
. . . . . . 615 K14 619 L14
Bourgelas, Rue CAR . 409 T-U66
Bourgeois, Boul. NAP . 570 C3-4
Bourgeois, Rue BEL . . . .
. . . . . . 391 M81-82 M-N81
Bourgeois, Rue BRS . . 348 E59
Bourgeois, Rue CON . 550 A4-B3
Bourgeois, Rue GRA . 622 H3
Bourgeois, Rue SAM . . . .
. . . . 351 A81-82 B81
Bourgeois, Rue SHE . 633 D-E12
Bourgeois, Rue SJR . . 511 J3
Bourgeois, Rue VTV. . 605 F-G9
Bourgeois, Rue des SRT. 530 E3
Bourgeois, Rue des COA . 644 B2
Bourgeoys, Rue LNG. . 329 Z65
Bourgeoys, Rue SCA 347 D47-48
Bourgeoys, Terr. LNG . 329 Z65
Bourget, Av. SHY . . . 522 G3
Bourget, Rue BRS . . 368 F59
Bourget, Rue RIG . . . 580 D5 D6
Bourget, Rue SJR. . . 511 F2
Bourget, Rue SRT. . . 530 B3-4
Bourget, Rue SVD . . 242 D7
Bourget, Rue VDR . . 224 Y24-25
Bourget, Rue (LNG) LNG. . . . .
. . . . 328 W-X60 X-Y60
Bourget, Rue (SHU) LNG 369 F61
Bourget E. , Rue GRA . 621 E5-6
Bourget O. , Rue GRA. . 620 E4
Bourgmestre, Rue du BRO . . . .
. . . . 628 B-C4
Bourgogne, Av. CHB. . . . .
. . 389 P65 409 Q65 R65-66 S66
Bourgogne, Rue du MSH . 411 O78
Bourgogne, Rue de BCV . . . . . .
. . . . 330 Y-Z70
Bourgogne, Rue de BRS . . . . . .
. . . . 348 D-E58
Bourgogne, Rue de GRA 622 J4
Bourgogne, Rue de LNG329 W63
Bourgogne, Rue de SHE 635 K14
Bourgogne, Rue du LPR. . . . . .
. . . . 350 C-D75
Bourgogne, Rue de SLB . . . . . .
. . . . A-A58
Bourgogne, Rue de VDR 224 Y26
Bourgogne, Rue de SLZ . . . . . .
. . . . . . 183 P18 203 Q18 Q19
Bourgon, Rue SBG. . . . .
. . . . . . 370 K72 390 L72
Bourgoin, Rue SBG . . 370 K72
Bourinot, Terr. LNG . . 349 A65
Bourque, Av. SHY . . . 522 F5
Bourque, Boul. OMV . . 631 A8

Bourque, Boul. SHE . . . .
. . 638 P-Q10 Q9 642 S6 U-V3
Bourque, Rue LMG . . 648 A1
Bourque, Rue PLS. . . 607 C-D2
Bourret, Rue SJR. 511 K1 512 L1
Bourret, Rue SRT . . . 530 B7
Boursodière, Av. de la VDR . . .
. . . . 244 A22
Bousquet, Av. SHY . . 520 D5
Bousquet, Rue DMV . 613 F6-7
Bousquet, Rue GRA . . 622 H1
Bousquet, Rue OTT . . 391 P77
Bousquet, Rue SHE . . 642 U3
Bousquet, Rue SJR . . 512 L2
Bousquet, Rue VRC . . 292 P90
Bouthier, Rue VTV. . . 604 F7
Bouthillette, Rue CON . 550 B3
Bouthillier, Av. PLS. . . 244 C25
Bouthillier, Rue CAR 389 M62-64
Bouthillier, Rue PLS. . . 305 T35
Bouthillier, Rue MAR . 500 B4
Bouthillier, Rue VTV . . 604 F7
Bouthillier N. , Rue SJR. 512 L5
Bouthillier S. , Rue SJR . 512 M5
Boutin, Pl. SHE . . . 637 L21
Boutin, Rue SJR . . . 511 J1
Bouton d'Or, Rue du SAM. . . . .
. . . . 351 B-C81
Boutons-d'Or, Rue des SJU . . . .
. . . . 350 D76
Bouvier, Rue ACV . . . 540 D2
Bouvier, Rue SJS . . . 530 A-B4
Bouvier, Rue SRT . . . 530 B4
Bouvreuils, Rue des SHE . . . . .
. . . . 634 M7-8
Bovey, Rue SHY. . . . 520 D5
Bowen, Rue MAG . . . .
. . . . . . 630 C4 631 C5-6
Bowen N. , Rue SHE . 636 M17
Bowen S. , Rue SHE. . . . .
. . 640 N17-18 P18 641 P19
Bown, Rue SHE . . . 641 R19
Boyd, Rue LNG . . . 348 B59
Boyer, Rue BHN284 P23 304 Q23
Boyer, Rue BRS . . . 348 E59
Boyer, Rue GRA . . . 621 C-D5
Boyer, Rue PIN . . . 244 C24
Boyer, Rue SCT . . . 346 D44
Boyer, Rue SHE . . . 639 S12
Boyer, Rue SJR . . . 511 K4
Boyer, Rue VDR. . . 244 A23-24
Brabant, Av. LNG . . . 369 F62
Brabant, Av. SHY . . . 520 D8
Brabant, Pl. BRS . . . 348 E60
Brabant, Rue VDR . . . .
. . . . . . 224 A24 244 A24
Bradford, Rue GRA . . 623 G6
Bradley, Rue (Sherbrooke) SHE .
. . . . 636 M15
Braeside, Rue HUD . . 184 O22
Brahms, Av. CTG . . 325 W-X35
Brahms, Rue BRS. . . 368 F59
Braille, Rue LNG . . 329 Z65-66
Brais, Rue SJR . . . 512 P5-6
Brais, Rue (LNG) LNG. . 329 W62
Brais, Rue (SHU) LNG . . 369 F61
Brassard, Av. PLS. . . 607 B2
Brassard, Boul. CHB 409 Q63-64
Brassard, Pl. PRN . . . 606 C2
Brassard, Rue LMG . . 648 A1
Brassard, Rue MAG . . 631 D6
Brassard, Rue SBG. . . 512 Q6
Brassard, Rue SJU. . . 350 C76
Brassard, Rue SVD . . 241 B13
Brassard, Rue (LNG) LNG . . . .
. . . . 349 A64-65
Brassard, Rue (SHU) LNG. . . . .
. . . . 369 F61
Brasseur, Rue VDR. . 204 T25-26
Brault, Rue CTG . . 305 S35-36
Brault, Rue LNG . . 329 Y63-64
Brault, Rue SHE. . . 640 F7
Brault, Rue SJR . . . 511 K2
Bray, Rue VDR. . . . 244 B23
Brazeau, Rue BHN . . 284 P25
Brazeau, Rue SLZ. . . 203 T19
Breamar, Rue COW . . 626 C7
Bréard, Av. BRS . . . 348 E59
Breault, Rue ASB. . . 646 C1
Breault, Rue COW . . 626 E4
Brébeuf, Rue BEL . . 391 N80
Brébeuf, Rue BHN . . 284 P25
Brébeuf, Rue BRS . . . .
. . . . . . 348 E59 368 F59
Brébeuf, Rue CTG . . 305 U34
Brébeuf, Rue LNG . . 329 Y62-63
Brébeuf, Rue SCA . . 347 C46-47
Brébeuf, Rue SHY . . 522 F5
Brébeuf, Rue SRT. . . 530 B5-6
Brébeuf, Rue de CHB389 P63-64
Brébeuf, Rue GRA . . . 622 J4
Brébœuf, Rue LMG . . 648 C4
Brentwood, Rue du SLZ 203 R19
Brésolettes, Rue de BCV . . . . .
. . . . 330 X-Y69
Bresse, Rue SBG . . . 370 K72

Bretagne / Castonguay

Bretagne, Av. BRS 348 E59
Bretagne, Pl. de CAN .. 367 G49
Bretagne, Rue de BCV . 350 C69
Bretagne, Rue de DEL 347 D-E48
Bretagne, Rue de LNG . 329 W63
Bretagne, Rue de MCM .
...... 391 N77-78
Bretagne, Rue de SLB.. 348 A57
Bretagne, Rue de la SBG370 K73
Bretagne, Rue de la SJU 350 C75
Bretagne, Rue du SHE .. 635 M14
Breton, Imp. SHY...... 520 D6
Breton, Rue DEL.. 409 Q64-65
Breton, Rue GRA 622 F3-4
Breton, Rue SCT ... 347 E45
Breton, Rue SHE .. 639 R12-13
Breuil, Rue du SLZ 183 P18
Breux, Rue CHB.... 409 R64
Brézé, Rue du SRT.... 530 C2
Briand, Rue BRS 348 E59
Briand, Rue CHB....
...... 409 Q63-65 R62
Briand, Rue CTG 325 X35
Briand, Rue LNG 329 Z63
Briand, Rue VDR ... 224 Y23
Briardale, Rue PIN .. 244 C24-25
Bridge, Av. SLB 328 Y58-59
Bridle Path, Rue HUD...
...... 184 N21-22
Brie, Rue de SHY 520 D6-7
Brien, Mtée SJR 512 Q7
Brien, Rue VAR 311 Q-R79
Brière, Rue BHN 304 Q22
Brière, Rue BRS.... 348 E59
Brière, Rue MAR 500 A1
Brière, Rue MCM 391 P84
Briggs E. , Rue LNG 329 X63 X64
Briggs O. , Rue LNG 329 X62-63
Brighton, Rue OTT .. 391 P79
Brignon, Rue GRA... 622 F-G3
Brillon, Rue BEL 391 M-N80
Brion, Rue SAM 351 B81
Brion, Rue de BCV .. 330 W70-71
Briquade, Rue de la VTV....
...... 604 G6-7
Briqueters, Rue des SJR ....
...... 511 G3-4
Brisardière, Rue de la CAR ....
...... 388 N60
Brisardière, Rue de la LNG ....
...... 389 L63-64
Brisardière, Rue de la SHE 550 A4
Brisbane, Rue HUD. 184 M22-23
Brise, Rue de la CON .. 615 K15
Brise, Rue de la SHE .. 638 N7
Brise, Rue de la SLB .. 510 E1
Brise, Rue de la SVD .. 241 C3
Brise-Vent, Rue du SAM....
...... 351 B-C81
Brisebois, Boul. CTG ....
...... 305 T32-33 T-U32
Brisebois, Rue HUN 560 C2
Brises, Rue des BEL 391 N81-82
Brises, Rue des SBG .. 390 L70
Brises, Rue des SCL 202 Q10-11
Brises, Rue des SHY .. 520 C1-2
Brises, Rue des SJU ....
...... 350 E74 370 F74
Brises, Terr. des SCL 202 Q10-11
Brissette, Rue GRA 620 D1
Brissette, Rue LNG .. 349 A64-65
Brissette, Rue SJU 350 B75
Bristol, Rue de SJR 511 K13
Brixton, Av. SLB 328 X-Y60
Brixton, Rue HUD.... 184 L21
Broadbelt, Rue SHE 633 D13
Broadbent, Rue MAG .. 630 D1-2
Broadway, Av. BRS .. 348 E58
Brochu, Rue SHE 637 L19
Brochu, Rue VTV 605 F10
Brock, Rue COW 627 C9
Brock, Rue DMV .. 613 G8 614 H9
Brocquerie, Rue de la SBM....
...... 370 H70
Broderie, Av. SHY .. 520 E6 522 F6
Broderie, Rue BEL 391 N80
Broderie, Rue BRS 348 E59
Broderie, Rue COW.... 626 C7
Broderie, Rue MSH..... 391 O81
Broderie, Rue SCT 346 D44
Broderie, Rue SHE ....
...... 638 N10 639 N11
Broderie, Rue SJR 510 D5
Broderie, Rue SVD 241 B4 242 B5
Broderie, Rue VDR .. 244 A23-24
Broderie, Rue (LNG) LNG ....
...... 370 H70
Broderie, Rue (SHU) LNG 369 F61
Broderie, Terr. LNG .. 369 F61
Bromby, Ch. COW 625 B3
Brome, Rue de MER .. 325 V33
Broméla, Rue du SAM351 B-C81
Bromley, Av. de SLB .. 328 Z58
Bromont, Boul. de BRO....
...... 629 A-B5 C6-7 D7
Bromont, Rue BEL 391 N80
Bromont, Rue SRT.... 530 C4
Bromont, Rue SVD..... 242 E5

Bromont, Rue de LNG .. 349 A64
Bromont, Rue de MER....
...... 325 Y30-31
Bromont, Rue de SHE .. 642 S-T6
Brook, Cr. BEL....... 391 M77
Brook, Rue SLZ 203 O17
Brooks, Rue SHE....
...... 636 M16 640 N16-17
Brookside, Rue HUD... 184 O23
Broquerie, Rue de la BCV....
...... 310 U70 330 V70
Brossard, Rue DEL ... 367 G-H46
Brossard, Rue LPR ... 367 F-G52
Brossard, Rue SCA.... 347 A45
Brossard, Rue SCT ....
...... 346 E44 347 E45
Brossard, Rue de GRA .. 621 B-C6
Brosseau, Ch. COW .. 626 B5-6
Brosseau, Rue CTG .. 305 U35
Brosseau, Rue LNG ....
...... 349 A64-65 C63
Brosseau, Rue SBG .. 370 K73
Brosseau, Rue SCT ....
...... 346 E44 347 E45
Brosseau, Rue SJR .. 511 K4-5
Brosseau, Rue SRE.... 365 J32
Brouage, Rue de BCV 330 V-W70
Brouillard, Rue DMV ....
...... 613 H8 614 H9
Brouillard, Rue VDR.. 224 Y23-24
Brouillette, Rue DMV....
...... 615 K13 619 L13
Brouillette, Rue SHE .. 641 N-P19
Brouillette, Rue SHY ....
...... 520 E7 522 F7
Brouilly, Rue du SLZ .. 203 R18
Brousseau, Boul. EAN .. 645 A2-3
Brousseau, Rue ACV ... 540 C2
Brousseau, Rue BEL .. 391 N-O78
Brousseau, Rue DMV .. 609 D-E5
Brown, Av. LNG 348 E60
Brown, Rue ASB.... 647 D-E5
Brown, Rue BHN 284 P24
Brown, Rue COW.... 626 D8
Brown, Rue DMV .. 619 P14-15
Brown, Rue SJR .. 511 K7 512 L7
Brown, Rue WIN 632 C2
Bruant-les-Matais, Rue du MAG....
...... 630 B-C4
Bruants, Rue des CON .. 550 A4
Bruants, Rue des MSH .. 391 P83
Bruants, Rue des PIN .. 244 D25
Bruce, Rue BRO 629 D5
Bruce, Rue COW ... 626 C-D7
Bruce, Rue GRA 623 J7-8
Bruchési, Rue LNG .. 329 Z64
Bruchési, Rue SHE.... 638 P10
Brûère, Pl. de la SBM370 G70-71
Brûère, Rue de la SBM....
...... 370 G-H71
Brûère, Rue de la SHE....
...... 636 L17-18
Bruges, Rue de LNG .. 329 X63
Brûlé, Rang de CON .. 550 E3
Brûlé, Rue du SHE 639 P12
Brûlé, Rue Étienne SBM 370 H70
Brullon, Rue de BCV 330 V-W70
Brûlotte, Ch. SHE... 636 J17-18
Brunante, Rue de la RIG 580 D5
Bruneau, Rue ASB.... 646 C1
Bruneault, Rue de HUD .. 638 P10
Brunelle, Av. VDR 244 A23
Brunelle, Rue BEL .. 391 N80
Brunelle, Rue DMV ....
...... 615 K14 619 L14
Brunelle, Rue GRA.... 622 H4
Brunelle, Rue VAR .. 311 R78
Brunelle, Rue VTV.... 604 F8
Brunet, Av. LNG 369 F61
Brunet, Av. VDR 224 Z23
Brunet, Rue LNG .. 329 Z65-66
Brunet, Rue MSH .. 391 N83-84
Brunet, Rue PDC 264 H21
Brunet, Rue SLZ 223 W20
Brunet, Rue SVD 242 C8
Brunet, Rue VDR 244 A23
Brunette E. , Rue SHY .. 522 F7
Brunette, Rue de SHY . 522 F6-7
Bruno, Av. NAP 570 B2
Bruno, Pl. BRS..... 348 E60
Bruno, Rue DMV 613 H8
Bruno, Rue SRT..... 530 C6
Bruno-Dandenault, Rue SHE....
...... 636 M17
Bruno-Sauvé, Rue CDL .. 222 W7
Bruxelles, Rue BRS .. 348 E58-59
Bruxelles, Rue de CTG .. 325 X36
Bruxelles, Rue de DMV.. 613 G5
Bruxelles, Rue de SJU .. 350 C74
Bruyère, Pl. MSH ... 391 N83
Bruyère, Rue CHB ....
...... 389 P63 409 Q63
Bruyère, Rue DMV .. 614 F10
Bruyère, Rue de la SAM . 351 C81
Bruyère, Rue de la VAR. 311 S77

Bryant, Rue SHE 635 M14
Buade, Rue MAG...... 631 D6
Buck, Rue BRO 629 E5
Buck, Rue SHE..... 636 L15
Bugle Call, Rue SLZ . 183 N-O19
Buies, Rue LNG.... 329 Z65-66
Buies, Rue SBM .....
...... 369 G68 370 G69
Buisson, Pl. du SLZ 203 R18
Buisson, Rue VTV .. 605 F-G11
Buisson, Rue du BEL 391 M-N82
Buisson, Rue du SAM 351 B-C81
Buissons, Rue des PIN .. 244 D24
Buissons, Rue des SHE. 640 Q16
Buissons, Rue des SHY.. 522 G3
Buissons, Rue des SJR 512 N-P6
Bujold, Rue BRS..... 368 F59
Bullard, Rue MAG 630 E4 631 E5
Bullion, Rue LNG 329 Z65
Bulstrode, Boul. de la VTV....
...... 602 C8 603 C9
Buntin, Rue SVD 242 C7
Bureau, Rue MAG 630 C1
Bureau, Rue SHE .. 637 M20-21
Burgundy, Rue du SLZ .. 203 Q18
Burland, Rue SJR.... 512 M5
Burley, Rue PIN 244 C24
Burlington, Rue de la SHE....
...... 639 N12-13
Buron, Rue du VAR .. 311 R79-80
Burton, Rue LNG 348 C59
Buses, Rue des LNG 329 W-X65
Bush St KAH...... 326 V43
Bussière, Rue DMV .. 608 D-E4
Bussière, Rue RIG .. 580 C4
Bussière, Rue VTV.... 604 F6-7
Bussière, Rue de GRA.. 622 F3
Bussières, Rue VRC .. 292 O-P90
Buteau, Rue VTV 602 E7
Buton, Rue du SHE . 637 J20-21
Butte, Rue de la SHE.. 642 S4-5
Butte-aux-Renards, Ch. de la
VAR....... 311 T82-83 U81-82
Butternut, Rue HUD.....
...... 184 P24 204 Q24
Buzzell, Rue COW 626 D8
Byzance, Pl. BRS .. 348 E59

C

C.-Daudelin, Rue GRA . 620 D-E3
C.-H.-Grignon, Rue SJU. 350 B76
C.-Jobin, Rue DEL 347 E46
C.-Lavallée, Rue SHE .. 635 M14
C.-N., Rue du SCW.... 611 B13
C.-Piot, Pl. VAR 311 R79
Cabana, Rue ACV 540 D-E2
Cabana, Rue GRA 620 E4
Cabana, Rue MAG .. 630 C-D3
Cabana, Rue OMV 631 A8
Cabana, Rue de SHE....
...... 639 N13-14 P13-14
Cabana, Rue de la SLZ. 183 M17
Cabano, Rue de GRA .. 620 C4
Cabano, Rue de SHE .638 K77
Cabestan, Pl. SCA.... 347 C47
Cabestan, Rue du SCA....
...... 347 C-D47
Cabot, Rue BCV 330 V-W72
Cabot, Rue CTG.... 305 U34
Cabot, Rue LNG 349 D61-62
Cabot, Rue SBM 370 G71
Cabral, Rue BRS .. 368 G58-59
Cadieux, Mtée VDR .....
...... 224 V22 W23-24
Cadieux, Rue GRA 622 F3
Cadieux, Rue SBM . 370 F-G69
Cadieux, Rue SJS... 350 A-B3
Cadieux, Rue SMS.... 390 P72
Cadieux, Rue SRT.... 530 B3-4
Cadillac, Cr. de CTG .. 305 U33
Cadillac, Rue GRA .. 349 A62-63
Cadillac, Rue SBM.... 370 F-G70
Cadillac, Rue de CTG 305 U33-34
Cadzow, Rue SLB.... 328 Y59
Caen, Rue de SHE .. 640 P18
Caeux, Terr. des SVD.. 242 A10
Cagou, Rue SAM.... 351 B81-82
Caillé E. , Rue SBM .. 370 G70
Caillé O. , Rue SBM . 370 G69-70
Cailles, Rue des OTT .. 390 P76
Cairns, Rue GRA.... 623 G5-6
Caisse, Rue SBM 370 G70
Caisse, Rue SJR 511 J6-7
Caisse, Rue SRT.... 530 C6
Calais, Pl. CAN.... 367 G-H48
Calais, Rue N.... 634 N6
Calais, Rue de CTG .. 305 U35
Calais, Rue de MSH... 411 R78
Caleche, Rue SJR 511 K4 512 L4
Caleche, Rue de la SBG 390 L74
Calèche, Rue de la SBG 390 L74
Calédonie, Pl. CAN ... 367 G-H48
Calembour, Rue du SHE 638 Q10
Calixa-Lavalée, Pl. GRA....
...... 620 D4 621 D5
Calixa-Lavalée, Rue GRA....
...... 620 D4 621 D5

Calixa-Lavallée, Boul. NDP....
...... 284 L28
Calixa-Lavallée, Mtée VRC....
...... 292 P91
Calixa-Lavallée, Rue BCV....
...... 330 W69
Calixa-Lavallée, Rue BEL391 N79
Calixa-Lavallée, Rue MAG....
...... 631 B-C6
Calixa-Lavallée, Rue SHY....
...... 520 E6 522 F6
Calixa-Lavallée, Rue SJU....
...... 350 B76 351 B77
Callières, Rue LNG .. 349 B63-64
Callières, Rue de SBM .. 370 F69
Calumet, Rue de SLZ .. 183 P20
Calvados, Rue du CAN. 367 H48
Calvados, Rue du SBM . 370 J69
Calvaire, Rue du VAR .. 291 P79
Calvin, Av. CAN..... 367 G48
Calypso, Rue de la SCA....
...... 347 D-E47
Calypso, Rue du SLZ. 223 W-X19
Camaraire, Rue SJR .. 511 G-H3
Cambrai, Cr. de CTG.. 325 V35
Cambrai, Rue de SBM 370 H-J69
Cambrai, Rue de SHE640 P15-16
Cambridge, Rue HUD.....
...... 184 L-M21 L-M22
Cambridge, Rue de SHE....
...... 636 M15-16
Cambridge, Rue du SLZ. 203 R18
Camélias, Rue des MCM....
...... 391 M77-78
Camélias, Rue des DMV....
...... 614 K11 K12 618 L11 L12
Cameron, Rue HUD. 184 O22-23
Camille, Av. ACV 540 A-B2
Camille, Rue LPR 368 K53
Camille, Rue SJR 511 K2
Camille-Chainey, Rue MCM....
...... 391 M77
Camille-Fontaine, Av. SHY....
...... 520 D7-8
Camirand, Rue ASB .. 647 C5
Camirand, Rue SHE .. 640 N16
Camiré, Rue VTV.... 604 F7
Campagna, Rue VTV....
...... 602 E8 604 F8 605 F9
Campagnard, Rue du SRT 530 E4
Campanule, Rue de la SHE....
...... 639 S11
Campbell, Rue CHB .. 409 R64
Campbell, Rue LNG .. 348 C59
Campbell, Rue MSH .. 391 P80
Campeau, Av. CEC.. 263 G18
Campeau, Rue CTG .. 305 T35
Campeau, Rue DMV .. 610 E9
Campeau, Rue LNG .. 349 B64
Canadian St KAH.... 326 V42
Canadien, Rue DMV .. 612 G-H4
Canadienne, Rue de la SJR....
...... 511 K1
Canal, Rue du BHN .. 263 K19-20
Canal, Ch. du CHB .. 409 T-U66
Canal, Rue du PDC .. 264 H21
Canal, Rang du SBM 369 F66-67
Canal E. , Ch. du SVD263 K17-18
Canal O. , Ch. du SVD 263 F-G13
Canard, Rue du SLZ .. 203 R20
Canardière, Av. de la VDR....
...... 224 Y25
Canards, Rue des PLS.. 607 E2-3
Canards, Rue des SHE . 637 J21
Canari, Rue du VDR. 204 U21-22
Canberra, Rue de DMV.. 613 G5
Candiac, Ch. de CAN.. 367 H48
Candiac, Rue GRA .. 620 B-C4
Cannes, Rue de VTV.. 603 B11
Cannon, Rue VTV.... 605 F9
Canon, Rue LNG 368 F60
Canora, Rue de DEL .. 347 E46
Cantan, Rue BRS.... 368 G58
Cantin, Rlle SHE.... 640 N16-17
Cantin, Rue ACV 540 D2-3
Cantin, Rue LNG 329 Z66
Cantin, Rue VTV 602 D7
Cantonnier, Rue du DMV. 610 E9
Cantonnier, Rue du MAG 630 D1
Cantons-de-l'Est, Aut. des MAG....
...... 630 A3-4 631 A5
Cantons-de-l'Est, Autoroute des
BRS.... 348 E58 368 F-G58
Cantons de l'Est, Aut. des MAR....
...... 500 D5
Cantons de l'Est, Autorout des
BRO.... 628 A2-4 629 A6-7 B7
Canyon, Rue du SLZ... 203 R18
Cap, Rue du BEL 391 M82
Cap, Rue du SCT .. 366 F44
Capitaine-Bernier, Rue BCV .....
...... 330 W71
Capitale, Rlle de la LPR. 367 F52
Capitale, Rue de GRA. 620 B-C3
Capri, Rue BEL 391 N81
Capri, Rue de COW .. 626 E7
Capricorne, Rue LNG. 349 B64
Capriole, Pl. SLZ 183 N-O5
Capucines, Rue des LNG369 H62

Capucines, Rue des SCW.....
...... 611 A13
Capucines, Rue des SJU 350 C76
Capucines, Rue des SLZ.....
...... 203 R-S19
Caravelle, Rue de la SHE....
...... 636 J16-17
Cardal.-Léger, Rue ASB.. 646 C4
Cardin, Pl. SLZ 223 W19
Cardin, Rue ACV 540 B2
Cardin, Rue DMV .. 613 H-J6
Cardin, Rue SRT.... 530 C2-3
Cardinal, Imp. SVD.... 222 Z6
Cardinal, Rue CTG....
...... 325 V36 326 V37
Cardinal, Rue MSH... 411 Q80
Cardinal, Rue SAM .. 351 B-C82
Cardinal, Rue SCA .. 347 B47
Cardinal, Rue SJR .. 512 P5
Cardinal, Rue SVD... 242 A5-6
Cardinal, Rue du COA .. 644 C3
Cardinal, Rue du DMV.. 615 J14
Cardinal, Rue du SBG.....
...... 390 M71-72
Cardinal, Rue du SHE. 634 M-N6
Cardinal, Rue du SLZ.. 223 W19
Cardinal, Rue du VDR.. 204 U22
Cardinal, Rue du SHE.....
...... 641 P20 O19-20
Cardinal-Léger, Boul. PIN .....
...... 244 C-D24 D-E23
Cardinal-Léger, Rue SJU.....
...... 630 C4 631 C5
Cardinal-Léger, Rue du SRT ....
...... 530 C2-3
Cardinal-Villeneuve, Rue SHE....
...... 350 E71 370 F71
Cardinal-Villeneuve, Rue du SHE....
...... 636 L17
Cardinaux, Rue des CDL.....
...... 222 X6-7
Caribou, Rue du LNG. 329 X66
Carignan, Av. SHY .. 522 G3
Carignan, Rue BEL .. 391 N78
Carignan, Rue DEL .. 347 E46
Carignan, Rue DMV .. 610 E10
Carignan, Rue LMG.. 648 B2-3
Carignan, Rue SHE . 637 K21-22
Carignan, Rue VRC... 292 P91
Carignan, Rue VTV602 E7 604 F7
Carignan, Rue de CTG. 305 T34
Carignan, Rue de LNG. 349 A62
Carignan, Rue de SRT. 530 B5-6
Carignan, Rue de VAR. 311 Q79
Carignan, Rue de SJR. 512 M5
Carignan E. , Boul. PRN606 D2-3
Carignan O. , Boul. PRN606 D1-2
Carillon, Av. de SHY.. 522 G3
Carillon, Imp. de SHY.. 522 G3
Carillon, Pl. de SHE.. 635 M13
Carillon, Rue BEL .. 391 M-N80
Carillon, Rue COA .. 644 A3
Carillon, Rue LMG.. 648 C4
Carillon, Rue LNG .. 349 B-C63
Carillon, Rue de CHB. 409 R65
Carillon, Rue de CTG 305 T35
Carillon, Rue de MER. 325 W33
Carillon, Rue de SBM. 370 G69
Carillon, Rue de SHE....
...... 635 M13 639 N13
Carillon, Rue de SJR. 512 P3-5
Carillon, Rue de SLZ . 223 W18
Carillon, Rue de SRT. 530 C3
Carillon, Rue des CDL.....
...... 222 X6-7
Carl, Rue DMV...... 613 K6
Carleton, Pl. SBM... 370 F69
Carleton, Rue CHB .. 409 R65
Carleton, Rue DMV .. 614 G9
Carleton, Rue SBM... 370 F69
Carlyle E. , Rue CTG .. 306 T37
Carlyle O. , Rue CTG . 305 S-T36
Carmel, Rue HUD.... 184 N22
Carmel, Rue SBM... 370 F71
Carmel, Terr. SVD .. 222 Z8-9
Carmelle, Rue SMG .. 608 B1
Carmen, Boul. RIG... 580 C6
Carmen, Rue DMV 613 J6
Carmen, Rue OMV.... 631 B6
Carmen, Rue SHE .. 640 N17
Carmen, Rue VTV 603 C10
Carmen, Terr. CAR.. 388 M60
Carmen-Bienvenu, Rue BEL.....
...... 391 M82-83
Carole, Rue LNG.... 369 A64
Carole, Rue MAG.... 631 A6
Carole, Rue NAP 570 B2
Caroline, Pl. COW.... 626 D8
Caroline, Rue COW .. 626 D8
Caroline, Rue LNG... 329 W62
Caroline, Rue MAG... 630 B1
Caroline, Rue SHE .. 636 K18
Caroline, Rue SRE .. 365 K33
Caroline, Rue SVD... 242 B5
Caroline, Rue VTV .. 604 G-H6 H7
Carolyn, Rue SBM... 369 H68
Caron, Pl. CTG..... 305 T34
Caron, Rue CHB 409 R66
Caron, Rue DEL 618 Q11
Caron, Rue LNG 369 J62

Caron, Rue MAG 630 C1
Caron, Rue MCM 391 N77
Caron, Rue SCT 366 G44
Caron, Rue SHE 639 P13
Caron, Rue SJR 510 C5-6
Caron, Rue SVD 242 D7-8
Caron, Rue VDR.... 244 A23
Caron, Rue VTV 604 F8
Carouge, Rue SBG.... 390 M72
Carouges, Rue des IPR. 264 F26
Carouges, Rue des MSH.....
...... 391 P82-83
Carouges, Rue des SCA 347 C46
Carouges, Rue des SLZ. 203 R17
Carpentier, Rue SCW .. 611 A14
Carre, Rue GRA 622 F-G2
Carreau, Rue COW .. 627 E9-10
Carreau, Rue LNG .. 612 K2-3
Carrefour, Boul. du BRO. 629 A5
Carrefour, Rue du BEL.....
...... 391 N79-80
Carriage Way, Rue SLZ. 183 O20
Carrier, Rue GRA.... 620 E2
Carrier, Rue MAG.... 630 B1
Carrier, Rue PLS.... 607 A-B2 B1
Carrier, Rue VTV 602 C6
Carrière, Rue de CTG. 325 X35-36
Carrière, Rue NDP.....
...... 284 L28 285 L29
Carrière, Rue de SVD .. 242 E6
Carrière, Rue de la SRT.. 530 E5
Carrières, Ch. des BRO 628 D-E4
Carrières, Rue de VAR. 311 U82
Carrières, Rue des CHB 409 S66
Carrières, Rue des SJR 512 L1-3
Carriole, Rue de la SBG. 390 L73
Carrousel, Boul. BEL.... 391 N78
Cartier, Pl. SLB.... 328 Z59
Cartier, Pl. LNG .. 328 Z59-60
Cartier, Rue W-Z61 348 A60
...... 329 ...
...... 349 A61-62 B61
Cartier, Rue CHB .. 409 Q-R65
Cartier, Rue CTG .. 325 V34
Cartier, Rue DEL.... 347 E46
Cartier, Rue DMV .. 614 H-J9
Cartier, Rue GRA. 621 E5 623 F5
Cartier, Rue LMG.. 648 B1-2
Cartier, Rue MAG.... 631 D6
Cartier, Rue MAR.... 500 B4
Cartier, Rue SBM... 370 G71
Cartier, Rue SCT 347 D45
Cartier, Rue SHE .. 636 M17-18
Cartier, Rue SHY. 520 E4 522 F3
Cartier, Rue SLB.... 328 Z59
Cartier, Rue VDR.... 224 Y23
Cartier, Rue VTV.....
...... 601 F-G2 G-H3 J2
Cartier, Rue de SCA .. 347 C47
Caryers, Cr. des BRS 368 G58-59
Caryers, Rue des SBM.....
...... 370 J70-71
Casavant, Rue GRA... 622 H3-4
Casavant, Rue MCM... 391 N78
Casavant, Rue MSH... 391 P84
Casavant, Rue SJR... 511 G4
Casavant, Rue SJU .. 370 F76
Casavant E. , Boul. SHY.....
...... 520 C5-6 D4-5
Casavant O. , Boul. SHY.....
...... 520 D-E4 E3 522 G-H2 J2-3
Cascade, Rue de la SBG390 M71
Cascades, Av. des MAG 630 C1-2
Cascades, Pl. des SCA. 347 D48
Cascades, Rue EAN ... 645 B1
Cascades, Rue de LNG. 349 D61
Cascades, Rue PDC .. 264 G-H21
Cascades, Rue des CTG 325 Y36
Cascades, Rue des SCA.....
...... 347 D47-48
Cascades, Rue des.....
...... 635 M13-14
Cascades, Rue des SJR512 P-Q7
Cascades, Rue des SLZ. 203 R18
Cascades, Rue des SVD.....
...... 242 A-B10
Caselli, Rue DMV.... 618 L10
Casgrain, Av. SLB.... 328 Z58
Casgrain, Pl. SHE .. 638 Q10
Casgrain, Rue LNG. 349 B63-64
Casgrain, Rue SRT .. 530 C1-2
Casgrain, Rue SVD... 241 B4
Casimir-Dufresne, Rue LPR.....
...... 367 H50
Casino, Rue du VSL . 224 W-X25
Cassandres, Rue des LNG.....
...... 329 Z66-67
Castel, Rue de SJR... 511 F2
Castello, Rue BRS... 368 G59
Castelneau, Av. SHY.....
...... 522 G2-3 H3-4
Castille, Rue de SRT... 530 C2
Castin, Rue CHB 409 R65
Castle, Rue MAG.... 630 D1
Castlebar, Ch. de (Asbestos) ASB.....
...... 646 B2
Castlebar, Ch. de (Danville) ASB.....
...... 646 A1
Castonguay, Rue SHE .. 633 E13
Castonguay, Rue SLZ. 204 O-R21
Castonguay, Rue VDR . 224 Y23

Index des rues

Castonguay / Chénier

Castonguay, Rue VTV 603 E9-10
Castors, Rue des FAR 624 E2
Catalogne, Rue de VAR 311 R80
Catalpas, Rue des SHY 522 G4-5 H5
Catalpas, Rue des SPH 367 J48-49
Catania, Rue BRS 368 H58-59
Cate, Rue SHE 635 M13
Cathédrale, Rue de la SHE 636 M16
Catherine, Rue ACV 540 A2
Catherine, Rue SJR 512 M7
Catherine, Rue SJS 530 A4
Catherine, Rue VTV 602 D6
Catherine-d'Aubigeon, Rue LPR 368 G53
Catherine-Day, Rue SHE 641 N22
Catherine-de-Médicis, Rue BRO 628 B4
Catherine-Des Granches, Rue BCV 330 W72
Catherine-Forestier, Rue BCV 310 U71
Catherine-Godin, Rue CAR 389 N-O62
Caumartin, Rue LNG 349 D64
Cavagnal, Rue HUD 184 O22
Cavale, Rue de la SLZ 183 N18
Cavaletti, Cr. SLZ 183 O-P20
Cavalier, Rue du SLZ 203 R-S18
Cavalier, Rue le DMV 609 A5-6
Cavalières, Rue des BRO 628 C-D3
Caya, Rue DMV 613 G5
Caya, Rue SGG 616 L-M4
Cayer, Rue SHE 638 P10
Cayer, Rue SJR 511 G4
Cayer, Rue SMS 390 P71
Cayouette, Rue SHY 522 F7
Caza, Boul. NDP 284 L28 285 L29
Caza, Rue SVD 242 D5
Cécile, Rue COW 626 E8
Cécile, Rue MAG 631 E5
Cécile, Rue SHE 640 R17
Cécile, Rue VTV 602 E8
Cécile-Chabot, Rue SHE 635 M14
Cécile-Piché, Rue CHB 409 Q62 R63
Cécilia, Rue VDR 204 Q22
Cécyre, Rue CTG 305 T35
Cedar, Rue BEL 391 N78-79
Cedar, Rue GRA 623 F6
Cedar, Rue HUD 184 N-O23
Cedar, Rue HUN 560 C-D3
Cedar, Rue LNG 348 A60
Cedar, Rue SLZ 203 R16
Cédar, Rue CTG 306 T37
Cedarwood, Pl. PIN 244 D24-25
Cèdres, Av. des MAG 630 D2
Cèdres, Av. des PLS 607 D3
Cèdres, Av. des SHY 520 C-D2
Cèdres, Av. des VDR 244 A24
Cèdres, Av. des NAP 570 C1
Cèdres, Ch. des RIG 580 D7
Cèdres, Cr. des SCA 347 C46
Cèdres, Pl. des FAR 624 D2
Cèdres, Pl. des PIN 244 E23
Cèdres, Rue BRO 628 E2
Cèdres, Rue des ASB 647 C-D5
Cèdres, Rue des BHN 284 P25 304 Q25
Cèdres, Rue des CAR 389 P66-67
Cèdres, Rue des CDL 222 W7
Cèdres, Rue des CED 243 A16 B16-17
Cèdres, Rue des COA 644 D-E2
Cèdres, Rue des CON 550 B3
Cèdres, Rue des DMV 613 G6-7
Cèdres, Rue des IPR 264 F27
Cèdres, Rue des LNG 349 C61
Cèdres, Rue des MAG 631 E8
Cèdres, Rue des MAR 500 A2
Cèdres, Rue des MER 325 X30
Cèdres, Rue des OMV 631 A-B7
Cèdres, Rue des OTT 391 P77
Cèdres, Rue des SBG 390 L-M72
Cèdres, Rue des SBM 370 H-J69
Cèdres, Rue des SJR 510 E1
Cèdres, Rue des SLZ 203 S-T19
Cèdres, Rue des SRT 530 D3
Cèdres, Rue des VTV 602 E5
Cèdres, Rue des (Sherbrooke) SHE 635 M12
Cégep, Rue du SHE 636 L17
Celanese, Carré DMV 614 J9
Celanese, Rue DMV 614 H-J9
Célestin, Rue SVD 242 B10
Célina, Rue SHE 640 Q17
Céline N., Rue RIG 580 B3
Céline S., Rue RIG 580 B2-3
Cemetery St KAH 306 U42 U43 326 V42
Censitaire, Rue du DMV 613 K8
Censitaire, Rue du VDR 224 Y24-25
Censitaires, Rue des VAR 311 S77
Centenaire, Av. du SVD 242 C6
Centenaire, Pl. du BEL 391 L82
Centenaire, Pl. du SVD 242 C6
Centenaire, Rue LNG 349 C-D61
Centenaire, Rue du FAR 624 B3
Centrale, Av. SHY 522 F-G7
Centrale, Rue PDC 264 H21
Centrale, Rue SCA 347 B46-47
Centre, All. du DMV 619 M13 N14
Centre, Rue HUN 560 C3
Centre, Rue SCT 346 E44 366 F44
Centre, Rue du CHB 409 R-S66
Centre, Rue du DMV 608 E4 612 F4
Centre, Rue du GRA 623 F5
Centre, Rue du MAG 631 C7
Centre, Rue du SCH 604 H8
Centre, Rue du SJR 511 F2
Centre, Terr. du LNG 369 G63-64
Centre-Civique, Rue du MSH 391 O80-81
Cèpes, Rue des BRO 629 B6
Cercle-des-Cantons, Rue du BRO 629 E5
Cerf, Rue du LNG 329 X66-67
Cerf, Rue du SLZ 203 Q15-16
Cerfs, Rue des COW 627 C10-11
Cerfs, Rue des DMV 618 P10
Cerfs, Rue des FAR 624 E1-2
Cerisiers, Pl. des SHE 637 M21
Cerisiers, Rue des BRS 368 G58
Cerisiers, Rue des COA 644 D2
Cerisiers, Rue des CTG 306 U37
Cerisiers, Rue des GRA 620 E1
Cerisiers, Rue des LMG 648 B2
Cerisiers, Rue des OTT 391 P77
Cerisiers, Rue des SBG 390 M72
Cerisiers, Rue des SHE 637 M21
Cerisiers, Rue des SHY 522 G4
Cerisiers, Rue des SJR 512 P6-7
Cerisiers, Rue des VTV 601 E-F4
Cervidés, Rue des LNG 329 Y65
Cessna, Rue du SHE 636 J16-17
Chabanel, Rue BEL 391 N78
Chabanel, Rue DMV 614 J9
Chabanel, Rue SRT 530 B-C6
Chabanel, Terr. LNG 349 A62
Chablis, Cr. du SLZ 203 Q18
Chablis, Rue CAN 367 G48
Chablis, Rue de VDR 224 X26
Chaboillez, Rue LNG 349 B64
Chabot, Av. SHY 522 G-H3
Chabot, Rue CON 550 B2-3
Chabot, Rue DMV 613 G6
Chabot, Rue MCM 391 M78
Chabot, Rue PLS 607 A2
Chabot, Rue WIN 632 D2
Chabrol, Rue RIG 580 D5
Chagnon, Rue LNG 369 J63 J64
Chagnon, Rue SHY 520 D3
Chagnon, Rue SJR 512 M5
Chagnon, Rue VRC 292 O90
Chagnon, Rue VTV 604 F-G7
Chaignaud, Rue VDR 224 Z24
Chaînon, Rue du SHY 520 D1
Chaland, Rue du SVD 242 A-B10
Chaland, Rue du VAR 311 R77
Chalets, Rue des VTV 604 F7 G8
Chalifoux, Rue SHE 636 M18 637 M19
Chalifoux, Rue SHY 520 D-E4
Chaline, Cr. SLZ 223 W19
Chaline, Rue SLZ 223 W18-19
Chalmers, Rue HUN 560 C2-3
Chalmers, Rue LNG 348 C59
Chalmers, Rue MAG 630 E4
Chalumeau, Rue du SHE 637 M21-22
Chalutier, Rue du SCA 347 D47
Chambellé, Rue de SJR 511 H6-7
Chamberland, Rue LNG 329 Y64
Chamberland, Rue MAG 631 C5
Chamberland, Rue SHE 637 L21-22
Chamberry, Rue PDC 264 G21
Chambertin, Pl. du SLZ 203 Q19
Chambéry, Pl. CAN 367 H48
Chambly, Av. SHY 522 H3
Chambly, Ch. de CAR 389 N-O65
Chambly, Ch. de LNG 329 W62-63 X63 Y-Z63 349 A-B63 D-E64 369 F-G64 K64
Chambly, Ch. de MAR 500 A1-2 B2
Chambly, Pl. de SBM 370 J70
Chambly, Rue COW 626 C8
Chambly, Rue LNG 348 A60
Chambly, Rue MAR 500 B3
Chambly, Rue de BRO 629 D5
Chambly, Rue de GRA 620 B3-4
Chambly, Rue de MER 325 W33
Chambly, Rue de SBM 369 G68 H68 370 H69 H-J69 J69-71
Chambly, Rue de SHE 635 L-M14
Chambly, Rue de SJR 511 J6
Chambois, Rue de SHE 638 Q10
Chambord, Pl. de CAN 367 G-H48
Chambord, Pl. de SJU 350 C73-74
Chambord, Pl. de SLB 348 B-C58
Chambord, Pl. de SLZ 183 P17
Chambord, Rue MSH 411 Q78
Chambord, Rue de CTG 305 U34
Chambord, Rue de DMV 619 M14
Chambord, Rue de SHE 637 M20
Chamonix, Rue SLZ 203 R-S16
Chamonix, Rue de LNG 349 D64
Champagnat, Av. SHY 522 F-G5
Champagnat, Rue SJR 511 J-K6
Champagne, Av. de CAN 367 H48
Champagne, Ch. SRT 530 D-E6
Champagne, Pl. SBG 370 K72 390 L72
Champagne, Rue BEL 391 M82
Champagne, Rue DMV 609 E6-7
Champagne, Rue RIG 580 C5
Champagne, Rue SBG 370 K72-73
Champagne, Rue SCT 366 F44
Champagne, Rue SJR 510 C5-6
Champagne, Rue SVD 242 D5
Champagne, Rue VTV 605 F9
Champagne, Rue de BCV 330 Y70
Champagne, Rue de GRA 622 J4
Champagne, Rue de LNG 329 W63
Champagne, Rue de SHE 639 P12
Champagne, Rue de SLB 348 B58
Champagne, Rue de VDR 224 X-Y26
Champagne, Rue du SLZ 203 Q18
Champart, Rue du VAR 311 S77
Champêtre, Pl. BRO 629 A5
Champêtre, Rue LNG 329 Y65
Champêtre, Rue MAG 631 A5
Champêtre, Rue SHE 636 H16
Champêtre, Rue SHY 520 C2
Champêtre, Rue SLZ 203 T19-20
Champfleur, Rue de SHE 633 F14
Champigny, Rue SHE 641 Q20
Champigny, Rue de MSH 391 O81
Champlain, Av. SHY 520 E6 522 F6-7
Champlain, Boul. CAN 367 F48
Champlain, Pl. SBM 370 G69
Champlain, Rue BEL 391 O78-79
Champlain, Rue BRO 629 D5-6
Champlain, Rue CON 550 C2
Champlain, Rue COW 626 C8
Champlain, Rue DEL 347 E46
Champlain, Rue DMV 614 K10
Champlain, Rue FAR 624 C-D1
Champlain, Rue GRA 620 C4
Champlain, Rue LMG 648 B-C3
Champlain, Rue LNG 329 Z61-62
Champlain, Rue MAG 631 C5-6
Champlain, Rue MSH 391 O80
Champlain, Rue PIN 244 D25
Champlain, Rue SBM 370 G69
Champlain, Rue SCA 347 D47
Champlain, Rue SCT 346 E44
Champlain, Rue SHE 640 N-P15
Champlain, Rue SJR 511 G-J5 K6 512 L6
Champlain, Rue SJS 530 A4
Champlain, Rue SVD 241 C4 242 C5-6
Champlain, Rue VDR 224 Y23
Champlain, Rue VTV 602 E6
Champlain, Rue de CTG 325 V34
Champoux, Pl. SBM 370 G70
Champoux, Rue PLS 607 C3
Champoux, Rue SRT 530 C6
Champs, Av. des SHY 520 D2
Champs, Rue de BCV 330 X69
Champs, Rue des COA 644 B2
Champs, Rue des DMV 613 K5
Champs, Rue des SBG 370 K73
Champs, Rue des SHE 637 J19
Champs, Rue des SJU 350 B76
Champs, Rue des SLZ 203 T20
Champs, Rue des SMS 410 Q69
Champs-Élysées, Rue MAG 630 A-B4 631 A5
Champs-Fleuris, Boul. des LPR 368 H53
Champs-Fleuris, Pl. des SLZ 203 R18-19
Chancelier, Rue du DMV 613 K7 617 L7
Chandler, Rue HUD 204 R24
Chandoyseau, Rue BCV 310 T72
Chanel, Rue SHE 636 K17
Chanoine-Boulet, Rue PLS 607 B-C2
Chanoine-Brazeau, Rue RIG 580 D5
Chanoine-Grouilx, Rue VDR 224 Y-Z24
Chanoine-Pépin, Rue BEL 391 M-N81
Chantal, Rue HUN 560 C4
Chantal, Rue SCT 346 E44
Chantal, Rue SCW 610 A10
Chantal, Rue SJR 511 F2
Chantal, Rue VTV 601 G3
Chantal-Navert, Rue SHE 638 P9
Chanteclerc, Rue SBM 370 G69
Chanteclerc, Rue SCT 366 F44
Chantelys, Pl. de SLZ 203 Q19
Chanterel, Rue SLZ 203 Q19
Chanterelle, Rue de la BRO 629 B6
Chanterelle, Rue de la SBG 390 L-M71
Chanterelles, Rue des DMV 613 J7
Chanterelles, Rue des SHE 638 R9-10
Chantilly, Rue de CAN 367 H48
Chantilly, Rue de SJR 512 P5
Chapais, Av. SHY 522 G3
Chapais, Rue GRA 622 H4
Chapais, Rue LMG 648 D3
Chapais, Rue LNG 329 X61
Chapais, Rue SCT 366 F44
Chapais, Rue SHE 638 Q10
Chapais, Rue SRT 530 B2
Chapais, Rue de CTG 305 U35 325 V35
Chapdelaine, Rue DEL 347 D-E48
Chapdelaine, Rue SHE 637 K19
Chapdeleine, Rue SRT 530 A6
Chapel, Rue CTG 325 W36
Chapelier, Rue du BRO 628 C4
Chapelle, Allée de la BCV 310 U71-72
Chapelle, Av. de la MAG 630 E1-3
Chapelle, Rue de la SBG 370 K72
Chapentier, Rue du BRO 628 B4
Chapleau, Av. SHY 522 H3
Chapleau, Rue BRO 629 E7
Chapleau, Rue DEL 347 D-E48
Chapleau, Rue DMV 614 J9-10
Chapleau, Rue GRA 620 E3
Chapleau, Rue MSH 391 N82
Chapleau, Rue SBM 350 E69
Chapleau, Rue SHE 640 P16
Chapman, Pl. SBM 350 G68
Chappelle, Rue de la VAR 291 P79
Chaput, Rue CTG 325 V36
Chaput, Rue SJR 511 G-H3
Chaput, Rue VDR 224 Z21 244 A21
Charbonneau, Av. VDR 244 A23 B23-24
Charbonneau, Pl. SLZ 223 W19
Charbonneau, Rue FAR 624 C3
Charbonneau, Rue LNG 329 V65
Charbonneau, Rue MSH 391 O80
Charbonneau, Rue NAP 570 C3-4
Charbonneau, Rue SAM 351 A82
Charbonneau, Rue SCT 366 F44
Charbonneau, Rue SHY 522 F7
Charbonneau, Rue SLZ 223 W18-19
Charbonneau, Rue SRT 530 C5
Charbonneau, Rue VAR 311 R78-79
Charcot, Rue BCV 330 W71 X71
Chardonnay, Rue du SHE 635 L12
Chardonnay, Rue du SLZ 183 P18 203 Q18
Chardonnerest, Rue des SHE 637 M22
Chardonneret, Rue du BRS 368 G60
Chardonnerets, Av. des PLS 607 E2
Chardonnerets, Rue SAM 351 B82
Chardonnerets, Rue des BEL 391 L-M79
Chardonnerets, Rue des PIN 244 D25
Chardonnerets, Rue des SJR 510 E3 511 F3
Charente, Rue CAN 367 H48
Charente, Rue de SLB 348 A58
Charente, Rue de la SRT 530 E2
Charest, Rue BHN 284 P25 304 Q25
Charest, Rue SHE 640 P18
Charets, Ch. des EAN 645 D5
Charette, Rue CHB 409 R65
Charette, Rue SHE 638 Q-R10
Charette, Rue SVD 242 E6
Charland, Av. SJR 512 L6
Charland, Rue ASB 647 B7-8
Charland, Rue LNG 329 V-W64
Charle-Goulet, Rue BCV 330 X72
Charlebois, Rue BHN 264 K21 284 L21
Charlebois, Rue RIG 580 C5
Charlebois, Rue SCA 347 C47
Charlebois, Rue SJU 351 A79-80
Charlebois, Rue SLZ 183 O20 184 O21
Charlebois, Rue SVD 242 B7
Charlebois, Rue VDR 224 X-Y23
Charlebois, Rue VTV 603 E10 605 F10
Charlemagne, Av. de CAN 367 G48 H48
Charlemagne, Pl. VDR 224 Z23
Charlemagne, Rue SVD 242 A8
Charles, Rue LNG 348 B60 349 B61
Charles, Rue NAP 570 B2-3
Charles, Rue SCL 202 Q9-10
Charles, Rue SJR 511 H6-7
Charles, Rue VTV 602 E6
Charles-Aimé-Geoffrion, Ch. VAR 311 U80
Charles-Allard, Rue CHB 389 P65
Charles-Aubertin, Rue BCV 310 U72
Charles-Baudelaire, Rue SHE 635 L12
Charles-Beauchesne, Carré VTV 605 F10
Charles-Boyer, Rue CHB 409 R66
Charles-Bruneau, Pl. SRE 365 H32
Charles-de-Montmagny, Pl. SRT 530 A5
Charles-Deaudelin, Rue LNG 329 Y-Z67
Charles-DeGaulle, Rue SJU 350 E74-75
Charles-DeLongueuil, Rue SJU 370 F74
Charles-Dickens, Rue CTG 305 U36 325 V36
Charles-Durocher, Rue CHB 409 S63-64
Charles-E.-Sénécal, Rue LNG 349 E62 369 F62
Charles-Garnier, Rue DMV 614 J9-10
Charles-Gill, Rue SJU 350 B76
Charles-Goulet, Rue SLZ 203 R18
Charles-Gros, Rue CTG 326 W37
Charles-Guimond, Rue BCV 310 S-T73
Charles-Hamel, Rue SHE 635 L11
Charles-Henri-Hébert, Av. SJR 511 K7-8
Charles-Laberge, Rue SJR 512 L6-7
Charles-Lacoste, Rue LNG 369 G63-64
Charles-Le Moyne, Pl. LNG 328 W60 329 W61
Charles-Le Moyne, Rue CHB 409 R65
Charles-Lemoyne, Pl. SCA 347 D48
Charles-Lemoyne, Rue NDP 264 G28
Charles-Lennox, Rue SHE 641 R19
Charles-Lussier, Rue BCV 310 U72
Charles-Normoyle, Rue LNG 368 F-G60
Charles-Péguy E., Rue LPR 367 F50
Charles-Péguy O., Rue LPR 367 F50
Charles-Piot, Rue VAR 311 R79
Charles-Preston, Rue SJR 512 N-P6
Charles-Primeau, Rue VAR 311 S80
Charles-Roy, Rue BCV 310 T73
Charles-X, Rue BRO 628 B3
Charles-Yelle, Rue LPR 367 G-H51
Charleswood, Rue HUD 184 N22-23
Charlevoix, Rue BCV 330 W69
Charlevoix, Rue GRA 622 F2
Charlevoix, Rue LNG 329 Z62
Charlevoix, Rue MSH 391 O80
Charlevoix, Rue SHE 638 Q10
Charlevoix, Rue de BRO 629 E5
Charlotte, Rue LNG 329 V62
Charlotte, Rue SHE 641 Q19
Charlotte, Rue SRT 530 A5-6
Charlotte-Denys, Rue BCV 310 U70 330 V70
Charlotte-Leduc, Rue LPR 367 H51-52
Charny, Rue GRA 620 B-C4
Charny, Rue MER 325 W33
Charny, Rue SHE 638 Q-R10
Charon, Rue CTG 325 W34
Charpentiers, Rue des SGG 616 L1
Charron, Av. SHY 522 G7
Charron, Rue CON 550 B-C3
Charron, Rue GRA 623 F5
Charron, Rue LNG 328 Z59-60
Charron, Rue du CHB 409 Q62
Chartier, Av. SHY 520 D5
Chartier, Rue COA 644 C3
Chartier, Rue SHE 635 M14
Chartier, Rue VDR 204 R21
Chartrand, Rue DMV 608 D-E3
Chartrand, Rue SJR 511 G3-4
Chartres, Rue de BCV 330 Y69
Chasle, Rue CDL 222 X9-10
Chassé, Rue ASB 646 D4
Chassé, Rue DMV 613 H7
Chassé, Rue SBM 370 F70
Chasseurs, Rue des SMS 390 P70
Chataigniers, Av. des DMV 613 F7-8 G7
Chataigniers, Rue des VDR 224 Z22 244 A22
Châtaigniers, Rue des BCV 330 Y71-72
Châtaigniers, Rue des LNG 369 G61
Châtaigniers, Rue des PIN 244 D23-24
Châtaigniers, Rue des SRT 530 D-E3
Château, Pl. du SBM 370 G69
Château, Rue de la DMV 619 M-N14
Château, Rue du MSH 411 Q-R78
Château, Rue du SCT 366 G44
Château, Rue du SJR 511 F2
Chateaubriand, Rue SHE 638 R10
Châteaubriand, Rue MSH 391 P82
Châteaubriand, Rue SJR 510 E5
Chateaufor, Rue SHE 638 R10
Châteaufort, Rue LNG 349 B64
Châteauguay, Av. SHY 522 G3
Châteauguay, Rue HUN 560 B4 D2
Châteauguay, Rue SBM 370 G69
Châteauguay, Rue SJR 512 P5
Châteauguay, Rue de BRO 629 D5
Châteauguay, Rue de CHB 409 Q64
Châteauguay, Rue de GRA 622 G4
Châteauguay, Rue de LNG 329 W61-62
Châteauguay, Rue de la SHE 635 M14
Châteaumont, Pl. de SHE 637 M20
Châteaumont, Rue de SHE 637 M20-21
Chateaux, Rue des BEL 391 M80
Chatel, Rue MAR 500 A2
Chatel, Rue VTV 602 E6
Châtelaine, Rue de la SHE 640 N17-18
Chatelet, Rue du LNG 349 B64
Châtelet, Pl. du CDL 222 Y10
Châtelet, Rue du SJU 350 C73
Châtelets, Rue des SLZ 203 R19
Chatham, Rue LNG 329 Z63
Chaumière, Rue de la RIG 580 B2
Chaumont, Pl. de SLB 348 B58-59
Chaumont, Rue CHB 409 R65
Chaussé, Rue SJR 512 M5
Chauveau, Pl. SBM 350 E69
Chauveau, Rue DMV 609 E7 613 F7
Chauveau, Rue SHE 638 P10
Chauvin, Av. LNG 369 G64
Chauvin, Rue DMV 612 F2-3
Chedleur, Rue SBM 370 H71
Cheff, Rue SVD 241 B3
Chemin-du-Golf, Av. du BRS 368 G58-59
Cheminot, Rue du VDR 224 W-X23
Cheminots, Rlle des SHY 520 E6
Cheminots, Rue des DEL 347 E45-46
Cheminots, Rue des MSH 391 N-O83
Cheminots, Rue des SVD 242 D6
Chenail, Rue ACV 540 B3
Chenal-du-Moine, Ch. du SRT 530 A8
Chenard, Rue SHE 642 U5
Chenaux, Ch. des VDR 224 X-Y26 Y25 Z24-25
Chêne, Rue du SHY 521 C10
Chêne, Rue du SLZ 223 W18
Chêne, Rue du VSL 224 W26
Chênes, Av. des DMV 613 G7
Chênes, Av. des LNG 328 Z60
Chênes, Av. des PLS 607 D3
Chênes, Ch. des RIG 580 B2
Chênes, Pl. des WIN 632 B2-3
Chênes, Rue des BEL 391 M-N79
Chênes, Rue des BHN 304 Q25
Chênes, Rue des BRO 629 A8
Chênes, Rue des CAR 389 P67
Chênes, Rue des CED 243 B-C15
Chênes, Rue des CON 550 B3-4
Chênes, Rue des COW 626 D6
Chênes, Rue des CTG 306 U37
Chênes, Rue des FAR 624 D2-3
Chênes, Rue des IPR 244 E26-27
Chênes, Rue des MAG 631 E8
Chênes, Rue des MER 325 X-Y30
Chênes, Rue des SAM 351 B-C82
Chênes, Rue des SBG 390 L-M72
Chênes, Rue des SCA 347 C46
Chênes, Rue des SHE 635 M11-12
Chênes, Rue des SJR 512 P-Q7
Chênes, Rue des SRT 530 D4-5
Chênes, Rue des SVD 263 G15
Chênes, Rue des VTV 602 E5-6
Chênevert, Rue SJR 511 F4
Chenier, Rue GRA 620 E3 622 F3
Chénier, Av. SHY 522 H3
Chénier, Mtée CDL 202 T10 T12

Chénier, Mtée CED . . . .
. . . 203 U13-14 223 V16-17
Chénier, Rue CTG . . . .
. . . . 305 U35 S25 V35
Chénier, Rue MAG . . . 631 E5
Chénier, Rue MSH . . . 411 R78
Chénier, Rue SHE 638 Q10
Chénier, Rue SJR 512 L5
Chénier, Rue SPH 367 K49
Chenonceau, Pl. de SJU 350 C73
Chenonceau, Rue VDR 244 A-B21
Chenonceau, Rue de DMV . . . .
. . . . 619 M14-15
Cherbourg, Pl. de CHB . . 488 C46
Cherbourg, Pl. de SHE . . 639 P14
Cherbourg, Rue CAN . . 367 G48
Cherbourg, Rue LNG . . . .
. . . . 329 Y62-63 762
Cherbourg, Rue de CHB 409 Q65
Cherbourg, Rue de COW . . . . .
. . . . 626 D-E8
Cherbourg, Rue de SHE 349 D64
Cherbourg, Rue de SBM 370 H69
Cherbourg, Rue de SHE . . . . .
. . . . 639 N-P14
Cherrier, Rue DMV . . 614 J9-10
Cherrier, Rue SCA 347 B46
Cherrier, Rue SHY 520 E4
Cherrier, Rue SRT . . . 530 C6
Cherrystone, Rue PIN . . 244 D24
Chesley, Rue COA.. . . . 644 C2-3
Chestnut, Cr. SLZ . . . 183 N-020
Chestnut, Rue PIN 244 D24
Cheval-Blanc, Rue du MSH . . .
. . . . 390 O-P82
Chevalier, Pl. du VDR . . 224 Y24
Chevalier, Rue BRS . . . 368 F-G59
Chevalier, Rue CTG . . . 305 S35
Chevalier, Rue SBG. . 390 O-P71
Chevalier, Rue SHE. . . 639 P14
Chevalier, Rue SRT . . . 530 A6
Chevalier, Rue SVD . . . .
. . . . 241 D4 242 C-D5
Chevalier, Rue VTV . . . 605 F9
Chevalier-de-Chaumont, Rue
CAR 389 O-P67
Chevaliers, Rue des BEL 391 M79
Chevaliers, Rue des SJR . 510 E2
Chevauchée, Rue de la SLZ . . .
. . . . 183 N18
Cheverny, Pl. VDR . . . 244 B21
Chevière, Rue de la CTG. . . . .
. . . . 305 T35-36
Chevigny, Av. SHY . . . 522 H3
Chèvrefeuilles, Rue des LNG. . .
. . . . 329 Y67
Chèvrefeuilles, Rue de la . . . . .
. . . . 510 D-E5
Chevrefils, Rue SRE. . 365 J-K32
Chevrefils, Rue CTG . . 305 T34
Chevreuil, Cours du DMV . . . .
. . . . 614 F-G9
Chevreuil, Rue du LNG. . . . . .
. . . . 329 X66-67
Chevreuil, Rue du MER. . . . . .
. . . . 325 W-X30
Chevrier, Boul. SHE . 368 F58-59
Chevrier, Ch. SLZ. . . 203 T19-20
Chevrier, Rue CED . . . 263 F19
Chevrier, Rue RIG . . . 580 D4
Chevrier, Rue SHE . . . 640 N18
Chevrier, Rue SJS 530 A4
Chevrier, Rue SVD . . . 242 B8
Chevrier, Rue VDR . . . 224 Y23
Chevrière, Pl. de la SLZ. 203 Q16
Chevrotin, Rue du LNG. . . . . .
. . . . 329 X66-67
Chicago, Rang SCH . . . 604 J8
Chicago, Rang VTV. . . . 604 H7
Chicoine, Av. SHY. . . . 520 E6
Chicoine, Rue CED . . 243 A18-19
Chicoine, Rue SHE . . . 366 F44
Chicoine, Rue VDR . . 244 A21 B23
Chicoutimi, Rue de GRA. . . . . .
. . . . 620 B-C4 C3-4
Chicoyne, Rue LNG . . . 648 A1
Chicoyne, Rue SHE. . . 636 L16
Child, Rue COA. 644 A3 B2
Childerhouse, Ch. COW. 627 F12
Chipman's Point, Rue HUD . . .
. . . . 204 R24
Chiroubles, Rue du SLZ . . . . .
. . . . 203 Q17-18
Choinière, Ch. BRO . . . 629 A8
Choinière, Rue GRA . . 620 E2-3
Choinière, Rue SHY . . 522 G8
Cholette, Rue SVD . . . 242 E6
Chomedy, Rue COW . . 625 B-C2
Chopin, Carré SJR . . . 512 P4
Chopin, Rue BRS . . . 368 F-G59
Chopin, Rue CTG . . . 325 W34-35
Chopin, Rue DEL . . . 347 D48
Chopin, Rue DMV. . . 613 K7
Chopin, Rue MAR . . . 500 A-B3
Chopin, Rue MSH . . . 411 R78
Chopin, Rue SRT. . . . 530 C7
Choquette, Av. SHY . . . .
. . . . 520 E2 E3 E4 522 F4 F5
Choquette, Rue BEL . 391 M-078

Choquette, Rue DEL . . 347 D48
Choquette, Rue GRA . . 621 D-E6
Choquette, Rue LMG . . 648 B-C3
Choquette, Rue MAR . . 500 B3
Choquette, Rue RCH. . 409 U67
Choquette, Rue SHE . . 639 P11
Choquette, Rue SJR . . 511 G-H3
Chouinard, Rue VTV. . . . .
. . . . 603 E10 605 F10
Chrétien, Rue SHE . . . 638 P-Q7
Christ-Roi, Ch. du CTG. . . . . .
. . . . 305 S36 306 S37
Christ-Roi, Pl. du CTG. . 305 S36
Christ-Roi, Rue BEL. . . 391 M78
Christian, Rue SJR . . . 512 L2
Christiane, Rue DMV . . 608 E4
Christine, Rue SCH. . . 605 G-H9
Christine, Rue SJR . . . 511 K2-3
Christophe-Colomb, Rue BCV . .
. . . . 330 V-W72
Christophe-Colomb, Rue COW. .
. . . . 626 C8
Christophe-Colomb, Rue GRA. .
. . . . 622 H4
Christophe-Février, Rue BCV. . .
. . . . 330 X70
Chrysanthème, Rue du GRA . . .
. . . . 623 F-G8
Chrysanthèmes, Rue des LPR . .
. . . . 368 H53
Church, Rue COW . . . .
. . . . 626 D-E7 D-E9 E9-10
Church, Rue CTG . . . 305 S36
Church, Rue GRA . . . 623 F5-6
Church, Rue HUN . . . 560 B-C3
Church, Rue SHE . . . 641 R19
Church St KAH 306 U42-43
Churchill, Boul. LNG 348 A59-60
Churchill, Boul. SLB. 348 A58-59
Churchill, Rue CHB . . 409 R64
Churchill, Rue GRA . . 622 H4
Churchill, Rue HUN . . 560 C2
Churchill, Rue SHE. . . 638 R10
Chutes, Boul. des DMV. 614 K11
Chutes, Rue des CDL . . 222 X6
Chutes, Rue des SCA 347 C-D48
Cicot, Pl. SBM. 369 G68 370 F69
Cicot, Rue SBM 370 G69
Cicot N., Rue BCV . . . 330 V70
Cicot S., Rue BCV . . . 330 V70
Ciergerie, Rue de la SJR 511 F4
Cigale, Rue de SLZ . . . 223 W19
Cigales, All. des SJR . . . .
. . . . 511 K1 512 L1
Cigogne, Rue de la BRS 368 H59
Cigognes, Rue des BEL . . . . . .
. . . . 391 L-M79
Cimes, Rue des GRA . . 622 H4
Cimes, Rue des SHE . 636 H-J16
Cimetière, Ch. du DMV . 615 F13
Cimetière, Ch. du SHE. . 613 F13
Cimetière, Rue LNG . . 369 H64
Cimetière, Rue du DEL. 367 F46
Cimetière, Rue du MER. 325 V30
Circé, Boul. SHE. 634 N6 638 N7
Circé, Rue DEL. 347 E45
Circle, Rue CTG. . . . 325 V36
Circle Park, Rue CTG . 325 V35
Citadins, Carré des FAR. 624 D1
Citadins N., Rue des FAR. . . . .
. . . . 624 C-D1
Citation Pt., Cr. SLZ . . 183 P20
Cité-des-Jeunes, Boul. de la
CED. 203 S14-15
Cité-des-Jeunes, Boul. de la
VDR. . . . .
. . 223 W20 224 W21 X21 Y22-24
Cité-des-Jeunes, Ch. de la SCL. .
. . . . 202 Q9-12
Cité-des-Jeunes, Rte de la SLZ. .
. . . . 203 T16 U17
. . . . 223 V17-19 W19-20
Citeaux, Pl. de SJU . . 350 C74
Citoyen, Rue du VTV. . 605 F10
City, Rue GRA 623 F-G5
Clair, Rue DMV. . . . 619 L-M13
Claire, Rue SJR 510 E4
Claire-de-Lune, Rue du DEL . . .
. . . . 391 L-M84
Claire-Jolicoeur, Rue SHE. . . . .
. . . . 639 N-P14
Claire-Raymond, Rue CTG . . . .
. . . . 305 U33
Claire-Vallée, Av. de SHY 520 D7
Clairevue, Boul. LNG. 349 C-D67
Clairevue E., Boul. SBM. . . . . .
. . . . 370 G70-71
Clairevue O., Boul. SBM. . . . . .
. 349 E67 369 F67 G68 370 G69
Clairière, Rue de la SJU 350 B75
Clairmont, Rue OTT 391 P77-78
Clairvaux, Pl. de SJU . . 350 C74
Clarence, Rue GRA . . 622 G4
Clarence-Gagnon, Rue NDP. . . .
. . . . 284 L28
Claret, Cr. du SLZ . . . 203 Q18
Clark, Rue SHE 635 M13

Clark, Rue SLB 348 A59
Claude, Imp. SJR 512 L2
Claude, Rue BEL 391 M81
Claude, Rue BHN. . . . .
. . . . 284 P22 304 Q22
Claude, Rue CTG . . . 305 U34
Claude, Rue GRA. . . . 621 C5
Claude, Rue MAG . . . 631 C5
Claude, Rue PDC. . . . .
. . . . 263 H20 264 H21
Claude, Rue SHY. . . . 521 C9-10
Claude, Rue SJR 512 L2
Claude, Rue VDR . . . 224 W24
Claude, Rue (LNG) LNG. . . . . .
. . . . 329 V66-67
Claude, Rue (SHU) SHE 349 B62
Claude-Bourassa, Rue MSH . . .
. . . . 391 P79
Claude-Bourgeois, Rue BCV . . .
. . . . 330 X70
Claude-Champagne, Rue BCV. . .
. . . . 330 X72
Claude-Charpentier, Rue BCV. . .
. . . . 409 S64-65
Claude-Dablon, Rue BCV 330 V70
Claude-Dauzat, Rue BCV. . . . .
. . . . 330 V69-70
Claude-Faille, Rue LPR. 367 H52
Claude-Greffard, Rue CHB . . . .
. . . . 633 G13 635 H14
Claude-H.-Grignon, Rue VRC. . .
. . . . 292 P90
Claude-Huot, Rue CHB. 409 R66
Claude-Jodouin, Rue BCV. . . . .
. . . . 310 U71 330 V71
Claude-Jutra, Boul. SBM. . . . . .
. . . . 370 F70
Claude-Martel, Rue SHE 640 Q16
Claude-Monet, Rue GRA. . . . . .
. . . . 622 K3-4
Claude-Pastourel, Rue SHE. . . .
. . . . 330 V70-71
Claude-Pitre, Rue CTG . 305 U35
Claude-Provost, Pl. VDR 224 Y23
Claude-Volant, Rue SJR 311 Q80
Claude de Ramezay, Rue MAR. .
. . . . 500 A4 B4-5
Claudel, Rue LMG . . . 648 A-B2
Claudette, Rue GRA . . 621 B-C5
Claudia, Rue GRA . . . 622 H2
Claudine, Rue SRT . . . 530 E4
Claulima, Rue MAG . . . 630 A4
Cleary, Rue COW. . . . 626 E7
Cleghorn, Av. SLB. . . . 328 Z58
Clématites, Rue des VDR. . . . . .
. . . . 224 Z22-23
Clémence-Sabatté, Rue CHB . . .
. . . . 409 Q62-63
Clémenceau, Rue SHE . 636 L17
Clément, Pl. PDC . . . 263 G19-20
Clément, Rue DMV . . 619 L17
Cléomène, Rue DMV . 609 A-B6
Cléomène, Rue VTV . . 603 A-B11
Cléophas, Rue SHE . . 642 T4
Cléophas, Rue SVD . . . 242 A-B5
Cléreux, Rue FAR. 624 C2
Clermont, Pl. de SJU . . 350 C74
Clermont, Rue SJR . . . 510 E1
Clermont, Rue SVD . . . 242 D6
Clermont, Rue de CTG. . . . . . .
. . . . 305 S35-36
Cleveland, Rue COA.. . . 644 C3
Cliche, Rue LMG 648 C4
Cliche, Rue SJU 350 B76
Cliche, Rue VTV 604 F6
Clichy, Rue de VDR . . 244 A-B21
Cliff, Rue SHE. 636 M16
Cliffside, Rue HUD . . . 184 O23
Clifton, Rue OTT . 391 O-P78 P79
Clifton, Rue SBM 370 H69
Clocher, Rue du SHY . . 520 C2
Closse, Rue CTG. . . . 305 T33
Closse, Rue SLB. 348 A58
Clouâtre, Rue SJR 511 G2
Clough, Rue SHE. . . . .
. . . . 640 R18 641 R19
Cloutier, Rue DMV . . . 613 G6
Cloutier, Rue EAN . . . 645 C2
Cloutier, Rue LPR . . . 367 F51
Cloutier, Rue SJR 511 J2
Cloutier, Rue SRT. . . . 530 C6
Cloutier, Rue VTV . . . 605 F-G9
Club, Rue du VTV 244 A24
Club-Memphré, Pl. du MAG. . . .
. . . . 630 C3
Cluff, Rue HUN 560 D3
Cluny, Pl. de SJU . . . 350 C74
Clyde, Rue HUN. 560 D2
Coachman, Rue SLZ . . 183 O20
Coakley, Boul. ASB . . . 647 C5-6
Coaticook, Rue SHE . . 638 N9
Cobb, Rue LNG 348 C59
Cobden, Rue LNG . . . 348 C59
Cockburn, Rue DMV 613 G8 H7-8
Codebecq, Rue SVD . . 242 E5-6
Codère, Rue SHE 636 L18
Coderre, Rue LNG . . . .
. . . . 349 D64 E62 E63
Coderre, Rue SJR 512 M4
Codling, Rue SRT. . . . 530 C7
Cognac, Rue CAN . . . 367 H47-48
Cognac, Rue de SRT. . . 530 E2

Colbert, Av. SHY 522 G3
Colbert, Rue CHB . . 409 R64-65
Colbert, Rue SBM . . . 370 J70
Colbert, Rue SHE. . . 639 Q11
Colbert, Rue SJR 511 F2
Colborne, Rue CHB . . 409 R65
Colette, Rue DMV . . . 608 D4
Colette N., Rue RIG . . 580 B2
Colette S., Rue RIG . . . 580 B2
Colibri, Pl. du SLZ . . . 183 O18
Colibri, Rue SAM. . . 351 B81-82
Colibri, Rue du DMV . . 613 J6
Colibri, Av. des CED . . 263 F19
Colibri, Rue des BEL. . . . .
. . . . 391 M78-79
Colibri, Rue des CDL. . 222 X6
Colibri, Rue des CON. . 550 D1
Colibri, Rue des DMV . 619 N15
Colibri, Rue des IPR. . 264 F26
Colibri, Rue des LNG . 329 W66
Colibri, Rue des SBG . . . .
. . . . 390 M71-72
Colibri, Rue des SBM . . . .
. . . . 370 J70-71
Colibri, Rue des SCA . 347 C47
Colibri, Rue des SHY. . . . .
. . . . 634 M7 638 N7
Colibri, Rue des SJR . 510 E3-4
Colisée, Rue du LNG. . 329 Y65
Collège, Av. du DMV . . 613 F7
Collège, Av. EAN 645 B3
Collège, Av. du PLS . . 607 D-E2
Collège, Pl. du LNG . . 329 X63
Collège, Rue MAG . . 631 C-D5
Collège, Rue du SHE. . . 641 R20
Collège, Rue du DEL . . 367 F46
Collège, Rue du FAR. . . 624 C3
Collège, Rue du SRE . . 365 J32
Collège, Rue du ACV . . 540 B2
Collèges, Rue des VTV . 603 D10
Collet, Rue VAR. . . . 311 P79-80
Collette, Rue SRT. . . . 530 C5
Collin, Rue SJR 511 K5 512 L-M5
Colline, Rue de la BEL . 391 M82
Colline, Rue de la BRO . 629 D8
Colline, Rue de la COW . . . . . .
. . . . 627 E10-11
Colline, Rue de la GRA. . 620 E1
Colline, Rue de la MAG . 631 C5
Colline, Rue de la PIN 244 D-E25
Colline, Rue de la VTV . 604 F-G8
Colline, Rue de la SHE 636 H-J16
Collins, Rue VTV . . . 614 F9
Collins, Rue FAR 624 D3
Colomb, Av. BRS . . . .
. . . . 368 F-G58 G58-59
Colombe, Rue SCA . . . 347 D47
Colombe, Rue SAM . . 351 B82
Colombe, Rue des PLS . 607 E2
Colombes, Rue des BEL. . . . . .
. . . . 391 L78-79
Colombes, Rue des DMV. . . . . .
. . . . 613 J-K7 K6
Colombes, Rue des GRA. 620 D2
Colombie, Rue DMV . . 613 G5-6
Colombiers, Rue de SHE 638 O10
Colombine, Rue SBM . . 370 F70
Colonelle, Rue de la SJR 511 J6
Colonia, Rue CTG . . . 305 U36
Coloniale, Rue SJR. . . . 511 K2
Coloniale, Rue de SLZ . . 203 R16
Colonie, Rue de la DMV . 613 K8
Colonnes, Rue des SJR. . 512 Q6
Colony Park, Cr. du SLZ . . . . .
. . . . 183 O-P20
Colpron, Cr. CTG . . . 305 S-T34
Colpron, Rue SCT . . . 366 F44
Colverts, Rue des CON. . 550 A4
Colville, Rue CTG. . . . 325 V36
Comanche, Rue du SHE. . . . . .
. . . . 636 K16-17
Comber, Rue LNG . . . 349 C61
Comeau, Rue DMV . . 618 M12
Comeau, Rue FAR. . . 624 C-D3
Comeau, Rue GRA . . . 621 D5-6
Comeau, Rue OMV. . . 631 A8
Comeau, Rue SHE . . . 633 D13
Comeau, Rue SJU . . . 350 C75
Comeau, Rue SLB . . . .
. . . 328 Z59 348 A58-59
Comeau, Rue VTV . . . 602 D8
Coméau, Pl. DMV . . . 619 E62
Commerce, Pl. du BRS . 348 C58
Commerce, Rue du DEL . 347 E46
Commerce, Rue du SCH. . . . . .
. . . . 605 J9-10
Commissaires, Rue du VTV. . . .
. . . . 603 D9
Commune, Ch. de la VDR. . . . .
. . . . 244 A-B24
Commune, Rue de la DMV. . . . .
. . . . 619 Q16-17
Commune, Rue de la LPR. . . . .
. . . . 367 F51
Como-Gardens, Rue HUD. . . . .
. . . . 184 P23
Como Golf, Rue HUD 184 P22-23
Compagna, Rue ACV . . 540 C2-3

Compton, Ch. BRO . . 628 A1-3 B4
Compton, Ch. de COA . . 644 A1
Compton, Pl. BRO . . . 628 A3
Compton, Rue de COA . 644 A3
Comte, Rue du SJR . . 510 E2
Comte-De Frontenac, Rue BCV. .
. . . . 330 W70
Comtesse, Rue de la SRT. . . . . .
. . . . 530 B5 C5-6
Comtois, Rue DMV . . 608 D4
Comtois, Rue MCM . 391 N-078
Comtois, Rue OTT . . . 391 P79
Comtois, Rue SHE . . . 639 P11
Comtois, Rue SHY . . . 520 D5
Comtois, Rue SJU . . 350 B75-76
Concerto, Pl. du SLZ 203 Q19-20
Concession, Rue de la DMV. . . .
. . . . 613 K8 617 L8
Concorde, Rue de la DEL. . . . . .
. . . . 347 D-E48
Concorde, Rue de la SJU350 C74
Concorde, Rue de la VDR184 P22
Concorde, Rue de la VTV.. . . . .
. . . . 604 F7-8
Concorde, Rue du SHE 636 J-K16
Concorde N., Av. de la SHY. . . .
. . . . 520 E5-6 522 F6
Concorde S., Av. de la SHY. . . .
. . . . 522 F6-7 G7
Concordia, Rue CTG. . . 306 U37
Condor, Rue du BRS. . 368 G59
Condora, Cr. de SLZ . . 223 W19
Condora, Rue de SLZ . . 223 W19
Condors, Rue des SHE. 634 M8
Conefroy, Rue LNG . . 329 Z61
Conifères, Rue des SJU . 370 F74
Conley, Rue SHE 641 R19
Connaught, Ch. HUN . 560 A3-4
Connaught, Rue OTT . 391 O-P77
Conrad, Rue COW . . . 626 C6
Conrad, Rue GRA . . . 621 C-D5
Conrad-Blanchet, Rue SBM. . . .
. . . . 643 U8
Conrad-Gosselin, Av. SJR. . . . .
. . . . 511 J6-7
Conrad-Pelletier, Rue LPR. . . . .
. . . . 367 F50-51
Conseil, Boul. du ASB . 647 D-E5
Conseil, Rue OMV. . . 631 A-B7
Conseil, Rue du MAG . 631 A7-8
Conseil, Rue du THN . . . .
. . . . 636 M17-18 637 M19
Conseillers, Av. des SJR . 512 L7
Conseillers, Rue des LPR. . . . . .
. . . . 367 G52
Conservatoire, Rue du SLZ . . . .
. . . . 203 Q19-20
Constable, Boul. MCM . 391 N77
Constant, Rue VDR . . . 242 D7
Constant-Cartier, Rue SJR511 K2
Content, Cr. SJR 511 H4-5
Contour, Rue du MAG. . 631 E5
Contournement, Voie de LMG . .
. . . . 648 A-C5
Contrecoeur, Rue SBM. . . . . . .
. . . . 370 F69-70
Contrecoeur, Rue SHE 638 Q-R10
Contrecoeur, Rue de SJR. 510 E6
Convent, Rue SHE . . . 330 W72
Cook, Rue BCV 330 W70
Cooke, Ch. DMV . . . 614 G9-10
Cooley, Rue BRO. 629 D5
Coombs, Rue SHE . . . 638 O10
Cooper, Pl. LNG. . . . 349 D63
Cooper, Rue CHB . . . 409 R-S66
Cooper, Rue EAN . . . 645 C2
Cooper, Rue LNG . . . 349 D63
Coopérative, Ch. de la SHY . . . .
. . . . 521 D9
Coopérative, Rue de la PLS. . . .
. . . . 607 C3-4
Coopérative, Rue de la RIG. . . .
. . . . 580 C5
Cootes, Rue LNG . . . 348 C59
Copping, Rue OTT . . 391 P78-79
Coprins, Rue des BRO. 629 B6-7
Coquelicots, Rue des GRA. . . . .
. . . . 369 G63
Coquelicots, Rue des LPR. . . . .
. . . . 368 H53
Coquelicots, Rue des SHE. . . . .
. . . . 637 K-L19
Corbeaux, Rue des LNG . . . . . .
. . . . 329 V-W66
Corbeaux, Rue des OTT . . . . . .
. . . . 390 P76 391 P77
Corbeil, Av. SHY. 521 C9
Corbeil, Rue SBG . . 390 L-M71
Corbeil, Rue SHE. . . . 637 M19
Corbeil, Rue SJR 510 E3 511 F3
Corbon, Rue de BCV. . 330 X69
Corcelles, Rue de SLZ . 203 Q18
Cordeau, Rue SHY. . . 520 C1
Cordeau, Rue du DMV . . . .
. . . . 619 Q16-17
Cordelle, Rue de la DMV. . . . . .
. . . . 619 Q16-17
Cordon, Ch. du RCH. . 409 U68
Cordonnier, Rue du DMV. 610 E9
Corelli, Rue BRS 368 G59
Corine, Rue VTV 601 G2
Corinne, Rue BEL . . . 391 O78

Cormier, Boul. DMV . . 608 E4
Cormier, Rue BEL . . . 391 M81
Cormier, Rue CON . . . 550 C2
Cormier, Rue DMV . 613 F5 66-7
Cormier, Rue GRA . . . 622 J4
Cormier, Rue PLS . . . 607 D2
Cormier, Rue SJR . . . 512 L7
Cormier, Rue VTV . . . 603 B-C10
Cormière, Rue de la VTV601 E2-3
Cormiers, Av. des SHY521 C-D10
Cormiers, Rue des BCV . 330 Z72
Cormiers, Rue des COW. 626 D6
Cormiers, Rue des SHE 637 M21
Cormoran, Rue BRS . 368 G-H59
Cormoran, Rue SAM . 351 B-C82
Cormorans, Rue des DMV 613 K6
Cormorans, Rue des SCA . . . . .
. . . . 347 C-D46
Cormorans, Rue des SHE 634 M8
Cormorans, Rue des SJR. 510 E4
Corneille, Rue de la SLZ . . . . . .
. . . . 223 W-X19
Corner St KAH 326 V43
Corniche, Pl. de la SBM . . . . . .
. . . . 370 J72-73
Cornouilliers, Rue BCV. . . . . . .
. . . . 330 Y71-72
Cornwall, Rue LNG . . . .
. . . . 368 G60 369 G61-64
Coronation, Rue VDR . . 242 E11
Corrigan, Rue RIG . . . 580 A5
Corriveau, Av. MAG . . 630 D5
Corriveau, Rue BHN . . 304 Q25
Corriveau, Rue DMV . 613 G-H8
Corriveau, Rue MAG . . 631 C5
Corte-Real, Rue BCV . . 330 W71
Cortina, Rue CTG . . . 325 V35
Cortland, Rue CTG . . . 305 T36
Cossette, Rue SVD . . . 242 C-D5
Costain, Rue SBM . . . 370 H69
Côté, Ch. de la MAG . . 631 E8
Côté, Av. SHY 522 F7
Côté, Rue ACV 540 A-B2
Côté, Rue ASB. 646 C4
Côté, Rue BHN 263 J-K20
Côté, Rue CTG 325 W36
Côté, Rue DMV 614 F10
Côté, Rue GRA 623 H5
Côté, Rue MER. 325 W33
Côté, Rue MSH 391 O79
Côté, Rue OMV 631 A8
Côté, Rue OTT 391 O78-79
Côté, Rue SBG. 390 L73
Côté, Rue SCT 346 E44
Côté, Rue SHE. 639 P14
Côté, Rue SMS 409 Q-R68
Côté, Rue SVD. 242 D7
Côté-Bissonnette, Ch. de la VAR
. . . . 291 O81-82 P81
Côté-d'Azur, Rue HUD . 184 N24
Côté-d'en-Bas, Rue de la BCV. . .
. . . . 310 S75
Côté-d'en-Haut, Ch. de la VAR. .
. . . . 311 R-S77
Côté-des-Pins, Rue de la SRT . . .
. . . . 530 D2-3
Côté-Double, Mtée de la VDR . .
. . . . 243 C20 244 C21
Côté-du-Nord, Rue de la SRT . .
. . . . 530 D3
Côté-Plaisance, Rue SCT346 E44
Coteau, Rue du SCH. . 605 K11
Coteau, Rue du VSL . 224 W-X26
Coteau, Rue du MAG . . 630 D2
Coteau-de-Sable, Rue SRT . . . .
. . . . 530 D4
Coteaux, Rue de COW . 627 C9
Coteaux, Rue des MER. . . . . . .
. . . . 325 Y34-35
Côteaux, Ch. des FAR. . 624 A4
Cotnoir, Rue SRT . . . 530 D4-5
Cotreau, Rue FAR . . . 624 C4
Cotton, Rue COW . . . 627 D9
Coudriers, Rue des VTV. 601 E4
Couillard, Av. COA.. . . 644 C1-2
Couillard, Rue BHN . . . .
. . . . 284 P23 304 Q23
Couillard, Rue FAR . . . 624 D2
Couillard-Després, Boul. SRT . .
. . . . 530 C4 D4-5
Coulée, Av. dela SHY . . 520 C5
Coulée, Cr. de la MSH. . 391 N83
Coulée, Rue de la BHN . 263 K20
Coulée, Rue de la MSH. 391 N83
Coulée, Rue de la SJU 350 B-C75
Coulée, Rue de la SVD. 242 E11
Coulomb, Rue de BCV 329 Y-Z68
Coulombe, Rue GRA. . 622 J4
Coulombe, Rue SHE. 637 K21-22
Coulombe, Rue SJU . . 351 C77
Coulonge, Av. SHY . . 522 G2 H3
Coulonge, Rue LNG . . 329 V66
Coulonge, Rue de la DMV. . . . .
. . . . 609 E8 610 E9
Coulston, Av. ASB . . . 646 C4
Coulture, Rue EAN . . . 645 B3
Country, Rue SLZ . . . 203 R18
County Fair, Cr. SLZ. 183 O19-20
Coupal, Rue CAR . . . 388 M-N60
Couperin, Rue BRS. . . 368 G59

Index des rues

Coupland, Rue GRA 623 K8
Courbevoir, Rue de SJR . . . .
. . . . 510 E4 511 F4
Courcelette, Rue de LNG 349 A63
Courcelette, Rue de SHE. . . . .
. . . . 640 N-P16
Courcelle, Av. SHY 522 H2-3
Courcelle, Rue LNG . 349 B63-64
Courcelle, Rue de DMV. . . . .
. . . . 618 M10-11
Courcelles, Pl. MSH . . . 391 O80
Courcelles, Rue de CDL 222 X-Y9
Courcelles, Rue de CHB 409 R65
Courcelles, Rue de GRA . . . .
. . . . 620 B-3
Courchesne, Rue GRA . . . .
. . . . 609 C8 610 C9
Courchesne, Rue SRT . . . 530 D1
Cournoyer, Rlle des SRT . 530 D4
Cournoyer, Boul. SRT . . 530 C2-3
Cournoyer, Rue SRT . . . 530 C1-2
Cournoyer, Rue de BCV. 330 V69
Cournoyer, Rue de MSH 411 O79
Cournoyer, Rue de SJR . . 512 N7
Couronne, Pl. de la BRS . . . .
. . . . 368 H59-60
Couronne, Rue de la BRO. . . . .
. . . . 628 B3-4
Courseulles, Rue RIG . 580 D5-6
Coursol, Av. LNG. . . . 349 D-E63
Coursol, Rue SAM 351 B82
Coursol, Rue SJR. 512 L4
Coursol, Rue de VTV. . . . 602 E8
Court, Rue COA 644 C2-3
Court, Rue GRA 623 F5
Court, Rue SHE. 636 M16
Courteau, Rue SCW . . . 610 D12
Courtemanche, Av. SLB . . . .
. . . . 328 Z59
Courtemanche, Rue GRA 620 D4
Courtemanche, Rue MAG. . . . .
. . . . 631 C7 D6-7
Courtois, Rang VTV . . . 601 E1-2
Courval, Rue de VTV. . . . 602 E8
Courville, Rue SJR. 510 E1-2
Courville, Rue de SHE 640 P-Q16
Cousin, Av. BRS 368 F58
Cousineau, Av. LNG . . . 349 A63
Cousineau, Boul. LNG 349 D-E63
. . . 369 F-H63 H-J63 K63 389 L64
Cousineau, Ch. NDP. . . 285 M30
Cousineau, Rue LMG . . 648 B3
Cousineau, Rue SCT . . . 346 E44
Cousineau, Rue SHE. . . 636 K15
Cousineau, Rue SVD. . . 242 C7
Cousins N. , Rue SJR . . . 512 L5
Cousins S. , Rue SJR . . . 512 M5
Couture, Ch. MAG . 630 A-B3 B7
Couture, Pl. SBM 370 G71
Couture, Rue ASB. 647 C6-7
Couture, Rue NAP 570 B3
Couture, Rue SBM . . . 370 G-H71
Couture, Rue SHE 636 M16
Couture, Rue SJR 511 J4-K2
Couture, Rue de VTV. . . 603 C10
Couturier, Rue SHE . 636 J-K18
Couvent-de-Lorette, Rue du SHY
. . . . 522 G5-6
Couvents, Rue des VTV. . 603 D19
Couves, Rue LNG. 348 B59
Cowie, Rue GRA . . . .
. . . . . . 622 G1-4 623 G5
Crabtree, Rue WIN 632 B2
Craig, Rue SHE 640 P16
Craig, Rue WIN 632 C2
Craigmore, Av. SLB. . . . 328 Z59
Craigmore, Rue SLB . . . 328 Z59
Craik, Rue CTG 325 V36
Crébassa, Rue SRT 530 C7
Crémazie, Av. GRA 622 F3
Crémazie, Rue SHE . . . 635 M14
Crémazie, Av. VTV 522 H3
Crémazie, Rue BEL. . . . 391 N79
Crémazie, Rue COW . . 626 C7-8
Crémazie, Rue LMG . . . 648 C4
Crémazie, Rue LNG . . . 329 X61
Crémazie, Rue SBM . . . 370 G69
Crémazie, Rue SRT 530 C3
Crépeau, Rue DMV. . . . 613 F6
Crépeau, Rue SHE . . 637 K21-22
Crépeau, Rue SRT 530 A7
Crépeau, Rue VTV . . 605 F9-10
Crépin, Rue CTG. . . . 305 R-S35
Crépin, Rue SVD . . . 242 B10-11
Crépuscule, Rue du SHY. 520 C1
Crescent, Cerc. VDR 184 O21-22
Crescent, Rue GRA . . . 623 G5-6
Crescent, Rue HUD . . 184 R24-25
Crescent, Rue SLB 328 Y60
Crescent, Rue SVD. 242 C7
Cressé, Rue SHE . . . 636 L-M16
Crestwood, Rue CTG . . . .
. . . . . 306 U37 326 V37
Crête, Rue SRT. 530 C4-5
Crête, Rue VTV. 601 F4
Creuse, Rue du SRT. . . . 530 C2
Crevier, Rue DEL . . . 347 D-E48
Crevier, Rue MAR 500 B4
Crevier, Rue SHY 522 F-G5
Crevier, Rue VDR 204 O22
Criée, Rue de la VAR. . . 311 S77
Cristal, Pl. du VDR 224 W25

Cristal, Rue DMV 613 K6
Cristal, Rue du SLZ . . . 203 Q16
Cristaux, Rue des SHE . 637 M22
Crochetière, Rue VTV . . . .
. . . . . . 603 E11 605 F10 F11
Crocus, Rue des VDR . . 224 Z23
Croisetière, Rue SJR . . . .
. . . . 511 K8 512 L8
Croisetière N. , Boul. SJR . . . .
. . . . 511 J7-8
Croisille, Rue SBM . . . 369 H68
Croissant, Rue du CTG . . . .
. . . . 368 H53
Croissant, Rue du MAG . 630 D22
Croix, Rue de la WIN . . 632 D2
Croix, Rue de la SHE. 633 D-E12
Croix, Rue dela VSL. . . 284 W25
D'Argenson, Rue SJR . . . 512 P5
D'Argenson, Rue SJU. 350 C75
D'Argenson, Rue SRT . . 530 D-E2
D'Argenteuil, Rue SJR . . . 511 F3
D'Iberville, Rue COW . . . 626 C8
D'Iberville, Rue SJU. 305 T-U35
D'Orsennens, Rue LMG 648 D2-3
D'Youville, Boul. CTG . . . .
. . . . . 305 R34-36 S35-36
D'Youville, Rue BHN . . 264 K21
D'Youville, Rue VAR . . . .
. . . . 291 P78 311 Q78
Dablon, Rue SBM. . . . 370 H71
Dagenais, Rue BHN . . . .
. . . . . . 284 P22 304 Q22
Dagenais, Rue COW. . . 626 E7
Dagenais, Rue PIN . . . 244 D23
Dagenais, Rue SHE . . . 641 P19
Dagenais, Rue SJR 511 F6
Dagenais, Rue SVD . . . 242 B8
Dagobert, Rue CAN . . . 367 H50
Daguerre, Rue CAN . . . 367 H48
Daguerre, Rue LNG . 349 A-B62
Dahlia, Rue SAM 351 C82
Dahlia, Rue SHE 638 R8
Dahlias, Rue des LNG . 369 G62
Dahlias, Rue des SVD. . . 242 A8
Dahlias, Rue des VDR . . . .
. . . . 224 Z22-23
Daigle, Rlle SHE. 640 N16
Daigle, Rue COA 644 D1
Daigle, Rue COW 626 D6
Daigle, Rue SHE 638 R8
Daigle, Rue VTV. 605 G10
Daigneau, Rue SHE . . . 637 M20
Daigneault, Rue ACV . . 540 C3
Daigneault, Rue CHB . . 389 P66
Daigneault, Rue COW . 626 D8
Daigneault, Rue GRA. . 622 H-J1
Daigneault, Rue MAR. . . 500 B5
Daigneault, Rue SJR . . . 510 E5
Daigneault, Rue SJU. 350 C-D76
Daigneault, Rue SVD. . 242 D-E7
Dakers, Rue LNG . . . 348 B-C59
Dalaire, Rue SHY. 520 D5
Dalcourt, Rue PIN 244 D24
Dale, Ch. GRA 621 A6
Dalhousie, Rue CAN . . 367 H49
Dalhousie, Rue HUN . . 560 B2 C3
Dali, Rue CAN 367 H49
Dallaire, Rue VTV 602 D8
Dalpé, Rue ACV 540 C2
Dalpé, Rue SAM. 351 A82
Dalpé, Rue VAR 311 Q-R79
Dalpé, Rue VRC 292 O90-91
Daly, Rue CHB. 409 Q64
Damas, Rue CTG 325 V34
Damase-Carreau, Rue SJR . . . . . .
. . . . 511 J7
Damase-Bastien, Rue MAG. . . . . .
. . . . 631 E7
Damien-Benoît, Rue MSH. . . . . . .
. . . . 391 O83
Damon, Rue COA 644 D1
Dancose, Pl. LPR . . . 367 F-G52
Dancourt, Rue CAN . . . 367 H48
Dandurand, Rue CAN . 367 H-J49
Dandurand, Rue GRA. . 623 H8
Dandurand, Rue LNG 349 A62-63
Daniel, Mtée LNG. . . 369 K64-65
Daniel, Rue CTG 305 U35
Daniel, Rue GRA 621 B5
Daniel, Rue LMG 648 C4
Daniel, Rue LNG . . . .
. . . . 329 X-Y62 Z62-63
Daniel, Rue MAG. 631 B5
Daniel, Rue OMV 631 A-B6
Daniel, Rue RIG. 580 B2
Daniel, Rue SAM 383 A83 B82-83
Daniel, Rue SBM 370 H71
Daniel, Rue SGG 616 N1-2
Daniel, Rue SHE. 640 P15
Daniel, Rue SJR . . 510 E2 511 F2
Daniel, Rue SLZ. 203 T19
Daniel, Rue SPH . . . 367 J-K48
Daniel, Rue SVD. . . . 242 C-D7
Daniel, Rue VTV. 601 G3
Daniel (DMV) DMV. . . . .
. . . . 210 K10-11
Daniel, Rue (SNP) DMV. . . . .
. . . . 618 P-Q11
Daniel-Johnson, Rue GRA . . . . . .
. . . . 224 W23
Danielle, Rue CED 243 B15
Danis, Rue PDC. 264 H21
Danis, Rue SAM. 351 A82
Danis, Rue SVD. 242 B6-7

Danoué, Rue SRT. 530 B-C5
Dansereau, Boul. VTV. 520 D7-8
Dansereau, Rue CON . 550 C2-3
Dansereau, Rue VTV . . 292 P91
Danube, Rue CAN . . . 367 H-J49
Danube, Rue du MSH 391 O81-82
Dany, Rue MAG 631 A5
Danys, Rue SHE 640 Q-R16
Daoust, Ch. VDR 204 R22
Daoust, Pl. PIN 244 D23
Daoust, Rue CED . . . 243 D-E15
Daoust, Rue HUD . . 184 O-P24
Daoust, Rue NDP . . . 284 L-M28
Daoust, Rue SJU. . . . 350 C-D75
Daoust, Rue SLZ. 204 R21
Daoust, Rue SVD 242 E5
Daragon, Rue DMV . 610 E9-10
Daragon, Rue SBG. . . 390 L72-73
Darche, Rue SHE 640 P17
Darcy, Ch. BRO 628 B1
Darcy-McGee, Rue SHE 638 R15-16
Darnis, Rue CDL 222 X9
Darois, Rue VTV. 603 E10
Darontal, Rue BCV . . . 330 V71
Darvault, Rue de CAN . . . .
. . . . 367 J49-50
Darveau, Rue LNG. . . 349 A62-63
Dasylmar, Rue de SJR . . 510 C6
Datura, Rue SHE 633 E12
Datura, Rue IPR. . . . .
. . . 244 E27 E28 264 F27 F28
Daubigny, Rue CAN . . . 367 H48
Daudelin, Rue SJR. . . . 510 D6
Daudet, Rue CAN. . . . 367 H49
Daudet, Rue CTG 305 S33
Daumier, Rue CAN. . . 367 H49
Daunais, Rue SAM . . . 351 B-C83
Daunais, Rue SHE 638 R8
Dauphin, Pl. du SHE . . 640 P15
Dauphin, Rue CHB. . . 409 Q63
Dauphin, Rue DMV. . . 613 F6
Dauphiné, Av. du CAN 367 H-J48
Dauphiné, Rue du SHE. 633 G14
Dauphiné, Rue du SJR . 384 B58
Dauplaise, Rue SRT. . 530 C6-7
Daveluy, Rue VTV. . . . 604 F7
Daviau, Rue CED . . . 243 B-C15
Daviault, Rue SAM . . 351 A-B83
David, Rue CHB 409 S66
David, Rue DMV 617 N8
David, Rue GRA 623 G7
David, Rue LMG 648 D4
David, Rue SAM 351 A-B82
David, Rue SCT. . . . 346 D43-44
David, Rue (LNG) LNG . 349 A62
David, Rue (SHU) LNG . 368 G60
David-Bouchard N. , Boul. GRA . .
. . . . 620 D2-4 621 D5-8
David-Bouchard S. , Boul. GRA . . .
. . . . . . 620 E1 622 F1 J-K1
David-Bruneau, Rue SHE . . . .
. . . . 633 D12
David-Page, Rue SJR . 510 E-F5
David-Swan, Rue EAN . 645 C3
Davidson, Rlle SHE . . . 636 M16
Davidson, Rue HUD. . 204 R-S24
Davidson, Rue LNG 369 G62 G64
Davignon, Boul. COW . . . .
. . . . 626 D8 627 D9
Davignon, Rue GRA. . . 621 E5
Davignon, Rue MAR . . 500 A-B1
Davignon, Rue SJR 511 H4
Davignon, Rue SMS . . 390 P72
Davion, Rue LNG 349 A62
Davis, Boul. LNG . . . .
. . 349 D62 E62 369 F62-63
Davis, Rue COA 644 A1-2
Davis, Rue SBM 370 F70
De.Maisonneuve, Rue SJU . . . . . .
. . . . 350 C75-76
De Balboa, Rue BCV . . 330 W71
De Bavière, Rue SJR . . . .
. . . . 510 E2 511 F2
De Beaujeu, Av. SHY . . 522 H-J3
De Beaujeu, Rue CDL . 222 X-Y9
De Beaujour, Rue SJR . . 511 J-K7
De Bienville, Rue BCV . . . .
. . . . 330 V71-72
De Bienville, Rue SJU . 370 F74
De Boucherville, Boul. SBM . . . . .
. . . . 370 G-K70
De Bougainville, Rue BCV. . . . . . .
. . . . 330 V-W71
De Callière, Rue VDR . 224 Y24
De Callière, Rue BCV. 310 T74
De Châteauguay, Rue BCV . . . . . .
. . . . 330 V-W71
De Couloomb, Rue SJR 512 N5-6
De Courcelle, Rue BCV. 310 T74
De Duquesne, Rue BCV. 310 T74
De Gaulle, Cr. de LNG . 349 B61
De Gaulle, Rue LNG . . . .
. . . . . 348 B60 349 B61-62
De Grandpré, Rue BCV. 310 U71
De Granville, Rue CDL. 222 Y10
De Grosbois, Rue BCV . 310 U71
De Gruchy, Rue LPR . 367 F52
De Guise, Av. PLS 607 D2
De Guise, Rue LPR . 367 G50-51
De Jumonville, Rue BCV 330 W70

De Jumonville, Rue VRC 292 O90
De La Barre, Rue BCV . 330 V69
De La Bruère, Av. SHY . . . .
. . . . 520 F2 522 F5
De La Bruère, Rue BCV. 310 U71
De La Jemmerais, Rue BCV . . . . . .
. . . . 330 W69-70
De La Mennais, Av. LPR 368 G53
De La Pérouse, Rue BCV. . . . .
. . . . 330 W72
De La Richardière, Rue BCV . . . . .
. . . . 330 W72
De La Salle, Rue SJU . 350 E75
De La Salle, Rue SLZ . . 203 R16
De La Vérendrye, Rue BCV . . . . . .
. . . . 330 W71
De Laliberté, Rue SCW. . . . .
. . . . 610 E11 614 F11
De Lamanais, Rue COW. 626 D8
De Lanaudière, Rue SHY. 522 H3
De Lanaudière, Rue SJU 350 D75
De Lauzon, Rue BCV . . 330 V71
De Lauzon, Rue LNG . . . .
. . . . . . 329 W68 330 W69
De Lauzon, Rue SJR . 511 G3
De Léry, Rue BCV 310 T73
De Léry, Rue CDL. 222 X9
De Léry, Rue SJR. 511 K2 512 L2
De Lévis, Rue BCV . . . 310 T74
De Lévis, Rue SJU . . . 350 D76
De Longueuil, Rue CDL. . 222 X9
De Lorimier, Rue LNG . . . .
. . . 329 X61 Y61 349 A61
De Lotbinière, Rue SJR . 511 G3
De Magellan, Rue BCV. 330 W72
De Marsan, Rue CDL . . . 222 Y9
De Maupassant, Rue SJR. . . . .
. . . . 510 E3 511 F3
De Mésy, Rue BCV . . . 310 T-U73
De Meulles, Av. SHY . . 522 H2-3
De Montarville, Boul. BCV. . . . . . .
. . . 330 V-W71 X70-71 Y-Z70
De Montarville, Rue SJR. 510 C2
De Montcalm, Rue SJU . 350 D76
De Montmagny, Rue BCV 310 T73
De Monts, Rue BCV . . . 310 T73
De Muy, Rue BCV . . . 310 T-U72
De Niverville, Rue BCV 310 T-U72
De Park, Rlle LNG . . . 348 D60
De Prouville, Rue SRT. . 530 B4
De Ramezay, Rue SRT . . . .
. . . . 530 A5 B6 C5-6
De Roberval, Rue BCV . 330 V-W71
De Rouville, Cr. SHE. . 635 M13
De Rouville, Rue SHE. . . . .
. . . . 635 M13-14
De Saveuse, Rue CDL . 222 X-Y9
De Sérigny, Rue BCV. 330 V-W71
De Soulanges, Rue CDL. 222 X9
De St-Pierre, Rue BCV 310 T-U72
De Tilly, Rue BCV . . . 310 T-U72
De Varennes N. , Rue BCV . . . . . .
. . . . 310 T-U72
De Varennes S. , Rue BCV. . . . . . .
. . . . 310 U72
De Vaudreuil, Av. SHY. . . . .
. . . . 520 E6 522 F6
De Vaudreuil, Rue BCV . . . .
. . . 329 V68 W68 330 W69
De Verrazano, Rue BCV . . . .
. . . . 330 V71-72
De Villiers, Rue VRC . . 292 O90
De Vinci, Rue CAN . . . 367 H48
Deblois, Rue DMV. . . 619 L-M13
Deblois, Rue SJU. 350 E75
Debonair, Rue du SHE 636 J-K17
Debré, Rue SJU 350 E75
Debussy, Rue CAN . 367 H48-50
Debussy, Rue CTG. . . 325 W35
Debussy, Rue DMV. . . 613 K7
Debussy, Rue GRA. . . 620 D4
Debussy, Rue LPR . . . 367 F51
Décairie, Rue DO . . . 210 D-E8
Décarie, Rue SJU. . . 350 B-C75
Decelles, Rue FAR . . . 624 C2
Decelles, Rue GRA . 622 F3 G3-4
Decelles, Rue SHE. . . 638 P10
Decelles, Rue SHY . . . 520 E3-4
Decelles, Rue SJR . . . 512 L2-3
Decelles, Rue SJS. . . . 530 A-B4
Decelles, Terr. LNG. . . 349 A62
Découverte, Rue de la SJR . . . . . .
. . . . 203 U19
Découvreurs, Pl. des BCV . . . .
. . . . 330 W72
Découvreurs, Rue des BCV . . . . . .
. . . . 330 W72-73
Deer Run, Cr. SLZ. . . . 183 P19
Defoy, Rue VTV 605 F10
Défricheur, Rue du SLZ. 203 U19
DeGaulle, Boul. CTG 325 X35-36
DeGaulle, Rue SJS. . . . 530 A-B4
DeGaulle, N. , Rue SPH. . . . .
. . . . 367 J48-49

DeGaulle S. , Rue SPH 367 J-K48
Degré, Rue MAG. . 630 C4 631 C5
Deguire, Boul. CTG . . 305 S-T34
Deguise, Rue SRT . . . 530 A5-6
Delacroix, Rue CAN . . . 367 H49
Delage, Rue LNG. . . . 329 W66
Delage, Rue SCT . . . 346 D-E43
Delagrave, Rue SJR . . . 512 L4
Deland, Rue ACV 540 E2
Deland, Rue SJR. . . . 511 J2 J-K1
Delaney, Rue GRA 623 F6
Delaware, Rue DEL . 347 E45-46
Delaware, Rue de la SHE 640 N-P18
Deli, Rue CAN. 367 H49
Delibes, Rue SJU 350 E75
Delinelle, Rue SJR 510 C5
Delisle Rd KAH 306 S-T38
Delisle St KAH 306 T-U41
Délisle, Rue CTG . . . 325 V-W35
Dell Rd KAH 306 U38
Delorimier, Rue SVD. . . 241 C4
Delorme, Pl. SHE 639 N12
Delorme, Pl. SRT. 530 C6
Delorme, Rue GRA . . . 622 H3
Delorme, Rue SCT . . . 346 D43
Delorme, Rue VDR. . . 224 W24
Delorme, Rue des SHE . . . .
. . . . . 639 N12-13 P11-12
Delorme, Rue VDR . . 224 W24
Delson, Av. de DEL. . . . .
. . . . 347 E46 367 F46
Delson, Rue LNG 348 D60
Delta, Rue SHE 641 S22
Delvista, Rue DEL . 367 F46-47
Demers, Av. SHY 522 F-G5
Demers, Rue ACV 540 C2
Demers, Rue ASB. . . . 647 D5
Demers, Rue BEL . . 391 M78-79
Demers, Rue CAR . 389 P66-67
Demers, Rue DEL 367 F45
Demers, Rue DMV. . . 614 H-J9
Demers, Rue GRA. . . 622 F2-3
Demers, Rue SCW . . 611 B-C13
Demers, Rue SHE . . . 637 L19
Demers, Rue SJR . . . 511 H3-4
Demers, Rue SMM . . 522 H-J1
Demers, Rue SVD . . . 242 E6
Demers, Rue VTV . . . 602 E6
Demers E. , Rue PRN . 606 B2-3
Demers, Rue PRN . . . 606 B2
Dempster, Rue FAR . . 624 B2
Denault, Rue ASB . . . 646 D4
Denault, Rue BEL . . . 391 M81
Denault, Rue CHB . . . 409 Q64
Denault, Rue SHE . . . .
. . . . . 639 P14 640 P15
Denault, Rue SVD . . . 242 E10
Denault, Rue LNG . . . 349 A-B62
Denault, Rue SPH . . . 367 K49
Deneault, Rue VTV . . 605 F10
Denery, Rue DMV. . . 610 E10
Denicourt, Rue SJR . . 512 M7
Denis, Cr. BHN. 284 P22
Denis, Rue MAG . . . 630 B2
Denis, Rue SJR 512 P6
Denis, Rue SLZ 203 S19
Denis, Rue SMM. . . 522 H-J1
Denis, Rue SRT. . . . 530 A5
Denis-Doody, Rue SJR. 510 D-E6
Denis-Juneau, Rue GRA. 623 G5
Denis-Major, Rue SVD. 242 D10
Denis-Papin, Rue MSH. . . . .
. . . . 391 N-O83
Denis-Véronneau, Rue BCV. . . . . .
. . . . 330 V69
Denise, Rue BHN . . . 304 Q25
Denise, Rue RIG. . . . 580 B3
Denise, Rue SAM . . . 351 A83
Denise, Rue SJS. . . . 263 F13
Denise-Lemaistre, Rue LPR . . . . . .
. . . . 367 H51
Denise-Pelletier, Pl. SJU 350 C74
Denise-Pelletier, Rue SJU . . . .
. . . . 350 C74
Denison E. , Rue GRA . 623 G6-7
Denison O. , Rue GRA . . . .
. . . . . 622 G4 H-J3 K2 623 G5
Denonville, Av. SHY . . 522 J3
Denonville, Rue LNG . 349 A63
Denonville, Rue SHE . . 635 M13
Dent, Rue COA 626 F14
Dentillière, Re de la DMV 610 E9
Denys, Rue CHB . . . .
. . . . . 389 P64 409 Q64
Dépelteau, Rue SJR . . . 511 F2
Dépôt, Rue du SHE . . . .
. . . . . 636 M17 640 N17
Déragon, Rue MAG . . 631 D5
Déragon, Rue GRA . . . .
. . . . . 621 E5 623 F5
Derby, Rue SLZ 183 O20
Derby Hill, Cr. SLZ. . 183 O-P20
Derome, Cr. SVD . . . 222 Z8
Derome, Rue SHY. . . 520 D-E4
Déry, Rue SCH 605 K9
Déry, Rue SJR. 511 K2
Des Groseillers, Rue BEL. . . . .
. . . . 391 M80

Des Groseillers, Rue SRT 530 C1-2
Des Groseillers, Rue BCV 330 V-W72
Des Ormeaux, Boul. LNG 329 C64-65 A63-64
Des Ormeaux, Terr. LNG 349 A65
Des Rosiers, Rue MAR . . 500 B4
DeSalaberry, Av. CHB 389 P63 409 Q64-65
Desaulniers, Av. SHY 520 E4 522 F4 F4-5
Desaulniers, Boul. LNG 328 X63 329 W-X61 X61
Desaulniers, Boul. SLB. 328 Y59-60
Desaulniers, Rue SHE 636 L16-17
Desaulniers, Rue SJR . . . 511 H4
Desautels, Rue ACV 540 C63
Desautels, Rue LNG . . . 349 C63
Desautels, Rue MSH . . 391 N-081
Desautels, Rue SCA. 347 A45-46
Desautels, Rue SHY . . 522 F-G7
Desautels, Rue SJR . . . 512 P5-6
Desbiens, Rue SHE. . . . 637 L19
Descartes, Rue BCV. 330 Z70-71
Descartes, Rue CTG . 326 V-W37
Descartes, Rue SHE. 635 L13-14
Deschaillons, Rue SHE 640 N18 641 N19
Deschambault, Rue SJR . 511 F2
Deschamps, Rue BEL. . 391 M82
Deschamps, Rue FAR . 624 C-D4
Deschamps, Rue LNG. . 349 A63
Deschamps, Rue SVD. . 242 B10
Descoteaux, Rue SHE639 P12-13
Descoteaux, Rue VTV. . 602 D6
Deserres, Rue SRT . . . 530 B-C7
Desgagné, Rue SHE . 636 L15
Desgranges, Av. SHY . 522 G5
DesGroseilliers, Rue CTG 305 T35
Deshaies, Rue ASB. . 646 C-D4
Desharnais, Boul. WIN . 632 B3
Désilets, Rue DMV. . 613 H7
Désilets, Rue SHE 637 L20-21 M21
Désilets, Rue VTV . . . 602 D8
Désiré, Rue SJS . . . 530 A-B4
Désiré, Rue VTV . 602 E8 604 F8
Desjardins, Av. LNG . . 349 D63
Desjardins, Av. SHY. . . 520 D-E3
Desjardins, Av. SJR. . . 511 K7-8
Desjardins, Ch. SHE 633 E14 F14
Desjardins, Rue BEL 391 M81-82
Desjardins, Rue CAN 367 H48-49
Desjardins, Rue DMV . 613 K8
Desjardins, Rue FAR. . 624 C2
Desjardins, Rue LNG . 349 A63
Desjardins, Rue LPR. . 367 F51
Desjardins, Rue MAG . 630 C2-3
Desjardins, Rue SAM . 351 B82
Desjardins, Rue SRT. . 530 B3
Desjardins, Rue VTV . 602 D-E8
Desjardins N. , Rue GRA. 620 A4 B4 B-C4 C-D4 D-E4
Desjardins S. , Rue GRA. 620 E4 622 F3
Desjean, Rue SVD. . 242 C-D7
Deslandes, Av. SHY. . . 520 C-D2
Deslandes, Rue ACV . 540 B2-3
Deslandes, Rue ASB . . 646 D4
Deslandes, Rue GRA . . 621 A5
Deslandes, Rue SJR . 510 E2
Deslandes 0. , Rue GRA. 620 B4
Deslauriers, Av. NAP . . 570 C1-2
Deslauriers, Ch. GRA . 621 B-C7
Deslauriers, Rue BEL 391 M-N82
Deslauriers, Rue CON . . 550 B3
Deslauriers, Rue LPR 367 F51-52
Deslières, Rue SBM . . 369 F-G68
Deslippe, Rue SJR . . . 510 B5
Desmarais, Rue BEL . 391 L-M79
Desmarais, Rue CTG . 325 X35
Desmarais, Rue SHY . 520 C2
Desmarais, Rue SJR . . 511 J3-4
Desmarais, Rue VTV 311 R79-80
Desmarais, Rue VRC . 292 O90
Desmarchais, Av. VDR 244 A21-22
Desmarchais, Rue LNG 329 Y64 Z63-64
Desmarteau, Rue BCV 310 U70-71
Desnoyers, Av. SHY . 520 D6
Desnoyers, Rue FAR. . 624 B2
Desnoyers, Rue MSH391 N82-83
Desnoyers, Rue SHE. . 639 P13
DesOrmeaux, Av. CHB 389 P63 409 Q65
Désourdy, Boul. COW . 627 C-D9
Désouridy, Rue SJR . . 511 G4
Desparois, Rue CTG . . 305 T35
Despins, Rue SCW . . . 611 B13
Despocas, Rue SVD . . 242 E6
Després, Av. SHY . . 522 F4-5
Després, Pl. SHE . . . 637 K19

Després, Rue LNG . . . 329 Y61-62
Després, Rue SHE 636 K18 637 K19
Desquarante-Deux, Rue SJU . . . 351 D-E78
Desranleau, Rue OMV . 631 A8
Desranleau E. , Rue SHY. 522 F7
Desranleau 0. , Rue SHY 522 F-G7
Desrocher, Rue SRT . . . 530 E2
Desrochers, Av. SHY. . 522 F6
Desrochers, Rue CAN 367 H48-49
Desrochers, Rue DEL . 347 E48
Desrochers, Rue DMV 614 H-J10
Desrochers, Rue GRA . 623 G-H7
Desrochers, Rue MSH391 N-081
Desrochers, Rue SHE . 635 L14
Desrochers, Rue SJR . . 511 H4
Desrochers, Rue SJU. 350 A-B76
Desrochers, Rue SVD . 242 A-B8
Desrochers, Rue VTV . 603 F10
Desrochers E. , Rue CTG305 S35
Desrochers 0. , Rue CTG 305 R-S35
Desrosiers, Av. SHY. . . 522 G5
Desrosiers, Rue DMV . 608 E4
Desrosiers, Rue SRT . . 530 D4
Desruisseaux, Rue EAN . 645 C2
Dessaules, Terr. LNG . . 349 A62
Dessaules, Rue SHY 520 E6 522 F4-5
Desserte, Ch. de BCV. 350 A74 B73
Desserte N. , Ch. de SVD. 242 E7
Desserte S. , Ch. de SVD. 242 E7
Desserte de la 132, Voie de SCT 347 C46
Dessureault, Rue WIN . 632 D2
DeThavenet, Rue CHB 409 R64-65
DeTracy I, Rue CHB 389 P64-65
DeTracy II, Rue CHB 389 P64-65
Détroit, Rue du VSL. . 224 W25
Deux-Comtés, Rue des CED . . . 203 U17
Deux-Montagnes, Rue de BRO . . 629 E7
Deux-Rivières, Rue des CAR . . . 389 O-P68 390 O69
Devernoy, Rue CAN . . 367 H49
Devey, Rue LNG . . 348 C58-59
Dévidois, Rue du VAR. . 311 S77
Devlin, Rue LNG . . . 348 B60
Dextradeur, Rue SJR . . 510 E4
Deyglun, Rue CAN . . 367 H49
Dezainde, Rue MAG . . 630 D-E1
Déziel, Rue SHE . . . 636 M17
Diable, Ch. du DMV . 609 C5 D6
Diabo Rd KAH. . . 306 T39-40
Diamant, Rue du BRO . 628 D1-2
Diamant, Rue du GRA . 621 D6
Diamants, Rue des SHE 637 L-M22
Diamond, Pl. MSH . . 391 P80
Diana, Rue SAM . . . 351 B-C82
Diane, Rue du SHE 611 M-16 M17
Diane, Rue (LNG) LNG. . 329 Y63
Diane, Rue (SHU) LNG . 349 B61
Dicaire, Av. du SHY 244 A-B22
Dicaire, Rue SJR . . . 511 K1
Dicaire, Rue TVD . 244 C25-26
Didace, Rue LNG . . . 349 A62
Didace, Rue MAG . . 631 C-D6
Diderot, Rue SJR . . . 511 F3
Dieppe, Av. de SHY 522 G2-3 H2 H-J3
Dieppe, Boul. de COW. 626 C-D8
Dieppe, Rue BEL . . . 391 N78
Dieppe, Rue LNG. 329 Z62 349 A62
Dieppe, Rue de BCV . . 330 Y70
Dieppe, Rue de GRA. . 621 E6
Dieppe, Rue de SBM . 370 H70
Dieppe, Rue de SHE . 640 N-P15
Dieppe, Rue de SJR . . 511 J-K4
Dieppe, Rue de SJU . 350 C-D75
Digne, Rue SHE . . . 642 S-T4
Dijon, Av. de CAN. . . 367 H48
Dijon, Rue de BCV . . 330 Y70
Dijon, Rue de SJR . . 511 K2-3
Dinard, Rue de CAN 367 H-J49
Dion, Pl. SHE . . . 639 P12
Dion, Rue de CAN 367 H49
Dion, Rue COW . . . 626 C7
Dion, Rue LNG 349 C61-62 D61-62
Dion, Rue SVD. . . 242 B6
Dionne, Rue COA . . 644 B2-3
Dionne, Rue DMV. . 614 J9
Dionne, Rue MAG . . 349 A62
Dionne, Rue PLS. . . 607 C-D3
Dionne, Rue VTV. . . 605 F10
Dior, Rue SHE . . . 636 K17
Diotte, Imp. PIN . . 244 C-D23
Disraëli, Rue SJU . . 350 E75

Divina-Sauvé, Rue BHN 304 Q26
Dixon, Rue HUN . . . 560 C3
Doak, Rue COA . . . 644 A-B2
Docquier, Rue SJR . . 511 F5
Docteur-Allard, Rue SHE 633 D12
Docteur-Beaudin, Rue du NAP. . 570 B2-3
Docteur-Boisvert, Rue du SBG. . 370 K73 390 L73
Docteur-Chevalier, Av. du SJR . . 512 L6
Docteur-Gadbois, Rue SHE 642 G4 623 G5
Docteur-Hébert, Rue MAR 500 B3
Docteur-Jodoin, Rue du SJU . . . 350 E74-75
Docteur-John-A.-Bryant, Rue du MAG 631 B5
Docteur-Poulin, Rue MAR 500 B4
Docteur-Primeau, Rue MAR 500 B4-5
Docteur-Thauvette, Rue du VDR. . 224 Y25
Dolbeau, Rue CHB . . 389 P64
Dolbeau, Rue LNG . 329 W-X64
Dolbeau, Rue SBM . . 370 G71
Dolbeau, Rue SHE . . 637 M19
Dollard, Rue BCV . . 330 V69
Dollard, Rue CDL . . 222 X7
Dollard, Rue CTG . . 305 U34
Dollard, Rue DMV . . 614 J9
Dollard, Rue LMG . . 648 B3
Dollard, Rue LNG. 329 W-Y61 Z62 349 A62
Dollard, Rue SAM. . 351 B82
Dollard, Rue SHE . . 636 L18
Dollard, Rue SJR . . 512 L4
Dollard, Rue VDR . 224 W24-25
Dollard E. , Rue FAR . . 624 D2
Dollard 0. , Rue FAR . 624 C-D1
Dollard-Des Ormeaux, Rue MSH 391 P79-80
Dollier, Rue SHE . . 639 P11-12
Dollier, Rue SJR . . 512 M5
Domain, Rue du COW. 625 E4 626 E5
Domaine, Av. du SHY. . 522 H-J2
Domaine, Boul. du NDP 265 H29-30
Domaine, Ch. du SHE. 637 K-L21
Domaine, Pl. du SBM . . 370 J70
Domaine, Rue du BEL. 391 M80-81
Domaine, Rue du CAR . 388 M60
Domaine, Rue du DMV. 619 M-N14
Domaine, Rue du SHE. 348 C60 349 C61
Domaine, Rue du MAG . 631 E7
Domaine, Rue du OMV . 631 A8
Domaine, Rue du SBM 370 J70-71
Domaine, Rue du SLZ 183 P16-17
Domaine, Rue du VAR 311 R-S77
Domaine, Rue du VDR. . 224 Y24
Domaine-des-Saules, Rue du SRT. 530 E3-4
Domaine-Fontaine, Rue du FAR. . 624 D3-4
Domérat, Rue de CAN. . 367 J49
Dômes, Av. des MAG . . 630 C1
Dominic, Rue MAG. . . 630 E1
Dominicaines, Rue des SVD . . . 242 D5
Dominion, Rue LNG . 349 D61
Dominion, Rue du SHE. 636 M15
Dominique, Rue BRO . 628 D2
Dominique, Rue NAP. . 570 B2
Dominique, Rue SAM. 351 B-C83
Dominique, Rue SCL . 202 Q10
Dominique, Rue SJU . 350 E75
Dominique, Terr. SAM . 351 B83
Dominique-Ducharme, Rue BCV. . 330 X71-72
Domino, Rue VTV . . 610 E10
Dompierre, Rue CAN . 367 H48
Domrémy, Rue de SHE. 639 N12
Domville, Rue LNG. 348 D-E60 349 E61-62
Don-Bosco N. , Rue SHE. 635 M12 639 N12
Don-Bosco S. , Rue SHE 639 N12
Don-Quichotte, Boul. IPR. 244 D-E26
Don-Quichotte, Boul. NDP. 264 G-K27 284 L28 285 L-M29
Donald, Rue SJR . . . 510 E2
Donald, Rue CTG. . . 305 U35
Donald, Rue SVD . . 242 B6
Donalda, Rue VTV . . 601 G2
Donat, Rue MAG . . 631 D6-7
Donat, Rue SVD . . . 242 B6
Donat, Rue VTV. . . 601 E-F3
Donat, Rue (LNG) LNG. 329 Z66
Donat, Rue (SHU) LNG 349 G61-62
Donat-Geoffroy, Rue SHE637 L21
Doody, Rue CHB 389 P65 409 Q65 Q66

Dooley, Rue VDR . . . 184 O22
Doonan, Rue BRO . . 629 E5
Dorais, Rue BHN . . . 304 Q23
Dorais, Rue CTG . . . 305 U33
Dorais, Rue MER . . . 325 V33
Dorais, Rue SVD. . . 242 A-B5
Dorais, Rue VTV . . . 603 E10
Dorchester, Rue GRA . 629 E7
Dorchester, Rue GRA 622 G4 623 G5
Doré, Av. LNG . . . 349 C64
Doré, Rue BEL . . . 391 M81
Doré, Rue SAM . . . 351 A82
Doria, Rue DMV . . . 609 D6
Dorilla, Rue VTV . . . 602 D6
Dorion, Av. SHY . . 522 H-J3
Dorion, Pl. SRT . . . 530 C6
Dorion, Rue COW . . 626 E8
Dorion, Rue DMV . . 610 E10
Dorion, Rue GRA . . . 620 D4
Dorion, Rue LNG . . . 329 X61
Dorion, Rue SCT . . . 346 D43
Dorion, Rue (Rock Forest) SHE . . 638 B10
Dorion, Rue de BRO . 629 C5-6
Doris, Rue DMV. . . 608 D4
Doris, Rue LNG . . . 348 B59
Doris, Rue VTV . . . 601 H2
Doris-Lussier, Rue NDP 264 F28 F-G27
Dormier, Rue SHE. . 636 K16
Dorothy, Rue LNG . . 348 B59
Dorval, Rue de SHE . 640 P16
Dosquet, Rue LNG . . 349 A62
Dostie, Rue DMV. . . 610 E9-10
Dostie, Rue LMG . . 648 A1
Double, Rang NAP . . 570 E3
Doucet, Av. PLS. . . 607 C3
Doucet, Rue CTG . . 306 U37
Doucet, Rue SBG . . 370 K72
Doucet, Rue SVD . . 242 A-B8
Doucet, Rue VAR. . 311 R78-79
Doucet, Rue VTV . . 603 E10
Doug-Harvey, Rue VDR. 224 Y22
Dougan, Imp. PIN. . . 244 E22-23
Douglas, Rue CTG . . 325 V34
Douglas, Rue SJR. . . 511 G-H3
Douglas-Anderson, Rue CTG. . . 325 V36
Douglass, Mtée NAP . . 570 B1-2
Doutre, Rue SVD . . 242 C6
Douvaine, Rue de CAN. 367 J49-50
Douville, Pl. SRT. . . 530 C-D3
Douville, Rue GRA. . 622 F3
Douville, Terr. LNG. . 349 A62
Douvrin, Rue de CAN 367 H-J49
Dover, Rue LNG . . . 329 Z63
Downs, Cr. SHE. . . 641 S19
Downs, Rue SHE . . 641 S19
Downs, Rue VDR . . 244 A22
Doye, Rue DMV . . . 618 P10
Doyle, Rue MSH . . . 411 Q78
Doyle, Rue SMS. . . 409 Q68
Doyon, Rue ASB . . . 646 C2
Doyon, Rue CTG . . 325 W36
Doyon, Rue LNG. . . 389 L64
Doyon, Rue SHE. . . 637 K21
Doyon, Rue VTV . . 602 E6
Dozois, Av. LNG 349 E61 369 F61
Dozois, Rue CAN . . 367 H49
Dozois, Rue GRA . 621 E6 623 F6
Dr-Marston-Adams, Rue MAG. . . 631 E5
Drapeau, Rue LNG . . 349 A63
Drapeau, Rue SHE . 635 L-M12
Drapeau, Rue du DMV. 613 G-H8
Draper, Rue COW . . 626 E8
Drolet, Rue CTG. . . 325 V35
Drolet, Rue DMV . . 609 B8
Drouin, Av. SHY . . 520 C-D4
Drouin, Rue CTG. 325 V36 326 V37
Drouin, Rue LMG. . 648 A1
Drouin, Rue MER. 223 V18 V-W19
Drouin, Rue SJU 333 X33
Drouin, Rue VTV . 602 E7 604 F7
Drover, Pl. SLZ. . . 183 P20
Druillettes, Rue SHE. . 640 P15
Drummond, Rue BEL . 391 M80
Drummond, Rue COW . 625 B2
Drummond, Rue du 621 D-E8 E7 623 F6
Drummond, Rue de BRO 629 D7
Drummond, Rue SHE. . 642 U4
Dryden, Rue COW625 C4 626 C5
Du Tremblay, Ch. BCV. . 330 Z69
Dubé, Rue DMV 618 L12 619 L13
Dubé, Rue CTG . . . 325 V34
Dubé, Rue GRA . . . 621 D6
Dubé, Rue LMG. . . 648 D3
Dubé, Rue SHE . . . 637 M20
Dubé, Rue VTV . . . 602 D6

Dubois, Av. PLS. . . . 607 B2
Dubois, Rue ACV . . . 540 C2-3
Dubois, Rue BEL . . . 391 M-N79
Dubois, Rue CTG . . 325 V35-36
Dubois, Rue SCA . . . 347 B47
Dubois, Rue SRE. . . 365 H-J32
Dubois, Rue SVD . . . 242 A7
Dubois, Rue VAR . . 311 Q-R79
Dubois, Rue VTV . . . 604 F5
Dubois, Rue (DMV) DMV . 609 E5
Dubois, Rue (SNP) DMV 615 K13-14
Dubois, Rue de CAN . 367 H49
Dubonnet, Rue SHE . 637 M20
Dubord, Rue VTV. . . 602 E7-8
Dubreuil, Rue SHE . . 640 Q16
Dubreuil, Rue WIN . . 632 D2
Dubuc, Pl. MER . . . 325 Y30
Dubuc, Rue BHN 284 P25 304 Q25
Dubuc, Rue CTG . . 306 R-S37
Dubuc, Rue DMV . . 619 L16
Dubuc, Rue LNG . . 329 Y63
Dubuc, Rue SJR . . . 512 Q7
Dubuisson, Rue CHB 389 P64 409 Q64
Duceppe, Rue CAN . . 367 H-J49
Ducharme, Rue BEL . . 391 M79
Ducharme, Rue CHB . 409 Q63
Ducharme, Rue CON . . 550 B3
Ducharme, Rue SHE 637 L19-20
Ducharme, Rue VTV. 602 E8 603 E9
Duchâtel, Rue CAN . . 367 H49
Duchâtel, Rue SCT. . 346 D43
Duchesnay, Av. SHY. . 522 H-J3
Duchesnay, Rue CHB . 409 Q64
Duchesnay, Rue MSH 411 Q-R78
Duchesne, Rue DMV . 614 G-H9
Duchesneau, Pl. GRA. . 622 H4
Duchesneau, Rue DMV 613 F-G5
Duchesneau, Rue GRA . 622 H4
Duchesneau, Rue SHE . 637 M19
Duchesneau, Terr. LNG . 349 A62
Duchesse, Rue de la SBM 370 H69
Duchien, Rue CAN . . 367 H49
Duclair, Rue de CAN 367 J49-50
Duclos, Av. SHY . . . 522 F5-6
Duclos, Rue LNG . . . 349 A63
Duclos, Rue OTT . . 391 O77
Duclos, Rue SHE . . 635 M11
Duclos-Decelles, Rue BCV 310 T-U72
Ducs, Rue des GRA . . 615 F6
Dufault, Av. SHY. . . 522 J3
Dufault, Rue MAG . . 631 D5
Duff, Rue SGG . . . 616 N2
Dufferin, Rue CTG . . 305 T33
Dufferin, Rue de 621 A6 B5-6 D-E5 623 F5
Dufferin, Rue de CAN. 621 A6 B5-6 D-E5 623 F5
Duffin, Rue CTG . . 305 T33
Duffy, Av. VDR . . . 244 A23
Dufilly, Rue VRC . 292 O-P89
Dufort, Rue DMV. . . 609 E5
Dufort, Rue LPR . . . 367 F-G51
Dufour, Rue SMS . . 409 S67
Dufresne, Av. EAN . . 645 B2
Dufresne, Cr. CTG . . 305 S35
Dufresne, Rue LNG . . 349 A-B62
Dufresne, Rue SBG . . 370 K73
Dufresne, Rue SJR . . 511 F3-4
Dufresne, Rue VTV. . . 604 F6
Dufresne, Rue WIN. . 632 E3
Dufrost, Rue SBM . . 370 G71
Dufrost, Rue VAR. . . 311 R80
Dugal, Rue MAR . . 500 B4-5
Dugas, Rue LNG . . . 349 A63
Dugré, Rue PLS. . . 607 C1
Dugas, Rue SJR . . . 512 N7
Duguay, Rue SGG . . 616 N3
Duhaime, Ch. PIN. 244 B-C24 D22-23 E22
Duhamel, Rue CON. . 550 C2-3
Duhamel, Rue LNG. . 349 A62
Duhamel, Rue SLZ. 223 V18 V-W19
Duhamel, Rue SRT. . . 530 C5
Duke, Rue LNG . . . 348 A60
Dulude, Rue BEL . . . 391 M79
Dulude, Rue DEL . . . 347 E46
Dulude, Rue SBM . . 370 G69
Dulude, Rue BCV . . 330 W72
Duluth, Rue LNG . . . 349 A62
Duluth, Rue SHE . . . 639 P12
Dulwich, Av. SLB . . 328 X-Y60
Dumaine, Rue CHB . 409 R-S66
Dumaine, Rue DMV 613 K8 614 K9
Dumaine, Rue SMS. 390 P69 410 O69
Dumais, Rue SCT. . . 346 E43
Dumais, Rang VTV. . 605 S18
Dumas, Pl. BHN . . . 284 P25
Dumas, Rang VTV. . 605 S18
Dumas, Rue BEL . . 391 M78
Dumas, Rue CAN . . 367 H49
Dumas, Rue PIN. . . 244 D25
Dumas, Rue SAM. . 351 A83
Dumas, Rue SRT. . . 530 A7
Dumas, Rue VTV. . . 602 D6

Dumberry, Ch. VDR. 224 X25 Y26
Dumesnil, Av. SHY. 520 E4 522 F4
Dumont, Rue BEL . . 391 N79
Dumont, Rue COA . . 644 B3
Dumont, Rue EAN . . 645 C1
Dumont, Rue LNG . . 349 A62
Dumont, Rue SJR . . 512 N1
Dumont, Rue VDR . 244 B23-24
Dumont, Rue VTV . . 604 F6
Dumouchel, Rue BEL . 391 M81
Dumouchel, Rue CAN . 367 H49
Dumouchel, Rue CTG . 305 T34
Dumouchel, Rue SJR. . 511 J1-2
Dumouchel, Rue SVD . 242 E7
Dumouchel, Rue VTV. . 605 J11
Dunant, Ch. SHE . . 639 S13
Dunant, Pl. SBM 369 H68 370 H69
Dunant, Rue BHN . . 284 P22-23
Dunant, Rue SBM 369 H68 370 H69
Dunant, Rue SHE. 639 R14 640 Q15
Dunant, Rue VTV. . . 602 E5-6
Duncan, Rue de CAN . 348 C-D60
Dunham, Rue de CAN . 367 J49
Dunkin, Rue ACV . . 540 C3
Dunkin, Rue DMV . . 614 H9
Dunlavey, Rue BRO . 629 E5
Dunn, Av. VTV. . . . 602 D7-8
Dunver, Rue CTG . . 325 W34
Duparc, Rue SCA . . 347 B-C47
Dupas, Rue LNG . . . 349 A-B62
Dupernay, Rue BCV. . 330 W69
Duperron, Rue GRA . 609 A5-6
Duplessis, Ch. SHE . 637 H-L20
Duplessis, Rue DMV. . 613 F7
Duplessis, Rue OMV. . 631 A8
Duplin, Av. EAN . . . 645 B2
Dupont, Pl. CTG . . 305 S36
Dupont, Rue CDL . . 222 V7
Dupont, Rue CON . . 550 C3
Dupont, Rue LNG . . 349 B62
Dupont, Rue MCM. 390 N76 391 N77
Dupont, Rue PIN . . 244 D24
Dupont, Rue PLS. . . 607 D3
Dupont, Rue SJR . . 512 Q7
Dupont E. , Rue CTG. . 306 T37
Dupont 0. , Rue CTG. 305 S36 T36 306 T37
Dupras, Imp. SHY . . 522 G2-3
Dupras, Rue LNG . . 349 E61-62
Dupras, Rue SBG . . 390 L72
Dupré, Rue BEL . . . 391 N78-81
Dupré, Rue SRT. . . 530 B5
Dupré, Rue VRC . . 292 O-P90
Dupuis, Rue ASB . . 647 D5
Dupuis, Rue BHN 284 P23 304 Q23
Dupuis, Rue CDL . . 222 Y9
Dupuis, Rue CTG . . 325 X35
Dupuis, Rue FAR . . 624 C2
Dupuis, Rue GRA. . 621 D5
Dupuis, Rue LNG . . 349 A62-63
Dupuis, Rue NAP. . . 570 B2
Dupuis, Rue PLS. . . 607 D3
Dupuis, Rue SJR . . 510 B5 C6
Dupuis, Rue SPH . . 367 J49
Dupuis, Terr. VDR. . . 222 Z7
Dupuy, Rue SAM. . . 351 A-B82
Duquesne, Av. SHY . 522 J2-3
Duquesne, Rue SBM 350 E69 370 F69
Duquet, Pl. SBG . . 370 K73
Duquette, Rue CTG 305 U36 325 V36
Duquette, Rue MAG . 630 D1
Duquette, Rue SJR . . 512 L7
Duranceau, Rue CAN . 367 J49
Duranceau, Rue CTG . 305 S36
Duranceau, Rue MER. 325 X32
Durand, Rue LMG . . 648 C3
Durbecs, Rue des DMV . 619 N15
Dureault, Rue GRA. . 622 F2
Durepos, Rue BEL . . 391 M80
Durham, Rue SHE. 369 G68 370 G69
Durivage, Rue SHE. . 636 M15
Durivage, Rue SVD. . 222 Z9
Durivage, Terr. SVD. . 222 Z9
Durocher, Av. SLB. . 328 X60
Durocher, Rue LNG. . 349 B62
Durocher, Rue SHY . 520 C2 D2
Durocher, Rue VAR. 311 R79
Durocher, Rue VDR . 224 Y24
Dussault, Av. SHY. . 520 D3
Dussault, Rue MAG . 631 E6
Dussault, Rue SHE . 639 S13
Dusseault, Rue ASB 646 A6-7 B8
Dustin, Rue COW . . 627 B11
Dutchy, Rue SLZ. . . 223 V19
Dutilly, Rue GRA . . 620 D-E2
Dutrisac, Rue VDR. . 224 Y24-25
Duval, Rue SHE . . 638 R8
Duvernay, Rue BEL . 391 N79-80

Duvernay, Rue CHB . . . .
. . . . 409 R-S64 S65
Duvernay, Rue COW. . . . 626 E8
Duvernay, Rue DMV . . 614 K10
Duvernay, Rue GRA . . . .
. . . . . 620 E4 622 F4
Duvernay, Rue LNG . . . .
. . . . . 329 W-X61 Y61
349 D62-63 D-E62
Duvernay, Rue SHB. . . 369 F-G68
Duvernay, Rue SHE . . 635 J-L13
Duvernay, Rue SHY. . . . .
. . . . . 520 E5 522 F4
Duvernay, Rue SJR . . . 512 M5
Duvernay, Rue SJU. . . . 350 C76
Duvernay, Rue SRT 530 C3
Duvernay, Rue VRC . 292 P90-91
Duvernay, Terr. SRT . . . 530 C-D3
Duvivier, Rue LNG 349 A62
Dwyer, Rue HUD 184 N23
Dynastie E. , Rue de la SLZ . . . .
. . . . 204 R21
Dynastie O. , Rue de la SLZ . . . .
. . . . 203 Q-R20

Édouard O. , Rue MAG 631 C-D6
Édouard-Bilodeau, Av. SHY. . . . .
. . . . 520 D8
Édouard-Branly, Rue CTG . . . . .
. . . . 326 W37
Édouard-Charruau, Rue LNG . . . .
. . . . 349 A-B61
Édouard-Clerk, Rue MSH . . . . . .
. . . . 411 Q80
Édouard-Dufour, Rue PLS . . . . . .
. . . . . . 607 D3 E2-3
Édouard-Fabre CHB . . . 409 S64
Édouard-Frappier, Rue BHN . . . .
. . . . 284 P24
Édouard-Lalonde, Rue VDR. . . . .
. . . . 224 X22
Édouard-Rousseau, Rue GRA . . . .
. . . . 224 X23
Édouard-Roy, Rue SHE 642 S-T4
Édouard-VII, Route LPR . . . . . .
. . . . . . 367 J51-52
Édouard-VII, Route SPH . . . . . .
. . . . 367 J50 K48-49
Edward N. , Rue CTG . . . 305 T36
Edward S. , Rue CTG . . . 305 T35
Edward-Laberge, Rue MER . . . . .
. . . . 325 V33
Edward-Rose, Rue SHE. 640 P15
Edwards, Rue EAN. 645 C2
Églantiers, Rue des BCV 330 Z71
Église, Av. de l' SHY. . . . 521 C9
Église, Av. de l' LNG . . . 328 Z60
Église, Boul. de l' TVD . . . .
. . . . . . 244 C25-26
Église, Pl. de l' SJU. . 350 C-D74
Église, Rang de l' MAR 500 C-D5
Église, Rang de l' SJU . . . .
. . . . . . 350 D73-74
Église, Rue de l' BHN 304 Q-R26
Église, Rue de l' CHB . . 409 S66
Église, Rue de l' HUN. . . 560 B3
Église, Rue de l' LNG . . 329 V66
Église, Rue de l' MCM . . . .
. . . . . . 512 M6-7
Église, Rue de l' MER. 325 X-Y30
Église, Rue de l' NDP . . 284 L26
Église, Rue de l' SAM 351 A-C83
Église, Rue de l' SCT . . 346 E44
Église, Rue de l' SJR . . 510 C5
Église, Rue de l' SJS . . 530 A-B4
Église, Rue de l' SJU 350 C74-75
Église, Rue de l' SRT . . 530 B4
Église, Rue de l' SVD . . 242 C6
Église, Rue de l' VDR . . 244 B24
Église, Rue de l' VSL . . 224 W26
Église, Rue de l' WIN . . 632 C2
Église, Rue de l' NAP . . . .
. . . . . 570 A4 B-D3
Église, Rue des VDR. . . 224 Y25
Eiffel, Rue BCV . . . .
. . . . 350 A71 B71-72 C72
Élaine C.-Poirier, Rue SHE. . . . .
. . . . 640 N17
Élan, Rue de l' LNG . . . 329 X66
Élan, Rue de l' SHE . . 638 S10
Élans, Rue des FAR . . . 624 E2
Eleanor, Rue OTT . . . 391 O-P78
Elgin, Rue CTG 325 V34
Elgin, Rue GRA 623 F5
Elgin, Rue SHE 636 L15
Élie, Rue CTG 325 V34
Élie, Rue MAG 631 D6
Élie, Rue VDR . . . .
. . . . 330 X71
Élie-Gendron, Cr. BHN . 284 P22
Élisabeth, Rue DMV . . . 608 E4
Élisabeth, Rue EAN . . . 645 B3
Élisabeth, Rue GRA . . . 623 F5
Élisabeth, Rue LNG . . . 349 B61
Élisabeth, Rue MAG . . . 631 A5
Élisabeth, Rue SHE . . 636 M16
Élisée, Rue SMG 608 B1
Élisée, Rue de l' CAN . . 367 H49
Élisée-Chicoine, Rue SJR 511 K8
Élisée-Choquette, Rue LPR . . . . .
. . . . 613 J-K7 K6
Elizabeth, Rue COW. . . 626 D8
Elizabeth, Rue SJS. . . 530 A4
Elizabeth, Rue SRT . . . 530 A-B5
Ellen, Rue SVD 242 A6 B6
Ellice, Rue BHN 284 P24
Ellice, Rue SVD . . . .
. . . 241 B4 242 B5 C5-6
Elliott, Rue SHE. 640 R18
Elm, Pl. CTG. . . . 306 T37 T-U37
Elm, Rue CTG . . . .
. . . 305 T36 U36 306 T37 U37
Elm, Rue FAR 624 C3
Elm, Rue GRA 623 F5-6
Elm, Rue HUD 184 N23
Elm, Rue HUN 560 C-D3
Elm, Rue LNG 348 A59
Elm, Rue SHE 636 L15
Elm, Rue SLB 328 Y59
Elmer-Lach, Rue VDR . . . .
. . . . . 224 X23 Y22
Elmridge, Rue CTG . . . .
. . . . 305 U36 306 U37
Elmwood, Pl. SBM . . . 370 G69
Elmwood, Rue PIN . . 244 C-D24
Elmwood, Rue SHE . . . 641 S19
Elphège, Rue VTV . . 605 G11-12

Elsie, Rue SVD 242 B6
Elvin, Rue DMV . . . .
. . . . 615 K14 619 L13-14
Elzéar-Pelletier, Rue CHB . . . . .
. . . . 409 S64
Elzéar-Saint-John, Rue MAG. . . . .
. . . . 631 E5
Émard, Pl. VDR 224 Y24
Émard, Rue SCT 346 E44
Émard, Rue SVD 242 D7-8
Emborne, Rue LNG . . . 348 B59
Émeraude, Rue des VAR. 311 R77
Émeraude, Rue de l' BRO . . . . . .
. . . . 201 D1-2
Émeraude, Rue de l' COW625 C2
Émeraude, Rue de l' DMV . . . . . .
. . . . 613 J-K6
Émeraude, Rue GRA 621 D6
Émeraudes, Rue des CED . . . . . .
. . . . . . 243 C-D15
Émeraudes, Rue des IPR244 D26
Émeraudes, Rue des LNG . . . . . .
. . . . 349 A61
Émeraudes, Rue des COW 626 D6
Émeraudes, Rue des SHE . . . . . .
. . . . 637 L22
Émeraudes, Rue des SHY. . . . . .
. . . . 638 N-P7
Émerie, Rue LNG . . . 349 A-B61
Émery-Fontaine, Rue SHE. . . . . .
. . . . 638 S9 643 T8-9 U8
Émery-Lussier, Rue SHE. . . . . . .
. . . . 637 M19-20
Émile, Av. PLS 607 A2
Émile, Pl. VTV. 602 D-E6
Émile, Rue CED 243 A16
Émile, Rue LNG 369 J62
Émile, Rue SAM 351 B84
Émile, Rue SJU 370 F-G74
Émile, Rue VTV 602 E5-6
Émile-Bernard, Rue SRT. 530 B4
Émile-Bouchard, Rue SJR. . . . . .
. . . . 512 M6-7
Émile-Bouvier, Rue SHE . . . . . .
. . . . . . 635 L-M12
Émile-Cambrion, Rue SHE . . . . .
. . . . . . 263 J-K18
Émile-Chaveau, Rue PLS 607 C2
Émile-Grisé, Rue DMV . . . .
. . . . . 613 K6 617 L8
Émile-Nelligan, Rue BCV330 X70
Émile-Nelligan, Rue MSH . . . . . .
. . . . 411 R78
Émile-Nelligan, Rue NDP . . . . . .
. . . . 284 L-M28
Émile-Nelligan, Rue SHE635 K13
Émile-Nelligan, Rue SJU 350 B76
Émile-Nelligan, Rue VSL. . . . . . .
. . . . . . 311 R79-80
Émile-Zola, Rue SHE. . 635 L12
Émilia, Rue DMV 613 J7
Émilia, Rue GRA 601 H2
Émilie-Gamelin, Rue LPR . . . . . .
. . 347 E52 348 E53 367 F52
Émilien-Laforest, Ch. SCW . . . . .
. . . . . . 610 A-B11
Émilien-Letarte, Av. SHY. . . . . . .
. . . . 602 E7-8
Émissaire, Rue de l' DMV . . . . . .
. . . . 609 E5-6
Emma, Rue LNG . . . 329 X61-62
Emma-Lajeunesse, Rue BCV . . . .
. . . . 330 X71
Emmanuel, Rue SHE . 637 K21
Emmanuel-Desrisiers, Rue LPR . . .
. . . . 367 H50
Émond, Rue BHN. . . . 263 J19-20
Émond, Rue VAR . . . 311 Q-R79
Émond, Rue VDR 244 B23
Empire, Rue GRA . . . 623 F-G5
Empire, Rue LNG . . . 348 A59
Enclaves, Rue des SHE 642 S-T6
Engoulevents, Rue des DMV . . . .
. . . . 613 J-K7 K6
Entente, Rue de l' VTV 603 D-E10
Entraide, Rue de l' SCH 605 J-K9
Éole, Rue SJR 510 E7
Épervier, Rue de l' DMV. 615 J13
Épervier, Rue de l' OTT . 390 P76
Épervière, Pl. de l' SJU. . . . .
. . . . 510 C7

Éperviers, Rue des SJU 350 E74
Éperviers, Rue des DMV 619 N15
Éperviers, Rue des GRA . 621 C7
Éperviers, Rue des LNG 329 W65
Éperviers, Rue des MSH 391 P82
Éperviers, Rue des SBG . . . .
. . . . . . 390 M-N71
Éperviers, Rue des SCA . . . .
. . . . . 347 C46-47
Éperviers, Rue des SHE 634 M7
Éperviers, Rue des SJR. 510 E5
Épinal, Rue d' BCV . . 330 Y69-70
Épinettes, Rue de l' CAN. 367 H49
Épinettes, Ch. des SMS . . . .
. . . . . 390 P70 410 Q70
Épinettes, Îlot des DMV. 613 F7
Épinettes, Rue des FAR 624 D2-3
Épinettes, Rue des MER . . . .
. . . . . . 325 Y29-30
Épinettes, Rue des SHY 510 D10

Épinettes, Rue des SJR. 510 E1
Épinettes, Rue des SRT 530 E4-5
Épinettes, Rue des VTV . . . .
. . . 601 F4 604 F5
Equarissage, Rue SLZ . 183 P20
Equestrian, Rue SLZ . 183 O-P20
Érables, Av. des GRA . 621 E5
Érables, Av. des MAG. . 630 D2
Érables, Av. des PLS. . 607 D2
Érables, Boul. des DMV . 613 G7
Érables, Boul. des SJR. 512 L6-7
Érables, Boul. des SRT 530 D1-3
Érables, Ch. des RIG. . 580 D3-4
Érables, Pl. des SJU. . . 370 F74
Érables, Pl. des VSL. . 224 W25
Érables, Pl. des WIN . 632 B2-3
Érables, Rue des ASB. . 647 C6
Érables, Rue des BHN . . . .
. . . . 284 P25 304 Q25
Érables, Rue des CAR. 389 P67
Érables, Rue des CED . 223 Z16
Érables, Rue des CON. . 550 C2
Érables, Rue des CTG. 305 U36
Érables, Rue des DEL. . 367 F45
Érables, Rue des FAR . 624 C2-3
Érables, Rue des IPR . . . .
. . . . . 244 E27 264 F27
Érables, Rue des MAG . 631 E7
Érables, Rue des MER . 325 X30
Érables, Rue des MSH391 N-O81
Érables, Rue des OMV. 631 B7
Érables, Rue des PRN . 606 C2
Érables, Rue des SAM . 351 B82
Érables, Rue des SBG 390 L-M72
Érables, Rue des SBM . 370 H71
Érables, Rue des SCA. 347 C46
Érables, Rue des SHE . 635 M12
Érables, Rue des SJU 370 F-G74
Érables, Rue des SLZ . . 184 P21
Érables, Rue des SMS 390 P72
Érables, Rue des SRE 365 H-J33
Érables, Rue des SRT. . . 530 D1
Érables, Rue des VAR. . . . .
. . . 291 P79 381 P20
Érables, Rue des VDR. 204 Q22
Érables, Rue des VSL. . . . .
. . . . . . 224 W25-26
Érables, Rue des VTV . . . .
. . . . . 602 E5 604 F5
Érables, Rue des (STI) DMV . . . . .
. . . . 263 F-G15
Érables, Rue des (SVD) SVD . . . .
. . . . 242 D6-7 F6
Érables-Argentés, Rue des SHY. . .
. . . . 521 C10
Érables-Rouges, Rue des SHE . . .
. . . . 633 C-D12
Érablière, Rue de l' DMV. 613 G5
Érablière, Rue de l' PLS 607 D3 E4
Érablière, Rue de l' SHE 637 M21
Érablières, Rue des GRA. 621 B5
Éric, Rue SMU. 366 K43
Éric, Rue CTG 325 V36
Éric, Rue DMV 619 L13
Éric, Rue SLZ. 223 V19
Éric, Rue VTV. 601 F4
Ermitage, Rue de l' VTV 602 E7-8
Ernest, Pl. CTG 305 T34
Ernest, Rue VTV 603 D-E9
Ernest-Bergeron, Rue SHE . . . . .
. . . . 633 C12
Ernest-Choquette, Rue MSH . . . .
. . . . 391 P80 411 Q80
Ernest-Cormier, Rue VAR311 R80
Ernest-Lavigne, Rue BCV . . . . . .
. . . . 330 X72
Ernest-Martin, Ch. LMG . 648 C1
Ernest-O'Doherty, Rue MCM . . . .
. . . . 391 M77
Ernest-Rochette, Av. LPR . . . . . .
. . . . 368 F-G53
Ernest-Simard, Rue MAG 631 E5
Ernest-Thériault, Rue SHE . . . . .
. . . . 637 J-K19
Escadrille, Boul. de l' SHE. . . . . .
. . . . 636 K17
Escarpe, Rue de l' SHE. . . . .
. . . . . . 640 P-Q17
Escarpe, Rue de l' SHE. 640 P17
Espérance, Pl. de l' VTV . . . .
. . . . 603 E9-10
Espérance, Rue SLB . . 328 Y59
Esplanade, Rue de l' GRA 623 H5
Esplanade, Rue de l' SHE . . . . . .
. . . . 640 N15
Estelle, Rue DMV . . . 609 B5-6
Estelle-Maufette, Rue NDP . . . . .
. . . . 284 G27
Estérel, Rue LNG. . . 349 C61-62
Estérel, Rue de l' SLZ 203 R-S16
Esther-Blondin, Rue VDR . . . . . .
. . . . 224 Y-Z24
Estoril, Rue de l' CAN. 367 H49
Estrie, Boul. de l' GRA. 623 F7
Etang, Rue de l' SLZ. . 203 R18
Ethel, Rue SAM 351 A83
Éthel E. , Rue CAR . 389 O63-64
Éthel O. , Rue CAR . . . 389 N62
Éthier, Rue SRT. 530 C4
Éthier, Rue CTG 305 U34
Éthier, Rue LPR 367 F51

Éthier, Rue SBG 390 O-P71
Étienne, Rue SAM . . . 351 A83
Étienne, Rue SJS 530 A4-5
Étienne-Bisaillion, Rue BCV . . . . .
. . . . 367 H52
Étienne-Bisaillion, Rue BCV 330 W72
Étienne-Brûlé, Rue BCV 330 W72
Étienne-Marchand, Rue BCV . . . .
. . . . 330 V-W69
Étienne-Parent, Rue SJR. 510 D1
Étienne-Parent, Rue SJU360 B76
Étienne-Racine, Rue SHY . . . . . .
. . . . 521 B10
Étienne-Sanschagrin, Rue SJR . . .
. . . . 511 G2
Étienne-Trudeau, Rue NDP . . . . .
. . . . 284 D-E25
Étourneaux, Rue des COW . . . . .
. . . . 626 C8 627 C9
Étrier, Rue de l' SLZ . 203 Q-R16
Étudiants, Boul. des MAG 631 C6
Étudiants, Boul. des SRT 530 D2
Eugène, Rue SAM . . . 351 A83
Eugène-Goyette, Rue BHN . . . . .
. . . . 304 Q26
Eugène-Saint-Jacques, Rue SHE . .
. . . . 640 O15-16
Eugénie, Rue SVD . . . 242 B5-6
Eulalie-Durocher, Rue SBM. . . . .
. . . . 350 E70
Eusèbe-Petit, Rue SBG. . . . .
. . . . 370 K71-72
Eustelle-Bayard, Rue SVD. . . . . .
. . . . 263 F15
Eva, Rue LNG 348 B-C59
Éva-Gill, Rue SCW . . . 610 C12
Évangéline, Rue de l' GRA 620 E3
Évangéline, Pl. GRA . . 620 D-E3
Évangéline, Rue SHE . 640 P17
Évangéline, Rue SRT. . 530 C-D2
Évangéline, Rue VDR . 224 Y23
Evans, Rue SHE 637 L20
Érables, Rue des VAR. . . . .
. . . . 224 W25-26
Évariste-Leblanc, Rue SHE . . . . .
. . . . 638 N10
Évariste-Leboeuf, Rue SHE . . . . .
. . . . 638 N10
Éveline, Rue DMV . . . 618 M12
Evelyn, Rue LNG . . . 329 Y64
Evergreen, Rue HUD . 184 N22
Evergreen, Rue SHE . 638 S8-9
Évreux, Rue d' BCV . . 330 X69
Ewing, Rue SVD 242 B6
Explorateurs, Rue des SLZ . . . . .
. . . . 203 U19
Expo, Rue de l' FAR . . 624 B2-3
Exposition, Rue de l' VTV . . . . . .
. . . 602 E8 603 E9
Eymard, Rue SHE . . 636 L16-17

F-A.-Savard, Rue SJU. . 350 B76
F.-Cleyn, Rue HUN. . . 560 B2 C3
F.-Desjardins, Rue SHE. 636 L15
F.-X.-Garneau, Rue BCV . . . .
. . . . 330 W69
F.-X.-Garneau, Rue BEL 391 M78
F.-X.-Garneau, Rue SJU . . . .
. . . . 350 B-C76
F.-X.-Sabourin, Rue LNG. . . . . . .
. . . . 369 H63-64
F.-X.-Tessier, Rue VDR224 W-X24
F.X. Charbonneau, Rue BCV . . . .
. . . . 609 E6-7
Fabert, Rue SHE 638 S7
Fabi, Rue SHE. 638 S8
Fabi, Rue SHE. 636 M17
Fabien, Rue SHE. . . . 638 S8-9
Fabiola, Rue VTV 602 E8
Fabre, Rue DMV. . . . 618 L11
Fabre, Rue LNG 329 X64
Fabre, Rue SHE 640 N-P17
Fabre, Rue SJU 370 F75
Fabre, Rue SVD 242 C8 D7-8
Fabrique, Rue de la CED. . . . . . .
. . . . 243 D14-15
Fabrique, Rue de la DMV619 P13
Fabrique, Rue de la SCT 346 E44
Fabrique, Rue de la SVD. 242 C6
Fabrique, Rue de la VAR 311 Q0
Fabrique, Rue de la VDR. . . . . . .
. . . . 244 A-B23
Fabrique, Rue de la ACV. . . . . . .
. . . . 540 C2-3
Faessler, Rue BEL . . . 391 M79
Fafard, Rue DMV . . . 615 K13-14
Fagot, Rue du SLZ . . . .
. . . 183 P16 203 O16
Faille, Rue SJR 510 B5
Fairbank, Rue HUN . . 560 C4
Fairfield, Rue GRA . . . 623 F5
Fairfield, Rue HUN . . . 560 C4
Fairfield, Rue LNG . . . 348 A-B59
Fairhaven, Rue HUD . 184 N-O22
Fairmont, Rue HUN . . . 560 C4
Fairmont, Rue SHE . . 640 N-P15
Fairmont, Pl. CTG. . . . 305 U36

Fairmont E. , Rue CTG . . . .
. . . 305 U36 325 V36
Fairmont O. , Rue CTG . . . .
. . . 305 U36 325 V36
Fairview, Ch. HUN . 560 C4 C-D3
Faisans, Rue des BEL. . 391 L79
Faisans, Rue des MER . . . .
. . . . 325 W30-31
Faisans, Rue des SHE . 634 M7
Falaise, Pl. de la SBM . . 370 J72
Falaise, Rue VTV 605 F9
Falaise, Rue de BCV. . 330 Y70
Falaise, Rue de MCM . 391 N78
Falaise, Rue de la MAG. 630 A4
Falaise, Rue de la PIN 244 D-E25
Falaise, Rue de la SJU . 370 G74
Falaise, Rue de la SLZ . 203 S18
Falaise, Rue de la SHE 638 S7-8
Falaises, Rue des MSH . . . .
. . . . 391 O-P81
Falardeau, Rue LNG . . 329 X64
Falardeau, Rue SHE. . 638 S8
Falco, Rue SHE 638 S9
Fallion, Rue SHE . . . 638 S8
Famille, Rue de la SLZ . 203 R18
Fancamp, Rue SHE. . . 639 P11
Fanfare, Rue de la SLZ . 203 Q20
Fanox, Rue CTG. 325 X35
Faribault, Rue LNG . . 329 Z63
Faribault, Rue SHE. . . 638 S8
Farley, Rte DMV . . . 609 A5-6
Farly, Rue SRT 530 C6-7
Farmer, Rue CED . . . 223 Z16
Farrand, Rue SHE. . . 638 S8-9
Farrar, Rue SJR. 512 N5
Farrell, Rue DMV . . . 613 G6
Farrier, Pl. SLZ. 183 P20 184 P21
Farwell, Rue SHE . . 635 M14
Fatima, Rue de la SHY . . . .
. . . . 520 D-E10
Faubert, Rue BHN. . . 304 Q-R27
Faubert, Rue CTG . . . 305 T34
Faubert, Rue MER . . 325 X-Y31
Faubourg, Rue du DMV . . . .
. . . 613 K7 617 L7
Faubourg, Rue du FAR . 624 C1
Faubourg, Rue du LNG 329 Y64
Faubourg, Rue du SHE . 634 N6
Faubourg, Rue du SRT . 530 A6
Faucher, Rue DMV. . . 613 H7
Faucher, Rue LNG . . . 349 B69
Faucher, Rue SHE. . . 638 S8-9
Faucon, Rue du DMV . 613 K6
Faucons, Rue des GRA 620 C7
Faucons, Rue des MSH. 391 O82
Faucons, Rue des SBG. 390 M71
Faucons, Rue des SCA. . . . .
. . . . 347 C-D47
Faust, Rue CTG 305 T35
Fauteux, Rue DMV. . . 609 E7
Fauteux, Rue SHE . . . 638 P10
Fauvettes, Pl. des SBM . 370 J72
Fauvettes, Rue de la SLZ. 203 R17
Fauvettes, Rue des BCV 330 X70
Fauvettes, Rue des DMV619 N15
Fauvettes, Rue des GRA. . . . . . .
. . . . 621 D5-6
Fauvettes, Rue des LNG. . . . . . .
. . . . 329 W66
Fauvettes, Rue des SAM . . . . . .
. . . . 351 B82
Fauvettes, Rue des SBG. . . . . . .
. . . . 390 M71-72
Fauvettes, Rue des SHE. 634 M7
Fauvettes, Rue des SJU. . . . .
. . . . 350 C-D75
Fauvettes, Rue des VTV602 A-B8
Favre, Rue LPR. 367 F-G52
Favreau, Rue SHE . . . 638 S8
Favreau, Rue SJR . . . 512 P4-5
Favreau, Rue VDR . . . 224 Y25
Fédéral, Rue du SHE 640 N-P17
Fédérée, Ch. de la SHY. 521 D9
Fées, Rue des MSH . . 391 P81
Feings, Rue de BCV . . 330 X69
Félix, Rue NAP 570 B3
Félix, Rue SHE 638 S8
Félix-Hébert, Rue SHE. 636 M17
Félix-Leclerc, Autoroute RIG . . . .
. . 580 B5-6 C2-3 C6 C7
Félix-Leclerc, Autoroute VDR. . . .
. . 204 U23 224 V23 X24 Y25-26
Félix-Leclerc, Cr. SCA . 347 C47
Félix-Leclerc, Rue BCV. 330 W71
Félix-Leclerc, Rue CHB. 409 R63
Félix-Leclerc, Rue MSH 411 Q78
Félix-Leclerc, Rue SCA . . . .
. . . . 347 B-C47
Félix-Leclerc, Rue SHE . . . .
. . . . . 520 D8 521 D9
Félix-Leclerc, Rue SJU. 370 F75
Félix-Leclerc, Rue VAR . 311 R80
Félix-Leclerc, Rue VTV 604 F-G7
Félix-Mesnard, Rue VAR 311 R80
Félix-Meunier, Rue SJR512 M7-8
Felx, Rue SCL. 202 Q10-11
Fenaison, Rue de la SHY 520 D2
Fenaison, Rue de la VAR 311 S77

Fenil, Rue du SLZ. 183 P16
Fer-à-Cheval, Ch. du SJU . . . .
. . . . 350 D76 E74-75 351 B78
Fer-à-Cheval, Pl. du SJU 350 E74
Fer-Droit, Rue du SHE. . . . . . .
. . . . 633 G11 635 H-J11
Ferdinand, Rue DMV . . . .
. . . . . 613 K8 617 L8
Ferdinand-Daoust, Rue SHY . . .
. . . . 520 E2
Ferdinand-Lespérance, Rue CHB
. . . . 409 R-S64
Ferland, Rue DMV. . . . 613 H7-8
Ferland, Rue LNG 349 W61
Ferland, Rue SHE 638 S8
Ferland, Rue SHY 522 G8
Ferland, Rue SRT. 530 A7
Ferme, Rue de la DMV . . 608 E4
Fern, Rue HUN 560 C3
Fernand, Rue SHE 637 L21
Fernand-Bachand, Rue SHE . . .
. . . . 639 N11
Fernand-Lafontaine, Boul. LNG .
. . . . 329 W64-65 X66-67
Fernand-Seguin, Rue SJR 512 M5
Fernand-Séguin, Pl. SJU 350 D74
Fernand-Séguin, Rue SJU. . . . .
. . . . 350 D74
Fernand-Séguin, Rue VAR. . . . .
. . . . 311 R80
Fernande, Rue VTV . . . 602 C5-6
Fernande-Létourneau, Cr. NDP . .
. . . . 264 G26-27
Fernandel, Rue GRA 622 H3
Fernando, Rue VTV 601 G3
Fernard, Rue LNG . . . 349 E63-64
Fernet, Rue DMV 615 K14
Féron, Rue de SJR 512 Q6
Ferremi, Rue DEL 347 E46
Ferrier, Rue SJR 511 K2
Feuilles, Rue des SRT . . . 530 D5
Feuillus, Pl. des SLZ. . . . 184 P21
Feuillus, Rue des LNG . . . . . .
. . . . 329 Y64-65
Féviers, Rue des PIN. . . . 244 E24
Féviers, Rue des SMS . . 410 Q69
Fief, Ch. du SLZ . . . 183 L17 M15
Fief, Rue du VAR 311 S77
Filiatrault, Rue SJS 530 A-B4
Filiatrault, Rue SRT 530 D-E2
Filiatreault, Rue SVD . . 242 D9-10
Filion, Av. SLB 348 A59
Filion, Rue ASB 647 C5-6
Filion, Rue SJR 512 N6
Filion, Rue SJU 350 C-D76
Fillion, Pl. SRT 530 C5
Fillion, Rue MAG 630 B1
Filtre, Ch. du ASB 647 C5
Filtre, Rue du VTV . . . 603 A10 B9
Finistère, Av. du SLB. . . . 348 B58
Firmin-Campbell, Rue SHE . . . .
. . . . 636 L-M16
Fiset, Av. SHY 520 D5
Fiset, Boul. SRT . . . .
. . . 530 A-B6 B-C7 C-D8
Fiset, Rue DMV 609 E7
Fisette, Rue MAG 630 C2
Fisette, Rue LNG 639 P13
Fisher, Rue MSH 391 P84
Flamand, Rue SHE 638 S8-9
Flamants, Rue des SCA 347 D46
Flanagan, Rue CTG . . . 305 U36
Flandre, Rue de SBG . . . 370 K72
Flandre, Rue de SHY. . . 520 D6-7
Flandres, Av. des CAN . . . . . .
. . . . . . 367 F-G48 G47-48
Flandres, Rue des SJU . 350 D75
Flandres, Rue des SLB . . . . . .
. . . . 348 A57-58
Flaubert, Rue SJR 511 F3
Flaubert, Rue SHE . . . .
. . . . . 350 E75 370 F75
Flaubert, Rue de CAN . 367 G46-47
Fleming, Rue DEL . . 367 G46-47
Fleur-de-Lys, Rue de la SJR . . .
. . . . 510 C3-4
Fleur, Rue DMV. 614 G10
Fleurettes, Rue des LPR. . . . . .
. . . . 368 H53-54
Fleuri, Cr. SJU 350 D76
Fleurie, Rue CDL 222 X7
Fleurie, Rue SHE 638 S8
Fleurons, Rue des MAG . 631 B6
Fleurs, Pl. des WIN . . . 632 A-B3
Fleurs-de-Pommiers, Rue des
OTT 391 P79
Fleury, Imp. SHY 520 D6
Fleury, Rue DMV. . . 618 P12 P-Q11
Fleury, Rue VTV 605 G10
Fleury, Rue de CAN 367 G47-48
Fleuve, Ch. du CDL . . . .
. . . 222 X5-2 Y9-10
Fleuve, Ch. du DEL 222 Z12
. . 242 A12 243 C13-14 E15-16
Fleuve, Ch. du PDC . . . .
. . . . . . 263 G-H20 264 H21
Fleuve, Rue du DEL . 347 D48-49
Fleuve, Rue du SJS 530 A4

Fort, Rue du CHB. . . . 409 R66
Fort, Rue du SJR 512 L5
Fort, Rue du SRT 530 A5
Fort-Chambly, Rue du SHE . . . .
. . . . 640 R15
Fort-St-Louis, Rue du BCV . . . .
. . 310 T-U73 U71 330 V70-71
Fortier, Av. LNG 349 G62
Fortier, Rue ACV. 540 C-D2
Fortier, Rue LMG 648 C3
Fortier, Rue MAG 631 E8
Fortier, Rue MSH . . . 391 O-P80
Fortier, Rue PLS. 607 C3
Fortier, Rue SBM 370 H69
Fortier, Rue SCL 202 Q10
Fortier, Rue SJR 510 E3-4
Fortier, Rue SRT 530 D-E2
Fortier, Rue SVD 263 F-G14
Fortier, Rue VTV 602 D-E8
Fortier N., Rue SHE . . . 638 Q9
Fortier S., Rue SHE . 638 Q9-10
Fortifications, Rue des SJR. . . . .
. . . . 510 D1-D-E2
Fortin, Boul. GRA 622 H3
Fortin, Rue ASB. 647 B6
Fortin, Rue DMV . 613 K6 614 K9
Fortin, Rue NAP. 570 B2-3
Fortin, Rue SBG . . . 390 L71-72
Fortin, Rue SCH . 604 J8 605 F10
Fortin, Rue SHE 636 L18
Fortin, Rue SJR 512 L-M5
Fortunat-Beaudoin, Rue SHY. . .
. . . . 521 C-D9
Foss, Rue SHE. 636 K15
Foster, Rue DMV . . . 613 F-G6
Foucault, Boul. DMV . . . .
. . . . . 609 C-D8 610 E10
Foucault, Pl. SBM. 370 F69
Foucault, Rue de SJR . . 512 P7
Foucault, Terr. LNG. . . . 329 X64
Foucher, Imp. SJR. 512 M5
Foucher, Rue SJR. . . . 512 M4-5
Foucreault, Rue SMU . . 366 K43
Fougère, Rue de la SHE . . . . . .
. . . . 638 S8 643 T8
Fougère, Rue de la SBM. . . . . .
. . . . . . 370 J-K69 J-K70
Fougères, Cours DMV 614 F9
Fougères, Rue de CAN . 367 G48
Fougères, Rue des IPR . 244 E27
Fougères, Rue des PLS . 607 D3
Fouquet, Av. CAN . . 367 G47-48
Fourche, Boul. de la DMV 613 H6
Fourestier, Rue SPH . . . 367 K51
Fournelle, Rue LPR 367 F50-51
Fournier, Rue CTG 325 W36
Fournier, Rue G 613 G7
Fournier, Rue GRA 622 F2-3 F-G3
Fournier, Rue HUN. . . . 560 D2
Fournier, Rue LMG . . . 648 A-B2
Fournier, Rue LNG . . . 329 X64
Fournier, Rue SHE. . . . .
. . . . . . 367 F52 368 F53
Fournier, Rue PLS 607 D2
Fournier, Rue SHE 640 R16
Fournier, Rue SHY 522 G5
Fournier, Rue SJR 511 J1
Fournier, Rue SRT. . . 530 C6-7
Fournier, Rue VDR 224 Y24
Fournier, Rue VTV 602 D7
Fournil, Rue du VAR . . . 311 S77
Fox Grove, Rue SLZ . . . 183 P17
Foyer, Rue du LMG . . . 648 C4
Foyer, Rue du MSH . . . 391 O81
Fradet, Îlot DMV . . . 614 K11
Fradet, Rue DMV . J10 K11 K11
Fraisier, Rue du DMV . . 613 G5
Framboisier, Rue du DMV 613 G5
Francais, Rue des MSH 391 N83
France, Rue SJR 510 E1-2
France, Rue SPH 367 K48
Franche, Rue SBG 390 L70
Franchère, Rue LNG . . 329 X64
Franchère, Rue MAR . . 500 B4
Franchère, Rue SMS . . . 390 P72
Francheville, Rue SHE 638 S8-9
Francine, Av. SJR 511 F4
Francine, Rue LPR . . . 367 F52
Francine, Rue VTV 603 B11
Francis, Rue (LNG) LNG 329 X64
Francis, Rue (SHU) LNG 348 A60
Francis-Grammond, Rue DMV. .
. . . . 619 L13
Francis-McCrea, Rue SHE. . . . .
. . . . 635 J-K11
Français, Rue SJR 512 L8
François, Rue OTT . . . 390 P76
François-1er, Rue BRO . . 628 B4
François-1er, Rue DMV. . 617 N7
François-Baillargé, Pl. SHE . . . .
. . . . 639 Q11
François-Beaucourt, Rue LPR . .
. . . . 367 G-H50
François-Blanchet, Rue SJR . . .
. . . . 510 D1
François-Bourgeois, Rue VTV . .
. . . . 603 A-B9
François-Casey, Rue SHE . . . . .
. . . . 640 P18
François-Champagne, Rue CHB.
. . . . 409 Q-R64

François-D'Alpé, Rue SJR 511 G2
François-Davignon, Rue CHB . .
. . . . 409 Q64
François-de-Lauzon, Rue SHE . .
. . . . 367 H51-52
François-Demers, Rue BCV . . . .
. . . . 330 V-W69
François-Gauthier, Rue BCV . . .
. . . . 310 T-U72
François-Gravé, Rue DMV . . . . .
. . . . 330 V-W71
François-Hertel, Ch. MAG 630 C3
François-Hudon, Rue SHE. . . . .
. . . . 633 D12
François-LeBer, Rue LPR 368 G53
François-Lemaître, Rue SJR . . . .
. . . . 510 C5
François-Massé, Rue SBG . . . . .
. . . . 390 L-M71
François-P.-Bruneau, Rue SBM. .
. . . . 370 G71
François-Perrot, Pl. IPR 244 D27
François-Piedmont, Rue BCV . . .
. . . . 310 T72
François-Pillet, Rue BCV 310 T74
François-Rabellant, Rue VRC . .
. . . . 292 P90
François-Rapin, Rue NDP . . . . .
. . . . 264 F27
François-Séguin, Rue BCV . . . .
. . . . 330 V-W70
François-V.-Malhiot, Rue BCV . .
. . . . 310 T74
François-Xavier-Jarret, Rue VRC
. . . . 292 O90
Françoise-Cuillerier, Rue NDP . .
. . . . 264 F27-28
Françoise-G.-Smet, Rue SHE. . .
. . . . 640 P18
Françoise-Loisel, Rue BCV . . . .
. . . . 310 U72
Françoise-Loranger, Rue MSH . .
. . . . 391 N83
Françoise-Rousselle, Rue SHE . .
. . . . 511 G4
Franconie, Rue de CED . 203 S15
Frank-Selke, Rue RIG. . . 580 B2
Frank-Selke, Rue VDR. . 224 Y22
Franklin, Rue CTG 326 W37
Franquelin, Rue LNG . . . .
. . . 328 X60 329 X61
Franquet, Boul. CHB 409 S64-65
Franquet, Rue MSH . . . 411 R78
Frappier, Rue SHE 638 S8
Fraser, Rue BCV. 330 V71
Fraser, Rue MAG 631 D6-7
Fraser, Rue SHE . . . .
. . . . . . 635 M14 639 N14
Fraser, Rue VTV 601 E3
Fraser, Rue WIN. 632 C2
Fraternité, Rue de la LER . . . . .
. . . . 305 R32
Fréchette, Boul. LNG . . . .
. . . . 409 Q-R62 R64-65
Fréchette, Rue ASB . . . 647 C5
Fréchette, Rue BCV . . . 330 V69
Fréchette, Rue CTG . . . 325 V35
Fréchette, Rue DMV . . 612 F3
Fréchette, Rue GRA . . . 620 A-E4
Fréchette, Rue LNG . . . 329 X64
Fréchette, Rue MAR. . . 500 B3
Fréchette, Rue MSH . . . 391 P80
Fréchette, Rue PRN . . . 606 C2
Fréchette, Rue SHE . . . 635 M14
Fréchette, Rue SRT . . . 530 C2
Fréchette, Rue VTV . . . .
. . . . . . 602 E8 604 F8
Frédéric, Rue SHE 638 S8
Frédéric-Doyon, Rue SHE 638 Q7
Frédéric-Garand, Rue SHE . . . .
. . . . 640 R16-17
Frédéric-Paré, Rue SHE 639 P11
Frederick-Coburn, Rue SHE . . .
. . . . . 638 S10 639 S11
Frédérick-Lawford, Rue MSH . .
. . . . 411 R79
Fredette, Av. SHY. 522 F8
Fredette, Rue NAP 570 B-C3
Fredette, Rue SHE 633 D12
Fredette, Rue SJR 511 K3 512 L3
Frégate, Pl. de la SCA 347 D48
Frégate, Rue de la SCA . . . . . .
. . . . 347 D47-48
Frégault, Rue SHE. . . . 638 S8
Frégeau, Av. SHY. 520 D8
Frémont, Rue LNG . . . 329 X64
Frémont, Rue SBM. . . . 370 G70
Frémont, Rue SHE 638 S8
Frêne, Av. du SHY 521 C9-10
Frêne, Rue du SBM . . . 370 H71
Frênes, Pl. des FAR . . . 624 D3
Frênes, Rue des CED . 243 B-C15
Frênes, Rue des GRA . . 620 D1
Frênes, Rue des MER . . 325 Y30
Frênes, Rue des OTT . . 391 P77
Frênes, Rue des PIN . 244 D-E23
Frênes, Rue des SCA . . 347 C46
Frênes, Rue des SHE. . . 637 M21
Frênes, Rue des SJU . . 370 F74
Frênes, Rue des SRT. . . 530 D-E5

Frênes, Rue des VSL. . . 224 X25
Frênes, Rue des VTV . . 602 E5
Frenette, Rue de la LMG . . . . .
. . . . 409 Q64
Frenette, Rue SHE 638 S8
Frenette, Rue TVD 244 C26
Frénette, Rue SJR 512 M4
Frenière, Rue MAG . . . 630 D1
Frenière, Rue SJR 512 P5
Frère-André, Av. du SHY 522 G6
Frère-André, Rue DMV 614 J9-10
Frère-Daniel, Rue du SRT. . . . .
. . . . 530 A-B7
Frère-Théode, Rue du SHE . . . .
. . . . 605 F9
Frère Rheault, Rue PRN . 606 B2
Frères, Av. des DMV . . 614 G-H9
Frères, Rue des VTV . . 605 G-H11
Frères-Chasseurs, Rue des SBG .
. . . . 390 L71
Frères-Giroux, Rue des SHE . . .
. . . . 636 J16-17
Frères-Lumière, Rue des BCV . .
. . . . 329 X68
Fresnel, Rue CTG . . 325 V-W36
Fribourg, Cr. de CAN . . 367 G48
Fribourg, Rue de CAN 367 F-G48
Frobisher, Rue SBM. . . 370 H-J70
Fromagers, Rue des SBG . . . . .
. . . . 390 L74
Froment, Rue LNG . 389 L63-64
Froment, Rue de SJR . . 511 J7
Froment, Rue du VAR . . 311 S77
Froment, Rue (SHU) LNG 389 L64
Front, Rue LNG . . . 329 Y61-62
Frontenac, Av. CAN . 367 G47-48
Frontenac, Pl. SBM . . . 370 F70
Frontenac, Pl. SBM. . . 370 F70
Frontenac, Pl. . . . .
. . . . . 391 N79 N-O78
Frontenac, Rue CAN . . 644 A2
Frontenac, Rue CTG . . . 326 V37
Frontenac, Rue DMV . . 614 G9
Frontenac, Rue FAR . . . 624 D1
Frontenac, Rue GRA . . 622 F3
Frontenac, Rue LMG . . 648 C3
Frontenac, Rue LNG . 329 Y63-64
Frontenac, Rue MAG . . 631 B6
Frontenac, Rue PIN . . . 244 C-D25
Frontenac, Rue SHE . . 636 M16
Frontenac, Rue SHY . . 522 H-J3
Frontenac, Rue SJR . . . 512 L4-5
Frontenac, Rue SJU. 350 D75-76
Frontenac, Rue SRT . . . 530 C3
Frontenac, Rue VAR . . 311 Q79
Frontenac, Rue VTV . . 604 F5
Frontenac, Rue de CHB. 409 S64
Frontenac E., Rue SBM . . . . . .
. . . . 350 E70 370 F70
Frontenac O., Rue SBM . . . . . .
. . . . 370 F69-70
Frontière, Rue de la SHE . . . . .
. . . . 638 S7-8
Frye E. , Rue WIN 632 B2
Frye O. , Rue WIN 632 B2
Fugère, Rue DMV 608 E4 609 E5
Fuller, Rue GRA . 622 H-J3 623 H5
Fulton, Rue SHE 636 M15-16
Furlong, Rue SLZ 183 O18
Fusains, Rue des SHE . 641 N21
Futaie, Rue de la SHE. . 642 V3
Futaie, Rue de la VAR. . 311 R77
Futaie, Rue de la BCV . . . .
. . . . 330 Z71-72

G

G.-Chicoine, Rue RIG. . . 580 C-D5
G.-E. Cyr, Rue DMV . . 613 F-G6
G.-Vigneault, Rue GRA . . 620 D3
Gabourry, Pl. SBM. . . . 370 G70
Gaboury, Rue MSH . . . 391 N-O80
Gaboury, Rue SBM . . . 370 F-G70
Gabriel, Pl. CAN 367 F48
Gabriel, Rue CTG 305 S35
Gabriel, Rue SHE. 638 R9
Gabriel, Rue VTV 603 D9
Gabriel-Gendron, Rue SHE . . . .
. . . . 638 Q10
Gabriel-Sagard, Pl. BCV 330 W72
Gabriel-Sagard, Rue DMV 617 L8
Gabrielle-Messier, Rue MSH . . .
. . . . . . 391 N82 P79
Gabrielle-Roy, Rue LNG 369 F63
Gabrielle-Roy, Rue NDP 285 M29
Gabrielle-Roy, Rue SHE 635 K12
Gabrielle-Roy, Rue SJU . . . . . .
. . . . 350 A-B76
Gabrielle-Roy, Rue VAR 311 R80
Gabrielle-Roy, Rue VDR . 224 Z23
Gaby, Rue MER 325 X30
Gaby, Rue VTV 604 F8
Gaby-Bernier, Rue CHB 409 R66
Gaby-Desmarais, Rue MAR . . . .
. . . . 500 A-B3
Gadbois, Rue BEL. . . . 391 M-N82
Gadbois, Rue LNG . . 349 C61-62
Gadbois, Rue SHE 635 M13
Gadbois, Rue SHE 520 D6
Gadbois, Rue SJR 511 H3
Gadbois, Rue SRT. . . 530 C4-5
Gadelier, Rue du SBM . 370 K70

Gaétan, Rue DMV . . . 610 E16
Gaétan, Rue MER . . . 325 X-Y30
Gaétan, Rue SHE 511 G6
Gaétan, Rue SVD 242 A6
Gaétan, Rue VTV 601 F4
Gaétan-Boucher, Boul. LNG . . .
. . . 348 E60 369 F61 F62-65
Gagné, Boul. SRT 530 C4-5
Gagné, Rue CHB . . . .
. . . . 389 P63 409 Q63
Gagné, Rue MAG 631 C-D7
Gagné, Rue VDR . . . 244 A23-24
Gagne, Rue VTV 605 F9
Gagnier, Rue BHN . . . 304 R26
Gagnon, Ch. COA. . . . 644 B4
Gagnon, Rue ACV . . . 540 C2
Gagnon, Rue ASB . . . 646 D4
Gagnon, Rue BEL. . . 391 M-N82
Gagnon, Rue BHN . . . 304 Q23
Gagnon, Rue DMV . . . 613 K8
Gagnon, Rue LMG . . . 648 B2
Gagnon, Rue MAG . . . 630 B1
Gagnon, Rue PRN . . . 606 C3
Gagnon, Rue SHE. . . . 639 R11
Gagnon, Rue SJR 520 D5
Gagnon, Rue SRT. . . . 530 B6
Gagnon, Rue . . . .
. . . 603 E10 605 F10
Gagnon, Rue (LNG) LNG 329 W61
Gagnon, Rue (SHU) LNG 389 L64
Gai-Rosier, Rue du BEL . 391 L84
Gaieté-Française, Rue de la SJR .
. . . . 512 N5-6
Gail, Rue de LNG 348 B59
Gail Rogers Lane, Boul. LNG . . .
. . . . 613 F-G8
Gaillard, Rue LNG . . . 349 A63
Gaillardes, Rue des SJU 350 C76
Gaillet, Rue du DMV . . 613 G-H5
Gala, Ch. du SLZ. . . . 203 Q20
Galaise, Rue LNG 329 X66
Galameau, Rue SHE . . 638 R9
Galarneau, Rue VTV . . . .
. . . 603 E10 605 F10
Galets, Pl. des PDC . . 264 H-J21
Galets, Rue des CTG . . 305 U34
Galets, Rue des LER. . . . .
. . . 304 R28 305 R29-30
Galets, Rue des SJR . 368 G-H53
Galets, Rue des MSH . . 391 P81
Galilée, Av. CAN 367 F48
Galilée, Rue BEL 391 M81
Galilée, Rue SBM . . 370 F-G70
Galipeau, Rue CHB. . . 409 S66
Galipeau, Rue MAG . . 630 C-D2
Galipeau, Rue SJR . . . 512 P5
Galipeau, Rue SVD. . . 242 B6
Gall, Boul. DMV 613 F-G8
Gallichan, Rue DMV . . 613 G5
Galt, Rue VDR 244 A23-24
Galt E. , Rue SHE . . . .
. . . 637 M19-20 640 N18
Galt O. , Rue SHE . . . .
. . 639 P13 Q11 640 N-P15
Galvin, Ch. SHE . . . 637 M20-22
Gamache, Rue LNG . . 329 Y-Z63
Gamache, Rue SMS . . 390 P71
Gamache, Rue VTV . . 604 F-G7
Gamay, Cr. du SLZ . . . 203 Q18
Gamelin, Rue LNG . . 349 A62-63
Gamelin, Rue SHE . . . 639 P12
Gamelin, Rue SHY . . . 522 H3
Gamelin, Rue SJR . . 512 P-Q6
Gamelin, Rue SRT . . . 530 B8
Gamma, Rue DMV . . 619 L17
Gamma, Rue SHE . . . 641 S22
Gannon, Rue GRA . . . 621 E6
Garand, Rue CTG . . 305 S34-35
Garand, Rue VTV 602 C6
Garant, Rue ASB. . . . 647 C5-6
Garant, Rue . . . .
. . . 635 L14 636 L15
Garceau, Rue DMV . . . .
. . . 613 H8 614 H9
Garde, Pl. de la DMV . . . .
. . . 617 L8 618 L9
Garden, Rue HUN 560 C3
Gardenias, Rue des CED 243 D15
Gardénias, Rue des CTG 305 U36
Gardenvale, Rue SBM 369 H-J68
Gardenville, Rue LNG. . . . . . .
. . . 329 X61-62
Gardeur, Rue le EAN. . . 645 B3
Gardner, Rue WIN 632 D2
Gare, Boul. de la MSH 391 N-O82
Gare, Rue de la VDR 224 X22-23
Gare, Ch. de la DEL. . . 367 F45
Gare, Rue de la BHN . 304 Q-R26
Gare, Rue de la BRO . 629 A5
Gare, Rue de la GRA . 623 G6
Gare, Rue de la LER . 305 R-S29
Gare, Rue de la LMG . 648 C3
Gare, Rue de la NAP. . . 570 C3
Gare, Rue de la RIG . . 580 C5
Gare, Rue de la SBG. . . 370 K71
Gare, Rue de la SRE . . 365 K32
Gare, Rue de la VTV . . 602 E8
Gare, Rue de la WIN. . . 632 C2
Gareau, Boul. LNG . . . .
. . . . 349 C62 D62-63

Index des rues

Gareau, Rue LNG 329 Y66
Gareau, Rue PDC . . . 263 G-H20
Gareau, Rue SLZ 203 S20
Garenne, Rue de la BCV 330 X69
Gariépy, Rue LNG 329 X66
Gariépy, Rue SHE 636 K18
Gariépy, Rue VTV 605 F10-11
Garlock, Rue de la SHE . . . . . .
. . . . 634 M10 635 M11
Garneau, Pl. PRN 606 C2-3
Garneau, Rue DMV . . . 614 K11
Garneau, Rue EAN 645 B3
Garneau, Rue LNG 329 W67
Garneau, Rue PLS . 607 B2-3 C2
Garneau, Rue SBM 369 G68
Garneau, Rue SHY 522 H3
Garneau, Rue SJR 511 J2
Garneau, Rue SRT . . 530 B-C2
Garneau, Rue VTV 605 G10
Garnier, Rue CTG 305 U34
Garnier, Rue LMG 648 C4
Garnier, Rue LNG 329 X63
Garnier, Rue MAR 500 B4
Garnier, Rue SCA . . . .
. . . . . 327 Z45-46 347 A45
Garnier, Rue SHY 522 J3
Garon, Boul. DMV . . . 613 G7-8
Garon, Rue SHE 638 Q9
Garrots, Rue des CON . . 550 D1
Gary, Rue CED 243 C14
Gascogne, Av. de CAN . . 367 F48
Gascogne, Av. de SLB 348 A53-54
Gascogne, Rue de BCV 330 Y-Z70
Gascon, Rue CHB 409 Q65
Gaspard-Fauteux, Imp. SHY . . . .
. . . . 522 F7-8
Gaspé, Ch. de BRO . . . .
. . . . . . 628 E4 629 C-D5
Gaspé, Rue ASB 646 C4
Gaspé, Rue LNG 348 D60
Gaspé, Rue de CDL . . . 222 X9
Gaspé, Rue de DMV . . . .
. . . . . . 614 K11 618 L11
Gaspé, Rue de MSH . . . 411 078
Gaspé, Rue de SCA . . . 347 C47
Gaspé, Rue de SHE 638 O-R9 R8
Gaspé, Rue de SRT . . . 530 C2
Gaspé E. , Rue de CTG . . . . . .
. . . . 325 V35-36
Gaspé O. , Rue de CTG . . . . . .
. . . . 305 U35 325 V35
Gaspésie, Av. de la CAN 367 F48
Gaspésien, Rue des SVD . . . . . .
. . . . 263 G14-15
Gastin, Rue SHE 637 K22
Gaston, Rue DMV . . . 608 D-E3
Gaston, Rue LNG . . . 349 E61-62
Gaston, Rue VTV 604 F5
Gaston-Miron, Rue SHE 635 K12
Gatien, Rue GRA . 620 E2 622 F2
Gatien, Rue MAR 500 B4
Gatineau, Rue de la CAN 367 F48
Gatineau, Rue SHE . . . 643 U8
Gatineau, Rue de BRO . 629 D7
Gauche, Rue de la BRO 629 D7
Gaucher, Imp. SHY . . . 520 E6
Gaucher, Rue MAR . . . 500 B5
Gaucher, Rue SHY 520 E3
Gaudet, Av. VTV 604 F7
Gaudet, Rue (DMV) DMV . . . . . .
. . . . 608 E4 609 E5 612 F4
Gaudette, Pl. SJU 350 C76
Gaudette, Rue SJR . . . 511 J2-4
Gaudreau, Rue ASB . . . 646 C4
Gaudreau, Rue OMV . . 631 A7-8
Gaudry, Rue LNG . . . 349 D61
Gaudry, Rue SJR 510 C5
Gauguin, Rue LNG . . . 329 X66
Gaulin, Rue PRN 606 B-C2
Gaulin, Rue SJR 511 H-J4
Gault, Rue MSH 411 R78
Gault, Rue SVD 242 C7
Gauthier, Av. VDR . . . 244 B23
Gauthier, Pl. SJU . . 350 B75-76
Gauthier, Rle SVD . . . 242 B6-7
Gauthier, Rue BEL . . . 391 M82
Gauthier, Rue CED . . . 263 G18
Gauthier, Rue CON . . . .
. . . . . . 550 A4 B3-4 D1
Gauthier, Rue CTG . . . 305 S35
Gauthier, Rue FAR . . . 624 D2
Gauthier, Rue SBM . 370 G-H69
Gauthier, Rue SHE . . . 640 Q16
Gauthier, Rue SHY . . 520 D-E4
Gauthier, Rue SJU . . 350 B75-76
Gauthier, Rue SLZ . . . 203 R19
Gauthier, Rue SRT . . . 530 C5
Gauthier, Rue (DMV) DMV . . . . .
. . . . 612 H4 J4 613 F6
Gauthier, Rue (LNG) LNG 329 Z63
Gauthier, Rue (SHU) LNG 349 C61
Gauthier, Rue (SNP) DMV . . . . .
. . . . 619 N14
Gauvin, Rue ACV 540 A2
Gauvin, Rue BEL 391 L81
Gauvin, Rue BRO 629 B8
Gauvin, Rue Paré-65 . . . .
Gauvin, Rue GRA . 622 J4 623 J5
Gauvin, Rue MAG 630 E1
Gauvin, Rue MAR 500 C3-4
Gauvin, Rue SHE . . . 639 P13

Gauvin, Rue SHY 520 D4
Gay, Rue BCV 330 Y69
Gay-Lussac, Rue BCV . . 330 Y69
Geai-Bleu, Rue du DMV . . 613 J6
Geai-Bleu, Rue du SLZ . 183 P18
Geais, Rue des SHE . . . 634 M7
Geais-Bleus, Rue des GRA . . . . .
. . . . 621 C6
Geais-Bleus, Rue des RIG 580 C5
Geais-Bleus, Rue des SBG . . . . .
. . . . 390 M71
Geais-Bleus, Rue des SJR . . . . .
. . . . 510 E3-4
Geais-Bleus, Rue des VTV . . . . .
. . . . 602 B8
Gédéon-Létourneau, Rue SHE . . .
. . . . . . 370 K72 390 L72
Gédéon-Ouimet, Rue MSH . . . . .
. . . . 391 N83
Geffray, Pl. SVD 222 Z8
Geier, Cr. SLZ 203 R19
Gélase, Rue SCW 614 F11
Gélinas, Rue GRA 622 F2
Gélineau, Rue LNG . . . .
. . . 349 D63-64 D-E63 E62
Gélinottes, Rue des IPR . 264 F26
Gélinottes, Rue des LNG 329 W66
Gemme, Rue GRA 622 F3
Gén.-Vanier, Rue ASB . . 646 C4
Gendreau, Rue COA . . . 644 C3
Gendreau, Rue LMG . . . 648 B2
Gendreau, Rue VTV . . . 603 E9
Gendron, Rue BHN . . . 304 Q24
Gendron, Rue CTG . . 305 T33-34
Gendron, Rue DMV . . . 613 J7
Gendron, Rue ASB . . . 647 D5
Gendron, Rue RIG 580 D5
Gendron, Rue SHY . . . 520 D8
Gendron, Rue SRT . . . 530 C6-7
Gendron, Rue SVD . . . 242 C6
Gendron, Rue VTV . . . 603 C-D10
Gendron, Rue (LNG) LNG 329 X66
Gendron, Rue (SHU) LNG . . . . .
. . . . 349 C61-62
Gendron, Rue SJR 512 M6-7
Général-De Montcalm, Rue du
SHE 636 M16
Général-Vanier, Ch. BCV . . . . . .
. . . . 310 U73-74
Général-Vanier, Rue BCV . . . . . .
. . . . 310 U73-74
Général-Vanier, Rue du MAG . . . .
. . . . 631 C5
Général-Vanier, Rue du SBM . . . .
. . . . 370 F-G69
Généreux, Rue DMV . . . 614 J12
Genèse, Av. de CAN . . . 367 F47
Genest, Pl. SHE 639 N12
Genest, Rue ASB . . 647 C5-6
Genest, Rue DMV 608 E4
Genest, Rue MAG 630 E1
Genest, Rue SHE . . . 639 N-P12
Genest, Rue SJR 512 P7
Genest, Rue VTV 603 E10
Genève, Av. de CAN . 367 F47-48
Genève, Rue de DMV . . 613 F-G5
Genève, Rue de SHE 635 L13-14
Genève, Rue de SJU 350 C73-74
Genève, Rue GRA 621 B5
Geneviève, Rue de SJR . 510 E1
Genévrier, Rue du LNG . 369 G61
Genévriers, Rue des PIN 244 E23
Genévriers, Pl. des SBM 370 J70
Genévriers, Rue de SJR 510 E1
Genévriers, Rue des VTV . . . . . .
. . . . 601 E4 602 E5
Genois, Pl. du SCA . . . 347 D48
Gentilly, Av. de CHB . . . .
. . . . 409 R65 S64-65
Gentilly E. , Rue de LNG . . . . . .
. . . . 510 C2
Gentilly O. , Rue de LNG 329 X62
Geoffrion, Rue LNG . . . .
. . . . 329 V-W64 349 D61-62
Geoffrion, Rue SHY . . . 520 C2
Geoffrion, Rue SJU . . . 510 E5
Geoffrion, Rue VAR . . 311 Q-R79
Geoffroy, Rue SHE . . . 638 R9
George, Rue SHE 636 M16
George-F.-A.-Wilkes, Rue LNG . . .
. . . . 329 W-X63
Georges, Av. CAN . . . 367 F47
Georges, Rue DMV . . . 619 M13
Georges, Rue LNG . . . .
. . 348 A-B60 B60 349 B61-62
Georges, Rue MAG . . . .
. . . . . . 630 C4 631 C5
Georges-Bouchard, Rue CHB . . .
. . . . 409 R63
Georges-Couture, Rue DMV . . . .
. . . . 614 K10-11
Georges-Cros, Rue SHE . . . . . .
. . . . 622 G-H1
Georges-Cusson, Rue SHE . . . . .
. . . . 635 L12-13
Georges-F.-Slack, Rue FAR . . . . .
Georges-Gagné, Boul. DEL . . . . .
. . . . 347 E46

Georges-I, Rue DMV . . 619 M13
Georges-II, Rue DMV . . 619 M13
Georges-Jutras, Terr. LNG . . . . .
Georges-Morris, Rue NDP . . . . .
. . . . 284 L25-26
Georges-Pépin, Rue CHB . . . . .
. . . . 389 P65-66
Georges-Phaneuf, Rue LNG . . . .
. . . . 314 J4-5
Georges-Pinard, Rue EAN 645 D1
Georges-Rainville, Av. SJR . . . . .
. . . . 511 K8
Georges-Sand, Rue BEL . . . . . .
. . . . 391 L-M81
Georges-Vallières, Ch. SHE . . . .
. . . . 634 J7-10
Georges-Vanier, Rue BHN . . . . .
. . . . 304 R26
Georges-Vézina, Rue VDR. . . . . .
. . . . 224 Y22
Georges-Westinghouse, Rue
MSH 391 N-083
Georges D'or, Rue SGG . . . . . .
. . . . 616 M-N2
Georges du GRA 623 G8
Géraniums, Rue des LNG . . . . . .
. . . . 369 G63
Géraniums, Rue des PLS 607 D3
Géraniums, Rue des SJU . . . . . .
. . . . 350 C-D76
Géraniums, Rue des VDR224 Z22
Gérard, Av. CAN 367 F47
Gérard, Pl. CTG 325 W36
Gérard, Rue ASB 647 D5
Gérard, Rue CED 263 F19
Gérard, Rue GRA 621 B5
Gérard-Bérard, Rue SHE . . . . . .
. . . . . . 635 L11-12 M12
Gérard-Bergeron, Rue SGG. . . . .
. . . . 616 N1
Gérard-Brunelle, Rue SJR . . . . .
. . . . 512 M6-7
Gérard-Brunet, Rue SJR . . . . . .
. . . . 510 C5-6
Gérard-Cadieux, Boul. BHN . . . .
. . . . 304 Q23-24
Gérard-Cadieux, Rue SVD . . . . .
. . . . 242 E5
Gérard-Carmel, Rue LNG . . . . . .
. . . . 369 F64
Gérard-Côté, Rue SHY . 521 C9
Gérard-Dupont, Rue BEL. . . . . .
. . . . 391 L-M81
Gérard-Gauthier, Rue SJR 512 L7
Gérard-Gévry, Rue MAG . 631 M1
Gérard-L'Espérance, Pl. MCM . . .
. . . . 391 M77
Gérard-Majella, Rue SJR. 511 J4
Gérard-Mongeau, Rue CHB. . . . .
. . . . 409 Q65
Gérard-Sanfaçon, Av. SJR. . . . . .
. . . . 512 M6-7
Gerbière, Rue de la SLZ . . . . . .
. . . . 183 P16 203 Q16
Gérémi, Rue DMV . . . .
. . . . . 609 E5 612 F4 613 F5
Gérin, Rue OMV 631 A8
Gérin-Lajoie, Rue COA. 644 C2-3
Gérin-Lajoie, Pl. des SBM 370 J70
Germain, Rue CDL 222 W7
Germain, Rue LNG . . . 329 Y66
Germain, Rue SGG . . . 616 M3
Germain, Rue SJR . . . 512 L7-8
Germain, Rue SRT . . . 530 C6
Germain-Guillemette, Av. SHY . .
. . . . 520 C5
Germaine, Av. CED . . . 243 A17
Germaine, Rue SJR . . . 510 C5
Germaine, Rue SPH . . 367 K50
Germaine, Rue VTV . . . 602 C6
Germaine-Davignon, Rue DMV . . .
. . . . 512 L7
Germaine-Guèvremont, Rue LNG .
. . . . 369 F63
Germaine-Guèvremont, Rue SJU .
. . . . 350 A-B76
Germaine-Guèvremont, Rue VRC .
. . . . 292 O-P90
Germaine-Langlais, Rue BEL . . . .
. . . . 391 M81
Gertrude, Rue CAR . . . .
Gervais, Av. LNG 369 J62-63 K63
Gervais, Pl. SBM . . . 370 F-G70
Gervais, Rue CON . . 550 A-B4
Gervais, Rue DEL . . . 367 F-G46
Gervais, Rue MAG . . . 631 D5
Gervais, Rue OTT . . 391 O-P77
Gervais, Rue SBM . . 370 F-G70
Gervais, Rue SHE . . . 643 T9
Gervais, Rue SHY . . . 522 G7
Gevrey, Rue du SLZ . 203 O18
Gevrey, Rue du SLZ . . 203 O18
Giard, Ch. GRA 621 B8
Giard, Ch. SHY 520 C7-8
Giard, Rue CON . . 550 C1-2 D2
Gibraltar, Rue de SHE . 638 Q-R9
Giet, Rue SHE 636 L16-17

Giffard, Rue IPR 244 E27
Giffard, Rue LNG . . . 329 W67
Giffard, Rue SBM . . . 370 F69
Gignac, Rue SHE . . . 636 K15
Gigue, Rue de la CED . . 243 E17
Giguère, Rue ASB . . 647 B-C6
Giguère, Rue DMV . . . 618 N12
Giguère, Rue MAG . . 631 B-C6
Giguère, Rue VTV . . . 603 C10
Gilbert, Rue ASB 647 C6
Gilbert, Rue CTG . . . 305 T34
Gilbert, Rue LNG . . . .
. . . . 348 E60 349 E61
Gilbert-Dionne, Rue MSH . . . . .
. . . . 391 N-082
Gilbert-Martel, Rue CAR . . . . . .
. . . . 389 N-062
Gill, Rue DMV 613 H6 J7
Gill, Rue GRA 623 F5
Gill, Rue SVD. 263 F14
Gilles, Rue DMV 614 F10
Gilles, Rue MAG 631 B5
Gilles, Rue RIG 580 B3
Gilles, Rue SCW 610 A10
Gilles, Rue SHY 367 K50
Gilles-Ally, Rue DMV . . . 613 F7
Gilles-Bolvin, Rue BCV . 330 V70
Gilles-Brunet, Rue SRT 530 D5-6
Gilles-Coutu, Rue SHE . 642 V3
Gilles-Drolet, Rue MCM 391 M77
Gilles-Hocquart, Rue BCV. . . . . .
. . . . 310 S-T74
Gilles-Labarre, Rue CTG. . . . . .
. . . . 305 S-T34
Gilles-Landry, Pl. MCM 390 M76
Gilles-Langlois, Rue SHE. 642 V3
Gilles-Rageot, Rue SGG . . . . . .
. . . . 616 L3 M4
Gilles-Vigneault, Pl. SJU 370 F74
Gilles-Vigneault, Rue SJU. . . . . .
. . . . . 350 E74 370 F74
Gillespie, Rue SHE . . . .
. . . . . . 636 M16 640 N16
Gilmour, Pl. CTG . . . 305 S36
Gilmour, Rue COA . . . 644 C2
Gilmour, Rue CTG . . . 305 S-T36
Gince, Rue GRA . . . 622 F-G2
Ginette, Rue DMV . . . 618 P10
Ginette, Rue SJR . . . 512 M7
Ginette-Genois, Rue VTV 603 C9
Gingras, Av. VTV 522 G4
Gingras, Rue MAG . . . 631 B6
Gingras, Rue VDR. . . 244 A23
Girard, Av. SHY . . . 521 C9-10
Girard, Rue ASB 647 C7
Girard, Rue BEL . . . 391 M79
Girard, Rue DMV . . . 614 H9
Girard, Rue HUN . . . 560 C2
Girard, Rue LNG . . 349 B-C61
Girard, Rue MAG . . . 631 B5
Girard, Rue RIG . . . 580 B2-3
Girard, Rue SHE 633 D13
Girard, Rue VAR . . 311 Q-R80
Gironde, Av. de CAN 367 F47-48
Gironde, Av. de la SLB. 348 B58
Giroulard, Av. TVD . 244 C25-26
Giroulard, Car. SJR . . 511 G2
Girouard, Rue CTG . . . .
. . . . 305 S-T34 T35
Girouard, Rue DMV . . 613 G8
Girouard, Rue GRA . 622 H3-4
Girouard, Rue HUN . . 560 D9
Girouard, Rue LNG . . . .
. . 328 Z60 329 Z61
Girouard, Rue MAR . . 500 B4
Girouard, Rue PRN . 606 C-D3
Girouard, Rue SRT . . 530 C6
Girouard, Rue VTV . . . .
. . . . 605 F9 F-G10 G11
Girouard, Terr., Rue du LNG . . . .
Girouard E., Rue SHY . 520 D-E6
Girouard O., Rue SHY . . . .
. . . 520 E5 522 F5 F5 G4
Giroux, Rue SHE. . . . .
. . . . 633 E11-12 F12-13
Giroux, Rue BHN . . . 304 Q23
Giroux, Rue CTG . . . 305 T34
Giroux, Rue LNG . . 329 X-Y66
Giroux, Rue MAG . . . 630 A1
Giroux, Rue MER . . . 325 X31
Giroux, Rue SJR . . . 510 E5
Giroux, Rue SVD . . . 242 D5
Giroux, Rue VDR . . . .
. . . . 183 L20 184 L21
Giroux, Rue VTV . . . 602 E6
Gisèle, Rue BHN . . . 284 P23
Gisèle, Rue DMV . . . 608 E4
Gisèle, Rue GRA . . . 621 B5
Giverny, Rue de SJU . 350 B74
Glacière, Rue de la SHE 640 N16
Gladstone, Rue LNG. 348 A59-60
Gladu, Rue MAR . . . 500 B4
Glaieuls, Rue des SRT . 530 D3
Glaïeuls, Rue des CTG . 325 X35
Glaïeuls, Rue des LNG369 G-H63
Glaïeuls, Rue des LPR. 368 H53
Glaïeuls, Rue des SHE . 637 K19
Glaïeuls, Rue des SJU . 350 D76
Glaucos, Rue SHE . . . 638 N7
Claude, Rlle SVD . . . 242 C7
Gleason, Rue COW . . 626 E-F8

Glen, Rue COW 626 D8
Glen, Rue GRA 623 G6
Glenday, Ch. SHE . . 641 R-S21
Glen, Av. LNG 348 E60
Glenn, Rue LNG . . . 560 D2
Gloria, Rue du SCA . . 347 D48
Gobeil, Mtée BRS . 368 K58-59
Goya, Av. CAN 367 F47-48
Goya, Rue BEL 391 M82
Goyer, Rue COW . . . 626 E8
Goyer, Rue CTG . . . 325 V34
Goyer, Rue LPR . . . 367 G50
Goyer, Rue SBM . . . 370 F-G70
Goyette, Av. SJR . . . 512 L6
Goyette, Pl. WIN . . . 632 B2
Goyette, Rue COW . . 626 B6
Goyette, Rue GRA 620 D4 621 D5
Goyette, Rue LNG . 329 Y63-64
Goyette, Rue MAG . . 630 E4
Goyette, Rue SHE . . 638 Q9
Goyette, Rue WIN . . 632 E3
Graham, Pl. CAN . . . 367 F47
Graham, Rue VDR . . 244 A23
Graham-Bell, Rue BCV 329 Y-Z68
Graham-Bell, Rue SBM . 369 F67
Granby, Ch. de BRO . 628 C1-2
Goélands, Rue des DMV 619 P15
Goélands, Rue des LPR . . . . . .
. . . . 368 H53-54
Goélands, Rue des SBG . . . . . .
. . . . 390 M71
Goélands, Rue des SCA . . . . . .
. . . . . . 347 D46-47 C48
Goélands, Rue des SJU . 350 C75
Goélette, Rue de la SCA . . . . . .
. . . . 347 D-E47
Goélettes, Rue des VAR 311 R77
Goethe, Av. CAN . . . 367 F47-48
Goldburn, Rue LNG. . 349 C61
Golf, Av. du SHY. . . . 522 G3
Golf, Ch. du ASB . . . 646 C4
Golf, Ch. du BRS . . . 368 G58
Golf, Ch. du COW . . 625 B-C1
Golf, Rue du DMV . 609 E7 613 F7
Golf, Rue du FAR . . . 624 E4
Golf, Ch. du LER . . . 305 R31
Golf, Ch. du SBM . . 370 J71-72
Golf, Rue du SHE . . . 641 S19
Golf, Ch. du SJR . . . .
. . . . 242 B-C11 C-D10
Golf, Cr. du SJR . . . 391 083
Golf, Cr. du PIN . . . 244 D-E25
Golf, Rue du SLB . . . 328 Y-Z59
Golf, Rue du LPR . . . 368 F54
Golf, Rue du MSH . 391 N-083
Golf, Rue du SLZ . . . 183 N20
Golf O. , Ch. du DMV . 609 A-B6
Golfeuses, Rue des BRO 628 D8
Concourt, Rue SHE . . 638 R9
Goodfellow, Rue DEL . 367 F45
Goodhue, Rue SHE . . 636 M16
Goodleaf Rd KAH. . 306 T39-40
Gordon, Rue CTG . . . 306 T37
Gordon, Rue SHE . . 636 M16-17
Gordon, Rue SVD . . . 242 C7
Gordon-Bown, Rue SHE 643 R9
Goretti, Rue SHE . . . 636 L16
Gosford E. , Ch. EAN . 645 A1
Gosford O. , Ch. EAN . 645 A1
Gosselin, Av. PLS . . 607 C-D3
Gosselin, Rue ASB . 647 D-E5
Gosselin, Rue DMV . . 613 G7-8
Gosselin, Rue MAG . . . .
. . . . . . 630 E4 631 E5
Gosselin, Rue PRN . . 606 C3
Gosselin, Rue SHE . . 633 C12
Gosselin, Rue SJR . . 512 P5
Gosselin, Rue SLZ . . 203 T19
Gosselin, Rue SVD . 242 A8 B7
Gosselin, Rue VTV . . 605 G10
Gouderelle, Rue de la SHE . . . .
. . . . 637 M21
Goudreau, Rue MAG . 630 C-D4
Goudrelle, Rue de la SLZ . . . . .
. . . . 183 M17
Gougeon, Rue SVD . 623 F-G14
Gouin, Av. PLS 607 A2
Gouin, Boul. SJR . . . 512 L3-5
Gouin, Rue BEL . . . 391 N79-80
Gouin, Rue CTG . . . 305 S34
Gouin, Rue GRA . . . 622 H3
Gouin, Rue LPR . . . 367 F51-52
Gouin, Rue SBM . . 350 E69-70
Gouin, Rue SHE . . . 638 Q9
Gouin, Rue SHY . . . 522 H3 H3-4
Gouin, Rue SRT . . . 530 B5
Gouin, Rue VTV . . . 602 E6
Gouin, Rue (DMV) DMV . 613 F7
Gouin, Rue (SCD) DMV . 614 J12
Goulet, Pl. SRT 530 A6
Goulet, Rue BEL . . . 391 M79
Goulet, Rue DMV . . . 610 E9
Goulet, Rue SHE . . . 638 S9
Gounod, Av. CAN . . 367 F48
Gounod, Rue BEL . . 391 M81
Gounod, Rue CTG . . 325 X35
Gounod, Rue SJR . . . 512 P4
Goupil, Pl. SHE 636 K17
Goupil, Rue DMV . . . 614 K9
Goupil, Rue LNG . . . .
. . . . 328 X60 329 X61
Goupil, Rue SHE . . . 636 K-L17
Goupil, Rue SJR . . . 510 D-E1
Goupil, Rue SRT . . . 530 B-C5

Gouverneur, Pl. du VDR. 224 Y24
Gouverneur, Rue du DMV . . . . .
. . . . 613 K8 617 L8
Gouverneur, Rue du VDR 224 Y24
Gouverneurs, Av. des SHY 520 D5
Gouverneurs, Rue des BEL . . . . .
. . . . 391 M80
Godbout, Rue DMV . . 613 F7
Godbout, Rue EAN . . 645 C3
Godbout, Rue SHE . . 639 P13
Godbout, Rue SHY . 520 D7-8
Godfrey-Gendreau, Rue SJR . . . .
. . . . 511 G2
Godin, Ch. SHE . 638 N8 P-Q7 R7
Godin, Rue LNG . . . .
. . . . 348 B60 349 B61
Godin, Rue LPR. . . . 367 F-G51
Godin, Rue VTV . . . 602 D7
Godue, Rue GRA . . . 622 F2
Goélands, Rue des BEL 391 M78
Goélands, Rue des GRA 621 D7
Grand-Chêne, Rue du MCM . . . . .
. . . . 391 M-N77
Grand-Coteau, Pl. du SJU . . . . .
. . . . 350 E75 370 F75
Grand-Coteau, Rue du SJU . . . . .
. . . . 350 E75 370 F75
Grand-Degré, Rue de SHE . . . . .
. . . . 350 C73-74
Grand-Duc, Rue du MSH. . . . . .
. . . . 391 P82
Grand-Fontaine, Rue de CAR. . . .
. . . . 388 N60
Grand-Pré, Rue de SHE . 638 R9
Grand-Pré, Rue du SLZ . 203 U19
Grand-Quai, Ch. du RIG . 580 A5
Grand-Ravin, Rue du SJU . . . . .
. . . . 370 F75
Grand-Trunk, Rue SLB . 328 Z59
Grand Boulevard, Rue le LNG . . .
. . . . 348 B60
Grandbois, Rue SHE . . 638 R9
Grande-Allée MSH. . . . .
. . . . 391 083-84 P84
Grande-Allée, Boul. la LNG . . . . .
. . . . 348 C-E60 368 F-H60 K59
Grande-Allée, Rue CAR . . . . . .
Grande-Allée, Rue DMV 619 M13
Grande-Allée, Rue RCH. 409 S67
Grande-Île, Av. de SVD . . . . . .
. . . . 222 Z8 242 A7
Grande-Île, Rue SVD . 242 B-C7
Grande-Ligne, Ch. de la CAR. . . .
. . . . 389 P61 409 Q61
Grande-Ligne, Ch. de la CHB. . . .
. . . . 409 S61
Grande-Ligne, Rte de la VTV . . . .
Grande-Ligne E. , Ch. de la SJR. . .
. . . . 512 N8
Grande-Place, Rue de la VTV . . . .
. . . . 603 E10 605 F10
Grande Allée, Rue de la SLZ . . . .
. . . . 203 O-P19
Grandes-Fourches N. , Rue des
SHE 636 L16 M16-17
Grandes-Fourches S. , Rue des
SHE 636 M17 640 N17
Grandes Terrasses, Rue . 512 M1
Grandfontaine, Rue SJR. 511 J7
Grandiloise, Rue SVD. . 242 B7-8
Grandmaison, Rue SHE . 638 R9
Grandmont, Rue DMV . . . .
. . . . . . 608 E4 609 E5
Grandpré, Rue LNG . 369 G64
Grandpré, Rue de SHE . 389 P64
Grandpré, Rue de SRT . 530 D3
Grands-Bois, Rue des SRT . . . . .
. . . . 530 D4-5
Grands-Ducs, Pl. des SBM . . . . .
. . . . 370 H-J72
Grands-Ducs, Rue des DMV . . . .
. . . . 613 J-K7
Grands-Ducs, Rue des LNG. . . . .
. . . . 329 W65

Grands-Ducs, Rue des SGG 616 M-N2
Grands-Ducs, Rue des SHE. 634 M8
Grands-Ducs, Rue des SHE. 634 M8
Grands-Maîtres, Terr. des CTG 609 E7
Grands-Mâts, Rue des SVD. 241 C3
Grands-Monts, Rue des SHE. 640 P-Q16
Grands-Orgues, Av. des SHY 520 D5-6
Grands-Pics, Pl. des SLZ 183 P18
Grands-Vents, Rue des MAG. 631 E7
Granger, Rue VTV . 601 F4 604 F5
Grant, Rue LNG 329 W62 X63 Y63
Granville, Rue de BCV . . 330 Y70
Grasset, Rue SHE 637 M19
Gravel, Rue LNG 329 X66
Gravel, Rue SCA 347 B47
Gravel, Rue SHE 640 P18
Gravel, Rue VTV 605 F10
Graveline, Rue DMV . . . .
. . . . 615 K13 619 L13
Gravière, Rue de la COA 644 C-D2
Gray, Rue LNG 329 X66
Gray, Rue SBM. 370 J70
Green, Rue LNG 328 Y60 329 Y61
Green, Rue SLB . . . 328 Y59-60
Green Maple, Rue SLZ . 183 M17
Greenfield, Rue LNG 348 A59-60
Greening, Rue CTG. 305 T36
Greenlane, Rue HUD. . . 184 P24
Greenly N. , Rue WIN . . 632 C1
Greenly S. , Rue WIN . . 632 D-E2
Greenshields, Av. ASB . 646 C4
Greenwood, Rue SLZ . . 203 Q17
Gregoire, Rue PLS 607 B2
Grégoire, Av. CAN. 367 F47
Grégoire, Rang NAP . . . 570 B3-4
Grégoire, Rue HUN 560 D2
Grégoire, Rue LMG 648 C3
Grégoire, Rue SHE 638 P10
Grégoire, Rue SJR 511 J-K5
Grégoire, Rue VTV 605 F9
Gregory, Rue LNG 348 B59
Grenade, Rue de CHB . . . .
. . . . 409 R64-65
Grenat, Rue du SJR. . . . 510 E2-3
Grenats, Rue des SHE 637 L-M22
Grenet, Rue BEL 391 M81
Grenier, Av. LNG 349 E61 369 F61
Grenier, Av. PLS 607 C-D3
Grenier, Ch. COA 644 A1
Grenier, Rue EAN 645 C1
Grenier, Rue BHN 284 L21
Grenier, Rue MSH 391 Q80
Grenier, Rue SJR 511 F4
Grenier, Rue VTV 604 F6
Grenier, Rue du SHE . . . .
. . . . 638 R7 S7 642 S6
Grenoble, Rue de MSH . 411 R78
Grenoble, Rue de SHE. . 636 K18
Grenoble, Rue de SJU. . 350 D75
Grieg, Pl. CAN 367 F47
Griffin, Mtée SCT 367 G45
Grignon, Rue SHE . . . .
. . . . 638 R10 639 R11
Grilli, Rue PIN 244 D24
Grillon, Rue du DMV . . . 629 A8
Grimard, Rue ASB. 647 C5-6
Grimard, Rue BEL. 391 M78-79
Grimard, Rue SHE 638 R9
Grime, Rue SHE 635 L14
Grisé, Rue LNG 329 Y66
Grives, Av. des CED . . . 263 F19
Grives, Rue des ASB . . . 647 A7
Grives, Rue des CON . . 550 A4
Grives, Rue des DMV . . 613 K6
Grives, Rue des GRA . . 621 D6-7
Grives, Rue des LNG . . 329 W66
Grives, Rue des MSH 391 P82-83
Grives, Rue des OTT. . . 391 P77
Grives, Rue des SBM . . 390 M71
Grives, Rue des SHE . . 634 M8
Grives, Rue des SHE . . 634 M7
Grives, Rue des VTV. . . 602 B8
Grondin, Pl. SRT 530 A7
Grondin, Rue DMV 619 L13
Grondin, Rue EAN 645 B2
Grondin, Rue GRA 623 G8
Gros Pin, Rue au DMV . 614 J10
Grosbois, Pl. de SBM . . 370 H71
Grosbois, Rue de SBM . 370 H71
Grosbois, Rue de VAR . 311 R79
Grosvenor, Rue de SHE . 636 L15
Grotte, Rue de la MSH . 391 P81
Grotte, Rue de la SHE . 637 J19
Grou, Rue LNG 329 Y66
Groulx, Av. SHY 522 G8
Groulx, Rue GRA 622 H3
Groulx, Rue SHE 637 K21-22
Groulx, Terr. GRA 622 H3
Grove, Rue GRA 623 F6
Grove, Rue LNG 348 B-C59

Guay, Rue SHE 636 M17
Guay, Rue SRT 530 D5
Guay, Rue VTV. 602 E6
Guérêts, Rue des VSL . . 224 X25
Guérin, Rue BCV 310 U71
Guérin, Rue LNG 329 Y66
Guérin, Rue SCA 347 B47
Guérin, Rue SLZ. 203 R19
Guérout, Rue VTV 520 E6
Guertin, Av. SHY 521 C-D9
Guertin, Pl. SHY 521 D10
Guertin, Rue ACV 540 B3
Guertin, Rue BEL 391 N80-81
Guertin, Rue GRA 622 K2
Guertin, Rue MAG 631 B5
Guertin, Rue MAR 500 A3
Guertin, Rue SJR 511 J6
Guévin, Rue VTV . 601 F4 604 F5
Guèvremont, Rue SRT . 530 B6-7
Guévremont, Rue VAR . 311 Q79
Guévremont, Rue DMV . 614 J9
Guévremont, Rue SCW . 610 Q12
Guilbault, Rte SMG . . . 608 C-D3
Guilbault, Rue DMV. . . . 613 G-H7
Guilbault, Rue LNG 329 W62 X62
Guilbault, Rue SHE 641 Q19
Guilbault, Rue SRT 530 D3-4
Guilbault, Rue SVD . . . .
. . . . . 241 D4 242 D5
Guilbert, Av. SHY 522 G7
Guilbert, Rue ACV 540 C-D1
Guilbert, Rue MAG 630 E4
Guilbert, Rue SBM. . 370 G69-70
Guillaume, Rue LNG . . . 329 W62
Guillaume, Rue SHE . . . 638 R9
Guillaume-Barrette, Rue LPR . . . . . .
. . . . 367 H51-52
Guillaume-Cheval, Rue MSH . . . . . .
. . . . 391 N-083
Guillaume-Couture, Rue BCV . . . . . .
. . . . 330 W72
Guillaume-Larocque, Rue CHB . . . . .
. . . . 409 Q63
Guillemette, Rue SCH. . 605 K9
Guillemette, Rue VDR . . 224 Z21
Guillerm, Rue LNG 329 V67
Guillermo, Rue LNG . . . 329 Y66
Guillette, Rue GRA 622 J4 623 J5
Guillot, Rue SHE . . . .
. . . . . 635 L14 636 L15
Guilmain, Pl. MSH 391 Q80
Guimond, Boul. LNG . . . .
. . . . . . 329 V67 W67
Guimond, Rue SAM . . . 351 A84
Guimond, Rue SHE. . . . 638 R9
Guinois, Rue CTG. 305 T35
Guise, Pl. de CAN. 367 F48
Gurnham, Rue SVD . . . 242 C7
Gustave, Rue SHE 638 R9-10
Gustave-Lanctôt, Rue BCV . . . .
. . . . 330 W69
Guy, Av. SHY 521 D9
Guy, Rte SHY 521 D10
Guy, Rue ASB 646 D4
Guy, Rue BHN 304 Q25-26
Guy, Rue COW. 626 E7
Guy, Rue CTG 325 V36
Guy, Rue DMV 614 J9
Guy, Rue GRA 622 F3-4
Guy, Rue LNG 329 W66-67
Guy, Rue PLS 607 C2
Guy, Rue SAM 351 A84
Guy, Rue SCT 347 D-E46
Guy, Rue SJR 512 N7
Guy, Rue SVD 242 C8
Guy, Rue VDR 224 Y23
Guy-Bissonnette, Rue DMV. . . . . . .
. . . . 609 E6
Guy-Frégault, Rue BCV . 330 V69
Guy-Girouard, Rue BEL . 391 M82
Guy-Sanche, Rue SJU . 350 C74
Guyanne, Rue RIG 580 D5
Guyart, Rue SHE. 635 L-M14
Guyenne, Rue de SHY . 520 D7
Guyenne, Rue de SLB . 348 B58
Guyenne, Rue du SJR . 511 G3
Guylaine, Rue VTV. . . . 602 D5-6
Guyon, Rue DMV 610 E9
Guyon, Rue VRC 292 P90

H

H.-E.-Bryant, Rue MAR. . 500 B5
Habel, Rue SMG 608 C2
Habel, Rue VTV 604 F8
Habitat, Rue de l' SHE . . 640 Q15
Habitations, All. des SHY. 520 E6
Hackett, Rue GRA . . . .
. . . . . . 370 F74-75
Haendel, Ch. CAN 367 F47-49
Haendel, Rue CTG . . 325 W34-35
Haggerty, Rue DMV . . . 613 H6
Haig, Rue SHE 640 N-P15
Haineault, Rue SVD . . . 242 D7
Hains, Rue DMV . . . .
. . . . . 609 E6 613 F5 F6
Halcro, Rue HUD 184 O24
Hales, Rue des SHE . 633 C-D12
Halifax, Pl. CAN 367 F48
Halikas, Rue DMV 619 L13

Hall, Av. SLB . . . 328 Z58 348 A58
Hall, Rue MAG 631 D6
Hall, Rue SHE 640 N17
Hall, Rue VDR 184 Q22
Hallé, Av. SHY 520 E7
Hallé, Rue LNG 329 Z63
Hallée, Rue COW 627 D9
Hallée, Rue SHE. 640 R16
Hamamélis, Rue de SBM . . . .
. . . . 370 J-K70
Hamann, Rue COW . . . 625 D2
Hameau-de-la-Pointe-Ross, Ch.
du LER 305 R32
Hameau-des-Pins, Rue du SLZ . . . .
. . . . 183 N18
Hamel, Av. SJR 512 M7
Hamel, Ch. SHE 348 M-P6
Hamel, Imp. PIN 244 E22-23
Hamel, Rue ASB 647 B6
Hamel, Rue DMV . . . .
. . . 610 E10 614 F-G10
Hamel, Rue MAG 631 C5
Hamel, Rue MSH 411 Q78
Hamel, Rue SHY 520 D6
Hamel, Rue SVD 242 B7-8
Hamel, Rue VTV. 604 F7
Hamel, Pl. CTG. 325 W36
Hamelin, Rue MSH. . . . 411 Q79
Hamelin, Rue SHE 641 P19
Hamelin, Rue SRT 367 F48
Hamilton, Pl. CAN 367 F48
Hamilton, Rue CTG . . 305 S-T36
Hamilton, Rue VTV . . . .
. . . . 224 Z22 244 A21-22
Hampton, Rue LNG . . . 369 H62
Handfield, Rue CON . . . 550 B3-4
Hanley, Rue CTG 305 U36
Hannah, Rue BHN 284 P24
Hans-Selye, Rue CTG . . 325 V36
Hanson, Rue COW. . . . 626 C6
Harcourt, Rue SHE. . . . 638 S8
Harding, Rue LNG 349 E61
Hardisty, Rue CTG 305 T35
Hardy, Rue SHE. 637 M22
Harfang, Cr. SLZ 183 O18
Harfang-des-Neiges, Rue du
SHE. 634 M7
Harfangs, Rue des CON . 550 A4
Harfangs, Rue des DMV . 613 K6
Harfangs, Rue des SCA . . . .
. . . . 347 C-D47
Harfangs, Rue des SVD. 263 G15
Harley, Rue NDP 285 L29
Harley, Rue WIN. 632 B2
Harmonie, Pl. de SLZ. . 203 Q19
Harmonie, Rue de l' VTV. . . . .
. . . . 603 D9-10
Harnais, Rue des PRN. . 606 C-D3
Harness Ridge, Rue du SLZ. . . . . . .
. . . . 183 P20
Harold-Savoy, Rue SHE . 512 L8
Harpin, Av. SHY 520 C2-D2
Harris, Rue OTT 391 P77
Harris, Rue SJR 512 N6
Harry-Haworth, Rue DMV 609 E6
Hart, Rue LNG 349 D61
Harvey, Rue ASB 647 A8
Harvey, Rue GRA . . . .
. . . 622 H4 623 H5 J5
Harvey, Rue LNG . . 349 C62-63
Harwood, Boul. VDR . 244 A-B23
Harwood, Mtée SLZ 183 M16-17
Harwood, Route SLZ . 184 M-L1
Harwood, Rte VDR . . . 183 L20
. . . . 184 L21 O-P22 204 Q-T22
224 V21-22 244 A21-22
Haskell-Hill, Ch. d' SHE . . . .
. . . . 640 S18 641 S19
Hatley E. , Ch. MAG. . . 631 E5-6
Hatley O. , Ch. MAG . . . 631 D-E5
Hatotte, Rue DMV 617 N7
Haut-Bois, Allée des GRA . . . .
. . . . 622 H4
Haut-Bois, Rue du LNG . 329 N55
Haut-Bois N. , Rue du SHE . . . .
. . . . 638 Q-R8
Haut-Bois S. , Rue du SHE . . . .
. . . . 638 R8-9
Haut-de-la-Chute, Ch. du RIG . . . . .
. . . . . . 580 D2 D3-4
Haute-Rivière, Ch. de la CTG. . . . . .
. . . . . 304 U27-28
. . . 305 U29 U31-32 U34
Haute-ville, Rue de la SLZ. . . . .
. . . . . 203 R18-19
Hautes-Bois, Rue du SLZ . . . .
. . . . 203 R19
Hautes-Cimes, Cr. des DMV . . . . . .
. . . . 614 F9
Hautes-Sources, Rue des MAG . . . .
. . . . 631 E7
Hauts-Bois, Boul. du SJU . . . .
. . . . . . 370 F74-75
Hauts-bois, Rue des MAG. . . . .
. . . . 631 B5-6
Hauts-Bois, Rue des WIN 632 B3
Hauts-Bois N. , Pl. des SJU. . . . . . .
. . . . 370 F75
Hauts-Bois S. , Pl. des SJU. . . . . . .
. . . . . 370 F74-75
Hauts-Pins, Rue des SHE 634 M6
Hauts-Prés, Rue des COW . . . .
. . . . 627 C11

Hauts Boisés, Ch. des CTG . . . .
. . . . 306 U37
Havard, Rue SHE 638 S8
Havre, Boul. du SVD. . . . .
. . . . 242 B5-6 C-D8
Havre, Boul. du LNG . . 329 Z63
Havre, Rue du VTV 602 E6 604 F6
Havre, Rue du MSH . 391 Q81-82
Hâvre, Rue du PDC . . . 264 H21
Hâvre-de-l'Île, Rue SVD . . . .
. . . . 222 Z8 242 A8
Hawthorn, Rue HUD . . . 184 Q23
Hazelwood, Rue HUD. . 184 N23
Hébert, Av. CAN 367 F48
Hébert, Av. SHY 522 G5
Hébert, Boul. SCA . . . .
. . . 327 Z46 347 A46
Hébert, Boul. SVD . . . .
. . . 242 D9-10 E11 E8-9
. . . 263 F13 F-G15 J18
Hébert, Rue BHN 304 Q-R26
Hébert, Rue CON 550 B-C3
Hébert, Rue CTG. 325 W36
Hébert, Rue DMV 613 G7-8
Hébert, Rue GRA 620 E3
Hébert, Rue MER 325 X31
Hébert, Rue MSH 411 R78
Hébert, Rue NAP 570 B3
Hébert, Rue PLS 607 D2-3 E4
Hébert, Rue PRN 606 D2
Hébert, Rue SCT 346 D43-44
Hébert, Rue SHE 642 T5 U4-5
Hébert, Rue SJR 511 K2
Hébert, Rue SJU 370 F75
Hébert, Rue SMS 409 Q68
Hébert, Rue SRE 365 J32
Hébert, Rue SRT 530 C-D5
Hébert, Rue SVD 242 C-D7
Hébert, Rue VRC 292 P91
Hébert, Rue VTV 602 E6
Hébert, Rue WIN 632 C2-3
Hector, Rue DMV. 613 J6-7
Hector, Rue SJR 510 D-E6
Hectorine-Prairie, Av. SJR. . . . .
. . . . 511 K7
Helen, Rue OTT 391 O-P78
Hélène, Rue DMV 608 D-E3
Hélène, Rue SJR 512 M7-8
Hélène-Boulé, Rue SHE . . . .
. . . . 638 R8-9 S8
Hélène-Boullé, Pl. BCV . 330 V70
Hélène-Boullé, Rue BCV . . . .
. . . . 330 V70-71
Hélène-Boullé, Rue LPR. . . . .
. . . . 367 G-H51
Hélène-Mard, Rue MSH. . . . .
. . . . 391 O80
Hémard, Av. LNG 349 E62
Hémérocalle, Rue de l' DMV . . . . . .
. . . . . . 614 K11-12
Hemlock, Rue VDR 184 O21
Hemlock Ct. HUD. 184 P23
Hemlock Ct. HUD. 184 P23
Hemming, Ch. DMV . . . .
. . . 614 G9-10 H-J10
Hemming, Rue DMV. . . 614 H9
Hemmings, Rue SJR . . 512 M2
Hémond, Rue LNG 329 V67
Hénaire, Rue SHE 642 U4-5
Henderson, Rue CHB . . 409 R66
Henderson, Rue HUN . . 560 D3-4
Heneker, Rue SHE 636 M15
Henri, Av. SHY 520 D8
Henri, Rue VDR 184 L21
Henri-Becquerel, Rue SJU . . . .
. . . . 350 D75
Henri-Bourassa, Rue BEL. . . . .
. . . . . . 391 L-M81
Henri-Bourassa, Rue MAR . . . .
. . . . . . 500 B4-5
Henri-Bourassa, Rue SHE. . . . .
. . . . . . 638 Q-R8
Henri-Cyr, Rue LNG . . . 369 F64
Henri-d'Arles, Rue VTV . 605 F10
Henri-de-Tonti, Rue BCV. . . . .
. . . . 330 W71
Henri-Dunant, Rue COW. . . . .
. . . . 626 C6-7
Henri-Dunant, Rue DMV. . . . .
. . . . 613 G-H7
Henri-Dunant, Rue LPR. . . . .
. . . . . . 305 R30
Henri-Dunant, Rue MSH. . . . .
. . . . 184 M23
Henri-Giraud, Rue SJU . 370 F75
Henri-Hébert, Rue BHN. . . . .
. . . 284 P26 304 Q26
Henri-IV, Rue BRO 628 B3
Henri-IV, Rue SHE. 638 R8
Henri-Labonne, Rue SHE . . . .
. . . . 638 Q-R8
Henri-Laflamme, Rue SJR. . . . .
. . . . 512 M7
Henri-Lamoureux, Rue SJR 511 K8
Henri-Lamoureux, Rte SGG. . . . . . .
. . . . 330 X70
Henri-Lapierre, Rue VRC 292 O91
Henri-Massé, Rue LNG. . . . .
. . . . 349 E65 369 F65
Henri-Masson, Rue SCA 347 B46
Henri-Mongeau, Rue SHE. . . . .
. . . . 639 R11

Henri-Morin, Rue SJR . . 511 G2
Henri-Petit, Ch. RIG . . . 580 D7
Henri-Polonceau, Rue DMV . . . .
. . . . 367 G50
Henriette, Rue CAR . . . .
. . . . 389 N-063 O-P64
Henriette, Rue IPR 244 D28
Henriette-Caron, Rue CTG . . . .
. . . . 305 U36
Henri-Carleton-Monk, Rue GRA . . . .
. . . . 620 E2
Henry-Ford, Rue VDR . . . .
. . . 223 Z20 224 Y22 Y-Z21 Z21
Henry-Wheeler, Rue WIN. 632 B3
Héon, Rue PLS 607 C2-3
Héon, Rue VTV. 604 F7
Herbert-Leduc, Rue NDP . . . .
. . . . 264 G27
Herbert-O'Connell, Rur CDL . . . .
. . . . 222 V7
Hercule, Rue SHE 638 R-S9
Hérelle, Rue LNG 329 X67
Heriot, Boul. DMV . 613 G8 614 H9
Hériot, Rue SHE 638 R-S9
Héritage, Rue de l' SLZ. . . . .
. . . . 203 Q-R17
Hermas-Lachapelle, Rue SJR . . . . . .
. . . . 511 G2
Hermès, Av. CAN 367 F48
Hermine, Rue SVD 242 C6-7
Hermine, Rue du SBG. 390 M71-72
Héron, Rue du CTG. . . . .
. . . . 305 U35
Héron Bleu, Rue du CTG. . . . .
. . . . 305 U35
Hérons, Rue des ASB . 647 A-B8
Hérons, Rue des DMV. . 613 K6
Hérons, Rue des LNG. . 329 W65
Hérons, Rue des LPR. 368 G-H54
Hérons, Rue des SCA 347 C-D46
Hérons, Rue des SJR . . 510 E5
Hérons, Rue des VDR. . 224 W25
Héroux, Av. SJR 512 L7
Héroux, Rue BEL . . . 391 L81-82
Héroux, Rue SBM 370 F69
Héroux, Rue SHE 638 S8-9
Héroux, Rue VTV 605 G10
Hertel, Rue BEL 391 N78-79
Hertel, Rue CHB 409 R65
Hertel, Rue SHE 639 N12-13
Hertel, Rue SMS . . . .
. . . . 409 Q68 410 Q69
Hertel, Terr. CHB 409 R65
Hervé, Av. NAP 570 C1
Hervé, Rue CTG. 305 U30
Hervé, Rue SHE 638 R8
Hervé, Rue VTV 601 E-F3
Hervé-Lévesque, Rue MAR . . . .
. . . . 500 C4
Hervé-Mayne, Rue MSH 391 P79
Hervé-Tessier, Rue DMV . 614 H9
Hêtres, Rue des GRA . . 620 E1
Hêtres, Rue des IPR . . . 244 E27
Hêtres, Rue des MER 325 X29-30
Hêtres, Rue des OTT. . . 391 P77
Hêtres, Rue des SHE . . . .
. . . 635 M12 639 N12
Hêtres, Rue des SJR. . . 510 E1
Hêtres, Rue des SJU. . . 370 F75
Hêtres, Rue des VTV . . 602 E5
Heureux, Rue l' CON. . . 550 B-C3
Heureux, Rue l' SHY . . . 520 C-D2
Hialeah, Cr. SLZ 183 O-P20
Hickson, Av. SLB . . 328 Z58-59
Higgins, Rue CTG . . . 306 R37-38
High, Rue SHE 636 M16
Highfield, Rue MSH . . . 391 P79-80
Hilaire, Rue SHE 637 M22
Hilaire-Plante, Rue MCM. . . . .
. . . . 370 G-H69
Hillcrest, Rue COW . . . 627 D11
Hillcrest, Rue CTG. . . 306 T-U37
Hillcrest, Rue HUD. . . . 184 N21
Hillcrest, Rue SBM. . 370 H71 J70
Hillsdale E. , Rue CTG 325 V-W35
Hillsdale O. , Rue CTG325 W-35
Hillside, Rue HUD 184 N22
Hillside, Rue OTT . . . 391 O-P78
Hilltop, Rue HUD 184 M23
Hillview, Rue GRA 623 H5
Himbeault, Rue SVD. . . 242 B10
Hins, Rue LNG. 348 A59
Hippolyte, Rue SHE. . . 638 R8-9
Hirondelles, Boul. des SBG. . . . .
. . . . . . 390 M71-72
Hirondelles, Rue des SBM. . . . .
. . . . 370 F74
Hirondelles, Pl. des LNG 329 W66
Hirondelles, Rue des LPR 367 F8-9
Hirondelles, Rue des VTV 602 B7-8
Hirondelles, Rue des BCV . . . .
. . . . 330 X70
Hirondelles, Rue des BEL. . . . .
. . . . . . 391 L-M79
Hirondelles, Rue des CED. . . . .
. . . . 263 F19
Hirondelles, Rue des COA. . . . .
. . . . . . 644 C1 D2
Hirondelles, Rue des CON550 A4

Hirondelles, Rue des DMV . . . .
. . . . 619 N15
Hirondelles, Rue des GRA. . . . .
. . . . 621 C-D6
Hirondelles, Rue des LNG. . . . .
. . . . . . 329 W65-66
Hirondelles, Rue des LPR. . . . .
. . . . 368 G54
Hirondelles, Rue des SAM . . . .
. . . . 351 B82
Hirondelles, Rue des SCA. . . . .
. . . . 347 D47
Hirondelles, Rue des SHE. . . . .
. . . . . . 634 M7 638 N7
Hirondelles, Rue des SJR. . . . .
. . . . 510 E3-4
Hirondelles, Rue des SJU. . . . .
. . . . 350 C-D75
Hirondelles, Rue des SLZ. . . . .
. . . . 203 U19
Hirondelles, Rue des SRT. . . . .
. . . . . . 530 D-E2 E3
Hirondelles, Rue des VDR. . . . .
. . . . 183 L20
Hirondelles, Rue des . . . .
. . . . 183 L26
Hochelaga, Av. CAN . . 367 F48
Hochelaga, Pl. CAN . . . 367 F48
Hochelaga, Rue CTG . . 305 S34
Hocquart, Rue SHE . . . 637 M19
Hodgson, Rue HUD . 184 P23-24
Hogan, Pl. BEL 391 M81
Hogue, Rue SVD 222 Z8
Hogue, Terr. SVD 222 Z8
Hollindrake, Terr. LNG. . 348 C59
Hollywood, Rue d' SHE 642 T5-6
Holmes, Rue DMV 614 G9
Holmes, Rue LNG . . . .
. . . 348 B60 349 B61-62
Holmes, Rue SBM . . 370 G69-70
Holmes, Rue SHE. 636 L16
Holt, Rue SVD 242 C7-8
Homer, Rue LNG 348 B59
Homère, Rue SHE 638 R9
Honfleur, Av. CAN 367 F48
Honfleur, Rue de BCV. . 330 Y70
Honfleur, Rue de LNG 329 W-X64
Honorat-Lussier, Rue GRA620 D3
Honoré, Rue SHE 638 R9
Honoré-De Balzac, Rue SHE . . . .
. . . . 635 L13
Honoré-Desrochers, Rue BCV . . . . . .
. . . . 310 T73
Honoré-Laure, Rue SJR 511 G-H2
Honoré-Mercier, Rue BEL . . . .
. . . . . . 391 M-N80
Honoré-Mercier, Rue SJR 512 L7
Honoré-Mercier, Rue SJU . . . .
. . . . 350 B-C74
Honoré-Mercier, Rue . . . .
. . . . . . 224 W23-24
Hooper, Rue SLB 328 Y59
Hope, Rue CTG 305 T36
Hôpital, Rue de l' FAR . 624 C2-3
Horizon, Rue de l' GRA. . 621 D6
Horizon, Rue de l' SHE . 640 P17
Hormidas-Lemoyne, Rue ACV . . . . . .
. . . . 540 C2
Horn St KAH 306 U42
Horner, Rue GRA 622 G4
Horseshoe, Cr. SLZ . 183 O19-20
Horsfall, Rue SLB. 328 Y59
Horton, Rue EAN 645 C2
Horus, Rue SHE. 638 R9
Hospital Rd KAH 306 T41-42
Hospitalières, Rue des VTV. . . . .
. . . . 605 G11
Hôtel-de-Ville, Av. de l' SHY . . . .
. . . . 520 E5 522 F5
Hôtel-de-Ville, Pl. de SBM. . . . .
. . . . 370 G-H69
Hôtel-de-Ville, Rue ASB . 646 C4
Hôtel-de-Ville, Rue BEL. 391 N80
Hôtel-de-Ville, Rue EAN . 645 B2-C2
Hôtel-de-Ville, Rue VDR. . . . .
. . . . . . 244 A23-24
Hôtel-de-Ville, Rue de l' CED. . . . . . .
. . . . . 243 D14 E14-15
Hôtel-de-Ville, Rue de l' FAR . . . .
. . . . 624 C2
Hôtel-de-Ville, Rue de l' LER . . . .
. . . . 305 R30
Hôtel-de-Ville, Rue de l' SCL . . . .
. . . . 202 Q10
Hôtel-de-Ville, Rue de l' RIG . . . .
. . . . 580 C-D5
Hôtel-de-Ville, Rue de l' SHY . . . .
. . . . 522 F5-6
Hôtel-Dieu, Av. de l' SRT. . . . .
. . . . 530 A5-6
Houde, Boul. SLB 348 A58
Houde, Pl. SRT 530 D5
Houde, Rue LNG 369 K62
Houde, Rue LPR 367 F51-52
Houde, Rue PLS. 607 C2
Houde, Rue SHE 638 R8-9
Houde, Rue SRT 530 D5
Houlard, Rue DMV 610 E9
Houle, Rue DMV. 614 K11
Houle, Rue GRA . 622 H4 623 H5
Houle, Rue MAR 500 B5
Houle, Rue PRN. 606 C3
Houle, Rue SJR 510 C-D5

Houle, Rue VDR 183 L20
Houle, Rue VTV 602 E7
Howard, Rue LNG 349 E62 E63-64
Howard, Rue VDR 183 L20
Howie-Morenz, Rue VDR 224 Y22
Huard, Rue LMG 648 A2
Huard, Rue SRT 530 D4-5
Huard, Rue du SBG 390 L-M72
Huard, Rue du SLZ 203 R20
Huards, Pl. des SCA 347 D46
Huards, Rue VDR 224 Y25
Huards, Rue des CON . . . 550 A4
Huards, Rue des MSH . . . 391 P82-83
Huarts, Rue des DMV . . . 613 K6
Huberdeau, Rue LNG . . . 369 F61
Huberdeau, Rue DMV . . . 613 K7
Hubert, Av. SHY 522 G5
Hubert, Rue BEL 391 N80
Hubert, Rue LNG 329 Y61-62 Y-Z61 348 A59
Hubert, Rue MAR. 500 A2
Hubert, Rue SHE 638 R8
Hubert, Rue VDR 224 Y23
Hubert-Aquin, Rue CTG 305 S34
Hubert-Guertin, Rue LNG348 E60
Hubert-Paré, Rue SJR. . . 512 L8
Hudon, Rue CTG 305 S34
Hudson, Av. LNG 369 J64
Hudson, Rue BCV 330 W72
Hudson, Rue DEL. 347 E45-46
Hudson, Rue LNG 349 D61
Hudson, Rue MCM 391 M77
Hudson, Rue SBM 370 F70
Hudson, Rue SCA 347 D47
Hudson, Rue SHE 638 S8
Huet, Rue SBM 370 G69
Huet, Rue SHE 638 R9
Huet, Rue SJU 350 B75
Hugh-Campagna, Rue DMV. . . 609 E6
Hugo, Rue SHE 635 L13-14
Hugo-Levasseur, Rue DMV. . . 610 E9 614 F9
Hugues-le-Grand, Rue SHE. . . 638 S8-9
Hugues-Pommier, Rue BCV. . . 330 V69-70
Huguette, Rue BRO. . . 628 D2-3
Huguette, Rue DMV . . . 613 H5
Huli, Rue de BRO 629 D5
Humphrys, Rue VDR. . . 183 L20
Huneault, Av. CED. . . 243 C-D14
Hunt, Rue SLZ 184 P21
Hunter, Rue HUN 560 C2-3 D2
Hunting, Rue SHE 641 R19
Huntingdon, Rue BCV . . 330 W70
Huntington, Ch. BRO. . 629 D-E8
Huntsmen, Rue SLZ . . . 183 O20
Huot, Rue MAR. 500 B4-5
Huot, Rue NDP. 244 E26
Huot, Rue PLS. 607 A2
Huot, Rue SHE 637 M20-21
Huron, Rue PIN 244 D24
Hurteau, Rue CON . . . 550 B-C3
Hurteau, Rue SBG 390 L71
Hurtubyse, Rue SBM. . . 370 J70
Hussards, Rue des LNG . . . 349 B-D64
Hutcheson, Rue ASB . . 646 C4
Hyacinthe-Boileau, Pl. SLZ. . . 203 R19
Hyacinthe-Hudon, Rue BCV. . . 330 V-W69
Hyatt, Rue SHE 636 L15
Hydrangées, Rue des LNG . . 369 G61
Hydrangées, Rue des SCW . . 611 A13
Hydro, Rue d' SJR . . . 511 K8
Hydro-Québec, Rue DMV614 J11
Hydro Tower Rd KAH 326 X42-43
Hypolite-Rougié, Rue SJR 511 G2
Hyppolite-Denault, Rue LPR . . 367 H51

I

Iberia, Av. d' CAN 347 E50 367 F50
Iberville, Av. CAN. 347 E49 367 F49
Iberville, Av. LNG 349 E61
Iberville, Boul. d' SJR. . . 511 J-K7 512 L-M7
Iberville, Rue BCV . . . 330 V-W71
Iberville, Rue BEL 391 M80
Iberville, Rue COA 644 A3
Iberville, Rue DMV . . . 619 L13
Iberville, Rue GRA. . . . 621 E5-6
Iberville, Rue LNG . . . 329 W-X61
Iberville, Rue MSH . . . 391 P80
Iberville, Rue NDP . . . 264 G27
Iberville, Rue SBM. . . 370 H70-71
Iberville, Rue SRT . . . 530 B2
Iberville, Rue d' BRO . . 629 D5
Iberville, Rue d' VAR. . 291 P79

Ibsen, Rue CAN 367 F50
Icare, Rue SHE 639 R11
Idola-Saint-Jean, Rue SHE . . 639
Idola-St-Jean, Rue SBM 370 F70
Ifs, Rue des VTV 602 E5-6
Igé, Rue BCV 330 X69
Ignace, Av. BRS. . . . 368 F54-55
Ignace, Rue SHE 639 S11
Ignace-Hébert, Rue VAR 311 R79
Île, Boul. de l' PIN . . . 224 C25 D23-25
Île, Rue de l' VSL . . . 224 X26
Île, Terr. de l' SVD. . . 242 E10
Île-Bellevue, Rue IPR . . 244 D28
Île-Claude, Ch. de l' IPR . . 244 C-D27
Île-d'Orléans, Rue de l' SHE . . 639 R12-13
Île-de-France, Pl. de l' SLB . . 348 A58
Île-de-France, Rue d' LNG . . 329 W63
Île-de-France, Rue de l' SBG. . 370 J-K73
Îles, Rue des CDL . . . 222 X6
Îles-Percées, Rue des BCV . . 330 V-W70 W70
Illinois, Av. BRS. . . . 368 G54-55
Illinois, Rue de l' SHE . . 639 R11
Iménite, Rue de l' SJS 530 A-B3
Imbeault, Rue VTV . . . 603 B9-10
Immortelles, Rue des . . 637 L19
Imp. Darsigny, Imp. SHY. 520 D6
Impasse, Rue de l' DMV . 609 E6
Impératrice, Rue de l' SJR510 E2
Imperial, Rue LNG . . 349 D61-62
Impériale, Rue SHE . . . 639 R11
Imprimerie, Rue de VTV 605 G10
Incas, Rue des SHE . . . 639 R12
Indian School Way KAH . . 326 Y42-43
Indiana, Rue de l' SHE . . 639 R11
Industrie, Boul. de l' CAN . . 627 C9-10
Industrie, Boul. de l' CAN . . 367 F49-50
Industrie, Rue de l' BEL . . 391 L-M83
Industrie, Rue de l' BHN 284 O23
Industrie, Rue de l' SRE . . 365 H-J33
Industrie, Rue de l' VRC . . 292 P90-91
Industriel, Boul. ASB . . 646 E4
Industriel, Boul. BCV. 330 V-W69
Industriel, Boul. CHB. . . 409 S65 T62-63
Industriel, Rue CTG. 326 W-Y37
Industriel, Rue GRA . . 622 H2 H2-3 J1
Industriel, Rue MAG . 631 C6-8
Industriel, Rue NAP . . 570 C2
Industriel, Rue PRN . . 606 D-E2
Industriel, Rue SGG. . 612 K1-2
Industriel, Rue SHE . . 634 L10 635 L11 638 N9-10
Industriel, Boul. SJR . 511 H-K3
Industriel, Rue de l' FAR . . 624 A-B3
Industriel E., Rue VTV . . 641 S19
Industriel O., Rue VTV 601 G1-2
Industrielle, Av. MAR . 500 A4-5
Industrielle, Rue CDL . . 222 V6
Industrielle, Rue CON. . 550 D2
Industrielle, Rue DEL . 367 F-G46
Industrielle, Rue LNG349 C64-65
Industrielle, Rue LPR 367 G50-51
Industrielle, Rue SLB . 328 Z59
Industrielle, Rue SRT. . 530 E1-2
Industriels, Av. des COA . 644 E2
Industries, Rue des COW . . 626 D-E7
Industries, Rue des DMV 619 P16
Inspecteur, Rue de l' VTV . . 603 D10
Intendant, Rue de l' DMV 617 L8
Intendants, Rue des VAR311 S77
Inuit, Rue des SHE . . . 639 N11
Inverness, Rue d' CAN. . . 367 F49-50
Irène, Rue SVD. 263 F13
Irène-Couture, Rue SHE 635 M13
Irénée-Auclaire, Rue CHB. . . 409 R66
Iris, Pl. de l' DMV . . . 614 K12
Iris, Rue de l' LPR . . . 368 H53
Iris, Rue des SJU. . . . 350 C76 351 C77
Iris, Rue des SVD. . . . 242 A8
Iris, Rue des VDR. . . . 224 Z23
Iris, Rue des (LNG) LNG . . 329 Y66-67
Iris, Rue des (SHU) LNG 369 G62
Irlande, Rue d' SHE . . . 639 R11
Ironwood, Rue HUD. 204 Q22-23
Iroquois, Cr. des SJR . . 510 D4
Iroquois, Rue PIN . . . 244 D25
Iroquois, Rue des SHE . 639 R12
Irvine, Av. SLB 328 Z58
Irving, Av. LNG. . . 348 E60 349 E61

Irwin, Rue GRA . . 620 E2 622 F2
Isabella, Rue LNG . . 348 A-B59
Isabella, Rue SVD. . . 242 C-D6
Isabelle, Rue ACV . . . 540 B4
Isabelle, Rue BRS . . 368 G54 G55
Isabelle, Rue CDL. . . 222 W7-8
Isabelle, Rue CED . . 243 D14-15
Isabelle, Rue CTG . . . 305 T35
Isabelle, Rue DMV . . . 608 E4
Isabelle, Rue LNG . . . 349 D61
Isabelle, Rue SHE . . 639 S12-13
Isabelle, Rue SRE. . . . 365 K33
Isabelle, Rue VDR. . . . 224 Y23
Isaie-Lemieux, Rue SJR . 512 N3
Isère, Pl. d' SLB 348 C58
Isère, Terr. d' SLB . . . 348 C58
Isidore, Rue SRE 365 J32
Isidore-Hardy, Rue SMS 409 R67
Island, Rue BCV. . . . 636 M16
Isle-de-France, Rue BCV 330 Y70
Islet, Rue de GRA . . . 621 A6
Islet, Rue de l' SBG. . . 639 N-P14
Israël-Fréchette, Rue SHE 642 T3
Issoudun, Rue de l' SHE . 639 S12
Ivanhoë-Caron, Rue BCV . . 330 W69
Ivanier, Boul. MAR . . . 500 B5
Ives, Rue COA. 644 C2
Ivoire, Rue de l' SHE . 639 R-S12
Ivry, Rue LNG 349 D61

J

J.-A.-Bombardier, Rue LNG. . . 368 H60 369 H61
J.-A.-Bombardier, Rue SHE. . . 639 N11-12
J.-A.-Dallaire, Rue GRA . 623 H8
J.-A.-Nadeau, Rue GRA 623 G-H8
J.-André-Déragon, Boul. COW. . 627 C9-10
J.-Armand-Bombardier, Rue de BCV. . . 349 A68 350 A69
J.-Aurèle-Roux, Rue VTV. . . 602 B8 603 B9
J.-Bruchési, Rue BCV. . 330 W70
J.-Charles-Frémont, Rue BCV . . 330 V72
J.-D.-Breton, Rue SHE. 633 E13
J.-E.-Laflèche, Rue LMG . 648 A4
J.-E.-Lemieux, Rue WIN . 632 B3
J.-J.-Bertrand, Rue COW . . 626 C-D6
J.-L.-Lapierre, Rue SCT . . 347 C45-46
J.-Léo-Montpetit, Rue SVD. . 263 F13
J.-M.-Tardif, Boul. des LNG . . 648 A3-4
J.-Pariseau, Rue SHE. . 642 U6
J. A.-Bombardier, Rue GRA . . 622 G-H1
Jacob, Rue CHB. . . . 619 L13
Jacinthe, Rue VDR . . . 224 Y23
Jacinthes, Rue des CAR 389 P68
Jacinthes, Rue des LNG. . . 369 G-H63 H62-63
Jacinthes, Rue des LPR. . . 367 G52 368 G53
Jacinthes, Rue des SCA . . 347 C47-48
Jacinthes, Rue des SJR . 510 E1
Jacinthes, Rue des SJU 350 C76
Jacinthes, Rue des SRT530 D-E2
Jacinthes, Rue des SVD 263 F13
Jacinthes, Rue des WIN . 632 A3
Jack, Rue CTG 306 S37
Jack Circle, Rue CTG . . 325 V35
Jackson, Av. CAN 347 E48 367 F48
Jacob, Rue SRT. 530 B7
Jacob-Nicol, Rue SHE . 635 M14
Jacquard, Av. CAN . . . 347 E48 367 F48
Jacquelin-Beaulieu, Rue SJU . . 350 E74
Jacqueline, Rue RIG. . . 580 C6
Jacqueline, Rue SJR. . . 511 F5
Jacquemet, Rue COW . 626 C6
Jacques, Av. CAN 347 E48 367 F48
Jacques, Rue CON . . 550 C2-3
Jacques, Rue DMV. . . 618 P10
Jacques, Rue LMG . . . 648 C3
Jacques, Rue LNG . . . 349 B66
Jacques, Rue SHE. . . 637 M22
Jacques, Rue SMG . . . 608 C1
Jacques, Rue SVD. . 263 F14-15
Jacques-Blain, Rue SJR . 510 D2
Jacques-Bourdon, Rue BCV . . 330 V69-70
Jacques-Buteux, Rue BCV . . . 310 U72
Jacques-Cartier, Rue BCV. . . 330 W71-72
Jacques-Cartier, Rue BRO628 C4

Jacques-Cartier, Rue COW. . . 626 D7
Jacques-Cartier, Rue GRA623 F6
Jacques-Cartier, Rue SCA . . 347 D47
Jacques-Cartier, Rue SHY522 H3
Jacques-Cartier, Rue SRT 530 B5
Jacques-Cartier, Rue SVD. . . 242 D6 E5
Jacques-Cartier, Rue de la VTV. . 603 B-C9
Jacques-Cartier E., Boul. LNG. . 329 X67 Y66-67 Z63-65
Jacques-Cartier N., Boul. LNG. . 635 L-M14
Jacques-Cartier N., Rue FAR . . 624 C-D2
Jacques-Cartier N., Rue SJR . . 511 K6 512 L6 L-M5
Jacques-Cartier O., Boul. LNG . . 461-63
Jacques-Cartier S., Boul. SHE . . 639 N-P14
Jacques-Cartier S., Rue FAR . . 624 E1
Jacques-Cartier S., Rue SJR . . 512 M-Q5
Jacques-de-Chambly, Rue CAR. . 388 M60
Jacques-De-Sainte-Hélène, Rue SJU . . . 370 F74
Jacques-De Tonnancourt, Rue SHE . . . 639 Q11
Jacques-Gérard, Rue VTV . . 605 G11-12
Jacques-Lamoureux, Rue BCV. . 310 U72
Jacques-Laporte, Rue BCV. . . 310 U73
Jacques-Le Tessier, Rue BCV . . 330 V70 W69-70
Jacques-Lemoyne, Rue VAR . . 311 Q78
Jacques-Lussier, Rue VAR . . . 311 Q79-80
Jacques-Marcil, Boul. LNG . . 369 F63 F64-65
Jacques-Martin, Av. LPR. . . 367 H50-51
Jacques-Ménard, Rue BCV. . . 310 U71
Jacques-Nadeau, Rue VDR. . . 224 X24
Jacques-Noël, Rue BCV. . . . 330 V71-72
Jacques-Odelin, Rue BCV. . . 311 Q79-80
Jacques-Plante, Rue VDR. . . 224 Y22
Jacques-Porlier, Rue BCV. . . 330 V72
Jacques-Racicot, Rue BCV. . . 310 T72
Jacques-Rousseau, Rue BCV . . 330 W72
Jacques-Rousseau, Rue LNG . . 350 D74
Jacques-Viau, Rue BCV. . . . 310 U71 330 V71
Jade, Pl. BRS 368 H55
Jade, Rue DMV 613 J-K6
Jade, Rue GRA 621 E6
Jade, Rue du SJR. . . . 510 E3
Jades, Rue des SHE . 637 L-M22
Jaffa, Av. CAN . 347 E48 367 F48
Jako, Rue ASB 647 B6
Jalobert, Rue SHY . . . 522 H3
Jam, Rue PLS 607 C3
James, Av. CAN 347 E49
James, Rue COW. . . . 626 C-D8
James, Rue HUN. . . . 560 D3
James-E.-Davis, Rue LNG. . . . 348 B59
James-Edgar-Kingsland, Rue MAG . . . 631 E5
James-Edwards, Rue SHE . . 638 N10
Jamieson, Rue EAN . . 645 C2
Janelle, Av. NAP 570 C1
Janelle, Rue DMV . . . 613 H-J5
Janvier, Av. CAN. . . . 347 E48
Jardin, Cr. du SLZ. . . 203 T20
Jardin, Rue du LNG . . 329 Y65
Jardin-Tivoli, Rue SHE 642 T4-5
Jardiniers, Av. des SHY. . 522 G7
Jardiniers, Rue des SHE 637 L19
Jardiniers, Rue des SRT. . . 530 D1-2
Jardins, Rue des SJU350 B75-76
Jardins, Rue des SVD. . 222 Z8
Jardins-Fleuris, Rue SHE. . . 636 K18 637 K19
Jarry, Rue FAR 624 D4
Jarry, Rue LNG 349 D61
Jarry, Rue MCM 391 N77
Jarry, Rue SMM. 522 J1
Jarry, Rue LNG 349 D61
Jaseur, Cr. du MAG . . 630 C7
Jasmin, Pl. BRS. 368 H55
Jasmin, Pl. CAN. 347 E48
Jasmin, Rue COA 644 B3
Jasmin, Rue LNG . . 349 E61-62

Jasmin, Rue OTT 391 079
Jasmin, Rue SBG. . . . 390 L70
Jasmin, Rue SCW . . . 614 F10
Jasmin, Rue SHE . . . 638 Q-R8
Jasmin, Rue SJR 510 B5
Jasmin, Rue du LPR. . . 368 H53
Jasmin, Terr. LNG . . 349 D61-62
Jason, Pl. CAN 347 E48
Jasper, Pl. CAN 347 E49 367 F49
Jauniaux, Rue SJR. . . 511 F2
Java, Pl. de BRS 368 G55
Jean, Rue SJR 510 D5
Jean, Rue SPH . . . 367 J48-49
Jean, Rue SVD. 263 F14
Jean-B.-Allard, Rue BEL 391 M81
Jean-B.-Charron, Rue LNG . . . 349 D64
Jean-Baptiste, Rue COW 626 D7
Jean-Baptiste, Rue SJR . 511 G2
Jean-Baptiste-Bau, Rue BCV. . 310 U72
Jean-Baptiste-Bédard, Rue CHB. . 409 S64
Jean-Baptiste-Chaloux, Rue SHE . . . 638 S10
Jean-Baptiste-Charron, Rue CAR . . . 389 M63-64
Jean-Baptiste-Lamoreux, Rue CAR 389 M62
Jean-Baptiste-Riendeau, Rue VDR 310 T73
Jean-Baptiste-Varin, Av. LPR . . 367 H51-52
Jean-Baptiste-Voyer, Rue DMV. . 618 M11-12
Jean-Béliveau, Cr. VDR. . . 224 X-Y22
Jean-Berchmans-Michaud, Rue DMV. . . 612 G4 613 F-G5
Jean-Bigonesse, Rue CHB . . . 389 P63
Jean-Bochart, Rue BCV 310 S-T74
Jean-Bois, Rue BCV. . 310 U73
Jean-Bousquet, Rue VAR . . . 311 Q78
Jean-Brion, Rue RIG. . . 580 A5
Jean-Cadieux, Rue BCV. . . . 310 U70 330 V70
Jean-Cadieux, Rue VAR 311 R79
Jean-Cauvier, Rue BHN 304 Q26
Jean-Charles-Michaud, Rue SBG . . . 370 K72
Jean-Claude-Tremblay, Rue VDR . . . 224 Y23
Jean-Collet, Rue BCV. . 310 U73
Jean-Collet, Rue CAR. 389 N62
Jean-de-Brébeuf, Boul. DMV. . . 614 K9 618 L9
Jean-de-Brébeuf, Rte SGG. . . . 617 P6
Jean-de-Fonblanche, Rue CAR . . 370 K69
Jean-de-Lalande, Rue DMV . . 614 K9
Jean-de-Ronceray, Rue CAR . . 389 O-P67
Jean-De Brébeuf, Rue SJR . . . 511 J4
Jean-De La Fontaine, Rue ACV. . 635 L12
Jean-De Lafond, Rue BCV . . . 330 V70
Jean-Deniau, Rue BCV. 310 U71
Jean-Deslauriers, Rue SJR . . . 330 X71
Jean-Desprez, Rue VAR 311 R80
Jean-Désy, Rue BCV. 330 W-X70
Jean-Désy, Rue LNG. 329 W-X68
Jean-Duceppe, Rue SJU. . . . 350 C74-75
Jean-E.-Bouvy, Rue RIG580 C3-4
Jean-Félix, Rue MSH . . 391 P82
Jean-François, Rue VTV . 601 F3
Jean-François Chevrette, Rue CTG. . . . 306 T37
Jean-Gareau, Rue BCV. . . . 310 U72-73
Jean-Guy-Dufort, Rue SJR . . . 512 Q7
Jean-Guy-Lalanne, Rue SJR . . 512 L7
Jean-Guy-Samson, Rue LNG. . . 369 F62
Jean-Jacques-Bertrand, Boul. COW . . . 626 B-C5 627 E9
Jean-Jacques-Bertrand, Rue VDR 224 V23
Jean-Jacques-Lafontaine, Rue SHE. . . . 638 P9-10
Jean-L.-Minville, Rue SHE. . . . 390 M76 391 M77
Jean-Lachaine, Rue SCA 347 A45-46
Jean-Laforge, Rue SCA. 347 B58
Jean-Lanctot, Rue BEL. 391 M80
Jean-Leman, Boul. CAN. . . . 367 G-H48 H-J47

Jean-Lesage, Aut. SHY. . . . 520 B7-8 C8 D3-4
Jean-Lesage, Autoroute BEL. . 391 L82 M83
Jean-Lesage, Autoroute DMV . . 609 D-E6
Jean-Lesage, Autoroute LNG. . 329 W68
Jean-Lesage, Autoroute SCW . . 610 B10-11
Jean-Lesage, Autoroute SGG . . 612 K1-2
Jean-Lesage, Autoroute SJU. . . 350 C73 D74
Jean-Lesage, Rue SJU. . . . 350 B74-75
Jean-Lesage, Rue VDR. . . . 224 V23-24
Jean-Locas, Av. SHY . 522 F6-7
Jean-Louis, Rue LNG . 329 V67
Jean-Louis-Boudreau, Rue GRA . . 623 G8 G-H7
Jean-Louis-Lachapelle, Rue BEL. . 391 L-M82
Jean-Luc, Rue BHN 284 P22 304 Q22
Jean-Lynch, Rue CHB . 409 Q63
Jean-Maneau, Rue DMV . . . 310 U72-73
Jean-Marc-Blier, Rue LNG . . . 349 E65
Jean-Marc-Sauvé, Rue CTG . . 305 S33
Jean-Marie-Langlois, Rue LPR . . 367 G50
Jean-Maurice, Rue SHE 640 N17
Jean-Melançon, Rue SJR 511 G2
Jean-Mercier, Rue SHE. 639 R13
Jean-Monty, Rue CHB 409 R-S65
Jean-Noël, Rue BEL. . . 391 M81
Jean-Olivier-Chénie, Rue SJR . . 510 D1-2
Jean-Paul-Choquet, Ch. VAR. . . 311 U79-80
Jean-Paul-Gauvin, Rue SHE . . 642 U5
Jean-Paul-Lavallée, Rue LPR . . 367 H51
Jean-Paul-Legacé, Av. SHY. . . 520 A7
Jean-Paul-Lemieux, Rue LNG . . 329 Y66-67
Jean-Paul-Lemieux, Rue NDP . . 264 F28 G27-28
Jean-Paul-Parizeau, Rue NDP . . 285 L29-30
Jean-Paul-Perrault, Rue SHE . . 635 M11
Jean-Paul-Riopelle, Rue DMV . . 609 E6
Jean-Paul-Riopelle, Rue LNG . . 329 X-Y67
Jean-Paul-Riopelle, Rue SCA . . 347 B46
Jean-Paul-Vincent, Boul. LNG. . 329 V-Y66
Jean-Paul II, Rue SHE . 639 P14
Jean-Perrin, Rue SJU. . 350 D14
Jean-Pierre, Rue MAG . 630 B1
Jean-Pierre, Rue VTV. . 601 G3
Jean-Pierre-Beaudry, Carré ACV . . . 540 B3
Jean-Pierre-Beaudry, Rue ACV . . 540 B3
Jean-Plouf, Rue BCV. . 310 U73
Jean-Plouf, Rue VRC. 292 O-P91
Jean-Poirier, Rue BCV . 310 U73
Jean-Poirier, Rue CAR. 388 M60
Jean-René-Marcoux, Rue SRT. . 530 D5-6
Jean-Roy, Rue BHN . . 263 J-K19
Jean-Salomon-Taupier, Rue CHB . . 389 P66
Jean-Talon, Rue BCV . . 330 V69
Jean-Talon, Rue BEL. 391 N-O78
Jean-Talon, Rue COW . 626 C7-8
Jean-Talon, Rue CTG . 305 T33
Jean-Talon, Rue DMV 618 L-M11
Jean-Talon, Rue GRA . 620 D3-4
Jean-Talon, Rue MAR. . 500 B3
Jean-Talon, Rue NDP264 G27-28
Jean-Talon, Rue SHE . 349 E68 369 F67-68
Jean-Talon, Rue SJR . 510 C-D5 E4 511 F4
Jean-Talon, Rue SRT . . 530 B2
Jean-Talon, Rue SVD . . 242 B7
Jean-Valcourt, Rue SHE . . . 633 E11-12
Jean-Vincent, Rue CAR 388 M60
Jean-Viau, Rue BCV . . 330 V70
Jean-XXIII, Rue LNG . 349 C61
Jean-XXIII, Rue VRC. . 292 089
Jean-XXIII, Terr. LNG. 349 C61
Jean-Yves, Rue SMG. . 608 B1
Jean Baptiste-Jobin, Rue BCV. . 330 W69-70

Jeanne, Rue CED. 203 U16
Jeanne, Rue DMV. . . . 617 M-N7
Jeanne, Rue VTV. 602 C5
Jeanne-Crevier, Rue BCV . . . .
. . . . 310 U71
Jeanne-d'Arc, Rue BHN 304 Q24
Jeanne-d'Arc, Rue CTG. 305 S35
Jeanne-d'Arc, Rue DMV. . . . . .
. . . . 614 J-K10
Jeanne-d'Arc, Rue GRA . 623 G6
Jeanne-d'Arc, Rue SHE. . . . . .
. . . . 639 N-P12
Jeanne-d'Arc, Rue (STI) SVD. . .
. . . . 242 D-E10
Jeanne-d'Arc, Rue (SVD) SVD. . .
. . . . 242 D-E5
Jeanne-Déchard, Rue CAR . . . .
Jeanne-Hayet, Rue VAR . . . . .
. . . . 311 S79-80
Jeanne-Mance, Rue BEL 391 M78
Jeanne-Mance, Rue COA . . . . .
. . . . 644 B-C2
Jeanne-Mance, RueCOW 626 C8
Jeanne-Mance, Rue FAR. 624 C1
Jeanne-Mance, Rue GRA 622 G4
Jeanne-Mance, Rue LMG. . . . .
. . . . 648 D3-4
Jeanne-Mance, Rue MAG 631 B7
Jeanne-Mance, Rue SHE . . . . .
. . . . 638 Q7-8
Jeanne-Mance, Rue SJR. 511 J4
Jeanne-Mance, Rue SRT . . . . .
. . . . 530 B3-4
Jeanne-Mance, Rue . . . 242 C-D6 D-E5
Jeanne-Mance, Rue VTV. 603 E9
Jeanne-Mance, Rue WIN. 632 B2
Jeanne-Petit, Rue BCV. . . . . .
. . . . 330 V-W70
Jeanne-Pilon, Rue NDP. 264 K26
Jeanne-Robert, Rue SJR. . . . .
. . . . 510 E1-2
Jeanne-Sauvé, Rue SBM 350 E70
Jeanne-Sauvé, Rue SHE 640 Q15
Jeannette, Rue VTV 603 D9
Jeannette, Rue (LEM) LNG . . . .
. . . . 328 Z59
Jeannette, Rue (LNG) LNG . . . .
. . . . 329 V67
Jeannine, Rue DMV. . . 619 M-N13
Jeannine, Rue MAG 630 B1
Jeannine, Rue VTV. 601 G3
Jeannine-Lépine, Rue SHE . . . .
. . . . 637 K20
Jeannotte, Boul. VDR. . . . . . .
. . . . 224 Z23-24
Jeannotte, Rue BEL . . . 391 N80
Jeannotte, Rue MAR . . . 500 B4
Jeannotte, Rue MSH. . . 391 N-083
Jeanson, Rue SHE 638 S9 643 T9
Jeary, Rue LNG 349 D62
Jeffrey, Av. ASB. 646 C4
Jeffries, Rue CTG. 305 T36
Jefo, Av. SHY 520 C5
Jensens, Rue LNG 349 C63
Jérémie-Pacaud, Rue PRN . . . .
. . . . 606 A-B2
Jérôme-Lalemant, Rue BCV . . .
. . . . 330 W69
Jésuites, Rue des CHB. . . . . .
. . . . 409 Q64
Jetté, Rue ACV 540 B3
Jetté, Rue SBM 370 H-J70
Jetté, Rue SHE 637 L21
Jetté, Rue VDR 224 Y25
Jeune, Rue le EAN 645 B3
Jeunes, Rue des SHE 636 K16-17
Jeunesse, Rue de la DMV 613 J36
Jeunesse, Rue de la NAP . . . . .
. . . . 570 B2-3
Joanie, Rue NAP 570 C1
Joannette, Rue VTV. . . 222 Z8
Joannie, Rue VTV. 603 C-D9
Jobin, Rue GRA. 623 H8
Jobin, Rue VAR 291 P79 311 079
Jocelyn, Rue VTV. 603 D9
Jocelyne, Rue GRA . . . 621 C-D5
Jockey, Rue du SLZ. 183 N18-19
Jodoin, Av. LNG 349 D-E61
Jodoin, Av. SHY. 522 F6
Jodoin, Rue GRA 622 J4
Jodoin, Rue LNG. 329 W62
Jodoin, Rue SBM. . . . .
. . . . 350 E71 370 F71
Jodoin, Rue VAR 311 079
Jodoin, Rue VTV. 605 F10
Joël, Rue DMV 618 N12
Joffre, Av. CAN 367 F48
Joffre, Rue CDL. 222 X7
Joffre, Rue GRA 622 F-G3
Joffre, Rue MCM 391 N77
Jogues, Rue CTG 305 U34
Jogues, Rue DMV. 614 K9
Jogues, Rue GRA 623 G8
Jogues, Rue SBM. 370 F70
Jogues, Rue SCA 347 D47-48

Jogues, Rue SHE. 640 P15-16
Jogues, Rue SHY 522 J3
Jogues, Rue SRT 530 B-C5
Johanne, Pl. NAP 570 C3-4
Johanne, Rue COW . . . 608 D4
John, Rue COW 626 D7-8
John, Rue LNG 348 A59
John, Rue MAG . . . 630 D4 631 D5
John-Bowker, Rue COW. 625 C3
John-Desjardins, Rue VDR . . . .
. . . . 224 X23-24
John-Griffith, Rue SHE . . . . . .
. . . . 635 L14 636 L15
John-M.-Manders, Pl. MCM . . . .
. . . . 390 M76
John-Munro, Rue SJR . . 310 T73
John-O.-Donigan, Rue MAG . . .
. . . . 630 A1
John-S.-Bourque, Rue SHE . . . .
. . . . 640 N17-18
John-Wilson, Rue SHE . . . . . .
. . . . 640 R18 641 R19
John-Yule, Rue CHB. . . 409 T62
John Bowker, Rue FAR. 624 C3
Johnny-Martin, Rue SHE . . . . .
. . . . 633 D13
Johnson, Rue COA . . . 644 C2-3
Johnson, Rue COW . . . 627 D9
Johnson, Rue DMV. . . . 613 K7
Johnson, Rue GRA . . . 623 F-G5
Johnson, Rue SHE. . . . .
. . . . 636 M17 640 N17
Johnson E. , Rue SHY . . . .
. . . . 520 C4-5 D4
Johnson O. , Rue SHY . . 520 D4
Joie, Rue de la DMV . . . 613 J6
Joie, Rue de la VTV . . . 603 D-E10
Joli-Vent, Rue du BEL. . 391 L84
Jolibois, Rue SHY. . . 528 D7 E7-8
Jolicoeur, Rue SLZ. . . . 203 U19
Jolicoeur, Rue VTV. . . . 602 D7
Joliette, Rue COW. . . . 626 E-F8
Joliette, Rue LMG 648 C4
Joliette, Rue LNG . . . .
. . . . . . 329 W61 X61 Y-Z62
Joliette, Rue SRT 530 E1
Joliette, Rue de BRO. . . 629 C-D7
Jolin, Rue WIN 632 D2
Jolin, Terr. SVD 222 Z8
Joliot-Curie, Rue BCV . . 329 Z68
Jolley, Ch. BRO 629 A7-8
Jolliet, Av. CAN 367 F48-49
Jolliet, Rue BCV 330 V71
Jolliet, Rue SBM 370 F70
Jolliet, Rue SHE. 639 P12
Jolliet, Rue SHY 522 H3
Jolliett, Rue MSH. 391 O81
Joly, Rue DMV 609 E7
Joly, Rue LNG 349 D61
Joly, Rue RIG 580 C4
Joly, Rue SLZ 184 O21
Joly, Rue SRT 530 C1
Jonathan, Rue CTG . . . 305 T36
Jonathan, Rue GRA. . . 622 H-J3
Joncaire, Rue SHY 522 H3
Joncas, Rue SHE. 638 Q8
Jonergin, Rue LNG . . . 368 F60
Jonquilles, Pl. des SHE . . . . . .
. . . . 636 L18 637 L19
Jonquilles, Rue des COA . . . . .
. . . . 644 C-D3
Jonquilles, Rue des DMV . . . . .
. . . . 614 K11-12
Jonquilles, Rue des LNG 369 G63
Jonquilles, Rue des SHE. . . . . .
. . . . 636 K-L18
Jonquilles, Rue des SJU 350 D76
Jonquilles, Rue des SRT. . . . . .
. . . . 530 E4-5
Jonquilles, Rue des SVD 263 F13
Jonquilles, Rue des VDR 224 Z23
Jordi-Bonet, Rue GRA . . 622 J3
Jordi-Bonet, Rue MSH 411 Q-R79
Jordi-Bonet, Rue NDP. . 285 L29
Joron, Rue SVD 242 B7
Josaphat-Rancourt, Boul. SHE . .
. . . . 634 K10 635 K11
José, Rue SCA 347 A45-46
José, Rue SPH J3-K48
Josée, Rue MAG 630 E1
Josée, Rue RIG 580 B3
Josée, Rue SHE. 640 R17
Josée, Rue VTV 603 B10
Joseph, Rue CTG . . . 306 R-S37
Joseph, Rue LNG. 348 E60
Joseph, Rue SMG 608 C2
Joseph-A.-Mantha, Rue LNG. . .
. . . . 369 F64
Joseph-Albert-Morin, Rue SJR . .
. . . . 512 Q7
Joseph-Armand-Bombardier, Boul.
MAG 631 A7 B8
Joseph-Armand-Bombardier, Rue
SHE 633 D11 634 P6 635 H-J11
Joseph-Babin, Rue SJR 310 T73
Joseph-Bertrand, Rue VRC . . . .
. . . . 292 O89-90
Joseph-Bonin, Av. SHY. . 520 C1

Joseph-Bouchette, Pl. SVD . . . .
. . . . . 222 Z8 242 A8
Joseph-Bouchette, Rue BCV. . . .
. . . . 310 U73
Joseph-Bourdeau, Rue SJR. . . .
. . . . 511 G2-3
Joseph-Carrier, Rue VDR . . . . .
. . . . 224 X23-24
Joseph-Cartier, Rue SHE . . . . .
. . . . 633 D12
Joseph-Charles-Coallier, Rue
SJR. 511 H2
Joseph-Charron, Rue VRC . . . .
. . . . 292 O-P90
Joseph-Crevier, Rue SJR. 511 G2
Joseph-Elzéar-Bernier, Rue MSH
. . . . 391 O82
Joseph-Gravel, Rue CHB . . . . .
. . . . 409 S64
Joseph-Hardy, Rue LNG 369 G63
Joseph-Huet, Rue BCV. . . . . . .
. . . . 330 W-X70
Joseph-Labreque, Rue SHE. . . .
. . . . 640 P15-16
Joseph-Laflèche, Av. PIN. . . . . .
. . . . 244 B-C24
Joseph-Lalumière, Rue SHE . . .
. . . . 305 T-U36
Joseph-Lapierre, Rue GRA . . . .
. . . . 623 G8
Joseph-Lassonde, Rue BCV . . .
. . . . 330 W69
Joseph-Le Caron, Pl. BCV. . . . .
. . . . 330 W72
Joseph-Le Caron, Rue DMV . . .
. . . . 617 L8
Joseph-Lefebvre, Av. SHY 521 D9
Joseph-Léveillé, Rue SHY . . . . .
. . . . 521 C9 D10
Joseph-Lussier, Rue DMV. . . . .
. . . . 608 C4 D4 609 C5
Joseph-Martel, Rue BCV . . . . .
. . . . 330 W69
Joseph-McSween, Terr. SVD . . .
. . . . 222 Z7
Joseph-Meunier, Rue SHE . . . .
. . . . 633 D13
Joseph-Paré, Rue LNG. 329 W62
Joseph-Payette, Rue LNG. . . . .
. . . . 349 C-D63
Joseph-Pearson, Rue DMV . . . .
. . . . 608 C4 D4 609 C5
Joseph-Ponrouge, Rue LNG . . .
. . . . 349 D62
Joseph-Poulin, Rue LNG. . . . . .
. . . . 349 C-D62
Joseph-Raymer, Rue VDR. . . . .
. . . . 224 Y26
Joseph-Rivet, Rue SRT 530 C5-6
Joseph-Robertson, Rue SHE . . .
. . . . 638 N10
Joseph-Saint-Cyr, Rue DMV . . .
. . . . 613 H5
Joseph-Simard, Rue SHE . . . . .
. . . . 642 T-U4
Joseph-Théberge, Rue SMS . . .
. . . . 390 P70
Joseph-Tremblay, Rue SJR . . . .
. . . . 511 J1-2
Joseph-Vandal, Rue SJR. 511 G2
Joseph-Véronneau, Rue SJU. . .
. . . . 350 E74-75
Joseph-Vincent, Rue LNG. . . . .
. . . . 349 D63-64
Joséphine, Rue LNG. . . 329 X61
Josephine-Doherty, Rue SHE . . .
. . . . 635 M12
Josephte-Chatelain, Rue CHB . .
. . . . 409 O62
Joubert, Av. CAN . . . 367 F48-49
Joubert, Rue LNG 349 B61
Joubert, Rue SGG. . . . 616 M2
Jourdonnais, Rue SJR. . 511 J3
Jouvence, Rue IPR . . . 264 F27
Jouvence, Rue de SHY. 522 J3
Jovette-Bernier, Rue SHE . . . . .
. . . . 635 L13
Joy, Rue HUN. 560 C3-4
Joyal, Rue DMV 618 P-Q10
Joyal, Rue LNG 329 Y65-66
Joyal, Rue SHE. 638 R-S7
Joybert, Rue de CDL . . 522 X9
Joyce, Rue SJR 510 D-E6
Jubilee, Pl. SLZ 183 O19
Jubilee, Rue SHE. 636 M17
Jubilée, Rue LNG. 348 C59
Jude, Rue LNG. 349 C-D61
Judith-Jasmin, Rue SBM . . . . .
. . . . 370 F70-71
Judith-Jasmin, Rue VAR 311 R79
Juge-Morin, Rue du SHE . . . . .
. . . . 635 M12
Juge-Rivard, Rue du SHE . . . . .
. . . . 635 L11
Juillet, Rue CDL 222 W7
Juillet, Rue PDC 264 H21
Jules-Choquet, Rue SJU . . . . . .
. . . . 350 C-D76
Jules-Crevier, Rue GRA 623 G7-8
Jules-Dumouchel, Rue CTG . . . .
. . . . 305 U33

Jules-Duval, Rue SJR . 510 C5-6
Jules-Foucher, Rue CHB. . . . . .
. . . . 389 P66 409 Q66
Jules-Léger, Pl. SBM 370 J70-71
Jules-Léger, Rue BCV . . . .
. . . . 329 W68 330 W69
Jules-Léger, Rue SBM. 370 J71
Jules-Monast, Rue COW 626 B6
Jules-Moulin, Rue LNG. . . . . . .
. . . . 369 F64-65
Jules-Paquette, Rue PLS. 607 B2
Jules-Phaneuf, Rue VAR 311 R78
Jules-Richard, Rue SHE. 642 T4
Jules-Roches E. , Rue LNG. . . .
. . . . 329 Z63
Jules-Roches O. , Rue LNG. . . .
. . . . 329 Z63
Julie, Rue CDL. 222 X10
Julie, Rue DMV 609 E5
Julie, Rue VTV. 602 D6
Julie-Deschamps, Rue NDP . . .
. . . . 284 L27
Julien, Av. SVD . . . 263 G15-16
Julien, Rue BHN 284 P23
Julien, Rue LNG . . . .
. . . . . . 329 Z62 349 A62
Julien, Rue SHE 638 Q8
Julien, Rue SLZ 203 Q-R17
Julien, Rue VTV 603 E11 605 F11
Julien-Beaudriau, Rue SJR . . . .
. . . . 511 J7
Julien-Bouthillier, Boul. LNG. . . .
. . . . 329 Z63
Julien-Gagnon, Imp. SJR . . . . .
. . . . 512 M2-3
Julien-Lachapelle, Rue CHB . . .
. . . . 409 S63-64
Julien-Lord, Boul. LNG. . . . . . .
. . . . 349 B62 C63
Julienas, Cr. du SLZ. 203 Q18-19
Juliette, Rue SCL. 202 Q10
Juliette, Rue VTV 604 G6
Juliette-Béliveau, Rue SHE . . . .
. . . . 350 E70 370 F70
Juliette-Pétrie, Rue SHY. 522 F7
Jumelles, Rue des DMV . . . . . .
. . . . . . 618 M12 619 M13
Jumièges, Rue de BCV. . . . . . .
. . . . 330 X-Y69
Jumonville, Pl. de SBM. 370 G70
Jumonville, Rue de SBM 370 G70
Juneau, Rue VTV 604 F5
Jupiter, Rue MER . . . 325 V-W34
Jura, Rue du SLB. 348 B58
Justine-Poirier, Rue VDR 224 Z23
Jutra, Rue CAN 367 F48
Jutras, Av. SHY 520 E6
Jutras, Rue ASB. 646 C1
Jutras, Rue DMV 613 F7
Jutras, Rue PLS. 607 C2
Jutras, Rue SRT 530 C-D4
Jutras E. , Boul. VTV. . . 603 E9

K

Kahnawake Marina Rd KAH . . .
. . . . 306 S-T41 T42
Kane St KAH 326 V43
Karine, Rue CAN 243 D14
Karine, Rue VDR 224 Y23
Karl, Rue MAG 630 E1
Karl, Rue SLZ 203 R18
Kataracui, Rue PDC . . . 264 H21
Kateri, Rue SCA 347 C47
Kateri, Rue SHE. 642 U3
Kateri-Tekakwitha, Rue CTG . . .
. . . . 325 W36
Kathleen-Milne, Rue MAG 631 B5
Katy, Rue DMV 609 E5
Kelly, Av. HUN 560 B3 B-C2
Kelly, Rue DMV 629 D8 P11
Kelly, Rue LMG 648 C4
Kelly, Rue LNG 349 D61
Kelly, Rue MCM 391 N77
Kelly, Rue SHE 636 L16
Kelly, Rue SJR 512 P7 P8
Kempf, Rue GRA 622 G3
Kendall, Rue PIN 244 D25
Kennan, Rue EAN. . . . 645 C1-2
Kennedy, Av. CHB . . . 409 R64
Kennedy, Av. HUN. . . . 560 C-D3
Kennedy, Boul. CTG. 325 X35-36
Kennedy, Rue COA . . . 644 D3-4
Kennedy, Rue EAN . . 645 A-B3
Kennedy, Rue LNG. . . 349 B-C61
Kennedy, Rue MCM . . . 391 N77
Kennedy, Rue SHE . . . 636 L16
Kennedy N. , Rue SHE . 636 M17
Kensington, Rue LNG. . 369 G64
Kensington, Rue de LNG. . . . . .
. 368 G60 369 G61 G62 G63-64
Kent, Av. CHB 409 Q63
Kent, Pl. CTG. 325 V34
Kent, Rue GRA 623 G6
Kent, Rue LNG 329 X-Y63
Kent, Rue SVD 242 E10
Kentucky, Ch. du SLZ. . . . .
. . . . 183 O20
Kentucky, Pl. du SLZ. . 183 O20
Kentucky, Rue du SLZ. 183 O20
Kepler, Rue CTG. . . . 325 V-W36
Kéroack, Rue SBM . . . 370 F71
Kerouac, Rue COA . . . 644 A2-3
Kérouack, Av. SHY . . . 520 E6

Kerr, Av. SLB. 348 A58-59
Kerr, Rue VDR 184 022
Killoran, Boul. DMV . . 613 F7 G8
Kiitteevan, Rue HUD. . 184 O-P23
Kimber, Boul. LNG. . . . .
. . . . . 349 D-E62 369 F-G62 H-K62
King, Pl. CTG. 325 V34
King, Rue GRA 623 G5
King, Rue HUN 560 C2-3
King, Rue LNG. . . . 348 A60 B59
King, Rue SVD. 242 C7
King E. , Rue SHE . . . .
. . . . . 636 M17-18 637 L20-21
King O. , Rue SHE. . 636 M16-17
King O. , Rue SHE. . . . .
. . . . 639 N13 P11 640 N16
King-Edward, Rue LNG. . . . . . .
. . . . . . 328 Z59 348 A59
King-George, Rue LNG . . . . . .
. . . . 329 Y63-64 Y64
King-George, Rue SHE. 640 N16
Kingston, Rue OTT . . . 391 P79
Kingston, Rue de BCV. 310 T74
Kingston, Rue de SHE 640 N-P16
Kinsey, Rue LNG 348 C59
Kipps, Rue LNG 348 C59
Kirby, Rue LNG 349 C63
Kirby St KAH 306 U41-42
Kirk, Boul. FAR 624 C3
Kirouac, Rte VTV 604 K6
Kirouac, Rue COA . . 644 A2-3
Kirouac, Rue VTV. . 603 E9 605 F9
Kirchener, Rue SHE. . 640 N-P15
Kittson, Pl. SRT 530 D4
Kittson, Rue SRT 530 D4
Knight, Rue COW 626 C6
Knight, Rue SJR . . 511 K5 512 L5
Knowlton, Rue MAG. . . 630 B1
Kodiak, Rue LNG 348 D60
Kristelle, Rue GRA . . 622 H-J3
Kubota, Pl. VTV. 612 F-G4
Kukovica, Rue CED . . 203 S15

L

L'Écuyer, Rue SJR . . . 511 J3-4
L'Épervier, Pl. de CTG. 325 V34
L'Épervière, Rue de SBM 369 J68
L'Heureux, Rue COA . . 644 A2-3
L'Heureux, Rue SJR . . . 511 J1
L'Iris, Rue de GRA . . . 623 G7
L'Islet, Rue de GRA . . . .
. . . . 620 A1-2 621 A5
L'Orée, Pl. de CTG. . . 306 U37
L.-G.-Vigneault, Rue DMV. . . . .
. . . . 613 H-J6
L.-S.-Joyal, Rue DMV . 614 F9
La Barre, Rue SHE. . . . 635 M13
La Barre, Rue SHY. . . . 522 M3
La Barre, Rue de LNG . . . .
. . . . 329 V61 W61
La Bussière, Rue de SJU 350 C73
La Corne, Rue SBM . . 370 J70
La Dauversière, Rue de SHE . . .
. . . . 639 N12
La Durantaye, Rue de SJR . 511 J7
La Fontaine, Rue SHE. . . . .
. . . . 636 M17-18
La Fontaine, Rue de SJR. 512 L4
La Fouille, Rue de SJR . 511 J7
La Frédière, Rue de SJR . 511 J7
La Grande-Allée, Boul. LNG. . . .
. . . . 348 A-B60
La Magdeleine, Boul. de LPR. . .
. . . . 368 G-H53 H53-54
La Mitis, Rue de BRO. . . 629 D8
La Noraye, Rue de SJR . 510 D6
La Peltrie, Rue COW . . 626 F8
La Périère, Rue LNG. . . 349 C64
La Prairie, Rue de SHE 639 P11
La Richelière, Rue SHE . 636 J15
La Rochefoucauld, Rue SHE . . .
. . . . 635 K-L14
La Rochelle, Rue de BCV . . . . .
. . . . 310 U73-74
La Rochelle, Rue de SJR. . . . . .
. . . . 511 J3-4
La Rocque, Rue SHE 640 P16-17
La Salle, Rue LNG . . . .
. . . . . . 328 X60 329 X-Z61
La Salle, Rue de SHE . 640 N18
La Salle, Rue SRT . . . 530 C3
La Salle, Rue VTV. . . . 604 F5
La Salle, Rue de BCV 330 W-X70
La Vérendrye, Pl. de SBM. . . . .
. . . . 370 F70
La Vérendrye, Rue SHE. . . . . . .
. . . . 639 N11-12
La Vérendrye, Rue SRT 530 C1-2
La Vérendrye, Rue (LNG) LNG . .
. . . . 329 V66
La Vérendrye, Rue (SHU) LNG . .
. . . . 349 B-C65
Labadie, Rue LNG . . . 329 X67
Labadie, Rue VAR. . . . 311 R80
Labarre, Rue SJR 511 J7
Labbé N. , Boul. VTV . . . .
. . . . . . 602 C-D8 603 D-E9
Labbé S. , Rue VTV . . 603 D-E9
Labbée, Rue DMV. . . . 619 L13

Labelle, Pl. LNG. 349 D62
Labelle, Rue CTG. . . 305 T33-34
Labelle, Rue LMG . . . 648 D3
Labelle, Rue MAG . . . 631 E5
Labelle, Rue SCT 347 D45
Labelle, Rue SHE. . . . 638 Q9
Labelle, Rue SJR 512 L4
Labelle, Rue VDR . . . 224 Y25
Labelle, Rue 329 X-Z62
Labelle, Rue (LNG) LNG . . . . .
. . . . 329 V65
Labelle, Rue (SHU) LNG 349 D62
Labelle, Rue de BRO. . 629 C6-7
Labelle, Rue de GRA . . 621 A6
Labelle, Rue de GRA . . . .
. 639 N13 P11 640 N16
Laberge, Av. VDR. . . 244 B22-23
Laberge, Rue BHN . . . 284 P25
Laberge, Rue CTG . . 305 T35
Laberge, Rue MAR. . . 500 B4
Laberge, Rue SJR . . . 511 H4
Laberge, Rue SVD . . . 242 E11
Labonté, Rue PLS . . . 607 A2
Labonté, Rue ACV. . . 540 D3
Labonté, Rue CHB . . . 409 O63
Labonté, Rue DMV. . . 612 J4
Labonté, Rue GRA . . 620 C4
Labonté, Rue VRC. . . 292 O-P91
Labonté, Rue VTV . . 603 B9-10
Labonté, Rue (LNG) LNG . . . . .
. . . . . 329 V-Y62 Z62
Labonté, Rue (SHU) LNG 349 D62
Labonville, Rue SHE. . 637 L19-20
Labossière, Mtée VDR. . . . . . .
. . . . . 223 W20 224 W21
Labre, Rue SLZ . . . 203 S18-19
Labrèche, Rue BHN . 304 Q25-26
Labrèche, Rue SJR . 511 J-K5
Labrecque, Rue ACV . 540 D3
Labrecque, Rue DMV . 619 N14
Labrecque, Rue EAN . 645 A-B3
Labrecque, Rue WIN. . 632 D2
Labrèque, Rue ACV . . 540 D3
Labrie, Rue LNG 329 V65
Labrie, Rue NAP 570 B3
Labrie, Rue SRT 530 C2
Labrosse, Rue LNG . . 349 D62
Labrosse, Rue SJR . . 510 E1-2
Labrosse, Rue SJR . . 329 D62
Lac, Av. du SJU 370 F74
Lac, Av. du SVD. . . 241 B3 B4
Lac, Av. du NAP. . . . 570 B2
Lac, Ch. du BCV . . . 330 V71-72
Lac, Ch. du GRA . . . .
. . . . 329 X64 X65 X67-68
Lac, Ch. du NDP . . . .
. . . . . 264 X25 284 L25
Lac, Ch. du (Danville) ASB . . . .
. . . . 646 A1 A-B3
Lac, Ch. du (Tingwick) ASB . . . .
. . . . 647 A5
Lac, Rue de SHE 637 J21
Lac, Mtée du VAR . . . 311 T-U79
Lac, Pl. du GRA. 623 G6
Lac, Prom. du COW . . 627 D-E10
Lac, Rue du ACV 540 C1
Lac, Rue du MAG . . . 630 D4
Lac, Rue du SBM . . . 370 H70
Lac, Rue du SCH. 604 J8 605 J9
Lac, Rue du SHE . . . 642 U4
Lac, Rue du SJR 511 G3
Lac, Rue du VDR. . . . 224 W25
Lac-Saint-Louis, Ch. du LER . . .
. . 304 R28 305 R29 R31-33
Lac-Seigneurial, Ch. du SBM . .
. . . . 370 G71-72
Lacadie, Rue DMV . . . 613 H5
Lacaille, Rue SCT . . . 347 E46
Lacasse, Rue MAG. . . 631 B5
Lacerte, Av. PLS 607 C1-2
Lachance, Rue NAP . . 570 B2
Lachance, Rue de SHE . . . . . .
. . . . . . 635 K14 636 K15
Lachance, Rue SJR. . 511 G-H4
Lachapelle, Rue SCT . 347 D46
Lachapelle, Rue SHE . 637 M20
Lachapelle, Rue SRT . 530 C5
Lachapelle, Rue VDR . . . .
. . . . 224 Z21-22 244 A21
Lachapelle, Rue VTV. . 602 D8
Lachapelle E. , Rue SRE. . . . . .
. . . . 365 J-K32
Lachapelle O. , Rue SRE 365 J32
Lachine, Rue BRS . . . 368 G56
Lachine, Rue de GRA . 621 A6
Lachine, Rue de SHE . 639 P12
Lacolle, Rue de SJR . . 511 J6
Lacombe, Rue LMG . 648 D2-3
Lacombe, Rue LNG . 329 V-W65
Lacombe, Rue SBM . 370 G-H69
Lacombe, Rue SHE . . . .
. . . . . . 636 L18 637 L19
Lacombe, Rue SVD. . . 242 D7
Lacordaire, Rue SHE . 640 N18
Lacoste, Rue BEL . . . 347 E47
Lacoste, Rue GRA . . . 622 G2
Lacoste, Rue LNG . . . 329 V65
Lacoste, Rue MER . . . 325 X31
Lacoste, Rue de LMG . 648 B2
Lacourt, Pl. SRT 530 C6
Lacroix, Pl. BRS 368 G57
Lacroix, Rue CON . . . 550 C2-3

Index des rues

Lacroix / Leduc

Lacroix, Rue MAG 631 A6
Lacroix, Rue MSH 411 Q80
Lacroix, Rue SVD 241 C-D4
Lactantia, Rue VTV 602 D7
Ladd-Mills, Ch. de COA 644 E2
Ladder, Rue RIG 580 B3
Ladouceur, Imp. SVD 242 B7
Ladouceur, Rue SJR 510 C5-6
Ladouceur, Rue SRT 530 C4
Ladouceur, Rue SVD 242 B7-8
Lafarge, Ch. SCT 366 J-K44
Lafarge, Ch. SMU 366 H43
Lafayette, Boul. LNG 328 W60 X60 329 Y61 Z61
Lafayette, Boul. SJR 510 B-C2
Lafayette, Pl. de SLZ 183 P17-18
Lafayette, Rue CTG 306 U37 326 V37
Lafayette, Rue SRT 530 E1
Lafayette, Rue de SLZ 183 P17-18
Laferme, Rue SCT 347 C46
Laferté, Rue DMV 613 G7
Laferté, Rue SGG 616 M2
Laffite, Rue BRS 368 G57
Lafite, Cr. du SLZ 203 Q18
Laflamme, Boul. SHY 522 G5
Laflamme, Pl. SHE 636 J18
Laflamme, Rue ACV 540 C3-4
Laflamme, Rue DMV 613 F7
Laflamme, Rue FAR 624 C2
Laflamme, Rue GRA 621 E6
Laflamme, Rue LNG 329 V66
Laflamme, Rue VTV 602 E7
Laflèche, Rue EAN 645 B3
Laflèche, Rue GRA 622 F3
Laflèche, Rue PIN 244 D23
Laflèche, Rue SHE 639 P11-12
Laflèche, Rue SRT 530 D1
Lafleur, Rue SCT 347 C45-46
Lafleur, Rue SHY 522 H-J3
Lafleur, Rue VDR 224 Y-Z25
Lafleur, Rue VTV 602 E8
Lafleur, Terr. SVD 222 Z8
Lafleur St KAH 306 T41
Lafond, Ch. COA 644 B-C4
Lafond, Rue PLS 607 D3
Lafond, Rue SHY 522 H-J2
Lafond, Rue (DMV) DMV 618 L12
Lafond, Rue (SNP) DMV 618 N9
Lafontaine, Rue BEL 391 N-079
LaFontaine, Rue BRO 629 A6
Lafontaine, Rue CHB 409 S66
Lafontaine, Rue CTG 325 V36
Lafontaine, Rue DMV 614 J9-10
Lafontaine, Rue GRA 620 E4 621 E5
Lafontaine, Rue LMG 648 D4
Lafontaine, Rue SBM 369 G68 370 G69
Lafontaine, Rue SCT 347 C45-46
Lafontaine, Rue SHY 522 F4 F5
Lafontaine, Rue SRT 530 E1
Lafontaine, Rue SVD 242 D6
Lafontaine, Rue VTV 603 E10
Laforce, Rue CHB 389 P65
Laforest, Rue DMV 614 K10
Laforest, Rue LNG 328 Y60
Laforêt, Rue SCT 347 C45
Laframboise, Av. SHY 520 D3-4 E5 522 F5
Laframboise, Boul. SHY 520 C1-2
Lafrance, Av. SHY 522 F5-6
Lafrance, Rue ASB 646 D-E4
Lafrance, Rue LNG 329 V67
Lafrance, Rue SJR 511 J8
Lafrance, Rue VTV 602 D8 603 D9 E9
Lafrance E., Rue SBG 370 K72 390 L72
Lafrance O., Rue SBG 370 K72
Lafrenière, Ch. LPR 368 K55 L56
Lafrenière, Rue CDL 222 W7
Lafrenière, Rue SRT 530 C4
LaGabelle, Rue de VAR 311 R-S77
Lagacé, Rue DMV 608 D-E4
Lagacé, Rue VDR 244 B22
Lagassé, Rue SRT 530 C6
Lagassé, Rue SVD 242 E10
Laguë, Rue FAR 624 D3
Lahache St KAH 326 V43
Lainesse, Rang VTV 603 A-B11
Lajeunesse, Rue BEL 391 M80
Lajeunesse, Rue CON 550 B-C3
Lajeunesse, Rue GRA 621 D6
Lajeunesse, Rue SHE 636 J16-17
Lajeunesse, Rue SJR 512 L4
Lajeunesse, Rue VTV 601 H2-3
Lajoie, Av. SHY 522 F6
Lajoie, Rue ACV 540 B2
Lajoie, Rue CTG 325 V34
Lajoie, Rue LNG 329 V65
Lajoie, Rue SHE 635 M14
Lake, Rue HUN 560 C2
Lakeview, Rue HUD 184 N-023
Lakeview, Rue MAG 631 E5
Lakeview, Rue SBM 370 H70
Lalancette, Rue DMV 613 K8 614 K9
Lalancette, Rue SRT 530 C-D5
Lalande, Av. LNG 369 G61
Lalande, Rue LNG 329 V65 V66
Lalande, Rue de MAG 631 E7
Lalemant, Pl. CTG 305 U34
Lalemant, Rue CTG 305 U34
Lalemant, Rue DMV 614 K9
Lalemant, Rue LMG 648 C4
Lalemant, Rue LNG 329 V65-66
Lalemant, Rue SHE 640 P15
Lalemant, Rue SJR 511 J-K5
Lalement, Rue SRT 530 B5
Laliberté, Rue ACV 540 B3
Laliberté, Rue DEL 347 E47
Laliberté, Rue SHY 521 C9
Laliberté, Rue SJR 511 G4
Lalime, Rue SHY 520 D-E5
Lalime, Rue SRT 530 B-C4
Lallier, Ch. ASB 646 A3
Lallier, Rue COA 644 B3
Lallier, Rue GRA 623 G7
Lallier, Rue VTV 605 F10
Lalonde, Av. CED 243 C13-14
Lalonde, Cr. NDP 284 L28 285 L29
Lalonde, Rue BEL 391 N82
Lalonde, Rue CTG 305 S-T34
Lalonde, Rue HUN 560 C2
Lalonde, Rue MER 325 X-Y29
Lalonde, Rue SVD 241 C4
Lalonde, Rue VDR 244 B23
Lamarche, Av. SHY 520 E4
Lamarche, Rue DEL 347 D49
Lamarche, Rue SBM 370 F70
Lamarche, Rue SCA 347 D48
Lamarche, Rue SRT 530 E1
Lamarche, Rue TVD 244 C26
Lamarre, Av. LNG 369 H64
Lamarre, Rue LNG 329 X63
Lamarre, Rue LPR 367 F51-52
Lamarre, Rue SBG 370 K72 390 L72
Lamartine, Rue CAN 347 E50
Lamartine, Rue CTG 305 S33-34
Lamartine, Rue MSH 411 R78
Lamartine, Rue SHE 635 K13-14
Lambert, Rue DMV 610 E11
Lambert, Rue GRA 623 K6
Lambert, Rue LNG 349 E61
Lambert, Rue SBG 390 L72
Lambert, Rue SHE 639 P13
Lambert, Rue SRT 530 B-C6
Lambert, Rue VTV 602 E6
Lambert-Closse, Rue SLB 348 B-C58
Lambert-Closse, Rue SRT 530 C2 D1-2
Lambert-Grenier, Av. SHY 521 D9-10
Lamère, Rue SRT 530 B6
Lamie, Rue SCT 347 C45
Lamontagne, Av. LNG 349 D62
Lamontagne, Rue CON 550 B3
Lamothe, Av. SHY 520 E5
Lamothe, Rue DMV 613 K8
Lamothe, Rue SJR 512 P3
Lamothe, Rue (GIL) SVD 242 B7-8
Lamothe, Rue (STI) SVD 242 E11
Lamothe-Cadillac, Rue BCV 330 W71
Lamotte, Rue EAN 645 B3
Lamoureux, Rue GRA 622 G3
Lamoureux, Rue SHY 520 C3
Lamoureux, Rue SJU 350 C-D76
Lamoureux, Rue SRT 530 B6
Lamoureux, Rue SRT 530 C7
Lampron, Rue DMV 615 K14 619 L14
Lampron, Rue SCW 610 E11
Lamy, Rue BRS 368 G57
Lamy, Rue COA 644 C1
Lamy, Rue SHE 643 V7-8
Lamy, Rue VTV 604 F7
Lanaudière, Rue de LNG 349 C64
Lancaster, Rue BRS 368 G56
Lanciault, Rue SHY 520 D6
Lanctôt, Pl. SCT 347 D46
Lanctôt, Rlle SHE 636 M15-16
Lanctôt, Rue LNG 348 B59-60
Lanctôt, Rue LPR 367 F-G51
Lanctôt, Rue SCT 347 D-E46
Lanctôt, Rue SJR 512 P5
Lanctôt, Rue SVD 242 D5
Landes, Rue des SLB 348 B58
Landreville, Rue DMV 613 G7
Landreville, Rue EAN 645 B3
Landreville, Rue SHE 639 P13
Landry, Av. PLS 607 B2
Landry, Av. SJR 512 M7
Landry, Rue ACV 540 B3
Landry, Rue GRA 621 E6
Landry, Rue LNG 349 D62
Landry, Rue NAP 570 D3
Landry, Rue RCH 409 T66
Landry, Rue SHE 635 M11 639 N11
Landry, Rue SMS 409 Q68 410 Q69
Landry, Rue SVD 242 D9-10
Landry, Rue VTV 604 F5
Lane St KAH 306 U42-43
Lang, Rue CTG 305 T35
Lange, Rue MAG 631 D6-7
Langeais, Rue de DMV 619 M14
Langelier, Rue SHY 520 D5
Langelier, Rue SJR 511 K3
Langevin, Rue BCV 310 T75
Langevin, Rue CDL 222 X6
Langevin, Rue CHB 409 R66
Langevin, Rue LNG 348 B60 349 B61
Langevin, Rue SHE 636 L18
Langevin, Rue SJU 350 C75
Langevin, Rue SRT 530 B2
Langevin, Rue SVD 242 D-E10
Langevin, Rue VAR 311 R79
Langlois, Rue GRA 620 D-E4 E3-4
Langlois, Rue MAG 630 E4 631 E5
Langlois, Rue SHE 636 L17-18
Langlois, Rue SJR 511 K3 512 L3
Langlois, Rue VAR 311 Q79
Langlois, Rue VDR 224 Y24
Langlois, Rue WIN 632 B2
Langlois E., Rue CTG 305 U36
Langlois O., Rue CTG 305 T35-36
Languedoc, Rue DEL 347 E47
Languedoc, Rue de SHE 635 M13
Languedoc, Rue de SLB 348 A57-58
Languedoc, Rue du BCV 330 Y70
Languedoc, Rue du SJR 511 G3
Laniel, Rue SVD 242 D8
Lanoraie, Rue de GRA 621 A-B6
Lanoue, Av. SHY 520 D8
Lanoue, Rue SJR 511 K2
Lanouette, Rue VTV 602 D7 E6-7
Lansdowne, Pl. SBM 370 H69
Lansdowne, Rue GRA 623 F6
Lansdowne, Rue SBM 370 G-H69
Lapalme, Boul. SJR 510 D5
Lapalme, Rue BEL 391 L-M81
Lapalme, Rue CHB 409 Q-R65
Lapalme, Rue DEL 367 F46
Lapalme, Rue DMV 618 L10
Lapalme, Rue OMV 631 A6-7
Lapalme, Rue SBG 390 L72
Laperle, Av. SHY 520 D6
Laperle, Rue SHE 638 S8
Lapéro N., Rue DMV 608 D4
Lapéro S., Rue DMV 608 E3-4
Laperrière, Rue SRT 530 D1
Lapierre, Av. SHY 522 F-G6
Lapierre, Rue ASB 647 C5-6
Lapierre, Rue BEL 391 M81
Lapierre, Rue DMV 615 K14 619 L14
Lapierre, Rue SRT 530 D4
Lapierre, Rue VTV 605 G10
Lapinière, Boul. BRS 348 C-E58 368 F-G58
Laplante, Av. SHY 522 G2-3
Laplante, Rue ACV 540 C1
Laplante, Rue SCT 347 C45-46
Laplante, Rue SHE 638 S10 639 S11
Laplume, Rue DMV 618 P10-11
Laplume, Rue SRT 530 C2
Lapointe, Ch. BRO 629 B7
Lapointe, Rue BEL 391 M81
Lapointe, Rue DMV 613 G7
Lapointe, Rue EAN 645 B3
Lapointe, Rue GRA 622 G-H4
Lapointe, Rue LMG 648 B2
Lapointe, Rue SBG 390 L72
Lapointe, Rue SJR 511 J-K1
Lapointe, Rue SJU 350 C75
Lapointe, Rue SVD 242 D-E10
Lapointe, Rue (LNG) LNG 329 V65
Lapointe, Rue (SHU) LNG 349 D62
Laporte, Av. LNG 369 G64
Laporte, Av. SHY 520 D5
Laporte, Rue CHB 409 Q65
Laporte, Rue CTG 305 S32-33
Laporte, Rue SBG 390 L72
Laporte, Rue SHE 636 M18
Laporte, Rue VDR 244 B22-23
Laporte, Rue VRC 292 091
Laporte, Rue WIN 632 D3
Laprade, Rue SRT 530 C3
Laprairie, Ch. de BRO 628 E4
LaPrairie, Rue de VAR 311 S77
Laprise, Rue SHE 637 M19
Laramée, Rue CTG 325 W36
Lareau, Av. SJR 512 M7
Lareau, Rue CAR 389 M62-64
Lareau, Rue LNG 329 W63
Larin, Rue SVD 242 E5-6
Larivée, Rue DMV 613 G6
Larivée, Rue VDR 224 V-W24
Larivée E., Rue SHY 520 D6 E5-6
Larivée O., Rue SHY 520 E5
Larivière, Av. SJR 512 L8
Larivière, Rue CHB 389 P65
Larivière, Rue SCT 347 C45-46
Larivière, Rue SHY 521 D9
Larivière, Rue SRT 530 B-C5
Larivière, Rue SVD 242 A-B8
Larivière, Rue VTV 602 E6
Larkin, Rue EAN 645 B4
Laroche, Boul. MAG 630 E4 631 E5
Laroche, Rue MSH 411 Q78
Laroche, Rue SCH 605 H9-10
Laroche, Rue SVD 242 D6
Laroche, Rue VTV 603 D9
Laroche, Rue de DMV 613 F7
Larochelle, Boul. ASB 647 B7
LaRochelle, Pl. de SJU 370 F75
Larochelle, Rue ASB 647 A8
LaRochelle, Rue de BEL 391 L84
LaRochelle, Rue de SJU 370 F75
Larocque, Av. SHY 522 F4-5
Larocque, Ch. SVD 242 C5-6 D-E5
Larocque, Rue ACV 540 C1
Larocque, Rue BHN 304 Q25
Larocque, Rue DMV 613 H7
Larocque, Rue GRA 620 E3
Larocque, Rue LNG 329 V66
Larocque, Rue SJR 512 L4-5
Larocque, Rue SRT 530 D1-2
Larocqué, Rue COW 626 D-E8
Larose, Rue BEL 391 L-N82
Larose, Rue MAG 631 C5
Larouche, Rue COW 627 D11
Larrivée, Rue SHE 639 Q11
Lartigue, Rue VDR 224 X-Y24
Lasaline, Mtée SCT 366 F-G44
Lasalle, Rue COW 626 C8
LaSalle, Rue CTG 305 T-U34
Lasalle, Rue DMV 618 L11-12
Lasalle, Rue EAN 645 A3
Lasalle, Rue LMG 648 B3
Lasalle, Rue MAG 631 D6
LaSalle, Rue SBM 370 F70
LaSalle, Rue SCT 346 D-E44
LaSalle, Rue SJR 512 L3
LaSalle, Rue de BEL 391 N78
LaSalle, Rue de MSH 391 081
Lasanté, Rue VTV 605 G10
Lasnier, Rue BRS 368 G57
Lasnier, Rue GRA 620 E2
Lasnier, Rue SJR 511 H-J4
Lasnier, Rue SVD 242 C5-6 D5
Lataille, Rue BEL 391 M-N81
Laterrière, Rue SHE 639 P14
Latouche, Rue BRS 368 G57
Latour, Cr. de SLZ 183 P18
Latour, Rue CTG 306 S37
Latour, Rue LNG 349 E62 E63-64
Latour, Rue SBG 390 L71
Latour, Rue SCT 347 D45-46
Latour, Rue SJR 511 J4-5
Latraverse, Rue SRT 530 A7
Latulippe, Rue LMG 648 B3-4
Laubia, Rue LNG 389 L63-64
Lauder, Rue COW 626 D-E8
Laura, Rue BRO 628 D2
Laure-Conan, Pl. VAR 311 R80
Laure-Conan, Rue SBM 370 F70-71
Laure-Conan, Rue SJU 350 B76
Laure-Conan, Rue VAR 311 R80
Laure-Gaudreau, Rue VDR 224 Z23
Laure-Gaudreault, Rue SBM 350 E71 370 F70-71
Laurel Valley, Pl. de SLZ 183 P19-20
Laurence, Rue ACV 540 B2
Laurence, Rue BRO 629 A8
Laurence, Rue CAN 347 E49
Laurence, Rue COA 644 C3
Laurence, Rue GRA 621 B5
Laurence-Foisy, Rue VTV 603 C9
Laurencia, Rue SVD 242 D8
Laurendeau, Rue BEL 391 M79
Laurendeau, Rue EAN 645 B3
Laurendeau, Rue PLS 607 D2
Laurendeau, Rue SVD 242 D6
Laurent, Rue GRA 622 F-G2 G2-3
Laurent, Rue MAG 630 B1
Laurent-Benoit, Av. LNG 349 E61 369 F61
Laurent-Perreault, Rue CHB 409 Q-R64
Laurent-Sawyer, Rue DMV 609 E6
Laurentide, Rue MAG 631 C7
Laurentie, Rue de la SHE 635 L13
Laurentien, Rue DMV 609 D-E5
Laurentienne, Pl. SRT 530 A7
Laurette, Rue VTV 601 H2
Laurette-Desruisseaux, Rue SHE 642 U3
Laurie, Rue GRA 622 H-J3
Laurie, Rue LNG 348 B59
Laurie, Rue SHE 640 Q17
Laurier, Boul. BEL 391 N80
Laurier, Pl. MER 325 W33
Laurier, Pl. SLZ 203 R16
Laurier, Rue CAN 347 E50
Laurier, Rue CHB 389 P65
Laurier, Rue COW 626 C-D7
Laurier, Rue CTG 325 V35
Laurier, Rue DMV 614 J9
Laurier, Rue EAN 645 B2
Laurier, Rue GRA 621 D-E5
Laurier, Rue LMG 648 B-C3
Laurier, Rue MAG 631 D5
Laurier, Rue MER 325 W33
Laurier, Rue OMV 631 A8
Laurier, Rue OTT 391 O-P77
Laurier, Rue SCA 347 A45
Laurier, Rue SCT 346 D-E44
Laurier, Rue SHE 640 N17
Laurier, Rue SJR 511 J-K5 512 L5
Laurier, Rue SMS 390 P72
Laurier, Rue SRT 530 B3-4
Laurier, Rue SVD 242 D-E10
Laurier, Rue VDR 224 Y23
Laurier, Rue VRC 292 O-P90
Laurier, Rue (Asbestos) ASB 646 D-E4
Laurier, Rue (Danville) ASB 647 E5-6
Laurier, Rue (LEM) LNG 328 Z59
Laurier, Rue (LNG) LNG 329 X-Y63 Y63-64 Z64
Laurier E., Boul. SHY 520 E6-8 521 D9-10
Laurier E., Rue VTV 605 G11
Laurier O., Boul. SHY 522 G3-4 H2-3
Laurier O., Rue VTV 605 H-J11
Lauriers, Rue des BRO 628 E3
Lauriers, Rue des PIN 244 E23-24
Laurin, Rue MAR 500 A2
Laurin, Rue NAP 570 C3-4 D3
Laurin, Terr. BHN 304 Q24
Laurion, Rue CAN 347 E49
Laurion, Rue GRA 622 G4 623 G5
Lausanne, Rue SCT 347 C45
Lausanne, Rue de CAN 347 E49-50
Lausanne, Rue de LNG 349 D62
Lautrec, Rue BRS 368 G57
Lautrec, Rue CTG 305 U35 325 V35
Lautrec, Rue OTT 390 P76
Lautrec, Rue SCT 347 D45-46
Lauzière, Rue DMV 613 J7-8
Lauzon, Rue CED 263 G18
Lauzon, Rue CTG 325 V-W36
Lauzon, Rue DMV 618 L11
Lauzon, Rue EAN 645 B3
Lauzon, Rue LMG 648 B2-3
Lauzon, Rue MSH 411 Q78
Lauzon, Rue RIG 580 C5
Lauzon, Rue SCL 202 Q10
Lauzon, Rue SHE 635 M13
Lauzon, Rue SHY 522 H3
Lauzon, Rue SVD 263 G14
Lauzon, Rue VDR 224 X21
Lauzon, Rue de BCV 329 W68 330 W69
Lauzon, Rue de GRA 621 A-B6
Lauzon, Rue de MER 325 X31
Laval, Av. SHY 520 E4
Laval, Rue EAN 645 B3
Laval, Rue GRA 622 F-G4
Laval, Rue LMG 648 B2-3
Laval, Rue SCT 347 D45-46
Laval, Rue SHE 633 D12-13 E12
Laval, Rue SJR 512 M8
Laval, Rue SJS 530 A-B4
Laval, Rue (LNG) LNG 328 Y60 329 Y61
Laval, Rue (SHU) LNG 349 D62
Laval, Rue de BRO 629 D5-6
Laval, Rue de CTG 325 W35
Laval, Rue de DMV 614 K11 618 L11
Laval, Rue de MER 325 X31
Laval N., Rue GRA 622 F4
Laval S., Rue GRA 622 F4
Lavallée, Rue CTG 325 W34
Lavallée, Rue GRA 621 E6
Lavallée, Rue LNG 329 X-Z63
Lavallée, Rue SRT 530 A7
Lavaltrie, Rue de BCV 310 U72
Lavardin, Rue de SJU 350 C73
Laventie, Rue BRS 368 G56
LaVerdure, Rue SCT 347 C45
LaVérendrye, Pl. SCA 347 D47
Lavérendrye, Rue EAN 645 A-B3
LaVérendrye, Rue de CTG 305 T33-34
LaVérendrye, Rue de VAR 311 Q79-80
Lavergne, Rue PRN 606 B2
Lavergne, Rue VTV 605 F9
Lavigerie, Boul. SHE 640 N18 641 N19
Lavigne, Rue ASB 646 C2
Lavigne, Rue CTG 306 U37
Lavigne, Rue SCT 347 C45
Lavigne, Rue SCW 610 A10-11
Lavigne, Rue SVD 242 A8
Lavigne, Rue VTV 602 E8
Lavigueur, Pl. SLZ 183 P18
Laviolette, Pl. SHE 640 N18
Laviolette, Rue DMV 613 K8
Laviolette, Rue LMG 648 B3
Laviolette, Rue LNG 329 W-X64
Laviolette, Rue SHE 640 N18
Laviolette, Rue SRT 530 B2
Laviolette, Rue SVD 242 E6
Laviolette, Rue de BRO 629 C5
Lavoie, Rue DEL 367 G46
Lavoie, Rue LMG 648 B2
Lavoie, Rue LPR 367 F-G51
Lavoie, Rue MSH 391 O82-83 O-P82
Lavoie, Rue SHE 633 D11-12
Lavoie, Rue SJR 512 M7
Lavoie, Rue SRT 530 D1
Lavoie, Rue SVD 242 E10
Lavoie, Rue VAR 311 S79
Lavoie, Rue VDR 224 Y25
Lavoie, Rue VTV 601 E2-3
Lavoie, Rue (LNG) LNG 329 V65-66
Lavoie, Rue (SHU) LNG 369 G62 G64
Lavoisier, Rue BCV 330 Y-Z71
Lavoisier, Rue CTG 325 W36
Lavoisier, Rue SJU 350 E75
Lavole, Ch. COA 644 E2-3
Lawford, Rue SHE 636 M17
Lawrence, Av. LNG 349 D62
Lawrence, Ch. HUN 560 D4
Lawrence, Rue LNG 348 C59-60
Lazare St KAH 326 V43
Lazure, Rue HUN 560 C-D2
Le Baron, Rue BCV 330 W70
Le Ber, Rue EAN 645 B4
Le Ber, Rue SHE 640 P18
Le Ber, Rue SHY 522 H3
Le Breton, Rue LNG 329 W67
Le Caron, Rue LNG 329 W-X64
Le Châtelier, Rue LNG 349 D62
Le Corbusier, Rue BRS 368 G56
Le Corbusier, Rue GRA 622 H-J3
Le Gardeur, Rue BCV 310 T73-74
Le Laboureur, Rue BCV 310 U72
Le Mercier, Rue SBM 369 H68
Le Moyne, Imp. SJR 511 H3
Le Moyne, Rue SJR 511 G3
Le Moyne E., Rue LNG 329 W63
Le Moyne O., Rue LNG 329 W61-62 X61
Le Normand, Rue BCV 310 T-U72
Le Renfort, Rue SJR 511 G3
Le Rousson, Rue CDL 222 X10
Le Royer, Rue SLB 348 A58-59
Léa-Audet, Rue SRT 530 D5-6
Lebeau, Montée COW 626 D5
Lebeau, Rue ASB 647 C7
Lebeau, Rue SJR 511 J4-5
Lebel, Boul. CHB 389 P64 409 Q-R64
Lebel, Rue ASB 647 D5
Lebel, Rue DMV 608 D4
Lebel, Rue SHE 643 T-U7
Lebel, Rue SJR 512 M4
Leber, Rue SCT 346 E43
Leblanc, Pl. SCA 347 C46-47
Leblanc, Rue ACV 540 B2
Leblanc, Rue CTG 305 U36
Leblanc, Rue DMV 614 K11
Leblanc, Rue EAN 645 B3
Leblanc, Rue LMG 648 A-B2
Leblanc, Rue PRN 606 C3
Leblanc, Rue SHE 633 D12
Leblanc, Rue SJR 512 M4
Leblanc, Rue SVD 241 C4
Leblanc, Rue VTV 603 E10
Leblanc E., Rue LNG 329 X63
Leblanc O., Rue LNG 329 X62-63
Leblond, Rue SHE 637 L21-22
Leboeuf, Rue SVD 242 D7
Lebourg, Rue BRS 368 G57
LeBrodeur, Rue VAR 311 Q79
Lebrun, Rte SMG 608 D2-3
Lebrun, Rue GRA 620 D3
Lebrun, Rue LNG 329 Y-Z66
Lecavalier, Rue SMG 608 B1
Lecavalier, Rue VAR 311 Q79
Lechasseur, Rue BEL 391 M79-80 N79
Leckie, Rue LNG 349 C64
Leclair, Rue DMV 617 N7
Leclaire, Rue SRT 530 D1-2
Leclerc, Av. SJR 512 L7
Leclerc, Rue ACV 540 C-D2
Leclerc, Rue BEL 391 M82-83
Leclerc, Rue CTG 325 W36
Leclerc, Rue DMV 613 G-H7
Leclerc, Rue LMG 648 A-B2
Leclerc, Rue PRN 606 B3
Leclerc, Rue SHE 636 L15
Leclerc, Rue VDR 224 Y23
Leclerc, Rue VTV 605 G9
Leclerc E., Boul. GRA 621 E6 623 F6
Leclerc O., Boul. GRA 620 E4
Lecompte, Av. SVD 242 A7-8
Lecompte, Rue DMV 615 K15
Lecomte, Rue MAG 631 B-C5
Lecomte, Rue PRN 606 C2
Lecomte, Rue VTV 603 B-C12
LeCorbusier, Rue BEL 391 N79
Lecours, Rue PRN 606 B-C2
Lecours, Rue SHE 637 M20
Lecourt, Rue CTG 305 U33
Leda, Rue SCH 605 H9
Ledoux, Pl. SRT 530 C7
Ledoux, Rue BEL 391 N79
Ledoux, Rue MAR 500 B3-4
Ledoux, Rue SHE 633 D13
Ledoux, Rue SHY 520 D7-8 E7
Ledoux, Rue SRT 530 C7
Leduc, Boul. BRS 368 F-G58 G57 H57

Leduc, Rue CDL 222 X5-6
Leduc, Rue CED. 203 S15
Leduc, Rue CTG. 325 V34
Leduc, Rue GRA 621 A6
Leduc, Rue IPR 244 E28
Leduc, Rue LNG. 349 E63
Leduc, Rue NDP 284 L25-26
Leduc, Rue PIN 244 D23
Leduc, Rue SBG 390 O-P71
Leduc, Rue SBM 370 J70
Leduc, Rue SCL 202 Q10
Leduc, Rue SCT 347 C45-46
Leduc, Rue SJR 511 F6
Leduc, Rue SLZ 203 R18
Leduc, Rue SRT. 530 C6
Leduc, Rue SVD 242 A8 B7-8
Leduc, Rue VTV. 604 F7
Leduc, Rue (BHN) BHN . 284 P23
Leduc, Rue (MAP) BHN . 284 P25
Leech, Av. CED 243 C13-14
Leech, Rue SHE. 639 N14
Lefebvre, Rue ASB . . . 647 B6
Lefebvre, Rue COA . . . 644 A2-3
Lefebvre, Rue CTG . . . 325 W35
Lefebvre, Rue DEL . . . 367 F46
Lefebvre, Rue DMV. . . 613 F-G7
Lefebvre, Rue SCT . . . 347 C45
Lefebvre, Rue SVD . . . 242 D-E7
Lefebvre, Rue VDR. . . 244 A23-24
Lefèvre, Rue SCW . . . 615 H15
Lefort, Rue SJR 512 M6-7
Lefrançois, Rue DEL. . . . .
. . . . . . 347 E46 367 F46
Legardeur, Rue LNG . 369 F-G64
LeGardeur, Rue SRT . . . 530 B5
Légaré, Rue SHE 642 S-U3
Légaré, Rue CTG 306 R37
Légault, Ch. SLZ 203 V17-18
Legault, Cr. VAR 311 R78
Legault, Rue BRO . . . 629 C5
Legault, Rue HUN . . . 560 D4
Legault, Rue LNG . . . . .
. . . . . . 349 C63-64 D61-62
Legault, Rue MER . . . 325 X-Y30
Legault, Rue SVD . . . 242 B7-8
Legault, Rue TVD . . . 244 C26
Legault, Rue VAR . . . 311 R78
Legault, Rue VDR. . . . 224 Y25
Légendes, Rue des SJR . 510 D1
Legendre, Rue ASB . . . 646 E4
Legendre, Rue CON . . . 550 B3
Legendre, Rue LMG . . 648 B3
Legendre, Rue SCT . . . 347 C46
Legendre, Rue VTV. . . 604 F7
Léger, Mtée CGD 223 Y13-15 Z16
Léger, Rue CTG. 306 T-U37
Léger, Rue DMV. 618 L11
Léger, Rue GRA 623 H5
Léger, Rue SCT 347 D45
Léger, Rue SHE . . . . . .
. . . . . . 634 M10 638 N-P10
Léger, Rue SJR 510 E2
Léger, Rue SVD 242 E9-11
Léger, Rue VDR 224 Z24
Léger La. HUD 204 Q24
Leggett, Rue GRA . . . 621 A6
Légion, Rue de la LNG . . . . .
. . . . 348 E60 349 E61-62
Legion River Rd KAH . . . .
. . . . . 306 U43 326 V43
Legrand, Rue SJR . . . 512 L4
Legros, Rue CDL 222 X7
Legros, Rue GRA 623 G8
Lehoux, Rue GRA . . . 623 G7
Lehoux, Rue de SHE . . 633 G13
Leinster, Rue de SHE . . 633 G13
LeJeune, Rue CTG . . . 305 T33
Leblanc, Ch. FAR 624 E1
Lemaire, Rue DMV. . . 619 P14
Lemaire, Rue SHE . . . 636 L17-18
Lemaire S., Rue DMV. . 608 E4
Lemay, Av. PLS 607 A2
Lemay, Av. SHY. 520 D6
Lemay, Rlle VTV 242 C6
Lemay, Rue ACV 540 C2
Lemay, Rue COA 644 C3-4
Lemay, Rue LMG 648 C4
Lemay, Rue SHE 636 L16-17
Lemay, Rue SJR 510 D5
Lemay, Rue SRT 530 C2
Lemay, Rue VTV. 605 J11
Lemelin, Rue BRS . . . 368 G57
Lémery, Rue BRS 368 G57
Lemieux, Av. PLS 607 B-C2
Lemieux, Av. SHY. . . . 522 G4
Lemieux, Rue DMV. . . 608 E4
Lemieux, Rue GRA . . . 623 F-H8
Lemieux, Rue LMG . . . 648 B2-3
Lemieux, Rue PRN . . . 606 C3
Lemieux, Rue SCA . . . 347 B46-47
Lemieux, Rue SJR. . . . 510 C5-6
Lemieux, Rue SRE . . . 365 J32
Lemieux, Rue SVD . . . 242 C8
Lemieux, Rue VTV. . . . 601 F4
Lemire, Boul. DMV. . . . .
. . . . 612 G4 613 G5 H-J6
Lemire, Ch. SHE 637 J21 K20-22

Lemire, Rue ASB 647 B6
Lemire, Rue LNG 329 Y62
Lemire, Rue SCW. . . . 611 B13
Lemire, Rue SGG 616 M2
Lemire, Rue SHY 520 E6
Lemire, Rue VTV 604 F5
Lemire, Rue WIN 632 C2
Lemonde, Rue SBM. . . 370 F-G70
Lemonde, Rue SHY . . . 522 G8
Lemoyne, Rue BEL. . . . .
. . . . . 391 M78-79 N78
Lemoyne, Rue ASB . . . 646 C1-2
Lemoyne, Rue CTG. . . 305 S34
Lemoyne, Rue GRA . . . 623 J5
Lemoyne, Rue SHY. . . 522 G-H3
Lemoyne, Rue SLB . . . 328 Z60
Lemoyne, Rue SVD . . . 241 C-D4
Lemoyne, Rue SRT. . . 325 X31
Leningrad, Rue de BRS . 368 G56
Lenoir, Rue SBM. . . . 369 F-G67
Lenoir, Rue SCT 347 D45
Léo, Rue LNG 329 V66-67
Léo, Rue SCA 347 B46
Léo, Rue SPH 367 K48
Léo, Rue VRC. 292 O-P91
Léo-Ayotte, Rue NDP . . 264 G27
Léo-Ayotte, Rue SCA . . 347 B46
Léo-Ayotte, Rue VDR . . 224 Z7
Léo-Cayouette, Rue SHE 633 F13
Léo-Gravelle, Rue VDR . . . .
. . . . . . 224 Y22-23
Léo-Laliberté, Rue SHE. 635 L13
Léo-Paul-Desrosiers, Cr. NDP . .
. . . . . . 285 L29
Léon, Av. SHY 520 C1
Léon-Bloy, Rue CTG. . . 305 S33
Léon-Bloy E. , Rue LPR. . . . .
. . . . . . 367 F-G50
Léon-Bloy W., Rue LPR. 367 F50
Léon-Couture, Boul. SCH 604 J8
Léon-Grondin, Rue SRT 530 D5-6
Léon-Hamel, Rue GRA . 622 F3
Léon-Marcotte, Rue SHE 635 L11
Léon-Ringuet, Rue SRT . 330 X72
Léon-Trépanier, Rue SHE 641 N19
Léon-Xlll, Rue SJS . . . 530 A4
Leonard, Rue SHE . . . 639 P13
Léonard, Rue CTG . . . 325 X36
Léonard, Rue LNG . . . 369 J62
Léonard, Rue MAG . . . 631 B6
Léonard, Rue SJR 511 K8
Léonard-de-Vinci, Rue BEL. . . .
. . . . . . 391 M82
Léonard-De-Vinci, Rue SJU . . .
. . . . . 350 E74-75
Léonard-Lemire, Rue . . . . .
. . . . . . 633 E13
Leonardo-Da Vinci, Rue SHE . . .
. . . . . . 638 Q7
Léonidas, Rue SHE . . . 640 N16
Léonie-Paradis, Pl. CTG 305 S33
Léontine-Marsolais, Rue LNG . .
. . . . . . 349 E65
Léopold, Rue CHB . . . 389 P65
Léopold, Rue COW . . . 626 D8
Léopold, Rue LNG . . . 329 V-W63
Léopold, Rue VRC . . . 292 O91
Léopold-Lacroix, Rue BEL. . . .
. . . . . . 391 M82
Léotable-Dubuc, Rue LPR. . . . .
. . . . . . 368 G53
Lepage, Boul. BRS. . . . . .
. . . . 368 G55 G57-58 H56 H59
Lepage, Rue WIN. 632 D2
Lepailleur, Rue CTG . . 325 V36
L'Épinay, Rue VTV. . . . 605 G9
Lépine, Rue LNG 329 Z63
Lépitre, Av. EAN. 645 B3
Lequin, Rue SRT 530 C5
Leriger, Rue SCT 347 D46
Leroux, Av. VDR 244 B22
Leroux, Rue CDL 222 Y9-10
Leroux, Rue CED 243 C14
Leroux, Rue DMV. . . . 618 M-N12
Leroux, Rue GRA 622 F2-3
Leroux, Rue PDC 264 H21
Leroux, Rue SHE 642 U3-4 V4
Leroux, Rue SLZ 203 S19
Leroux, Rue SVD 242 C8
Leroy, Rue LNG 511 G3-4
Lery, Rue EAN 645 B3
Léry, Boul. de LER . . . . . .
. . . . 304 R28 305 R31-32 R-S33
Léry, Rue LNG 349 B-C65
Léry, Rue de PDC . . . . .
. . . . 263 G20 264 G21
Léry, Rue de RIG 580 D5
Les Abymes, Rue BCV . . . .
. . . . . 330 X69-70 Y69
Lesage, Rue CHB 389 P65
Lesage, Rue DMV. . . . 613 F7
Lesage, Rue GRA. . . . 621 B5
Lesage, Rue SHE . . . . . .
. . . . . 635 M11 639 N11
Lesage, Rue SHY 520 C7
Lescarbot, Rue EAN . . 645 B3-4

Lesieur, Rue SJR 511 H4-5
Lespérance, Rue SHE . . 640 R16
Lespérance, Rue SLB . . 328 Y59
Lessard, Rue DMV . . . 619 N14
Lessard, Rue EAN . . . 645 B3
Lessard, Rue LNG . . . 349 D62
Lessard, Rue OMV . . . 631 A7-8
Lessard, Rue SCT 367 F-G45
Lessard, Rue VTV 604 F4 604 F5
Lestage, Rue MAG. . . . 630 C2
Lestre, Rue EAN 645 B4
Letarte, Rue SHE 637 M20
Letellier, Rue DMV . . . 615 J14
Letellier, Rue LMG . . . 648 B2
Letellier, Rue SHE . . . . . .
. . . . . 634 K-L10 L-M9
Letendre, Rue ASB . . . 646 C1-2
Letendre, Rue CTG. . . 305 S34
Letendre, Rue DMV . . 613 J5-6
Letendre, Rue OMV. . . 631 A7-8
Letendre, Rue SHE . . . 639 P11-12
Letendre, Rue SRT. . . . 530 C2
Létourneau, Rue CTG. . 306 R37
Létourneau, Rue LNG . . 349 D62
Létourneau, Rue MSH . . . . .
. . . . . . 391 N81-82
Létourneau, Rue RIG . . 580 A4
Létourneau, Rue SCT 346 L63-64
Létourneau, Rue VTV . . 604 F8
Levac, Mtée CED . . . .
. . . . . 243 B18 C18-19
Levac, Rue CED 243 A17-18
Levac, Rue RIG 580 D5
Levac, Rue SVD. 242 A9
Levasseur, Rue SCT. 347 C45-46
Levasseur, Rue VTV . . . 347 D76
Levée, Rue de la LPR . . 367 F-G52
Lévéillée, Pl. SCA. . . . 347 B47
Lévéillée, Rue SCA . . . 347 B47
Lévesque, Av. SHY . . . 520 D8
Lévesque, Rue CTG . . . 325 X35
Lévesque, Rue DMV . . 618 L9
Lévesque, Rue GRA . . . 622 H3-4
Lévesque, Rue LNG . . . 349 D62
Lévesque, Rue MAG. . . 630 C2
Lévesque, Rue SCT . . . 347 D-E45
Lévesque, Rue SHE . . . 636 L16
Lévesque, Rue SRT . . . 530 C4
Lévesque, Rue VTV. . . 602 D-E8
Lévis, Pl. SBM 370 G69-70
Lévis, Pl. SGG 616 M2
Lévis, Rue DMV 645 B3
Lévis, Rue EAN 645 B3
Lévis, Rue LMG. 648 C4
Lévis, Rue LNG 329 W62-63
Lévis, Rue MSH 391 P79-80
Lévis, Rue SBM 370 G69
Lévis, Rue SCA 347 D47
Lévis, Rue SHE 511 J-K4
Lévis, Rue SRT 530 C2-3
Lévis, Rue de BEL . . . 391 M80
Lévis, Rue de BRO . . . 629 E6
Lévis, Rue de CTG . . . 305 S34
Lévis, Rue de MER . . . 325 X31
Lévis, Rue de GRA . . . 621 A-B6
Lise-Fontaine, Rue SHE. 635 L11
Liseron, Rue du SBM . . 370 J69
Liseron, Rue du SJU . . 350 E74
Liserons, Pl. des VDR . . 224 Y-Z22
Lisière, Rue SCT 347 C45
Lisieux, Rue BCV 330 X69-97 Y70
Lisieux, Rue EAN. . . . 645 C3
Lisieux, Rue de SHE . . 639 N-P12
Lisieux, Rue de SHE . . 639 P12
Liszt, Rue CTG 325 W35
Lison, Rue DMV 614 J12
Little Forks, Rue SHE . . 641 R19
Livernois, Rue SCT . . . 347 C45
Liverpool, Rue de BRS . 368 G56
Livery, Rue SLZ 183 O20
Lizotte, Rue DMV. . . . 614 F9
Lizotte, Rue OMV. . . . 631 A8
Lizotte, Rue SRT. 530 D3-4
Lloyd, Rue SHE 641 R19
Lobélie, Rue de la GRA . 623 G7
Lobo, Rue CTG 305 T36
Locas, Rue SCT 347 C-D45
Locke, Rue COA 644 A3
Lockhart, Rue CTG . . . . . .
. . . . 325 V36 326 V37
Locle, Rue du SAM. . . 351 C82
Logan, Rue LNG 328 X60
Logan, Rue SLB 328 X59-60
Loire, Rue de SHE . . . 635 K14
Loire, Rue de SJU . . . 350 C75
Loire, Rue de la SRT . . 530 D3
Loir, Rue de la SLB . . . 348 B58
Loiselle, Pl. PIN 244 C24
Loiselle, Rue ACV . . . 540 D2
Loiselle, Rue BEL . . . 391 M78-79
Loiselle, Rue COW . . . 626 E8
Loiselle, Rue GRA . . . 622 G3
Loiselle, Rue LNG . . . 349 D62
Loiselle, Rue MER . . . 325 X31
Loiselle, Rue RCH . . . 409 N60
Loiselle, Rue SMS . . . 409 R68
Loiselle, Rue SVD . . . 242 E10
Loisirs, Pl. des SRT . . 530 D2
Loisirs, Rue des SCL. . 202 Q10
Loisirs, Rue des SLZ. . 203 S18
Loisirs, Rue des VDR 244 A23-24

Loisirs, Rue des VTV . . 604 G8
Lomas, Rue LNG . . . .
. . . . 635 M13-14 639 N13
Lombardie, Av. de SLB . 348 A57
Lombardie, Rue SBG . . 390 L74
Lomer-Gouin, Pl. SBM/369 368
Lomer-Gouin, Rue VDR . 224 V24
Lomon, Rue du SJU . . . 643 U7
Lomon, Rue du SLZ . . . . . .
. . . . 184 P21 204 Q21
Limousin, Rue du BCV . . . .
. . . . . . 330 Y69-70
Limousin, Rue du SLB . 370 K73
Limousin, Rue du SHE . 633 F14
Limousin, Rue du SJU . 350 D75
Limousin, Rue du SLB . 348 B58
Lina, Rue SJR 512 L7
Lincoln, Av. LNG 348 A60
Lincoln, Rue LNG 348 A60
Lincoln, Rue SHE. . . . 640 N15
Lincourt, Rue LNG . 329 Y66 Z66
Lincourt, Rue SHY . . . 521 D10
Linda, Rue DMV 608 D4
Linda, Rue GRA. 622 H3
Linda, Rue SHE 640 R16-17
Linda, Rue VTV 604 J6
Lindberg, Rue SHE . . . 636 J-K17
Lindell, Rue ASB 646 C4
Lindor, Rue GRA 620 E1-2
Lindsay, Rue DMV 613 G8 614 H9
Linette, Rue VTV 602 A6
Lionel, Rue CTG. 305 R36
Lionel, Rue LNG 349 B61
Lionel, Rue MAG 631 B6
Lionel, Rue SMG 608 B1
Lionel, Rue VTV 601 H2
Lionel-Boulet, Boul. VAR. . . . .
. . . . . . 311 Q78
Lionel-Daunais, Rue BCV330 X71
Lionel-Dubuc, Rue RCH 409 U66
Lionel-Giroux, Rue DMV . . . . .
. . . . 612 G4 613 F5 G5
Lionel-Groleau, Rue SHE640 Q16
Lionel-Groulx, Boul. BCV 330 W69
Lionel-Groulx, Boul. SHE. . . . .
. . . . 635 L-M12 639 N12
Lionel-Groulx, Rue CTG . . . . .
. . . . . 305 S33-34
Lionel-Groulx, Rue DMV . 609 E7
Lionel-Groulx, Rue SBM 370 H70
Lionel-Groulx, Rue SJU . 350 C76
Lionel-H.-Grisé, Rue SBM. . . . .
. . . . . . 370 G70
Lionel-Ménard, Rue SJR . 512 L6
Lionel-Racine, Rue SHE. 635 L13
Lipsey, Ch. EAN 645 D1-2
Lipsey, Rue EAN 645 B3
Lisbonne, Rue SJU . . . 350 C73-74
Lisbonne, Rue de BRS . . . .
. . . . . 368 G56-57
Lisbonne, Rue de MSH . 391 N83
Lise, Rue SGG 617 N-P6
Lise, Rue SJR 510 B5
Lise, Rue VTV 601 F4 604 F5
Lise, Rue de CTG . . . .
. . . . . . 369 F54
Lise-Charbonneau, Rue LNG. . . .

Loisirs, Rue des VTV . . 604 G8
Louis-Fornel, Rue BCV . 330 V72
Louis-Fortin, Rue CAR . . . .
. . . . . 389 O62-63
Louis-Franquet, Rue SJR . . . .
. . . . . . 511 G4-5
Louis-Fréchette, Pl. SBM/369 368
Louis-Fréchette, Rue NDP. . . . .
. . . . . . 285 M29
Louis-Fréchette, Rue SJR 510 D1
Louis-Fréchette, Rue SJU. . . . .
. . . . . 350 B-C76
Louis-Guertin, Rue VRC 292 O90
Louis-H.-La Fontaine, Rue SJR .
. . . . . . 511 K7
Louis-H.-Lafontaine, Rue SHE . .
. . . . . 310 U71-72
Louis-H.-Latour, Rue BCV. . . . .
. . . . . . 330 X70
Louis-Hébert, Cour BCV 330 V70
Louis-Hébert, Rue BCV 330 V70
Louis-Hébert, Rue BEL. . . . .
. . . . . 391 N78-79
Louis-Hébert, Rue GRA 621 D-E6
Louis-Hébert, Rue SJR . . . .
. . . . 350 B76 351 B77
Louis-Hébert, Rue SRT . 530 C2
Louis-Hébert, Rue (LNG) LNG . .
. . . . . 329 W-X64
Louis-Hébert, Rue (SHU) LNG . .
. . . . . . 369 G63
Louis-Hébert, Rue de BRO. . . . .
. . . . . . 629 C7-8
Louis-Hémon, Rue EAN 645 B3-4
Louis-Hémon, Rue SRT 530 C-D2
Louis-Hennepin, Rue BCV. . . . .
. . . . . . 330 W70
Louis-J.-Lafortune, Rue BCV. . . .
. . . . . 330 W69-70
Louis-Jobin, Rue LNG 329 Y-Z67
Louis-Jolliet, Rue CTG . 305 T33
Louis-Jolliet, Rue DMV . 617 L8
Louis-Jolliet, Rue SJU . 350 D75
Louis-Joseph-Papineau, Boul.
COW 626 E7-8 F7-8
Louis-Juchereau, Rue BCV. . . . .
. . . . . 330 V71-72
Louis-Lacoste, Rue BCV 310 T73
Louis-Lague, Rue SJR . 510 C5-6
Louis-Lalande, Rue BCV330 W70
Louis-Lamarre, Rue LNG 348 C60
Louis-Liénard-de-Beaujeu, Rue
SJR 510 D1
Louis-Louvinel, Rue BCV 330 X70
Louis-Martel, Rue SJR . 510 E2
Louis-N.-Audet, Rue SHE . . . .
. . . . . . 635 L11
Louis-Normandin, Rue BCV. . . . .
. . . . . . 310 T73
Louis-O.-Régnier, Rue SJR511 K3
Louis-Olivier-Bergevin, Rue CHB
. . . . . 409 R-S64 S63
Louis-Pasquier, Rue MSH. . . . .
. . . . . . 391 N82-83
Louis-Pasteur, Rue BCV 350 A70
Louis-Pasteur, Rue SJR . 510 E2
Louis-Pasteur, Rue SJU . . . .
. . . . . 350 C74-75
Louis-Philie, Rue FAR . . 624 D1
Louis-Philippe-1er, Rue BRO. . . .
. . . . . . 628 C3
Louis-Philippe-Côté, Rue CHB . .
. . . . 389 P64 409 Q64
Louis-Quévillon, Rue BCV. . . . .
. . . . . . 330 W70
Louis-Racine, Rue SBG . 370 K70
Louis-Renault, Rue VDR . . . . .
. . . . 223 Z20 224 Z21
Louis-Riel, Rue MAG . . 631 E5
Louis-Riel, Rue SHE. 635 L11-12
Louis-Riel, Rue SPH . . 367 K49
Louis-Riel, Rue SRT . . 530 D-E2
Louis-Robert, Rue BCV . 330 V70
Louis-Saint-Laurent, Rue SHE . .
. . . . . . 639 P13
Louis-VI-Major, Rue SVD. . . . .
. . . . . 242 E5-6
Louis-Viau, Rue ACV . . 540 D3
Louis-Vohgel, Rue MSH . . . . .
. . . . . 391 N-083
Louis-XIV, Rue BRO. . . 628 B3-4
Louis-XV, Rue SJR . . . 511 F2
Louisbourg, Rue de MSH . . . .
. . . . . . 391 O81
Louisbourg, Rue de SHE . . . . .
. . . . . 640 N16-17
Louise, Cr. CTG 305 T34
Louise, Rue COW 626 E8
Louise, Rue DMV. . . . 617 M-N7
Louise, Rue IPR 244 E28
Louise, Rue LNG . 329 Y63-64
Louise, Rue SHE 636 J17
Louise, Rue VTV 602 C-D5
Louise, Terr. SVD 242 D6
Louise-De Ramesay, Rue CHB . .
. . . . . . 409 R62
Louise-Josephte, Rue VDR . . . .
. . . . . 224 Y-Z24
Louisette, Rue VTV601 F4 604 F5
Louisiana, Pl. de la LNG . . . .
. . . . . 329 V-W61
Loupret, Av. SJR 512 L7

Lourdes / Marine

Lourdes, Rue de RIG 580 D5
Lourtel, Rue de SJR 510 D1
Louvet, Pl. du SLZ 183 P20 184 P21
Louviers, Rue de BRS 368 G56-57
Louvigny, Rue SHY 522 G3
Louvre, Cr. du BRS 368 G-H56
Louvre, Rue du MSH 391 081-82
Louvre, Rue du SJU 350 B-C74
Lovell, Rue COA 644 C2
Lowe, Rue SVD 242 C7-8
Lower Maple, Rue HUD 184 N24
Lower Whitlock, Rue HUD 184 M23
Loy, Rue SVD 242 B6-7 C-D8
Loyola, Rue SHE 635 M12
Loyola, Rue SJR 511 J5
Loyola-Schmidt, Rue VDR 224 Z21 244 A21
Loyseau, Pl. SBM 369 H68 370 H69
Loyseau, Rue SBM 369 H68
Luc, Rue DMV 619 L16-17
Luc, Rue HUN 560 D3
Luc, Rue SJR 512 N7
Luc, Rue VTV 601 H2
Luc-Charette, Rue SVD 242 A-B7
Luc-Marchessault, Rue BRO 629 B5
Luce-Guilbeault, Rue LNG 369 F63
Lucerne, Pl. CTG 305 U36
Lucerne, Rue DEL 347 E46
Lucerne, Rue de SCT 347 D45-46
Lucie, Rue DMV 609 E6
Lucien, Rue CED 263 F19
Lucien, Rue SPH 367 K49
Lucien, Rue VTV 601 G3
Lucien-Beaudin, Rue SJR 511 K8 512 L8
Lucien-Brunelle, Rue SHE 637 M20
Lucien-Cardin, Boul. SRT 530 B5
Lucien-Côté, Rue MCM 391 M77
Lucien-Manning, Rue IPR 244 D26
Lucien-Milette, Rue LNG 349 E65
Lucien-Thériault, Rue NDP 264 G28
Lucienne-Charette, Rue BHN 263 K20
Lucille, Rue SCH 604 H7
Lucille-Desparois, Rue CTG 305 T33-34
Lucille-Gauthier, Rue RIG 580 D5
Lucille-Teasdale, Rue NDP 264 F-G28
Lucy, Cr. SLZ 223 V19
Ludger, Rue SHE 640 Q15-16 R15
Ludger-Coté, Rue CHB 409 R64 R-S63
Ludger-Duvernay, Rue VAR 311 R-S80
Ludger-Forest, Rue SHE 642 U4-5
Ludger-Marchand, Rue LNG 349 E65
Ludger-Provencher, Rue SHE 642 T4-5 U5
Lugano, Rue de BRS 368 G56 G56-57 G57
Lune, Pl. de la LPR 368 H53
Luneau, Rue DMV 613 G5
Luneau, Rue VTV 602 E6
Lupien, Rue DMV 614 F9
Lupien, Rue LNG 349 D63
Lupien, Rue PLS 607 C3
Lupins, Rue des SCW 611 A13
Lupins, Rue des VDR 224 Z22-23
Lusignan, Av. SHY 522 F7
Lussier, Av. PIN 244 D23-24
Lussier, Av. SHY 522 F7 G7
Lussier, Boul. BHN 284 P23 304 Q23
Lussier, Rue DEL 347 E47-48
Lussier, Rue EAN 645 B4
Lussier, Rue NAP 570 B2
Lussier, Rue SBG 390 L-M71
Lussier, Rue SJR 511 G4
Lussier, Rue SJS 530 A4
Lussier, Rue SJU 351 A-B80
Lussier, Rue SMS 409 Q68
Lussier, Rue SRT 530 A5
Lustucru, Rang BCV 330 W73 X74
Luxembourg, Rue de BRS 368 G57
Luxembourg, Rue du SJU 350 B-C74
Luzerne, Rue VDR 244 A23
Luzernes, Rue des BCV 330 Z72
Lyman, Rue GRA 623 G5
Lynch, Rue SVD 241 B4 242 B5
Lynda, Rue MAG 631 A7-8
Lyne, Rue VTV 603 C9
Lynn, Rue MCM 391 N77
Lynn, Rue SVD 242 D9
Lyon, Rue de LNG 349 A-B62 B63
Lyrette, Rue SVD 242 C8
Lys, Rue des DMV 614 K12
Lys, Rue des FAR 624 B2
Lys, Rue des LNG 329 Y66
Lys, Rue des LPR 368 H53
Lys, Rue des MAG 631 B6
Lys, Rue des SCA 347 C47
Lys, Rue des SHE 637 K19
Lys, Rue des VDR 224 Z23
Lys, Rue des VTV 601 E4 602 E5
Lys, Rue des WIN 632 A-B3
Lys-Blanc, Rue du GRA 623 G8

M

M.-O.-David, Rue SHY 522 G3
Macaulay, Av. SLB 328 Z58
Macaulay, Rue HUD 184 M23
MacDale, Rue MAG 631 E5
Macdonald, Rte ACV 540 D-E1
MacDonald, Rue ACV 540 C2-3
MacDonald, Rue BHN 304 Q27
MacDonald, Rue GRA 622 H4
MacDonald, Rue MAG 631 C-D5
Macdonald, Rue SBM 370 G-H71
MacDonald, Rue SJR 511 H4-5
MacGregor, Rue LNG 348 C60
Machamins, Pl. les CTG 305 U33
MacKay, Rue LNG 348 B60
Mackay, Rue VDR 244 A23
Mackenzie, Rue BCV 330 W71-72
Mackenzie-King, Rue SJR 512 L5
Mackinaw, Pl. DMV 613 J6
MacKinnon, Rue COW 627 D9
Maçon, Rue SCT 347 B45
Mâcon, Rue du SHE 638 P9
Macoun, Rue CTG 305 T36
MacPherson, Rue MAG 630 E4
Madakik, Rue SHE 638 N9
Madel, Rue LNG 349 D61
Madeleine, Pl. SRT 530 C6
Madeleine, Rue ACV 540 E3
Madeleine, Rue BRO 628 D3
Madeleine, Rue MAG 630 B1
Madeleine, Rue SAM 351 C84
Madeleine, Rue SJR 511 J1
Madeleine, Rue SVD 242 A-B7
Madeleine, Rue VRC 292 091
Madeleine, Rue VTV 602 E8 603 E9
Madeleine, Rue de la SBM 370 F69-70
Madeleine-Laguide, Rue NDP 264 G26-27
Maden, Rue SVD 242 B-C7
Madère, Rue BRS 368 F57-58
Madère, Rue de CAN 347 E48
Madère, Rue de SHE 638 P-Q9
Madrid, Rue BRS 348 E57 368 F57
Madrid, Rue de CAN 347 E48
Madrid, Rue de DMV 613 F5
Madrid, Rue de LNG 369 F64
Madrid, Rue de SHE 638 Q9
Madrid, Rue de SJU 350 C74
Maestro, Pl. SLZ 203 Q19
Magalie, Rue SRT 530 E4
Magdeleine, Rue SCT 347 A-B45
Magellan, Cr. SCA 347 D47
Magellan, Rue SHE 638 Q9
Magenta, Ch. FAR 624 B4
Magenta E., Boul. FAR 624 B2 C3-4
Magenta O., Boul. FAR 624 B2
Magill, Rue COA 644 A3
Magistrat, Rue du SLZ 203 Q20
Magloire, Rue SHE 638 Q8-9
Magloire-Auclair, Rue SLZ 203 R19-20
Magloire-Laflamme, Rue MSH 391 N-082
Magnan, Av. LNG 349 E64-65
Magnan, Rue PLS 607 C2
Magnan, Rue SHE 640 N18
Magnolia, Rue du SAM 351 B-C81
Magnolias, Rue des LNG 369 F65
Magnoni, Rue GRA 623 G8
Magog, Rue de la SHE 636 M16
Magritte, Rue SHE 638 P8-9
Maguerite-Morriset, Rue SHE 638 P9
Maher, Rue BHN 284 P23
Maher, Rue SVD 242 E12 243 E13
Maheu, Rue CTG 325 V35-36
Maheu, Rue SVD 242 E10
Maheu, Rue VTV 603 E9-10
Maihot, Rue SHE 640 P18
Mailhot, Av. PLS 607 D-E2
Mailhot, Rue DMV 608 D-E3
Mailhot, Rue PRN 606 C2
Mailhot, Rue SCT 347 A-B45
Mailhot, Rue VTV 605 G11
Maillard, Rue LNG 349 A63
Maillé, Pl. SHE 637 J-K19
Mailloux, Rue GRA 622 F-G3
Mailloux, Rue LNG 349 A64
Mailloux, Rue MAR 500 A1
Mailloux, Rue NAP 570 C4
Mailloux, Rue SJR 511 F3-4
Main E., Rue COA 644 C3-4
Main O., Rue COA 644 C1-3
Main Rd. HUD 184 L-M23 N-P24 204 Q-S24
Mainville, Ch. NDP 264 K25-26
Mainville, Rue LNG 349 E65 369 F64-65
Mainville, Rue VTV 604 F5
Mainville, Terr. LNG 369 F64-65
Mair, Rue COW 626 C6-7
Maire, Av. du LPR 367 G52 368 G53
Mairie, Boul. de la GRA 620 C3-4 621 C5
Mairie, Boul. de la SJR 510 E2
Mairie, Ch. de la RIG 580 C6
Mairie, Rue de la SCT 346 D44
Maisonneuve, Rue CAN 347 E48
Maisonneuve, Rue COW 626 C8
Maisonneuve, Rue CTG 305 T-U34
Maisonneuve, Rue DEL 347 E46
Maisonneuve, Rue DMV 613 G7
Maisonneuve, Rue GRA 622 F3
Maisonneuve, Rue LMG 648 B-C3
Maisonneuve, Rue MAG 631 C6
Maisonneuve, Rue SCT 347 A-B45
Maisonneuve, Rue SHE 635 M13
Maisonneuve, Rue SHY 520 B-C2
Maisonneuve, Rue SJR 511 J3-5
Maisonneuve, Rue SRT 530 C2
Maisonneuve, Rue SVD 242 D5
Maisonneuve, Rue (LNG) LNG 349 A61-62
Maisonneuve, Rue (SHU) LNG 349 E64-65 E65 369 F65
Maisonneuve, Rue de SCA 347 D47
Maizières, Rue LNG 349 A64
Majeau, Rue SRE 365 J32
Major, Rue COA 644 C3
Major, Rue CTG 306 R37
Major, Rue SHE 638 Q8
Major, Rue du LNG 349 A-B64
Major, Terr. LNG 349 E65
Major-Beaudet, Av. du SRT 530 D2
Malaga, Rue de SHE 638 P8-9
Malard, Rue du SLZ 203 R20 204 R21
Malards, Cr. des VDR 224 Y25-26
Malards, Rue des CON 550 A4
Malards, Rue des VDR 224 Y25-26
Malet, Rue SHE 638 P8-9
Malherbe, Rue BRS 348 E57-58
Malhiot, Av. SHY 520 E5
Mallette, Rue VDR 224 Y23-24
Malo, Av. BRS 348 E57-58 E58 368 F58
Malo, Rue BEL 391 N81
Malo, Rue CON 550 A4
Malo, Rue LNG 349 D63
Malo, Rue MSH 411 R78
Malo, Rue SJR 511 F-G4
Malo, Rue VAR 311 Q-R79
Malouin, Rue DMV 609 E5 613 F5
Malouin, Rue SHE 635 K-M14
Malraux, Pl. BRS 348 E57-58
Maltais, Av. EAN 645 C2
Mance, Rue (LNG) LNG 349 A63
Mance, Rue (SHU) LNG 348 B60
Manceau, Rue de GRA 621 A5
Mandarins, Pl. des VDR 224 Y26
Mandeville, Rue LNG 349 A64
Mandeville, Rue SRT 530 C1-2
Manège, Rue du COA 644 C3
Manège, Rue du VDR 184 P21
Manège, Rue du VTV 602 E7-8
Mangliers, Rue des LNG 349 E64
Manic, Rue VTV 604 F8
Manille, Rue BRS 348 E57 368 F57
Manning, Rue CTG 305 S36
Manoir, Av. du LER 305 R32
Manoir, Av. du SHY 522 G7
Manoir, Pl. du DEL 347 D48-49
Manoir, Pl. du MSH 391 080
Manoir, Rue de DMV 613 K8
Manoir, Rue du SHE 635 M12
Manoir, Rue du VDR 224 X23-24
Manoirs, Rue des BEL 391 M80
Manon, Av. BRS 348 E58
Manon, Rue SHE 638 P9
Manon, Rue VTV 602 C6
Manor, Rue CTG 305 S33
Manou, Rue de BCV 330 W69-70
Mans, Pl. du SLB 348 B58
Mans, Rue du SHE 637 M19
Mansart, Rue SJR 510 E1-2
Manseau, Boul. LNG 328 Y60 329 Y61
Manseau, Pl. SVD 222 Z8
Manseau, Rue ASB 646 C4
Manseau, Rue DMV 613 H8 J8 614 H9
Manseau, Rue SHE 638 P8 Q8-9
Manseau, Rue SRT 530 A7
Manson, Mtée HUD 204 S23-24
Manville, Rue ASB 646 C4
Manville O., Av. ASB 646 C1-2
Many, Rue SJR 511 G2
Maple, Av. EAN 645 C2
Maple, Av. SLB 328 Y59
Maple, Boul. CTG 305 T36 T-U36 U35-36 306 T37
Maple, Rue COA 644 B3
Maple, Rue HUD 184 N23
Maple, Rue HUN 560 C-D3
Maple, Rue MCM 391 N77-78
Maple, Rue OTT 391 P78
Maple, Rue PIN 244 C-D24
Maple, Rue (GFP) LNG 348 B59
Maple, Rue (LNG) LNG 329 W64 X64
Maple, Rue (Sherbrooke) SHE 636 L15
Maple-Crest, Rue LER 305 R31
Maple-Grove, Pl. SLZ 203 Q-R16
Maple-Grove, Route de BHN 304 R27
Maple-Grove, Rue SHE 641 S19
Maple-Ridge, Rue SLZ 203 Q17 Q-R16
Maquignon, Rue BRO 628 C3
Maraichers, Rue des SHE 637 L20
Marais, Rue du SHE 637 J19
Marais, Rue du SHE 638 Q8-9
Marais-Ombragé, Av. du DMV 614 F-G9
Maranda, Av. LNG 349 E65
Marc, Rue MAG 630 E1
Marc, Rue SJR 511 F-G4
Marc, Rue VTV 602 C-D5
Marc-André-Fortier, Rue CTG 305 T-U36
Marc-Aurèle, Rue ACV 540 D2
Marc-Aurèle, Rue SHE 638 P9
Marc-Aurèle-Fortin, Av. VDR 224 Y-Z23
Marc-Aurèle-Fortin, Rue LNG 329 X-Y67
Marc-Aurèle-Fortin, Rue SCA 347 B46
Marc-Aurèle-Fortin, Rue SJU 350 E75
Marc-Aurèle-Fortin, Rue VAR 311 R80
Marc-Laplante, Rue CTG 325 V34
Marceau, Rue LMG 648 A1
Marceau, Rue NDP 264 H27
Marceau, Rue SHE 637 L-M21
Marcel, Rue CTG 325 W36 326 W37
Marcel, Rue DMV 618 P10
Marcel, Rue GRA 620 E3
Marcel, Rue SHE 637 J-K21
Marcel, Rue SVD 263 G14-15
Marcel-Gamache, Rue SJU 350 C74
Marcel-Marcotte, Rue SHE 638 P9
Marcel-R.-Bergeron, Rue BRO 629 B5
Marcelle-Barthe, Rue SBM 370 F70
Marcelle-Ferron, Rue LNG 329 Y67
Marchand, Rue CTG 305 T34
Marchand, Rue DMV 613 H8 J7
Marchand, Rue GRA 620 E3
Marchand, Rue NAP 570 B3
Marchand, Rue SBM 350 E69-70
Marchand, Rue SCT 347 E46
Marchand, Rue SJR 511 K5
Marchand, Rue SMS 390 P71
Marchand, Rue SVD 242 E5
Marchand, Rue VTV 604 F8
Marchands, Allée des COA 644 C3
Marchant, Rue SHE 639 N14
Marché, All. du SHY 522 F5-6
Marché, Pl. du BHN 284 P24
Marché, Pl. du SJR 512 L5-6
Marché, Rue du SHE 637 L21
Marché, Rue du SVD 241 B-C4 242 C5-6
Marché, Rue du ACV 540 C2
Marché-Saint-Laurent, Pl. du SRT 530 A5
Marchesseault, Av. SHY 522 F7
Marcil, Rue ACV 540 C2
Marcil, Rue CAR 389 062
Marcil, Rue GRA 623 G8
Marcil, Rue SCT 347 B45
Marcil, Rue SHE 639 N14 640 N15
Marcil, Rue SJS 530 A4
Marcil, Rue SVD 242 B-C5
Marcille, Rue LNG 349 A-B64
Marco-Polo, Cr. SCA 347 D47
Marco-Polo, Rue BCV 330 W72
Marconi, Rue BCV 329 X-Y68
Marconi, Rue CTG 326 W37
Marconi, Rue DMV 614 K10 618 L10
Marconi, Rue SHE 639 N12
Marconi, Rue SJU 370 F76
Marcotte, Rue BEL 391 M79
Marcotte, Rue DMV 613 H8 614 H9
Marcotte, Rue MAG 630 D2
Marcotte, Rue OMV 631 B7
Marcotte, Rue PIN 244 D24
Marcotte, Rue SCT 347 A-B45
Marcoux, Av. PLS 607 D1-2
Marcoux, Rue ASB 647 B6
Marcoux, Rue DMV 619 L13
Marcoux, Rue GRA 620 E2
Marcoux, Rue MAR 500 B4 C4-5
Marcoux, Rue SBG 390 L71
Marcoux, Rue SCT 347 B45
Marcoux, Rue VTV 604 F-G7
Maréchal, Pl. du SLZ 183 P19
Maréchal, Rue LNG 349 A62-63
Maréchal, Rue SHE 638 P-Q8
Maréchal-Foch, Rue du SJU 350 E75 370 F75
Marée, Rue de la SVD 242 B10
Marengo, Pl. BRS 348 E57
Margaret, Rue LNG 348 B59-60
Margelle, Rue de la VAR 311 S77
Marguerite, Rue SJR 511 J6
Marguerite, Rue SMU 366 K42
Marguerite-Bertaud, Rue BCV 330 V69
Marguerite-Bourgeoys, Rue BCV 310 U70 330 V70
Marguerite-Bourgeoys, Rue LPR 367 H52
Marguerite-Bourgeoys, Rue SHE 638 P9
Marguerite-Bourgeoys, Rue SHY 522 F5-6
Marguerite-Bourgeoys, Rue SRT 530 B3
Marguerite-d'Youville, Av. SHY 522 F-G6
Marguerite-d'Youville, Rue BHN 304 Q23
Marguerite-Herbin, Rue CHB 409 Q62
Marguerites, Rue des CAR 389 P68
Marguerites, Rue des CED 243 D15
Marguerites, Rue des COA 644 C-D4
Marguerites, Rue des CTG 305 T-U36
Marguerites, Rue des DMV 613 F7
Marguerites, Rue des LNG 369 G-H63
Marguerites, Rue des LPR 368 H53
Marguerites, Rue des MAG 630 E1
Marguerites, Rue des PLS 607 E3
Marguerites, Rue des SAM 351 B-C81
Marguerites, Rue des SCA 347 C47
Marguerites, Rue des SHE 636 K18 637 K19
Marguerites, Rue des SJU 350 C-D76
Marguerites, Rue des SLZ 203 S19
Marguerites, Rue des SRT 530 E4-5
Marguerites, Rue des SVD 222 Z8
Marguerites, Rue des VTV 602 E5
Marguerites E., Boul. des FAR 624 B2-3
Marguerites O., Boul. des FAR 624 B2
Maria-Boivin, Rue SJR 512 L6
Marianne, Rue DMV 615 J13
Marianne-Baby, Rue CHB 409 Q62-63
Maric-Pier, Rue MAG 630 A1
Maricourt, Boul. LNG 349 C62 D62 E62 369 F62 F-H62 H-J62
Maricourt, Pl. SHE 639 P12-13
Maricourt, Rue MSH 391 P80
Maricourt, Rue SHE 639 P12-13
Maricourt, Rue SHY 522 G3
Maricourt, Rue de CTG 305 T33
Maricourt, Rue de GRA 621 A5
Maricourt, Rue de IPR 244 D-E26
Maricourt, Rue de LNG 329 W-X62
Marie, Boul. LNG 348 A60
Marie, Pl. de la CHB 409 Q65
Marie, Rue DMV 618 P10
Marie-Ange, Rue GRA 622 K4
Marie-Ange, Rue SCL 202 Q10
Marie-Anne, Rue BHN 284 P23
Marie-Anne, Rue MSH 411 Q78
Marie-Anne E., Rue CAR 389 O-P64
Marie-Anne O., Rue CAR 389 063
Marie-Anne-Larose, Rue VRC 292 P91
Marie-Anne-Legras, Rue CHB 409 Q62
Marie-Anne-Messier, Rue BCV 310 T73-74
Marie-Antoinette, Rue SJR 511 F2
Marie-Boulard, Rue BCV 310 T73-74
Marie-Briau, Rue BCV 310 T73-74
Marie-Briot, Rue VRC 292 P90
Marie-Chauvin, Rue BCV 310 T73
Marie-Chrétienne, Rue BCV 330 V70
Marie-Claude, Rue SHE 638 P9
Marie-Claude, Rue VTV 603 D9
Marie-Curie, Rue CTG 325 W36
Marie-Curie, Rue SJR 510 D-E2
Marie-Curie, Rue SJU 350 D74-75
Marie-Curie, Rue VDR 224 W-X24
Marie-Derome, Rue SJR 511 G3-4
Marie-Didace, Rue SRT 530 A8
Marie-Dubois, Rue CAR 389 N62
Marie-Élizabeth, Rue SJR 511 K5
Marie-Ève, Rue VTV 601 E-F3
Marie-Frédérique, Rue SHE 637 M22
Marie-Gendron, Rue CAR 388 M-N60
Marie-Gerin-Lajoie, Rue SBM 350 E70
Marie-L'Huissier, Rue VAR 311 Q79-80
Marie-Léonie, Boul. SHE 639 P14
Marie-Louise-Rousselot, Rue SJR 511 H4
Marie-Lyne, Rue DMV 613 J6
Marie-Marthe-Daoust, Rue NDP 284 L27
Marie-Marthe-Poyer, Rue CHB 409 S65-66
Marie-Moyen, Rue VAR 311 R79
Marie-Napoléon, Rue SRT 530 A8
Marie-Péladeau, Rue LPR 367 H52
Marie-Perrot, Rue VRC 292 P90
Marie-Pier, Rue VTV 601 G3
Marie-Posé, Rue BEL 391 L-M82
Marie-Reine, Rue SHE 640 P18
Marie-Renée, Rue VAR 311 R80
Marie-Rivier, Av. SHY 520 D4
Marie-Rollet, Rue NDP 264 F27
Marie-Rollet, Rue SBM 370 F71
Marie-Rollet, Rue SJR 511 H-J4
Marie-Rollet, Rue SJU 350 B76
Marie-Rollet, Rue SRT 530 C1-2
Marie-Rose, Rue LNG 329 W61-62
Marie-Rose, Rue NAP 570 C1
Marie-Rose, Rue SVD 242 C5-6
Marie-Rose-Lacroix, Rue SJR 512 M5
Marie-Vara, Rue CAR 388 M60
Marie-Vermette, Rue SHE 636 J-K17
Marie-Victorin, Boul. BCV 310 S74-75 T72-73 U70-71 329 V68
Marie-Victorin, Boul. BRS 348 B57 C56 D55
Marie-Victorin, Boul. CAN 347 E50 367 F50
Marie-Victorin, Boul. LNG 329 V64-65 V66-67
Marie-Victorin, Boul. LPR 347 E50 367 F50
Marie-Victorin, Boul. SCA 347 C48
Marie-Victorin, Pl. BCV 310 S73-74 T73-74
Marie-Victorin, Rte CON 550 A-B3 D-E1
Marie-Victorin, Rte SRT 530 B2-3 D-E1
Marie-Victorin, Rte VAR 291 083-84 P81-82 311 Q78-79 R-S77
Marie-Victorin, Rte VRC 292 087-88 O-P92
Marie-Victorin, Rue BRO 629 B7-8
Marie-Victorin, Rue SBM 369 F67-68 G67-68
Marie-Victorin, Rue SHE 638 Q-R8
Marielle, Rue MAG 630 D-E1
Marier, Av. VDR 244 A23
Marier, Rue DMV 613 G5-6
Mariette, Rue BRS 348 E57
Marieville, Ch. de RCH 409 U66-67
Marieville, Rue de GRA 620 A3-4
Marika, Rue SHE 637 M22
Marika, Rue VTV 603 D9
Marillac, Rue SHE 640 N18
Marille, Rue VTV 603 C11
Marilyne, Rue NAP 570 B3-4
Marin, Cr. BRS 348 E58
Marina, Rue de la DMV 615 K14
Marine, Av. de la SHY 522 F4
Marine, Boul. de la VAR 311 R-S77
Marine, Rue de la SRT 530 B4

Marini, Rue SHE 638 P8-9
Marinier, Rue du SRT . . 530 C3-4
Marins, Rue des SCA 347 C-D48
Mario, Av. BRS 348 E57
Mario, Rue DMV 617 N-P7
Mario, Rue SHE 640 Q16
Mario, Rue SJR 511 F5-6
Mario, Rue SMG 608 A-B1
Marion, Rue CTG 325 W35
Marisa, Cr. BRS 368 F58
Marisa, Rue BRS 368 F58
Marisol, Rue DMV 629 C7
Marjolaine, Rue de la SAM . . . . .
. . . . 351 C81
Marleau, Rue CTG . 305 R-S35
Marleau, Rue MER . . 325 V-X30
Marleau, Rue SVD 242 D7
Marleau, Rue TVD 244 C26
Marlen-Lavoie, Pl. CTG . 305 U35
Marlène, Rue CDL 222 X8
Marlequin, Rue BRS . . . 348 E58
Marler, Rue DMV 613 G8
Marmier, Rue LNG . . . . .
. . . . 329 W-Y61 Y-Z62
Marnier, Rue BEL . 391 M81-82
Maroc, Rue BRS 368 F58
Maroc, Rue du CAN . . . 347 E48
Marois, Av. LNG . . . 349 E64-65
Marois, Rue SCT . . . 347 A-B45
Marois, Rue SJR 510 D5
Maronniers, Rue des PIN 244 D24
Maronniers, Rue des SJR 511 F1
Marotte, Rue SCT. 346 B44
Marquette, Pl. BRS . 348 E57-58
Marquette, Rue COW. 626 E-F8
Marquette, Rue CTG . 305 T-U35
Marquette, Rue DMV. 618 L-M11
Marquette, Rue LMG . . 648 B2
Marquette, Rue LNG . . . .
. . 329 W-X61 Y-Z61 Z62 349 A62
Marquette, Rue MSH . . 391 O81
Marquette, Rue SBM. . . 370 F70
Marquette, Rue SHE . 636 M16
Marquette, Rue SHY . 521 C-D9
Marquette, Rue SJR . 512 Q5-6
Marquette, Rue SRT . 530 C-D3
Marquette, Rue SVD. . . 242 B6
Marquis, Pl. du LER . . . 305 R32
Marquis, Rue DMV . . 613 J-K4
Marquis, Rue GRA 623 G6
Marquis, Rue LNG . . . . .
. . 349 E64-65 369 F65
Marquis, Rue SHE . . 637 L-M21
Marquis, Rue SJR 510 E3 511 F3
Marquis, Rue VDR 224 W24
Marquis, Rue du SLZ . 203 T-U19
Marquis, Rue du SRT . 530 C-D3
Marquis St KAH
. . . . . 306 U43 326 V43
Marquis-De Tracy, Rue BCV. . . . .
. . . . 330 W70
Marquise, Cr. de la VDR 224 X25
Marquise, Rue BRS . . . .
. . . . 348 E57 368 F57
Marquises, Rue des BEL 391 M80
Marras, Rue SHE 642 U6
Marronnier, Pl. le SLB . . 348 E57
Marronnier, Rue SAM . . 351 B82
Marronniers, Av. des DMV 613 G7
Marronniers, Rue des CDL . . . . .
. . . . 222 W7
Marronniers, Rue des COA . . . . .
. . . . 644 D-E2
Marronniers, Rue des LNG . . . . .
. . . . 349 E65 369 F65
Marronniers, Rue des SCA . . . . .
. . . . 347 C46
Marronniers, Rue des SHY . . . . .
. . . . 522 G4
Marronniers, Rue des VDR . . . . .
. . . . 244 A22-23
Marronniers, Rue des VTV 602 E5
Mars, Rue MER . . 325 W33-34
Marsan, Mtée CED . . 243 B15-16
Marsan, Rue DEL 367 F46
Marseille, Av. de LNG . 369 F64
Marseille, Cr. BRS 348 E58
Marseille, Pl. de SJU . . 350 D75
Marseille, Rue SAM . . . 351 B82
Marseille, Rue de CAN . 347 E48
Marseille, Rue de IPR 264 F26-27
Marseille, Rue de MSH . 411 R78
Marseille, Rue de SJU . 350 D75
Marsolais, Rue BCV. . . 330 W71
Marsolet, Rue SCT. . . . 347 B45
Martel, Av. LNG 349 E64
Martel, Rue ACV 540 B2
Martel, Rue ASB 646 D4
Martel, Rue BEL . . . 391 M-N78
Martel, Rue CAR . . . 389 P66-67
Martel, Rue CHB . . . 389 P66
Martel, Rue CTG 305 S34
Martel, Rue DEL 347 E48
Martel, Rue DMV 614 F9
Martel, Rue GRA 622 K2
Martel, Rue LNG . . 329 X61-62
Martel, Rue MAG 630 A1
Martel, Rue MAR . . 500 B3-4
Martel, Rue MSH 391 O80

Martel, Rue PIN 244 C24
Martel, Rue RCH . . . 409 T-U67
Martel, Rue SCW 611 B13
Martel, Rue SHY . . . 522 F5-6 G5
Martel, Rue SRT 530 C3
Martel, Rue VDR . . . . . .
. . . . 224 Z24 244 A24
Martel, Rue VTV 605 F9-10
Marthe, Rue SPH . . . 367 J-K48
Marthe-Lemaire, Rue VTV. . . . .
. . . . 603 C-D9
Marthe-Mongrain, Rue CHB . . . .
. . . . 409 Q-R64
Martigny, Rue LNG . . . 349 A64
Martigny, Rue de VAR . . 311 R78
Martin, Av. EAN 645 C3
Martin, Imp. SVD 242 B-C8
Martin, Pl. BRS 368 F57
Martin, Rue CED. 243 C-D14
Martin, Rue CHB . . . 389 P66
Martin, Rue COA 644 C2
Martin, Rue CTG 306 R37
Martin, Rue DMV . . . 619 N14
Martin, Rue FAR 624 C4
Martin, Rue GRA 620 E2
Martin, Rue MSH 391 O80
Martin, Rue SAM . . 351 C81-83
Martin, Rue SCT . . . 347 A-B45
Martin, Rue SCW 610 D12
Martin, Rue SHE 638 P10
Martin, Rue SRT 530 E4
Martin, Rue TVD . . . 244 C25-26
Martin, Rue VAR 311 Q80
Martin, Rue VDR . . . 224 Y-Z25
Martin, Rue VTV. . . . 605 G11
Martin, Rue (LNG) LNG . 329 V67
Martin, Rue (Magog (Canton))
. . MAG 631 B5
Martin, Rue (Magog (Ville)) LNG.
. . . . 631 D5
Martin, Rue (SHU) LNG. . . . . .
. . . . 349 D-E64
Martin St KAH 306 U42
Martin-Collins, Rue SHE 639 P14
Martine, Rue DMV 608 E4
Martineau, Rue LNG 349 D63-64
Martineau, Rue SHY . . . .
. . . . 520 C5 C-D4 D3
Martineau, Rue SRT . . 530 C-D5
Martinets, Rue SAM 351 B82 C81
Martinets, Rue des DMV. . . . . .
. . . . 613 K6-7
Martinets, Rue des PIN 621 C6
Martinets, Rue des LNG 329 W65
Martinets, Rue des SBG 390 M71
Martingale, Rue de la SLZ. . . . .
. . . . 183 O-P20
Martinique, Rue la BRS. 368 F58
Mary, Rue LNG 348 A60
Mary-Élizabeth-Noonan, Pl. CTG .
. . . . 305 U36
Mary Deer Rd KAH . 326 Z40-41
Mascouche, Rue de GRA. . . . . .
. . . . 620 A4 621 A5
Maskinongé, Rue de GRA 620 B4
Mason, Rue OTT 391 O77
Massawippi, Rue SHE. 641 S19
Masse, Rue GRA 622 F2
Massé, Av. SHY 520 C2
Massé, Rue BRS 368 F57
Massé, Rue SHE 640 P15
Massé, Rue SJR 510 C5
Massé, Rue SMS . . . . . .
. . . . . 409 Q68 410 Q69
Massé, Rue VTV. 602 D7-8
Masseau, Av. SJR. 512 L8
Massena, Rue LNG . . . .
. . . . . . 348 C60 349 C61
Massenet, Rue BRS . . . 348 E58
Massenet, Rue SJR . . . 512 P4
Massey, Pl. SBM . . . . .
. . . . . . 350 E70 370 F70
Massey, Rue CTG. 305 U36
Massicotte, Rue LNG . . 349 E64
Massif, Rue du MSH . 391 O-P81
Masson, Rue CDL 222 X10
Masson, Rue DMV 608 E4
Masson, Rue LNG . . 349 A-B63
Masson, Rue SHE 637 J19
Masson, Rue SJR 510 E2 511 F2
Masson, Rue SVD . . . .
. . . 242 C11-12 D-E11 E10
Masson, Rue de GRA . . 621 A5
Masson, Terr. LNG . . 349 D-E64
Massue, Rue VAR. 311 Q78
Massue, Rue VTV 603 E10
Master, Rue SLZ 183 O20
Matagami, Rue de GRA . 620 B4
Matane, Rue de BRO . 629 C6
Matane, Rue de GRA . . 621 A5
Matapédia, Rue de GRA . 620 A4
Matheson, Av. LNG . 369 J-K62
Mathias, Rue SVD. . . 242 C-D5
Mathieu, Rlle VTV . . . 604 G6-7
Mathieu, Rlle SRT . . . 530 B5
Mathieu, Rlle SVD . . . 242 B7
Mathieu, Rue DMV. . . . 613 H7

Mathieu, Rue GRA 622 H2
Mathieu, Rue SBG. . 390 L71-72
Mathieu, Rue SCL 202 Q10
Mathieu, Rue SRT 530 C4
Mathieu, Rue (LNG) LNG 349 A63
Mathieu, Rue (SHU) LNG 349 E64
Mathieu-Binet, Rue VRC 292 P91
Mathurin-Durant, Rue BCV . . . .
. . . . 310 U72
Mathy, Rue SHE. 638 P8
Matisse, Rue BEL . . . 391 N78
Matisse, Rue SHE 638 P8
Matt, Rue MAG 630 C2
Matte, Boul. BRS. . . . . .
. . . . 348 E54 368 F-G55 G-H55
Matte, Rue LNG 349 A64
Matte, Rue SCT 346 D44
Matton, Rue GRA. 622 G3
Matton, Rue SJR 511 K1
Matton, Rue SRT 530 E4
Maude-Abbot, Rue SBM 350 E70
Mauger, Rue LMG 648 B2
Maupassant, Av. BRS 368 F57-58
Maupassant, Rue CTG . 305 S33
Maupassant, Rue LNG . . . .
. . . . . . 349 E64 369 F64
Maureen, Rue MSH . 391 O-P79
Mauriac, Pl. BRS 368 F57
Mauriac, Rue BRS . . 368 F57-58
Mauriac, Rue MSH . 391 O81-82
Mauriat, Pl. LNG 349 E64
Mauriat, Rue LNG 349 E64
Maurice, Rue BRO. . . . 628 D3
Maurice, Rue CHB . . . 409 R65
Maurice, Rue DMV . . . 610 E9
Maurice, Rue GRA . . . 621 B5
Maurice, Rue LNG . . . . .
. . . . 348 E60 349 E61
Maurice, Rue SAM . . . 351 B83
Maurice, Rue SCT . . . 347 B45
Maurice, Rue SCW . . . .
. . . 610 E11-12 614 F11
Maurice, Rue SLZ. . 183 O-P16
Maurice, Rue SRE . . . 365 K33
Maurice, Rue VTV. . . . 601 F4
Maurice-Auclair, Rue BEL. . . . .
. . . . 391 L-M82
Maurice-Duplessis, Rue SHE. . .
. . . . 639 P13
Maurice-Duplessis, Rue SJU. . . .
. . . . 350 B-C74 C75
Maurice-Duplessis, Rue VDR. . .
. . . . 224 V-W24
Maurice-Richard, Pl. VDR . . . . .
. . . . 224 Y23
Maurice-Richard, Rue VDR . . . .
. . . . 224 Y22-23
Maurice-Tanguay, Rue CHB . . . .
. . . . 389 P66
Mauves, Rue de BCV . . 330 X69
Mauves, Rue des SAM . 351 B81
Maxime, Rue SJR . . 511 F3-4
Maxime-Raymond, Rue CTG. . . .
. . . . 305 U33
Maxime, Rue SJR 512 L5
Mazenod, Rue LNG . . . 349 A64
Mazo-de la Roche, Pl. SBM. . . . .
. . . . 369 G68
McArthur, Rue SVD . . . 242 D8
McAuley, Rue COA . . . 644 C3-4
McAuley, Rue LMG. . . . 648 A5
McBain, Rlle SVD. 242 C6
McCallum, Rue HUN . . 560 B3
McCarthy, Rue SJS. . . . 530 A4
McClure, Rue ACV . . . 540 B-C3
McClure, Rue COW . 626 D-E8
McClure, Rue SGG. . . . 616 P1
McComber, Rue CTG . . 305 T34
McCorkill, Rue FAR . . 624 C3-4
McCrea, Rue SHE . . 635 L-M11
McCutcheon, Ch. COW . 627 E12
McDonald, Rue SHE . . 640 R16
McDuff, Rue SAM. 351 B82
McDuffee, Rue COA . . 644 B2-3
McFarlane, Av. LNG . 369 J-K63
McGill, Rue LNG . 329 X-Z62 Z63
McGinnis, Rue SJR . . . 511 K6
McGregor, Rue SHE . 635 L12
McGregor Farm Rd KAH. . . . . .
. . . . 326 Y41-42 Z42-43
McIntosh, Pl. CTG . . . 305 T35
McIntosh, Rue CTG . 305 T35-36
McIntosh, Rue OTT. . . 391 P78
McIntosh, Rue SBM . . 370 H69
McIntosh, Rue SHE . . 640 P16
McKee, Rue CTG 305 U36
McKenzie, Rue DMV . 614 G9-10
McLaren, Rue SCT . . . 242 D6
McLeod, Rue CTG. . . . .
. . . . 305 U36 325 V36
McManamy, Rue SHE 640 P15-16

McMartin, Rue HUD . . . 184 N22
McMillan, Rue RIG. . . . 580 C5
McMillan, Rue SJR. . . . 511 H4
McMurray, Rue SHE . . 640 R18
McNaughton, Rue HUD . . . . . .
. . . . 184 O23-24
McNeil, Rue SCA 347 B46
McNulty, Rue SJR 511 J2
McRae, Rue LNG . . . 369 G-H61
McTavish, Rue SBM . . 370 H70
Meade, Rue SHE 641 R19
Meadow, Rue de GRA . .
. . . . 614 K10-11 619 N-P14 O16
Méandre, Rue du CTG . 305 U34
Méandres, Cr. des VDR . 224 Y22
Méandres, Rue des VDR 224 Y22
Médaillon, Pl. du SLZ . . 183 P19
Médaillon, Rue SGG. . . 616 L-M4
Médard-Hébert, Rue LPR . . . . .
. . . . 367 H51
Médéole, Rue de SBM . .
. . . . . . 369 J68 370 J69
Médoc, Av. CAN 347 E49
Médoc, Cr. du SLZ. . . 203 O18
Médoc, Rue SHE 638 P9
Mégantic, Rue LNG . . . 349 E64
Mégantic, Rue SHE . . . 638 N10
Mégantic, Rue de BRO . 629 C5
Meigs, Rue FAR. 624 C2
Meilleur, Rue BRS . . 368 F57-58
Meilleur, Rue SHE . . 635 L-M13
Melançon, Rue DMV. . . 613 H8
Melançon, Rue LNG . . . 349 E64
Melançon, Rue SCT . . . 347 B45
Mélanie, Rue DMV . . . 609 E5
Melba, Rue CTG . . . 305 T35-36
Melba, Rue MSH 391 P80
Melba, Rue SBM 370 J69
Melbourne, Rue de GRA . 621 B5
Mélèze, Rue SAM . . 351 B82-83
Mélèze, Rue du SBG. . 390 L73
Mélèzes, Pl. des FAR . . 624 D2
Mélèzes, Pl. des SLZ . . 203 O18
Mélèzes, Rue des CON 560 B-C4
Mélèzes, Rue des CTG . 306 T37
Mélèzes, Rue des DMV 613 F6-7
Mélèzes, Rue des GRA . 620 E1
Mélèzes, Rue des LNG . 369 F65
Mélèzes, Rue des MER. . . . . . .
. . . . 325 X-Y30
Mélèzes, Rue des PIN . 244 E23
Mélèzes, Rue des SBM . 370 J70
Mélèzes, Rue des SCA . 347 C46
Mélèzes, Rue des SHE 637 M011
Mélèzes, Rue des SPH . 367 J48
Mélèzes, Rue des SRT . 530 D3
Mélèzes, Rue des VTV . . . .
. . . 601 E4 602 E5
Mélias, Rue des LNG . 349 E64
Meloche, Rue BRS . . . 368 F57
Meloche, Rue de GRA . 623 K6-7
Meloche, Rue LNG . . . 349 E64
Meloche, Rue SCT . . . 347 B45
Meloche, Rue SJR . . . 510 B5
Meloche, Rue SVD . . 242 B5-6
Meloche, Rue VDR . . . 264 F21
Mélodie, Ch. COW. . 626 E-F5
Mélodie, Rue de la SLZ . 203 Q19
Melrose, Rue CTG . . 305 U35-36
Melrose, Rue HUD . . . 184 O23
Melrose, Rue de DEL . 367 F46
Melville, Rue SHE 638 Q8
Melville, Rue VDR . . . 244 B23
Memphra, Rue MAG. . . 631 E5
Memphrémagog, Rue LNG. . . . .
. . . . 638 N9
Ménard, Cr. ACV 540 D3
Ménard, Mtée CED
. . . . . . 203 S15 T15-16
Ménard, Rue ACV. . . 540 D2-3
Ménard, Rue CDL 222 X8
Ménard, Rue DMV . . 613 J-K7
Ménard, Rue FAR . . . 624 B2-3
Ménard, Rue GRA . . . 620 D3
Ménard, Rue PDC . . . 264 H21
Ménard, Rue PIN . . . 244 D23
Ménard, Rue SBG
. . . . 370 K71 390 L71
Ménard, Rue SCT. . . . 347 B45
Ménard, Rue SHE . . . 642 U4
Ménard, Rue SJR . . . 511 J3-4
Ménard, Rue SLZ. . . . 204 Q21
Ménard, Rue SRT. . . . 530 A8
Ménard, Rue (LNG) LNG. . . . . .
. . . . 349 A63-64
Ménard, Rue (SHU) LNG. . . . . .
. . . . 349 E64-65
Mendel, Av. CAN 347 E49
Menneval, Rue LNG. 349 A-B64
Menuet, Pl. du SLZ . . . 183 P19
Menzel, Rue SHE. 638 P9
Mercier, Av. SVD . . . 263 H17
Mercier, Rue ASB. . . . 647 C-D5
Mercier, Rue BRO . . . 629 E7
Mercier, Rue COW. . . 626 E8
Mercier, Rue CTG . 305 U35-36
Mercier, Rue DMV . . 614 J9
Mercier, Rue GRA . . . 622 F3-4
Mercier, Rue LNG . . . .
. . . 328 X60 329 X61
Mercier, Rue SCT . 346 D43-44

Mercier, Rue SHE . 636 L17-18
Mercier, Rue SHY . . . 520 D7
Mercier, Rue SJR . . . . .
. . . 511 J-K5 512 L-M5
Mercier, Rue SLB . 328 Y59 Y60
Mercier, Rue VTV. . . . 603 C10
Mercier, Rue le SBM. . 369 H68
Mercille, Av. SLB 328 Y59
Mercure, Av. PLS . . 607 C-D1 D2
Mercure, Av. SHY. 520 E6 522 F7
Mercure, Boul. DMV. . . . .
. . . . 619 N-P14 O16
Mercure, Pl. BRS 348 E57
Mercure, Pl. CAN. . . . 347 E49
Mercure, Rue MER . . . 325 W33
Mère-d'Youville, Rue BCV. . . . .
. . . . 330 W69
Mère-d'Youville, Rue de SRT. . .
. . . . 530 B6-7
Mère-Marie-Pagé, Rue de VTV. .
. . . . 603 C-D9
Mère-Montbleau, Rue de VTV. . .
. . . . 603 C10-0
Mère-Simon, Rue de la VTV. . . .
. . . . 603 C-D9
Mère-Teresa, Rue de SHE. . . . .
. . . . 640 N16-17
Méric, Rue SHE . . . 635 L12-13
Méridien, Rue du SVD . 242 B10
Mérisa, Rue CED 243 B17
Merisier, Rue du SAM . 351 B82
Merisier, Rue du SLZ . 203 Q-R18
Merisiers, Av. des DMV. 613 G7
Merisiers, Cr. des VDR . 224 Z22
Merisiers, Rue des LNG 349 E64
Merisiers, Rue des MCM. . . . . .
. . . . 391 M77
Merisiers, Rue des MER 325 Y30
Merisiers, Rue des PIN 244 D24
Merisiers, Rue des SBM. . . . . .
. . . . 370 J70-71
Merisiers, Rue des SCA 347 C46
Merisiers, Rue des SHE. . . . . . .
. . . . 637 M20-21
Merisiers, Rue des SJR 510 E1-2
Merisiers, Rue des SRE . 365 J33
Merisiers, Rue des SRT . . . . . .
. . . . 530 D-E5 E4 E5
Merisiers, Rue des VDR . . . . . .
. . . . 244 A22-23
Merisiers, Rue des VTV . 602 E5
Merle-Bleu, Rue SJR . . 511 K1
Merles, Pl. des SBM . . 370 J72
Merles, Rue des BCV . . 330 X70
Merles, Rue des SHE . . . .
. . . . 391 L-M79 M78
Merles, Rue des CDL . . 222 X6
Merles, Rue des DMV. . 613 K6
Merles, Rue des LNG . 329 W66
Merles, Rue des MSH. . 391 P82
Merles, Rue des SBG. . 390 M71
Merles, Rue des SHE. . 634 M7
Merles, Rue des SLZ . 183 P18
Merles, Rue des VTV . . 602 E5
Merlin, Rue du MSH . . 391 P81
Mermoz, Av. CAN . 347 E48-49
Merrill, Rue COA 644 D2
Merry N., Ch. MAG . . 631 C-D5
Merry S., Ch. MAG. . . 630 D-E4
Merton, Av. SLB . 328 X59 Y59-60
Mervin-Walter, Pl. MCM 391 M77
Mésange, Rue SAM . . 351 B82
Mésanges, Av. des CED 263 F19
Mésanges, Boul. des LPR. . . . .
. . . . 368 H54
Mésanges, Pl. des SBM 370 J72
Mésanges, Pl. des SJU . 350 C75
Mésanges, Rue des ASB. . . . . .
. . . . 647 A6-7
Mésanges, Rue des BEL 391 L79
Mésanges, Rue des CDL. 222 X6
Mésanges, Rue des DMV . . . . .
. . . . 619 N-P15
Mésanges, Rue des GRA. . . . . .
. . . . 621 D6-7
Mésanges, Rue des LNG. . . . . .
. . . . 329 W65-66
Mésanges, Rue des MSH. . . . . .
. . . . 391 P82-83
Mésanges, Rue des SBG. . . . . .
. . . . 390 M71
Mésanges, Rue des SBM 370 J72
Mésanges, Rue des SCA. . . . . .
. . . . 347 C-D47
Mésanges, Rue des SJR. . . . . .
. . . . 510 E3 511 F3
Mésanges, Rue des SLZ 203 R17
Mésanges, Rue des SVD 263 G15
Mésanges, Rue des SJR. . . . . .
. . . . 602 B-C8
Mesnard, Rue SBM . . 370 G71
Messanie, Av. SHY . . . 522 F8
Messaline, Rue SJR . . 512 N8
Messier, Pl. BRS 368 F58
Messier, Rue BRS. . . . 368 F58
Messier, Rue GRA . . . 622 J1
Messier, Rue LNG . . . 349 E64
Messier, Rue MSH . . . 391 O80
Messier, Rue SCH. . . . 605 G-H9

Messier, Rue SGG. . . . 616 M3
Messier, Rue SJR. . . . 511 J3
Messier, Rue SMS . . . 390 P71
Messier, Rue SRT . . . 530 C6
Messier, Rue VRC . . . 292 P90
Messier, Terr. DMV . . 614 K11
Mésy, Rue BEL 391 N78
Mésy, Rue de SBM . . . .
. . . 350 E69 370 F69-70
Métairie, Rue de la VAR . 311 T77
Métairie, Rue de la SHY 522 F-G6
Métairie, Rue de la GRA. . . . . .
. . . . 613 K7 617 L7
Métayer, Rue du SLZ . . . .
. . . . 183 P16 203 Q16
Metcalfe, Rue SHE . . . .
. . . . . . 636 M15 640 N15
Metcalfe, Rue SLZ . 204 Q-R21
Méthot, Boul. ACV . . . 540 C-D2
Méthot, Rue PLS 607 B-C3
Méthot, Rue VTV 605 F9
Métras, Rue SCT . . . 347 B-C45
Métropole, Rue de la LNG. . . . .
. . . . . . 329 V67 W66-67
Métropolitain, Boul. PIN . . . . . .
. . . . 244 C25-26
Meulles, Rue de SBM . 370 F69
Meunier, Rue DMV. . . 618 M012
Meunier, Rue LNG . . . 349 E64
Meunier, Rue SCT . . . 347 B45
Meunier, Rue SHE . . . 633 E13
Meunier, Rue SJR . . . 511 G4
Meunier, Rue du BRO. 628 B4
Meunier, Rue du SLZ . 203 Q20
Meunier, Rue du VDR . 244 A21
Mexico, Av. de LNG. . . 369 F64
Mézy, Rue SHE . . . 635 M12-13
Mi-Vallon, Boul. du SHE . . . . . .
. . . . 638 P-Q9
Michael-Faraday, Rue LNG. . . . .
. . . . 330 Y75-76 Z75
Michaud, Rue BRS . . . 368 F57
Michaud, Rue COA . . 644 A2-3
Michaud, Rue LMG . . 648 D3
Michaud, Rue LNG . . . 349 E64
Michaud, Rue PLS . . . 607 C2
Michaud, Rue SGG. . . 616 M2-3
Michaud, Rue SVD . . . 242 A7
Michaud, Rue VTV 602 E5 604 F5
Michel, Rue BEL . . 391 M82-83
Michel, Rue BRS 348 E58
Michel, Rue LNG 348 E60
Michel, Rue MAG 631 E7
Michel, Rue MSH . . . 391 O-P80
Michel, Rue SCL. 202 Q10
Michel, Rue SJU . . 350 C75-76
Michel, Rue SLZ 203 R18
Michel, Rue SVD 242 A9
Michel, Rue VTV. 605 F9
Michel-Ange, Rue SHE . 638 P9
Michel-Brisset, Rue FAR . . . . . .
. . . . . . 291 P79 311 Q79 Q80
Michel-Brouillet, Rue CAN . . . . .
. . . . 389 N-062
Michel-Brouillet, Rue RCH . . . . .
. . . . 409 Q63-64
Michel-Chartier, Rue DMV. . . . .
. . . . 242 A-B10
Michel-du Gué, Pl. VAR. 311 R79
Michel-du Gué, Rue VAR 311 R79
Michel-Houle, Rue DMV. . . . . . .
. . . . 615 J13-14
Michel-Lague, Rue CHB . . . . . .
. . . . 409 Q62-63
Michel-Lainé SHE . . . 642 U4
Michel-Levasseur, Rue CHB . . . .
. . . . 409 S64
Michel-McNabb, Rue NDP. . . . . .
. . . . 264 F-G27
Michel-Messier, Rue VAR. . . . . .
. . . . . . 291 P79 311 Q79
Michel-Moreau, Rue BCV. . . . . .
. . . . 310 T74
Michel-Peltier, Rue BCV. . . . . . .
. . . . 310 T72-73
Michel-Quintal, Rue SJR. 511 G2
Michel-Rose, Rue DMV. . . . .
. . . . 615 J13-14
Michel-Viger, Rue RCH . 409 U67
Micheline, Rue SJR . . 512 N8
Micheline, Rue SVD . . 242 A9
Michener, Rue CTG . 305 U35-36
Michigan, Rue de LNG . 369 F64
Midway, Rlle CTG . . . 305 U35
Migeon, Rue SCT . . . 347 B45
Mignault, Pl. SBM . . . 370 G70
Mignault, Rue SBM . . 370 G70
Migneault, Rue ACV. . 540 B-C3
Migneault, Rue CHB . 409 R-S66
Migneault, Rue LNG . 349 B64
Migneault, Rue SHE. . 642 U4
Migneault, Rue SJR . . 512 N7
Mignonne, Rue SJR . . 511 K1
Mignonne, Rue SVD . 242 B6-7
Milan, Boul. BRS . . . .
. . . 348 E58-59 368 F57-58
Milan, Rue BEL 391 M83
Milan, Rue SHE 638 O9
Milan, Rue de GRA . . . .
. . . . . 620 B4 621 A5
Milan, Rue de LNG . . . 369 F64
Miles, Rue LNG 348 B59
Milette, Rue DMV 613 J7

Milette, Rue LMG. 648 C3
Milette, Rue MAG 630 D4
Milice, Rue de la SHE . . . 349 A64
Milicien, Rue du VDR 224 Y24-25
Miliciens, Pl. des LPR . . 367 F52
Milieu, Rang du SVD . . . .
. . . . 242 C9 D10-11
Milieu, Rue du SLZ. 203 U19
Mill, Rue BHN 284 O24
Mille-Roches, Rue des SJR. . . .
. . . . 510 D1
Millénaire, Boul. du SBG. . . . .
. . . . 370 K71 390 L71
Miller, Rue GRA. 623 H7
Miller, Rue LNG 348 B-C59
Miller, Rue MSH 391 N-081
Millet, Rue LNG 349 A64
Millet, Rue SHE. 638 P8
Millet, Rue SJR 511 F2
Millette, Rue SHY. 520 D5
Millette, Rue SMM 522 H-J1
Millier, Pl. SRT 530 A6-7
Millier, Rue SRT 530 A-B6
Milligan, Av. LNG 368 G60
Millington, Rue LNG . . . 348 B-C59
Mills, Rue SHE 638 R-S10
Milot, Ch. DMV 615 K17
Milot, Rue LNG 349 E64
Milot, Rue SJR 512 N6
Milot, Rue VTV 602 D8
Milroy, Rue OTT 391 O-P77
Milton, Rue CTG . . . . . .
. . . . 305 U36 306 U37
Milton, Rue DMV 614 G10
Milton, Rue OTT 391 O-P77
Mimi-Shea, Rue SHE . . . 635 M12
Mimosa, Rue du SAM . . . .
. . . . 351 C81-82
Mimosas, Rue des LNG. 369 F65
Mimosas, Rue des SJR . . 511 J6
Mimosas, Rue des SLZ . . 203 R19
Mine, Rue de la ACV . . . 540 C3
Mine-d'Or, Rue de la SHE . . . .
. . . . 643 V8-9
Miner, Rue COW. 626 E6-7
Minervois, Rue du SLZ. . . . . .
. . . . . . 183 P18-19 203 Q18
Mingan, Rue de GRA . . . 621 A5
Mingan, Rue de la DMV . 610 E9
Minto, Rue de SHE 640 N16
Miquelon, Rue des 368 F57
Mirabeau, Av. BRS . . . . .
. . . . . . 348 E58 368 F57
Mirabel, Rue LPR. 368 H53
Mirabel, Rue de GRA. . . 621 A-B5
Mirabelle, Rue de la SHE 638 Q9
Mirco, Rue CHB . . . .
Mireault, Cr. VDR 244 A23
Mireille, Rue SCT. 347 D45
Mirka, Rue SHE. 638 Q9
Miro, Rue SHE 638 P8-9
Miron, Av. SVD. 263 H16
Miron, Pl. BRS. 368 F58
Miron, Rue SCL 202 Q10
Miron, Rue SCT. 347 D45
Misaine, Rue de la SCA 347 D47
Missiquoi, Rue SHE 638 N9
Missiquoi, Ch. de BRO . . . .
. . . . . . 628 E4 629 E5
Mistassini, Rue de GRA . 621 A5
Mistral, Rue BRS 368 F57
Mistral, Rue du DMV 619 L14-15
Mistral, Rue de la SHE. . 638 P10
Mistral, Rue du SHE. . . . 638 P10
Mistral, Rue du SJR . . . 510 D-E1
Mitchell, Rue CTG 305 U36
Mitchell, Rue DMV. 613 G8
Mitchell, Rue GRA 622 J4
Mitchell, Rue SHE. . . 636 L-M16
Mitrelle, Pl. de la SJU . . 350 E74
Mochon, Rue DMV. 613 K8
Moco, Rue SVD 242 B-C7
Modela, Rue SJR 510 E2
Moeller, Rue GRA 622 G2-3
Moffat, Rue du DMV . . 183 L20
Mogé, Rue SRT. 530 E4-5
Mohawk Tr KAH 326 X43
Mohawk Beach Rd KAH . 306 T41
Moineaux, Rue des SHE 637 J21
Moisan, Rue DMV . . . . .
. . . . . . 613 G-H8 614 H9
Moisan, Rue LNG. 349 E64
Moïse, Rue MAG . . 630 A4 631 A5
Moïse-Plante, Rue SVD. . . . .
. . . . 242 D6-7
Moïse-Vincent, Boul. LNG. . . .
. . . . 368 H60
. . . . . . 369 G64-65 H61-62 H63-64
Moissonneur, Rue du SHE. . . .
. . . . 368 H60
Moissons, Rue des SHE 637 L19
Moissons, Rue des SHY 520 C1-2
Moissons, Rue des SLZ . . . .
. . . . 203 T-U20
Moissons, Rue des VAR 311 S77
Molière, Rue BRS. 348 E58
Molière, Rue CTG. 305 S33
Molière, Rue SHE. 638 P10
Molleur, Rue SJR 511 K5
Molson, Rue CTG . . . . .
. . . . . . 305 U36 325 V36
Molson, Rue SVD. 242 C7

Mommessin, Rue du SHE 638 P9
Mon-Loisir, Rue MCM 391 M-N77
Mon-Village, Rue de SLZ 203 T19
Monaco, Pl. de SLZ . . . 184 P21
Monaco, Rue de LNG . . 369 F64
Monaco, Rue de CAN . . 347 E48
Monaco, Rue de MSH . . 411 R78
Monaco, Rue de VTV. . . 603 B11
Monaco, Rue de la SAM 351 B81
Monarque, Rue SHE . . . 638 P-Q9
Monast, Rue SMS 410 Q69
Monastère, Rue du SVD . 242 B6
Monat, Rue SJR 512 M7
Monbleau, Rue SCT . . . 347 B45
Monchamp, Rue du SHE. . . . .
. . . . . . 346 C44 347 B45 C45
Monchamp, Cr. SCT. . . 346 C44
Moncton, Rue de SHE. . 636 L15
Mondat, Rue SCT. 347 B45
Mondelet, Rue BEL . . . 391 M82
Mondor, Av. BRS. 368 F57
Mondor, Av. SHY. 522 F5-6
Mondor, Rue LNG. 349 A64
Mondor, Rue SHE. 638 P8
Mondou, Rue DMV. . . . 619 N14
Mondou, Rue MAR. . . . 500 B5
Mondrian, Rue SHE . . . 638 P8
Monet, Rue SHE 638 P9
Monet, Rue SJR 511 H-J4
Monette, Rue BRS 348 E58
Monette, Rue CTG 325 V34
Monette, Rue DEL 347 E47
Monette, Rue LNG 349 E64
Monette, Rue SCT. . . . .
. . . . . . 346 B44 347 B45
Monette, Rue SHY 520 D3
Monette, Rue SVD 241 B4
Monette, Rue VDR. . . . .
. . . . . . 224 Z21 244 A21
Monfette, Rue ASB . . . .
. . . . . . 646 E4 647 E5
Monfette, Rue DMV. . . . .
. . . . 610 E10 614 F9
Monfort, Rue VTV. 602 E7
Monfort, Rue EAN 645 B3
Monfort, Rue PIN 244 D25
Mongeau, Rue DMV . . . 613 K8
Mongeau, Rue LNG . . . 349 E64
Mongeau, Rue MCM . . . 391 N77
Mongeau, Rue SBG . . . 370 K72
Mongeau, Rue SCT . . . 347 B45
Mongeau, Rue SRT . . . 530 B7
Mongeau, Rue VAR . . . 311 R79
Mongeau, Terr. LNG . . . 349 A64
Mongeon, Rue CHB . . . .
. . . . . . 389 P65 409 Q65
Mongrain, Cr. NDP . . . 284 L28
Mongrain, Rue MER . . . 325 X31
Monique, Rue DMV . . . 619 N-P14
Monlin, Rue du CED. 243 E14-15
Monnoir, Rue SBM 370 F70
Monseigneur-Bourget, Rue BEL. .
. . . . 391 N78-79
Monseigneur-Castonguay, Rue
ASB. 646 C4
Monseigneur-Charbonneau, Rue
BCV. 330 W70
Monseigneur-Coderre, Rue SAM. .
. . . . 351 B81
Monseigneur-David, Rue HUY . .
. . . . 560 B-C3
Monseigneur-De Belmon, Rue
BCV. 330 W70
Monseigneur-De Laval, Rue SJU. .
. . . . 350 C75-76
Monseigneur-Desranleau, Rue
SRT. 530 B7
Monseigneur-Durand, Rue COA. .
. . . . 644 B-C2
Monseigneur-Forget, Rue SJR . .
. . . . 511 H-J3
Monseigneur-Fortier, Boul. SHE .
. . . . 635 K11-12
Monseigneur-Laflèche, Rue BCV
. . . . 330 W70
Monseigneur-Lajoie, Rue BEL . .
. . . . 391 M-N81
Monseigneur-Langlois, Av. PIN. .
. . . . 244 C-D24
Monseigneur-Langlois, Boul.
CDL 222 X-Y5
Monseigneur-Langlois, Boul.
SVD 242 A6 C8 D9 E10
Monseigneur-Larocque, Rue
MAG. 631 C-D6
Monseigneur-Laval, Rue BEL. . .
. . . . 391 N80-81
Monseigneur-Laval, Rue MAG . .
. . . . 630 E4 631 E5
Monseigneur-Laval, Rue SJR . . .
. . . . 511 J4
Monseigneur-Leblanc, Rue SVD.
. . . . 242 E10
Monseigneur-Moisan, Pl. SHE. .
. . . . 635 L11
Monseigneur-Moisan, Rue SHE. .
. . . . 635 L11
Monseigneur-Moreau, Rue BEL. .
. . . . 391 M-N81
Monseigneur-Moreau E., Rue
BEL. 391 M81

Monseigneur-Nadeau, Pl. SRT. .
. . . . 530 A-B7
Monseigneur-Nadeau, Rue SRT. .
. . . . 530 A6-7
Monseigneur-Paiement, Rue
BCV. 330 W70
Monseigneur-Phaneuf, Rue SMS
. . . . . . 390 P69 410 Q69
Monseigneur-Poirier, Rue PRN. .
. . . . 606 C2-3
Monseigneur-Racine, Rue MAG. .
. . . . 631 C-D6
Monseigneur-Sanschagrin, Rue
SRT. 530 C5
Monseigneur-Tabau, Rue BCV. .
. . . . 330 W70
Monseigneur-Taché, Rue BCV. .
. . . . 330 W70
Mont, Rue du SBM. . . . 370 G71
Mont-Arthabaska, Ch. du VTV . .
. . . . 605 H12
Mont-Blanc, Rue du SJR 203 R16
Mont-Bleu, Rue PIN 244 D24-25
Mont-Brome, Rue du SHE. . . . .
. . . . 635 L13
Mont-Bruno, Boul. SBG . . . . .
. . . . . . 370 K73 390 L73
Mont-Fleuri, Rue SHE . 637 M22
Mont-Joie, Rue BRO. . . 629 E7
Mont-Joie, Rue DMV. . . 615 K15
Mont-Joie, Rue VTV . . . 604 G5
Mont-Joli, Rue de GRA 620 A-B4
Mont-Owls Head, Rue du SHE .
. . . . 635 L12
Mont-Plaisant, Rue SHE . . . . .
. . . . 636 L-M17
Mont-Plaisant, Rue de CTG. . . .
. . . . 305 S34
Mont-Royal, Rue de LNG . . . . .
. . . . 348 A-C60
Mont-Royal, Rue de GRA 620 B4
Mont-Saint-Bruno, Av. du SJU. .
. . . . 370 F74
Mont-Saint-Michel, Rue du SHE
. . . . . . 638 P9-10 Q9-10
Mont-St-Michel, Rue du BCV . .
. . . . 350 C74
Montagnais, Rue du SHE639 P14
Montagne, Av. de la SJU. . . . .
. . . . . . 370 F75-76 F-G74
Montagne, Ch. de la MSH . . . .
. . . . 411 Q-R79
Montagne, Pl. de la SJU 370 F75
Montagne, Rue de la ASB. . . . .
. . . . 647 A-B7
Montagne, Rue de la SBG. . . . .
. . . . 370 J-K73
Montante, Rue SHE . . . 639 R13
Montarville, Rue du SHE. . . . .
. . . . . . 330 Z70 350 A-B70 C69
Montarville, Mtée SBM. . . . . .
. . . . . . 350 E69-70 370 F70
Montarville, Rue du SJU. . . . . .
. . . 329 W62 X-Y62 Z62 349 A62
Montarville, Rue SBM . . . .
. . . . 370 F-H70 J69
Montbert, Pl. de SHE . . 637 M20
Montbert, Rue de SHE . . . .
. . . . 637 M20 641 N20
Montbrun, Rue de BCV . 310 O72
. . . 330 V72 W-Y72 Y-Z72 350 A72
Montbrun, Terr. LNG . . . 349 A64
Montcalm, Boul. CAN 367 F-G49
Montcalm, Boul. GRA. . . . .
. . . . . . 621 E52 623 F5
Montcalm, Pl. SBM. . . . 370 F69
Montcalm, Rue BRO 629 D6-7 E7
Montcalm, Rue COW . . 626 C8
Montcalm, Rue CTG . . . 326 V37
Montcalm, Rue DMV . . 618 L11
Montcalm, Rue LMG . . 648 C4
Montcalm, Rue MAG . . 631 E6
Montcalm, Rue MSH . . 391 P79
Montcalm, Rue PIN . . . 244 D25
Montcalm, Rue SBM . 370 F-G69
Montcalm, Rue SCA . . . 347 D47
Montcalm, Rue SHE . 633 D-E13
Montcalm, Rue SJR . . . 512 M5
Montcalm, Rue SJS . . . 530 A4
Montcalm, Rue SVD 242 C5 C-D6
Montcalm, Rue VDR . . . 224 Y23
Montcalm, Rue VTV . . . 604 F5
Montcalm, Rue (LNG) LNG. . . .
. . . . 329 Y63-64
Montcalm, Rue (SHU) LNG. . . .
. . . . . . 348 A60 349 A61
Montclair, Pl. PRN 606 C3
Montclair, Rue MSH . . . 411 Q78
Montclair, Rue PRN . . . 606 C3
Montclair, Rue SBM . . . 370 H70
Montclair, Rue SJU. . . . 350 E73
Montcour, Rue BEL . . . 391 M-N78
Montcour, Rue LNG . . . 349 A64
Montebello, Rue de GRA. . . . . .
. . . . . . 620 A4 621 A5
Montée, Crois. de la MAG 630 D1
Montée, Rue de la SHE. 640 P17
Montée des Pins, Rue COA. . . .
. . . . 644 E2

Montenach, Boul. de MSH. . . . .
. . . . 411 Q-R78
Montenach, Rue de BEL. . . . . .
. . . . 391 M-N80
Montesson, Rue de SBM369 H68
Montfort, Rue SHE 636 K15
Montgolfier, Rue de BCV. . . . . .
. . . . . . 329 268 349 A68
Montgomery, Rue EAN . . 645 C2
Montgomery, Rue LNG. . 348 A64
Montgomery, Rue du . . . .
. . . . . . 348 B60 349 B61 C62
Montgomery, Rue VDR . . . .
. . . . 183 L20 184 L21
Montgrand, Pl. DMV. . . 613 J6
Monti, Rue SHE 638 P9
Montigny, Rue SHY . . . 522 G3
Montigny, Rue de MSH . 391 O80
Montigny, Rue de PDC . 264 H21
Montizambert, Rue de BCV. . . .
. . . . . . 310 U70 330 V70
Montjoie, Rue de SHE . . . .
. . . . 638 P10 639 P11
Montligeon, Rue de BCV 330 X69
Montmagny, Rue du SHE 635 M13
Montmagny, Rue SRT . . 530 C2
Montmagny, Rue de GRA 621 A5
Montmagny, Rue de SBM. . . . .
. . . . 370 F69-70
Montmartre, Rue BRS . . 348 E57
Montmartre, Rue de SHE 638 P9
Montmartre, Rue de SJR. 510 E2
Montmigny, Rue DMV. . . . .
. . . . . . 615 K15 619 L14 L15
Montmorency, Rue GRA . 621 A5
Montmorency, Rue LNG . . . . . .
. . . . 349 A-B63
Montmorency, Rue SHE. 638 P10
Montmorency, Rue de BRO. . . .
. . . . 629 C6
Montmorency, Rue de CTG. . . . .
. . . . 326 V37
Montour, Rue SCT . . . . .
Montour, Rue SHE . . . .
. . . . . . 346 B44 347 B45
Montparnass, Rue de SJU . . . .
. . . . 350 C74
Montpellier, Cr. de SBM . 370 H71
Montpellier, Rue SBG370 K72-73
Montpellier, Rue de SHE . 636 J-K18
Montpellier, Rue de GRA. 621 B5
Montpellier, Rue de IPR . 264 F26
Montpellier, Rue de SBM370 H71
Montpellier, Rue de SJR . 510 E2
Montpellier, Rue de SJU 350 D75
Montpetit, Rue BRS . . . 368 F58
Montpetit, Rue SHE . 638 S9-10
Montpetit, Rue SVD. . . 242 A-B8
Montpetit, Rue (LNG) LNG. . . . .
. . . . 349 A64
Montpetit, Rue (SHU) LNG. . . . .
. . . . 349 E64
Montplaisant, Rue de MSH . . . .
. . . . 391 N82-83
Montplaisir, Rue DMV. . . 609 E8
. . . 610 E9 613 F8 614 G9
Montplaisir, Rue VTV. . . 601 E3
Montréal, Ch. de BRO . 628 D1
Montréal, Rue de BRO . 629 C5
Montréal, Rue de SHE . 636 M16
Montreuil, Pl. PDC 263 G-H20
Montreuil, Rue SCT . . . 347 B45
Montreuil, Rue SJR . . . 510 B1-2
Montreuil, Rue SVD . . . 222 Z9
Montreuil, Terr. SVD . . . 222 Z9
Montrichard, Av. SJR . . 512 L8
Montrose, Boul. de SLB. 328 Z58
Montrose, Cr. de SLZ . . 203 R18
Monts-Sutton, Rue des SHE . . .
. . . . . . 635 L12-13 L15-16
Montsabré, Rue BEL. . . 391 N79
Monty, Rue GRA . . . . . .
. . . . . . 620 D3-4 621 D5
Mooney, Mtée COW. 627 C10-11
Moore, Rue MAG 631 E6
Moore, Rue SHE 636 M16
Moquin, Rue BRS. 348 E58
Moquin, Rue CHB 409 Q65
Moquin, Rue SCT . . . .
Moquin, Rue SHE . . . .
. . . . . . 346 B44 347 B45
Moquin, Rue (LNG) LNG 349 A64
Moquin, Rue (SHU) LNG 349 E64
Morais, Rue SJR. 511 J-K4
Morand, Rue CTG 305 U33
Morand, Rue SCT. 347 A45
Morand, Rue SHE 638 P9
Morasse, Rue SRT 530 A7
Morasse, Rue VTV 602 C5
Moreau, Av. SHY 520 E5
Moreau, Cr. BRS 348 E57
Moreau, Rue DMV. . . . .
. . . . . . 615 K14 619 L14
Moreau, Rue de GRA . . 620 D-E3
Moreau, Rue PRN 606 D3
Moreau, Rue SHE 638 P10
Moreau, Rue SJR 511 F-G3
Moreau, Rue SJS 530 A3
Moreau, Rue VTV 603 D9
Moreau, Rue (LNG) LNG . . . . .
. . . . . . 349 A63-64 A-B63
Moreau, Rue (SHU) LNG . . . . .
. . . . 349 E64-65
Moreau, Terr. LNG . . 349 E64-65
Morel, Rue DMV. 610 E10

Morel, Rue SHY. 520 D1
Morel, Rue SJR 511 K3
Morel, Rue SVD 263 F13
Morell, Rue BHN . . . . . .
. . . . 284 P23 304 Q23
Morency, Rue LNG 349 E64
Morency, Terr. LNG . . . 349 A64
Morgan, Rue ACV 540 C2-3
Morgan, Rue COA 644 B1
Morgan, Rue SRT 530 A7
Morier, Rue SBG . . . . .
. . . . . . 370 K73 390 L73
Morilles, Cours des DMV 614 F9
Morilles, Rue des BRO. . 629 B6
Morillons, Rue VDR . . . 224 Y25
Morillons, Rue des CON . 550 A4
Morin, Boul. ASB. . . . . .
. . . . . . 646 D4 647 C-D5
Morin, Rue CTG 325 X36
Morin, Rue DMV 613 H6
Morin, Rue MCM 391 N77
Morin, Rue SCT. . . . . . .
. . . . . . 346 B44 347 B45
Morin, Rue SHE 638 N7-8
Morin, Rue SHY. 522 F4 F5
Morin, Rue SRT. 530 E4
Morin, Rue SVD. 242 D7
Morin, Rue VTV 606 F5
Morin, Rue des SHE. . . . .
. . . . 636 K-L18
Morin, Rue des SRT 530 D-E3
Morin, Rue des SVD. . . 242 E7
Morin, Rue des VDR . 224 Z23
Morissette, Av. PLS . . . 607 A3
Morissette, Pl. SHY . . . 521 D9
Morison, Rue VTV 520 E5
Morissette, Av. PLS . . . 607 A3
Morissette, Rue SJR . . 512 M15
Morissette, Rue VTV . . . .
. . . . . . 348 A57 B57-58
Morissette, Rue (SHU) LNG. . . .
. . . . 348 A59
Morkill, Rue SHE. 636 M17
Morley, Rue LNG 348 C59
Morrier, Rue ACV 540 D2-3
Morrill, Rue ASB 646 C1
Morris, Rue SHE . . . .
. . . . . . 635 M13 639 N13
Morrisette, Rue DMV . . 612 F2
Morrissette, Rue PRN . . 606 C-D3
Morrison, Rue BEL . . 391 M-N79
Morrisson, Rue LMG . . 648 B2
Morse, Rue DMV 618 L10
Mortagne, Boul. de BCV 329 X68
. . . . . . 330 W69-70 W71-72
Mortlake, Rue SLB . . 328 X-Y60
Moscou, Rue de DMV. . 613 G5
Moselle, Av. de la SLB . . . .
. . . . . . 348 A57 B57-58
Moselle, Pl. de la SLB. . 348 A57
Mott, Rue SJR 511 J4
Moucherolles, Cr. des SLZ. . . .
. . . . 203 R17
Mouettes, Rue des BEL . 391 M78-79
Mouettes, Rue des GRA. . . . . .
. . . . 621 C-D7
Mouettes, Rue des LNG 329 X65
Mouettes, Rue des MER. . . . . .
. . . . 325 W30
Mouettes, Rue des SBG 390 M72
Mouettes, Rue des SCA . . . . . .
. . . . 347 D46-47
Mouettes, Rue des SHE. . . . . .
. . . . 634 M6-7
Moulin, Av. du SHY. . . . 522 G6-7
Moulin, Mtée du CAR . . 388 N60
Moulin, Rue du BCV . . . 330 V72
Moulin, Rue du DMV. . . . .
. . . . 614 H9-10 J9
Moulin, Rue du LMG . . 648 C3
Moulin, Rue du MAG. . . 630 C-D4
Moulin, Rue du RIG. . . . 580 D4-5
Moulin, Rue du SBG. . . 390 L74
Moulin, Rue du SCL . . . 202 O10
Moulin, Rue du SHE . . 637 J19
Moulin, Rue du SJU . . . 350 B76
Moulin, Rue du SRE . . . 365 J-K32
Moulin, Rue du VDR . . . 244 A22
Moulin, Rue du WIN . . . 632 C3
Moulin, Rue du ACV. . . 540 C3
Moulton Hill, Ch. SHE . 637 M22
. . . 641 N21-22 P21 Q20-21 R20
Moulton Hill, Terr. SHE . 641 O21
Mount, Rue CTG . . . . .
. . . . 640 S18 641 S19
Mount-Pleasant, Rue HUD . . . .
. . . . 184 O23-24
Mount Victoria, Rue HUD . . . . .
. . . . 184 L-M23
Mountain, Boul. GRA . . 623 F-G5
Mountain, Rue CTG . . . 305 T36
Mountain, Rue MAG 630 G-H6 J6
Mountainview, Boul. LNG. . . . .
. . . . 369 J63-64
Mountainview, Pl. LNG . 369 J63
Mountainview, Rue HUD. . . . . .
. . . . 184 O-P23
Mountainview, Rue OTT. . . . . . .
. . . . 391 P77-79

Mousqueton, Pl. du SLZ. . . . . .
. . . . 183 P18-19
Mousseau, Rue CDL. . . 222 X7
Mousseau, Rue DMV . . . .
. . . . . . 609 E6 613 F6
Mousseau, Rue LNG. . . 349 A64
Mousseau, Rue SHE . . 639 N11
Moyne, Rue le SHE . . . 639 P12
Mozart, Pl. BRS 348 E58
Mozart, Rue BEL 391 M79
Mozart, Rue CAN 347 E48
Mozart, Rue CTG. 325 W35
Mozart, Rue DMV. 613 K7
Mozart, Rue SJR 512 P4
Muguet, Rue du LNG . . 369 G62
Muguet, Rue du LPR . . 368 G53
Muguet, Rue du SAM . . 351 C82
Muguet, Rue du SLZ . . 350 C76
Muguets, Pl. des SHE 636 K-L18
Muguets, Rue des CDL. . 222 X7
Muguets, Rue des COA 644 C3-4
Muguets, Rue des DMV 618 N12
Muguets, Rue des FAR 624 B1-2
Muguets, Rue des LNG 329 Y66
Muguets, Rue des OTT . 391 P79
Muguets, Rue des PLS . . 607 E3
Muguets, Rue des SBM . 369 J68
Muguets, Rue des SHE. . . . . . .
. . . . 636 K-L18
Muguets, Rue des SRT 530 D-E3
Muguets, Rue des SVD. . 242 E7
Muguets, Rue des VDR . 224 Z23
Mullan, Rue HUD 184 P23
Mullin, Rue GRA 621 E6
Mullins, Rue SHE 633 E13
Mulotière, Rue de la BCV. . . . .
. . . . 330 X69
Municipale, Rue COW . 626 D8
Murano, Rue SJU 350 D76
Murdoch, Rue LNG . . . 348 D60
Murielle, Terr. SVD 222 Z9 242 A9
Mûrier, Rue du DMV. . . 613 G5
Mûrier, Rue du SHE . . . .
. . . . 637 M21 641 N21
Mûrier, Rue du SHE. . . 638 P8-9
Muriers, Pl. des VDR . . 244 A23
Mûriers, Rue des SHE . 621 E-F4
Mûriers, Rue des VTV . 601 E-F4
Murillo, Rue SHE 638 P9
Murphy, Ch. VDR 204 S22-23 T23
Murphy, Rue SVD. 242 C6
Murray, Pl. LNG 348 B59
Murray, Rue SBM 370 F69
Murray, Rue SCW 611 B13
Murray, Rue SHE. . . . .
. . . . 636 M17 640 N18
Murray, Rue (GFP) LNG. . . . . . .
. . . . 348 A-B59
Murray, Rue (SHU) LNG 349 C61
Murville, Rue BRS . . 348 E57-58
Muscade, Rue SLZ . . . 203 Q18
Muscadet, Rue du COW. . . . . .
. . . . 626 B-C7
Muscadet, Rue du SHE . 638 P9
Muscadiers, Rue des LNG . . . . .
. . . . 369 F65
Muscaris, Rue des VDR. 224 Z22
Musiciens, Pl. des SLZ . 203 Q19
Musset, Pl. CTG 305 S-T34
Musset, Rue SHE . . . 635 K-L14
Musset, Rue SJR 511 F3-4
Muy, Rue de BCV 310 U72
Mylène, Rue DMV 609 A6
Myosotis, Rue du SAM . 351 C81
Myosotis, Rue du SBM370 J-K69
Myriques, Rue des LNG . 369 F65
Myrtilles, Ch. des MAG 630 B2-3

N

N.-P.-Lapierre, Boul. SJU . . . . .
. . . . . . 350 B75-76 B-C75 C-D74
N.-P.-Lapierre, Pl. SJU. . 350 C74
Nadea, Ch. COA 644 E3
Nadeau, Rue BRS . . . . .
. . . . . . 348 E57 368 F56-57 F57
Nadeau, Rue DMV 613 F7
Nadeau, Rue HUN 560 C-D2
Nadeau, Rue LMG. . . . 648 B2-3
Nadeau, Rue LNG . . . 349 E61-62
Nadeau, Rue MCM . . . 391 N-077
Nadeau, Rue MSH . . . 391 081
Nadeau, Rue SHE . . . 637 L21-22
Nadeau, Rue SJR 512 L-M7
Nadeau, Rue VTV 603 E10
Nadia, Rue DMV 609 E5
Nagaueses, Rue des BRO. . . . .
. . . . 628 D3-4
Namagok, Rue SHE . . . 638 N8
Namur, Pl. de SLB 348 C58
Namur, Rue BRS. . . . . .
. . . . . . 348 E57 368 F57
Namur, Rue de SLB . . . 348 C58
Nancy, Rue BRS 348 E56-57
Nancy, Rue MAG 630 D1
Nancy, Rue SHE . . . .
. . . . . . 640 Q16-17 R16-17

Nancy, Rue VTV 603 D9
Nantel, Rue BRS . . . . .
. . . . 348 E57 368 F57
Nantel, Pl. (LNG) LNG . . 349 A62
Nantel, Rue (SHU) LNG. . . . .
. . . . 368 G60 369 G61
Nantes, Pl. de SLZ. . 183 P17-18
Nantes, Rue BRS . . . . .
. . . . 348 E57 368 F57
Nantes, Rue de BCV . . 348 X-Y69
Nantes, Rue de SHE . . . 639 P12
Nantes, Rue de SJU . . 379 F75
Naples, Av. BRS . . 348 E56-57
Naples, Av. de CAN . . . .
. . . . 347 E48 367 F47 F48
Napoléon, Boul. BRS . . . . .
. . . . 348 E56 368 F56
Napoléon, Rue CHB . . . 409 S66
Napoléon, Rue PLS . . . 607 D2
Napoléon, Rue SHY. . . 520 D7-8
Napoléon, Rue SVD . . . 242 D6
Napoléon, Rue VTV . . . 602 E6
Napoléon-Audet, Rue SHE . . . .
. . . . 642 U5
Napoléon-Duchesnois, Rue VAR.
. . . . 311 N-S80
Napoléon-Laplante, Rue SRT. . .
. . . . 530 D3
Napoléon-Parent, Rue VDR . . .
. . . . 224 V-W24
Napoléon-Poulin, Rue SHE . . .
. . . . 639 R11
Napoléon-Veilleux, Ch. SHE . . .
. . . . 633 G14
Narcisse, Rue BRS . . 368 F56-57
Narcisse, Rue SVD . . . 242 B6
Narcisses, Rue des SRT . 530 D3
Narcisses, Rue des VDR 224 Z23
Nashua, Rue de SLZ. . . 183 P20
Nassau, Rue BRS . . . . .
. . . . 348 E57 368 F57
Nathalie, Rue BRS . . . 368 F56
Nathalie, Rue MAG . . . 630 D-E1
Nathalie, Rue SCW . . . 610 D12
Nathalie, Rue SHE . . . 637 J19
Nations, Rue des VTV . 604 F-G8
Naubert, Pl. BRS 368 F56
Nault, Av. SHY 520 E5-6
Nault, Rang VTV . . 603 B-C11 C10
Nautilus, Rue du SCA . . 347 D47
Navarre, Av. de BRS . . . 368 F57
Navarre, Av. de SLB . . 348 B58
Navarre, Cr. de SLB . . 348 B58
Nazaire, Av. PLS 607 C-D2
Néhru, Pl. BRS. 368 F57
Néhru, Rue BRS . . . 368 F56-57
Neiderer, Rue DMV . . . 613 G5
Neiderer, Rue SGG . . . 616 N2
Neiges, Rue des MAG. . . 631 E7
Neiges, Rue des SBG 390 L70-71
Neiges, Rue des SJR . . 511 J-K8
Neil, Rue GRA 623 H7
Neil, Rue MAG. 630 E1
Nelan, Rue LNG 348 C60
Nelligan, Rue BEL . . . 391 N79
Nelligan, Rue BRO . . . 629 E7
Nelligan, Rue BRS . . . 368 F56-57
Nelligan, Rue CTG . . 325 V34-35
Nelligan, Rue SHE . . . 369 G68
Nelson, Rue BRS. . . . .
. . . . 348 E56 368 F56
Nelson, Rue COW . . . 626 E-F7
Nelson, Rue DMV 613 K8
Nelson, Rue SHY. . 520 E4 522 F4
Nénuphar, Rue du GRA. . 623 G7
Népal, Rue BRS 368 F56
Neptune, Pl. BRS 348 E57
Neptune, Rue de CTG 305 T-U35
Neptune, Rue des MAR 500 A3-4
Nepveu, Cr. BHN 304 Q23
Nepveu, Rue BEL 391 N80
Nérée-Beauchemin, Rue SHE . .
. . . . 642 U-V3
Neron, Ch. COA 644 E1
Nest, Rue SLZ 203 Q-R19
Neuchâtel, Rue BRS. 368 F56-57
Neuchâtel, Rue de SJR. . . . .
. . . . 510 E3 511 F3
Neuf, Imp. du SHY . . . 522 H4
Neufchatel, Cr. de SLZ . . . . .
. . . . 203 Q18-19
Neufchatel, Rue GRA . 621 C5
Neuve-France, Rue de la SJR . .
. . . . 511 H3 H-J4
Neuville, Rue BRS . . . . .
. . . . 348 E57 368 F57
Neuville, Rue de IPR . 264 F27
Névada, Rue BRS . . . 368 F56
Neveu, Rue BRS 348 E57
New-Erin, Ch. HUN . . 560 A2-3
New Haven, Rue de LNG 329 X62
Newbury, Rue LNG. . . 348 C59
Newton, Rue BCV . . . . .
. . . . 329 Y68 330 Z69
Newton, Rue BRS. . . . 368 F56
Newton, Rue CTG . . . 530 T36
Newton, Rue DMV . . . 613 G7-8
Newton, Rue SHE . . . 636 M15
Niagara, Av. BRS . . . 368 F56-57

Nice, Av. de CAN 367 F47
Nice, Rue BRS 368 F57
Nice, Rue GRA. 622 F3
Nice, Rue de SLB . . . 348 B58
Nice, Rue de SLZ . . . 184 P21
Nice, Rue de VTV . . . 603 B11
Nichols, Rue SHY . . . 522 F4-5
Nicholson, Rue SVD . . 242 D6
Nick, Rue SHE 638 S9-10
Nicol, Rue SHE 642 V3
Nicolas, Rue BRS . . . . .
. . . . 348 E56 368 F56
Nicolas, Rue SJR . . . 511 F-G4
Nicolas, Rue SVD . . . 242 A-B7
Nicolas, Rue SVD . . . 242 B7
Nicolas-Chapu, Rue VAR. . . .
. . . . 311 R79
Nicolas-Choquet, Rue CAR . . .
. . . . 389 O62-63
Nicolas-Choquet, Rue VAR . . .
. . . . 311 O78-79
Nicolas-Hogleman, Rue BCV. . .
. . . . 310 T73
Nicolas-Letartre, Rue de SLZ. .
. . . . 511 G2
Nicolas-Manny, Rue BCV . . . .
. . . . 330 W70
Nicolas-Perrot, Rue SVD 330 V72
Nicolas-Viel, Rue MAG . 631 E7
Nicole, Rue DMV . . . . .
. . . . 610 E10 614 F10
Nicole, Rue GRA 621 C5
Nicole-Lemaire, Rue BCV . . . .
. . . . 310 U73-74
Nicolet, Av. CAN . . . 367 F47-48
Nicolet, Rue BRS . . . 368 G71
Nicolet, Rue ASB . . 646 B3 C3-4
Nicolet, Rue BCV . . . 330 V71
Nicolet, Rue BRS. . . . .
. . . . 348 E56 368 F56
Nicolet, Rue LNG . . . 329 W-X64
Nicolet, Rue de BRO . 629 E5-6
Nicolet, Rue de CTG . . 325 V34
Nicolet, Rue de GRA . 621 C5
Nicolet, Rue de la VTV 602 D7-8
Nielsen, Rue LNG . . . . .
. . . . 348 B60 349 B61-62
Nightingale, Pl. SBM. . 370 J72
Nightingale, Rue LNG. 348 C59
Nîmes, Rue BRS . . . . .
. . . . 348 E57 368 F57
Nîmes, Rue de BCV . . 330 Z70
Niverville, Pl. LNG. . 349 B-C64
Niverville, Rue LNG . . . . .
. . . . 349 B64-65 C64
No. 5, Rte PRN 606 E1
Nobel, Pl. BCV 329 X68
Nobel, Rue BRS 348 E57
Nobel, Rue BCV. . . . 330 Y-Z69
Nobel, Rue CTG . . . 325 W36
Nobel, Rue MAG. . . . 391 N77
Nobel, Rue SJU. 350 C73 E75-76
Nobert, Boul. LNG . . . . .
. . . . 329 Z61 Z62-63
Noble, Rue LNG . 369 G-H64 H62
Noël, Rue ASB 646 D4
Noël, Rue PLS 607 A2
Noël, Rue VTV 605 G11
Noël, Rue WIN 632 C3
Noël-Allaire, Rue LMG . 648 A1
Noël-Blais, Rue GRA . 623 F6
Noël-Lareau, Rue CHB . 409 Q63
Noël-Lecompte, Rue ACV 540 E2
Noël-Legault, Cr. NDP . 264 G27
Noémie-Fortin, Rue SHE 633 D12
Nogent, Pl. BRS 368 F57
Nogent, Rue de BCV . . . . .
. . . . 330 W70 X69-70
Noiseraie, Rue de la RIG. 580 D5
Noisetiers, Rue des SVD 330 Z71
Noisetiers, Rue des VDR. . . . .
. . . . 224 Z22 244 A22
Noiseux, Av. SHY . . . 520 E6
Noiseux, Ch. (Dunham) COW. . .
. . . . 625 F1
Noiseux, Rue BEL . . . 391 N81
Noiseux, Rue GRA . . . 623 G7
Noisy, Rue BRS 368 F56
Nolet, Rue BRS 368 F56
Nolet, Rue VTV. . . . 604 F5
Nolin, Rue SHY 522 F7
Nolin, Rue SLZ 511 K3
Nolin, Rue VTV. . . . 605 G10
Nollin, Rue SRT 530 C7
Noranda, Rue GRA. . . 621 C5
Noraye, Rue de la LNG. . . . .
. . . . 389 L-M63
Nord, Rue de COW . . 626 B-C8
Nordet, Rue du SHE. . 638 N7
Nordet, Rue du SLB . . 510 D1
Noreau, Rue MAG . . . 630 D1
Norman, Rue COW . . 626 C6-7
Norman-Bethune, Rue SJU. . . .
. . . . 350 E74
Normand, Av. CTG. . . 305 T-U35
Normand, Av. LNG . . . 349 E61
Normand, Pl. BEL . . 391 M81-82

Normand, Pl. LNG . . . 349 E61
Normand, Rue CED. . . 243 C-D14
Normand, Rue NAP . . . 570 B3
Normand, Rue SHE . . 637 L20-22
Normand, Rue SHE . . . 637 M20
Normand, Rue SJR. . . . 511 G4
Normand, Rue SMM . . 322 H-J1
Normand-Hudon, Rue SJU . . . .
. . . . 350 E75
Normandeau, Rue SLZ . 203 R19
Normandie, Rue SMS. . 409 R67
Normandie, Av. de SLB. . . . .
. . . . 348 A57-58
Normandie, Boul. SRT . . 530 D8
Normandie, Rue de SJR . . . . .
. . . . 511 G-J4
Normandie, Cr. de LNG. 349 B61
Normandie, Pl. PIN . 244 C24-25
Normandie, Rue de SLZ. 183 P17
Normandie, Rue BRS . . 368 F56
Normandie, Rue PIN 244 D24-25
Normandie, Rue SAM . 351 B83
Normandie, Rue de BCV. . . . .
. . . . 330 X69 X69-70 Y71-72
Normandie, Rue de COW . . . . .
. . . . 626 C-D8
Normandie, Rue de GRA 622 J4
Normandie, Rue de LPR. . . . .
. . . . 367 F50-51
Normandie, Rue de MCM . . . .
. . . . 391 N77-78
Normandie, Rue de SBG. . . . .
. . . . 370 K72-73
Normandie, Rue de SBM . . . .
. . . . 370 H70
Normandie, Rue de SHE. . . . .
. . . . 637 M19 641 N19
Normandie, Rue de SJU . . . . .
. . . . 350 D75
Normandie, Rue de VDR. . . . .
. . . . 184 P22
Normandie, Rue de VTV . 604 F5
Normandie, Rue de (LNG) LNG. .
. . . . 329 V-W63
Normandie, Rue de (SHU) LNG .
. . . . 349 B61
Normandin, N., Boul. de FAR. . .
. . . . 624 B-C1
Normandin S., Boul. de FAR . . .
. . . . 624 C-D1
Normandin, Rue GRA . 621 C5
Noroît, Rue du VTV. . . 601 F3
North Creek St MAG. . . . .
. . . . 306 U43 326 V43
North Hatley, Ch. SHE. . 306 C44
. . . . 639 S12 643 W10
Northcote, Rue PIN . 244 D24-25
Northern, Pl. CTG. . . 326 V37
Northland, Rue du SLZ. . . . .
. . . . 203 Q16-17
Northrop-Frye, Rue SHE. . . . .
. . . . 635 M11
Norton, Rue COA . . . 644 C2-3
Norvège, Rue de la BRS 368 F56
Norvège, Rue de la BRS . . . . .
. . . . 368 F56-57
Notre-Dame, Av. SLB 328 Y59 Z59
Notre-Dame, Rue ACV . 540 C-D2
Notre-Dame, Rue ASB . 646 D4
Notre-Dame, Rue BCV . 310 U71
Notre-Dame, Rue CHB . . . . .
. . . . 389 P65-66
Notre-Dame, Rue DMV. . . . .
. . . . 613 H7-8 614 J9
Notre-Dame, Rue EAN . 645 C2
Notre-Dame, Rue GRA . 622 F3-4
Notre-Dame, Rue LMG . 648 C4
Notre-Dame, Rue SGG . . . . .
. . . . 616 M-N2 N1
Notre-Dame, Rue SHE . 633 D12
Notre-Dame, Rue SHY. 522 F4-5
Notre-Dame, Rue SJR. . 511 K5
Notre-Dame, Rue SRE . . . . .
. . . . 365 J32-34
Notre-Dame, Rue SVD. 242 B6-7
Notre-Dame E., Rue VTV. . . . .
. . . . 602 E8 603 D9
Notre-Dame N., Rue CTG. . . . .
. . . . 305 R-S35
Notre-Dame O., Rue VTV . . . .
. . . . 601 G2-3
Notre-Dame S., Rue CTG. . . . .
. . . . 305 S35
Notre-Dame-de-Grâces, Rue
LNG . . . 329 X62 Y62 Z62
Notre-Dame-de-Lourdes, Rue de
LPR . . . 367 F52
Notre-Dame-des-Mères, Ch. de
SHE . . . 633 C13-14 D13
Noyan, Rue GRA 621 C5
Noyan, Rue LNG. . . . 329 W-X64
Noyan, Rue SBM . . . 370 F69-70
Noyan, Rue de SJR . . 512 P6
Noyer, Rue PIN. . . . 244 D25
Noyer, Rue SAM . . . 351 B82-83
Noyers, Rue des CDL. . 222 W7
Noyers, Rue des CED 243 B-C15
Noyers, Rue des COW. . 626 D6
Noyers, Rue des MER 325 X-Y29
Noyers, Rue des SRE . 591 P77

Noyers, Rue des SRE. 365 H-J33
Noyers, Rue des VSL . 224 W26
Noyers, Rue des VTV . 602 E5
Noyon, Rue de BCV . . 310 U73
Nymphes, Av. BRS . . 630 C1

O

O'Bready, Rue SHE . . 635 L-M12
O'Brien, Pl. CTG. . . 305 U34
O'Brien, Rue CHB . . 409 R-S64
O'Brien, Rue CTG. . . . .
. . . . 305 U34 305 V34
O'Cain, Rue SHE . . 512 N5-6
O'Keefe, Rue SVD . . 242 D9-10
O'Neil, Rue SHE . . . 635 M13
O'Neill, Rue BRS . . 368 G55
O'Reilly, Rue SHE . . . . .
. . . . 635 K14 636 K15
Oak, Av. SLB. . . 328 Y59 Z59-60
Oak, Rue LNG 348 A59
Oakland, Rue HUD . 184 N22-23
Oakland, Rue d' BRS . 368 G55
Oakridge, Rue HUD . . 184 O22
Oakridge, Rue SLZ. . 183 N19
Oakwood, Rue PIN. 244 D23-24
Oakwood, Rue SBM . 370 G69
Oasis, Cr. de l' SCT. . 347 C45
Oasis, Rue de l' SHE . 636 H16
Oasis, Rue des BRS . 368 G55
Oasis, Rue de l' SJR . 512 N-P6
Obier, Cr. de l' SCT. . 347 C45
Oblats, Rue des CHB . . . .
. . . . 389 P64 409 Q64
Oblats, Rue des RCH . 409 S-T67
Occident, Rue SRE . . 365 K-M15
Océanie, Av. BRS . . 368 F55-56
Octave, Pl. BRS . . . 368 F56
Octave, Rue VTV . . . 604 F7-8
Octave-Crémazie, Rue BCV. . . .
. . . . 330 W70
Octave-Crémazie, Rue MSH . . .
. . . . 391 O81-82
Octave-Crémazie, Rue NDP. . . .
. . . . 285 L29
Octave-Crémazie, Rue SJU. . . .
. . . . 350 B76
Octave-Gadbois, Rue SHE 641 N19
Octave-Monet, Rue MSH 391 P80
Odéon, Pl. BRS 368 F56
Oder, Rue BRS 368 F56
Odessa, Cr. BRS . . . 368 F56
Odile, Cr. BRS 368 F56
Oeillet, Rue de l' SCT . 347 C45
Oeillets, Pl. des SHE. . 637 L19
Oeillets, Rue des CAR . 389 P68
Oeillets, Rue des COA . 644 B2
Oeillets, Rue des DMV . 610 E9
Oeillets, Rue des LNG 369 G-H62
Oeillets, Rue des LPR. 368 H53
Œillets, Rue des OTT . 391 P79
Oeillets, Rue des SHE. 637 L19
Oeillets, Rue des SJR . 512 N6
Oeillets, Rue des SJU . 350 C76
Oeillets, Rue des VDR. 224 Z23
Offenbach, Pl. BRS. . 368 F56
Offenbach, Rue BRS. . 368 F56
Offenbach, Rue CTG . 325 X35
Offenbach, Rue SJR . 542 P4-5
Ogilvie, Rue SVD . . 242 B6
Oie-des-Neiges, Rue de l' SLZ. .
. . . . 203 R20 204 R21
Oies, Rue des SHE . . 642 U5
Oiseau-Bleu, Boul. l' ASB . . . .
. . . . 647 A6 B6-7
Oiselet, Ch. de l' SHE . 633 G11
Oiselet, Imp. de l' SHY . 522 J4
Oka, Rue BEL 391 M82
Oka, Rue de SJR . . . 621 D5
Old-Shefford, Rue d' GRA 623 H6
Old Châteauguay Rd KAH. . . . .
. . . . 306 T38-39 U41-42
Old Malone St KAH . . . . .
. . . . 306 U42-43 326 V-W43
Old Quarry Rd KAH . . 306 U43
Old Quarry Rd KAH. . 306 T41-42
Oleg-Stanek, Rue SHE . 638 N10
Olier, Rue SBG. . . . 390 L72
Oligny, Av. VTV . . . 603 E9
Oligny, Pl. SCT . . . . . .
. . . . 346 C44 347 D45
Oligny, Rue SJR . . . 512 P6
Oliva-Bergeron, Rue MAG 631 D5
Oliva-Turgeon, Rue SHE 633 E12
Olive, Rue MAG . . . 630 D4 631 D5
Olive-Roy, Rue COW. . 626 D7-8
Olivier, Cr. BRS. . . . 368 F56
Olivier, Rue ASB . . . 646 D4
Olivier, Rue BHN . . . 284 P23
Olivier, Rue DMV . . . 608 F4
Olivier, Rue PLS . . . 607 C2-3
Olivier, Rue SVD . . . 242 C6
Olivier, Rue VTV . . 602 E8 604 F8
Olivier, Rue de l' SCT . . . . .
. . . . 346 C44 347 C45
Olivier E., Rue CTG . . 306 U37
Olivier O., Rue CTG . 305 T-U36

Olivier-Chauveau, Rue SHE . . .
. . . . 350 B76
Olivier-Guimond, Rue SJU . . . .
. . . . 350 C74
Olivier-Morel, Rue CAR. 389 O67
Olivier-Saint-Pierre, Rue SHE . .
. . . . 633 C12
Oliviers, Av. des SHY. 521 C-D10
Oliviers, Rue des GRA . 620 D-E1
Oliviers, Rue des SCL . 202 Q11
Oliviers, Rue des SJR . 510 E5
Oliviers, Rue des SLZ 203 Q-R18
Olivine, Pl. BRS . . . 368 F55
Olympia, Rue BRS . . 368 F56
Olympia, Rue COW. . 626 B-C7
Olympic, Rue HUD . 184 O22-23
Olympic, Rue de l' VTV 604 F-G7
Olympique, Boul. PIN . 244 D23
Olympique, Rue SRT. . 530 D-E7
Oméga, Rue BRS . . . 368 F-G55
Omer, Rue BRS 368 F55
Omer, Rue SAM 351 B81
Omer, Rue SCH . . 604 J8 605 J9
Omer-Boisvert, Rue MAG 631 B8
Omer-Deslauriers, Rue GRA . . .
. . . . 622 H1
Omer-Ledoux, Rue SHE . 642 U3
Omer-Loiselle, Rue CTG 305 T34
Omer-Marcil, Boul. SJR . 511 H2
Omer Gaudreau, Rue OMV . . . .
. . . . 631 A8
Onil, Rue VTV 602 E8
Ontario, Rue BRS . . 368 F55-56
Ontario, Rue d' COW . 626 E8
Ontario, Rue de l' SCT. . . . .
. . . . 620 C4 621 C5
Onyx, Rue des SHE. 637 M21-22
Opale, Rue de l' COW. . 625 C2
Opale, Rue de l' GRA . 621 D6
Opales, Rue des IPR . 244 D26
Opales, Rue des LNG . 349 A61
Opales, Rue des SHE . . . . .
. . . . 637 M21-22
Opales, Rue des SHE . 638 N7
Opéra, Pl. BRS 368 G55
Orange, Rue BRS. . . 368 F56
Oranger, Rue de l' SCT. 347 C45
Orcades, Rue des BRS . 368 G55
Orchard, Rue CTG . . 306 T37
Orchard, Rue GRA . . 623 H6
Orchard, Rue LNG . . . . .
. . . . 348 E60 349 E61-62
Orchard, Rue SBM . . 370 H70
Orchestre, Rue de l' SLZ. . . . .
. . . . 203 Q19-20
Orchidée, Rue de l' IPR 368 H53
Orchidée, Rue de l' SCT . . . . .
. . . . 346 C44 347 C45
Orchidées, Cr. de l' SBM. . . . .
. . . . 370 J-K69
Orchidées, Rue des COA . . . . .
. . . . 644 C3-4
Orchidées, Rue des FAR . 624 B1
Orchidées, Rue des LNG. . . . .
. . . . 369 G62-63
Orchidées, Rue des SJU 350 C76
Orchidées, Rue des SVD. . . . .
. . . . 222 Z8 242 A8
Orchidées, Rue des (DMV) DMV. .
. . . . 614 K12
Orchidées, Rue des (SCD) DMV . .
. . . . 610 D-E9
Orcutt, Rue COA . . . 644 C2
Oréades, Av. des MAG . 630 C1
Orégon, Rue BRS . . . 368 F56
Orford, Rue MAG. 630 E4 631 E5
Orford, Rue d' SHE. . 635 L11
Orge, Rue de l' SJR . . 511 F2
Orient, Rue BRS. . . . 368 F56
Orignal, Rue BHN. . . 284 P22
Orioles, Rue des BEL. . 391 M78
Orioles, Rue des LNG. . . . .
. . . . 329 W65-66
Orioles, Rue des MSH . . . . .
. . . . 391 P82-83
Orioles, Rue des PIN . 244 D25
Orioles, Rue des SCA 347 C-D46
Orléans, Boul. d' SHE 640 Q15-16
Orléans, Pl. d' CTG . 325 V-W35
Orléans, Rue BEL . . 391 M81
Orléans, Rue BRS . . 368 G56
Orléans, Rue COW . . 626 E6
Orléans, Rue de SLB . 348 B58
Orléans, Rue d' CTG . 325 V-W35
Orléans, Rue d' GRA . . . . .
. . . . 620 C-D4 621 D5
Orléans, Rue d' SCA 347 B-C47
Orléans, Rue de l' SJR . 512 O7
Orléans, Rue d' SJU . 370 F75
Orléans, Rue d' VDR. 224 X24
Ornes, rue d; SHE. 636 K18
Orly, Rue BRS 368 F56
Orly, Rue d' GRA . . . 621 C-D5

Orly, Rue d' MSH . . . 411 R78
Orme, Pl. de l' VTV . . 602 E5
Orme, Rue de l' OTT. . 391 P77
Ormeaux, Pl. des SHE . 640 N18
Ormeaux, Rue des BEL . 391 M84
Ormeaux, Rue des COW. 626 C8
Ormeaux, Rue des IPR. . . . .
. . . . 244 E27 264 F27
Ormeaux, Rue des SHE. 640 N18
Ormeaux, Rue des SJR. 510 E5
Ormes, Av. des MAG . . 630 D2
Ormes, Av. des PLS . . 607 C3
Ormes, Boul. des DMV . 613 G7
Ormes, Boul. des SBG . . . .
. . . . 390 L72-73
Ormes, Pl. des CTG . . 306 T37
Ormes, Pl. des PIN . 244 D23-24
Ormes, Rue des CAR . 389 P67
Ormes, Rue des CED . 243 C15
Ormes, Rue des CON. . . . .
. . . . 550 B-C3 B-C4
Ormes, Rue des GRA. . 621 D6
Ormes, Rue des IPR . 244 E26
Ormes, Rue des MAG . 631 E7-8
Ormes, Rue des MAR. . 500 A1
Ormes, Rue des MER. . . . .
. . . . 325 X29-30
Ormes, Rue des SBM . 370 J70
Ormes, Rue des SCA . 347 C46
Ormes, Rue des SHE . 635 M12
Ormes, Rue des SRE . 365 H-J33
Ormes, Rue des VSL . 224 X26
Orphée, Pl. BRS . . . 368 F56
Orsali, Rue BEL . . . 391 N-O79
Orsay, Pl. BRS 368 F55
Ortie, Cr. de l' SCT . . 346 C44
Orties, Rue des LPR . 368 H53
Osaka, Cr. BRS . . . 368 F56
Osborne, Rue SLB 328 V-Z58 Z58
Oscar, Cr. BRS 368 F-G56
Oscar-Martin, Rue SVD. . . . .
. . . . 241 B4 242 B-C5
Oscar-Murphy, Rue BHN. . . . .
. . . . 264 K21 284 L21
Oscar-Viau, Rue CHB . 409 Q64
Oseille, Cr. de l' SCT. . 347 C45
Oseraie, Rue de l' SCT. . . . .
. . . . 346 C44 347 C45
Osias-Leduc, Rue FAR . 624 D1
Oslo, Rue BRS 368 F56
Ostiguy, Rue CHB . . 409 R65
Ostiguy, Rue MAR . . 500 B4-5
Ostiguy, Rue OTT . . 391 P78
Ostiguy, Rue SVD . . 242 E6
Othello, Rue BRS . . 368 F55
Otis, Rue SCT 347 C45
Ottawa, Rue GRA. . . 623 F5
Ottawa, Rue LNG . . 389 L-M62
Ottawa, Rue d' BRS . 368 F55-56
Ottawa, Rue d' COA . 644 C2-3
Ottawa, Rue d' COW . 626 E8
Ottawa, Rue d' DMV . 613 G5
Ouelette, Rue GRA. . 622 G3
Ouellet, Pl. DMV. . . 613 F5
Ouellet, Rue SHE. . . 633 D11-12
Ouellet, Rue VTV . . 605 G10
Ouellette, Rue DEL . 347 E45-46
Ouellette, Rue LNG . 369 G61-62
Ouellette, Rue MAR . . . . .
. . . . 500 A3-4 B3-4 C3
Ouellette, Rue SAM . 351 B81
Ouellette, Rue SCT . 347 C45
Ouellette, Rue SJR . 510 E5
Ouimet, Av. SHY . . 520 C4
Ouimet, Rue BRS . . 368 F56
Ouimet, Rue SHE . . 638 N10
Ouimet, Rue SJR . . 512 P6
Ouimet, Rue VDR. . 224 Y-Z23
Oural, Rue de l' BRS. 368 G55
Outaouais, Pl. des IPR. 244 D26
Outaouais, Rue BRS . 368 F56
Outardes, Rue des BEL. 391 L78
Outardes, Rue des SCA. . . . .
. . . . 347 C-D46
Outardes, Rue des SHE. . . . .
. . . . 634 M-N6
Outremont, Rue BRS 368 F-G55
Outremont, Rue d' GRA 620 D4
Ovide, Rue BRS . . . 368 G56
Ovide, Rue SVD. . . . 242 A8
Ovila, Rue LNG . . . 369 J62
Ovila, Terr. SVD . . . 222 Z8
Ovila-Beaudoin, Rue SHE. . . .
. . . . 637 M20
Ovila-Delage, Rue MSH 391 O81
Ovila-Hamel, Rue LNG. . . . .
. . . . 369 G62-63
Ovila-J.-B.-Goyette, Rue MAR. .
. . . . 500 B5
Ovila-Noël, Rue SHE. 637 L19
Oxford, Cr. SHE . . . 640 R18
Oxford, Rue BRS . 368 F55-56
Oxford, Rue d' CTG . 325 V35
Oxford, Rue d' HUD . 184 L-M22
Oxford, Rue d' LNG . . . . .
. . . . 329 Z62 349 A62
Oxford, Rue d' OTT . 391 O-P77
Ozias-Leduc, Ch. MSH. . . . .
. . . . 391 P79-80

Ozias-Leduc, Ch. OTT 390 P76 391 P77
Ozias-Leduc, Rue DMV 609 E6-7
Ozias-Leduc, Rue LNG 329 X-Y67

P

P.-É.-Borduas, Rue SHE 636 L16-17
P.-E-Lamarche, Rue LPR 368 G53
P.-H.-Leroux, Rue CED 223 Z16 243 A16
P.-Mondou, Rue DMV. . 613 F-G6
Pacaud, Rue VTV 603 E10
Pacific, Rue LNG . . . 389 L62-63
Pacifique, Rue SCT 346 D44 347 D45
Pacifique, Rue du FAR. 624 C-D2
Pacifique, Rue du SHE . 640 N15
Pacifique E. , Rue du BRO 628 D4
Pacifique O. , Rue du BRO 628 D3
Pacifique-d'Amour, Rue RIG . . . 580 B3
Pacifique-Duplessis, Rue BCV. . 330 V72
Paddock, Rue SLZ. . 183 O-P19
Paganini, Rue CTG . . 325 W34
Page, Rue EAN 645 A2
Page, Rue LPR . . . 367 F-G51
Pagé, Av. SHY 520 D5 D-C5
Pagé, Rue BRS 348 C58
Pagé, Rue CON. . . . 550 B3
Pagé, Rue RIG. 580 C5
Pagé, Rue SAM . . . 351 A84
Paillard, Rue SHE . . 638 R8
Paillé, Rue DMV. . . . 613 J6
Pain-de-Sucre, Rue du MSH . . . 391 P81
Painchaud, Av. PLS . . 607 D-E2
Paix, Rue de la COW . . 625 C4
Paix, Rue de la DMV . 618 P-Q10
Paix, Rue de la GRA. . . 621 D6
Paix, Rue de la SCL . . 202 Q10
Paix, Rue de la SHE . . 637 J21
Paix, Rue de la SVD 242 A7-8
Paix, Rue de la VTV. . 603 B-19
Palais, Av. du SHY 520 E5 522 F5
Palais, Rue du BHN . . 284 P24
Palais, Rue du SHE . . 636 M16
Palardy, Rue CON. . . 550 C2-3
Palardy, Rue LPR . . . 367 H52
Palardy, Rue SMM . . 552 B-C7
Palerme, Boul. de LPR . 367 H52
Palerme, Rue BRS . . . 348 C58
Palfrenier, Pl. du SLZ . 183 P19
Pallardy, Rue SBM . . 370 G70
Palmer, Av. EAN . . . 645 C1-2
Palmer-Cox, Rue GRA . . . 622 H4 623 H5
Palmiers, Rue des SHE 637 M20
Palomino, Pl. SLZ. . . 183 O19
Palomino, Rue SLZ . . 183 O19
Panama, Av. BRS . 348 C57 D58
Panama, Rue LNG . . 349 D63
Panet, Rue RCH 409 U67
Panet, Rue SBM . . . 370 G69
Panet, Rue SJR. . 511 K3 512 L3
Panet, Rue SVD 242 C8
Panneton, Rue ASB. . 646 D-E4
Panneton, Rue BRS . . 348 C58
Panneton, Rue SHE. . 639 N-P13
Papin, Rue CON 560 T46
Papineau, Av. CAN . . 367 F50
Papineau, Pl. CAN . . . 367 F50
Papineau, Rue CTG . . 305 U35
Papineau, Rue DMV . . 618 L11
Papineau, Rue GRA . . 620 E4
Papineau, Rue LMG . . 648 B-C3
Papineau, Rue LNG 329 X-Y61 349 A61
Papineau, Rue LPR. . . 367 H52
Papineau, Rue MCM . . 391 N78
Papineau, Rue SBM . . 370 G69
Papineau, Rue SCT 346 D44 347 D45
Papineau, Rue SHE 636 L18 637 L19
Papineau, Rue SHY . . 520 E5
Papineau, Rue SJR 510 E2 511 F22
Papineau, Rue SVD. . 242 C-D8
Papineau, Rue de BRO D6-7
Papineau-Couture, Rue SHE . . . 639 Q11
Paquerettes, Rue des LNG . . . 369 G-H62
Pâquerettes, Rue des SLZ. . . . 203 S19
Paquet, Av. SHY. . . . 520 D4
Paquette, Av. BRS . 348 C57-58
Paquette, Rue DMV 613 K8 617 L8
Paquette, Rue LNG . . . 349 D-E63 E62
Paquette, Rue SJR. . . 512 Q7
Paquette, Rue SVD. . . 263 G14
Paquin, Rue BRS . . 348 B-C58

Paquin, Rue SHE 633 E13
Paquin, Rue SJR 512 P7
Paradis, Rue EAN . . . 645 A2-3
Paradis, Rue GRA . . . 622 J4
Paradis, Rue LNG . . . 369 G64
Paradis, Rue LPR . . . 367 H52
Paradis, Rue MER . . . 325 Y31
Paradis, Rue PLS . . . 607 C1-2
Paradis, Rue SAM . . . 351 A83
Paradis, Rue SCT. . . 347 D45
Paradis, Rue SGG . . . 616 M2
Paradis, Rue SHE . . . 638 Q9
Paradis, Rue SJR . . . 512 L3
Paradis, Rue SRT . . . 530 A-B7
Paradis, Rue VTV . . . 604 F8
Paradise, Rue DMV . . 613 F5
Parc, Av. du FAR . . . 624 C3
Parc, Av. du GRA . 622 F4 623 F5
Parc, Av. du IPR 244 E27
Parc, Av. du MAG . . . 630 D-E2
Parc, Av. du SBG . . . 390 L72
Parc, Av. du SHE 642 U4 U5 U6 643 U7-8
Parc, Av. du SJU . . . 370 F-G74
Parc, Av. du SVD . . . 242 D6
Parc, Av. du VDR . . . 244 B22
Parc, Av.du SJR 510 D-E3 511 F3
Parc, Pl. du SPH 367 K48
Parc, Pl. du NAP 570 C4
Parc, Pl. du VAR. . . . 311 S79
Parc, Rue BHN 284 Q25
Parc, Rue du BRO . . . 629 A5
Parc, Rue du CDL . . . 222 X7
Parc, Rue du CHB . . . 409 R66
Parc, Rue du LPR. . . 367 F51
Parc, Rue du MAG. . . 630 D2
Parc, Rue du MER . . 325 X30-31
Parc, Rue du MSH. . . 391 O-P80
Parc, Rue du PLS. . . . 607 C3
Parc, Rue du SBM . . . 370 H70
Parc, Rue du SCL. . . 202 Q10
Parc, Rue du SCT . . 346 D-E43
Parc, Rue du SGG . . . 616 N2
Parc, Rue du SHY . . . 522 H-J2
Parc, Rue du SLZ . . . 203 U19
Parc, Rue du SMS . . . 390 P72
Parc, Rue du SRE . . . 365 H32
Parc, Rue du SRT . . . 530 D3
Parc, Rue du VAR . . 311 R78-79
Parc, Rue du VRC . . . 292 O90
Parc, Rue du VTV . . . 604 F7
Parc, Rue du WIN . . . 632 B2
Parc, Rue du (DMV) DMV . . . 614 J-K10
Parc, Rue du (SNP) DMV 619 N14
Parc E. , Rue du CTG . . 325 W36
Parc O. , Rue du CTG . . . 325 W35-36
Parc-Bellevue, Rue du LER . . . 305 R-S30
Parc-Burgoyne, Rue du LER . . . 304 R28
Parc-de-Beauvoir, Rue SHE . . . 636 J17
Parc-des-Érables, Rue du LPR. . 367 H52
Parc-du-Golf, Rue du VTV 605 G9
Parc-Fortier, Pl. du RCH 409 R67
Parc-Gendron, Rue du LER . . . 305 R-S30
Parc-Industriel, Ch. du SHE. . . . 633 E-F11
Parc-Industriel, Rue du SLZ . . . 203 U19 223 V18
Parc-Max-Séjour, Rue CED . . . 243 A17
Parc-Notre-Dame, Rue du LER . . 305 R-S29
Parc-Ranger, Rue du CTG. 305 T-U36
Parc-Ricard, Rue du CTG 305 T36
Parc-Tisseur, Rue du LER 305 R29-30
Parc-Woodland, Rue du LER . . . 305 R-S30
Parc Industriel, Rue du LNG . . . 329 V64 W63-64
Parc Industriel, Rue du WIN . . . 632 B3
Parc St-François, Rue DMV. . . . 614 K10
Paré, Rue CTG . . . 305 T-U34
Paré, Rue GRA . . 621 E5 623 F5
Paré, Rue LNG . . . 349 F62-63
Paré, Rue NDP 264 G28
Paré, Rue PRN 606 D2
Paré, Rue SAM 351 A81
Paré, Rue SHE 637 J21
Paré, Rue SJR . . 510 E1 511 F1
Paré, Rue VTV 602 D8
Parent, Rue BRS . . . 348 C58
Parent, Rue CTG . . . 305 U35
Parent, Rue HUN . . . 560 C-D2
Parent, Rue MCM . . . 391 N77
Parent, Rue SBG . . . 390 L74
Parent, Rue SBM . . . 350 E69 369 F68 370 F69
Parent, Rue SGG . . . 616 L1-2

Parent, Rue SHE 639 P13
Parent, Rue SJR 512 M7
Parent, Rue SVD 242 D8
Parent, Rue (DMV) DMV . 613 K8
Parent, Rue (GFP) LNG . 348 A59
Parent, Rue (LNG) LNG . 329 Z64
Parent, Rue (SCD) DMV . . . 615 J-K14
Parenteau, Rue DMV . . 613 J6-7
Parenteau, Rue SJR . . 512 N5-6
Parenteau, Rue SRT. . . 530 C7
Parfondeval, Rue de BCV . . . 330 X69
Pari, Rue SCT 347 D45
Paris, Rue BRS 348 B58
Paris, Rue DMV . . . 613 F-G5
Paris, Rue VTV. . . . 605 F10
Paris, Rue de SJU . . 350 C74
Pariseau, Rue SHE . . 637 M20
Parisien, Rue DMV . . 617 M7
Parisot, Rue VAR . . 311 Q-R79
Parizeau, Pl. SJU . . . 351 D78
Parizeau, Rue BRS. . . 348 B58
Park, Rue HUD 184 N23
Park Lane, Rue LNG . 348 C-D60
Parkdale, Rue SHE . . 641 R19 S19
Parker, Rue COW . . . 626 D7
Parker, Rue LNG . . 348 B-C59
Parker, Rue SHE . . . 641 Q20
Parkview, Rue CTG . 325 V34-35
Parkview, Rue OTT. . . 391 P78
Parmentier, Rue NDP . 264 G28
Parnasse, Rue BRS . . 348 C57
Parny, Rue BRS . . . 348 C58
Parrot, Rue SHE . . 637 K21-22
Parry, Rue COW . . . 626 C6
Parsons, Rue HUD . . 204 Q-R24
Partage, Rue du SCH . 605 K9
Partisans, Rue des SHE . . . 370 F74
Parulines, Rue des CON . 550 A4
Parulines, Rue des MSH . . . 391 P82-83
Pas-de-Calais, Rue de SVD . . . 348 A58 B57-58
Pascal, Rue CTG 609 E6-7
. . . 325 W36 326 W37
Pascal, Rue DMV . . . 613 J6-7
Pascal, Rue LNG . . . 368 G-H60
Pascal, Rue MAG. . . 630 C1
Pascal, Rue NDP . . 264 G27-28
Pascal, Rue SCT . . . 347 D45
Pascal, Rue SCW . . 610 A10-11
Pascal, Rue SHE . . . 635 K-L13
Pascale, Rue SJR . . . 512 L2
Pasold, Av. VDR . . . 244 A23
Passade, Rue de la SLZ . . . 183 O-P16
Passe, Rue de la NDP . 265 H30
Passereau, Rue du DMV 615 J13
Passereaux, Pl. des SBM . . . 370 H-J72
Passiflore, Rue de la GRA 623 G8
Pasteur, Av. EAN . . . 645 A2-3
Pasteur, Pl. CTG . . . 325 W36
Pasteur, Rue BEL . . . 391 N78
Pasteur, Rue BRS . . 348 C57-58
Pasteur, Rue CTG . . . 325 W36
Pasteur, Rue GRA . . . 621 E6
Pasteur, Rue NDP . . 264 F-G28
Pasteur, Rue SCA . . 347 A45
Pasteur, Rue SCT . . . 347 D45
Pasteur, Rue SHE . . . 635 M14
Pasteur, Rue (LNG) LNG 329 Z63
Pasteur, Rue (SHU) LNG 349 D63
Patenaude, Rue BRS . 348 C-D57
Patenaude, Rue SHY . 520 D5
Patenaude, Rue SJU. . 350 B75
Patenaude, Rue (LNG) LNG . . . 328 X60
Patenaude, Rue (SHU) LNG . . . 369 J63-64
Patoine, Rue VTV . . . 605 D5
Paton, Rue SHE . . . 636 K-L15
Patrice, Rue DMV . . 610 E10
Patrice, Rue SAM . . . 351 A83
Patrice, Rue VTV . . . 603 C10
Patricia, Rue WIN . . . 632 D-E3
Patricia, Rue LNG . . . 348 B59
Patricia, Rue SHE . . . 640 N18
Patrick, Boul. DMV . . 609 D7 E5-6
Patrick, Rue LNG . . . 349 C63
Patrick, Rue SCW. . . 610 A-B10
Patrick, Rue SGG . . . 616 M2
Patrick, Rue VTV . . . 601 E-F3
Patrick-Farrar, Rue CHB 409 S61
Patrick-McGee, Rue LPR 368 G53
Patrimoine, Rue du DMV . . . 203 Q19-20
Patriotes, Ch. des OTT . . . 390 O76 391 O77-78
Patriotes, Ch. des RCH 409 T-U67
Patriotes, Ch. des SJR. 510 N-Q7
Patriotes, Ch. des SMS . . 390 O-P74 P69 409 S67-68 410 O69
Patriotes, Ch. des SRT . . . 530 C5 C5-E4
Patriotes, Pl. des VDR. . 224 Y24
Patriotes, Rue des BHN. 284 P24
Patriotes, Rue des BRO 628 B-C4
Patriotes, Rue des SBG. 390 L71
Patriotes, Rue des SHE. 638 Q9

Patriotes, Rue des SVD 242 A7-8
Patriotes, Rue des VDR . . . 224 Y24-25
Patriotes E. , Ch. des SJR . . 510 C-E6 511 F6 G-H5 J5-6
Patriotes N. , Ch. des MSH . . . 391 N81-83
Patriotes N. , Rang des NAP . . . 570 A-B3
Patriotes S. , Ch. des MSH . . . 391 O79
Patriotes S. , Rang des NAP . . . 570 D-E2
Patry, Rue VTV 602 E6
Patry, Rue SAM 351 B81
Patton St KAH 306 U42-43
Pauillac, Pl. du SLZ. . . 183 P18
Paul, Av. GRA 623 G7
Paul, Rue ASB 647 C-D5
Paul, Rue LER 304 R28
Paul, Rue LNG 329 Y64 Z63
Paul, Rue MAG 631 A6
Paul, Rue SAM 351 A83
Paul, Rue SCL 202 Q10-11
Paul, Rue SHE 643 U7
Paul, Rue SPH 367 J49
Paul, Rue SRT 530 A7-8
Paul-Brasseur, Rue RIG. 580 C4
Paul-Chatel, Rue du SCW . 242 A6
Paul-Comtois, Rue COW. . . . 625 B2-3
Paul-Comtois, Rue GRA 620 D3-4
Paul-De la Roche, Rue SHE. . . . 640 Q15-16
Paul-De Maurel, Rue SJR 511 K8
Paul-DeMaricourt, Pl. SJU . . . 570 F74
Paul-DeMaricourt, Rue SJU. . . . 370 F74
Paul-Desruisseaux, Rue SHE. . . 635 L13
Paul-Doyon, Rue BCV 330 X71-72
Paul-E.-Comte, Rue SVD 242 T17
Paul-Émile-Borduas, Rue DMV . . 609 E6-7
Paul-Émile-Borduas, Rue GRA . . 622 J-K4
Paul-Émile-Borduas, Rue MSH . . 411 Q-R79
Paul-Émile-Borduas, Rue SCA. . 347 B46
Paul-Émile-Borduas, Rue VDR. . 224 Y23
Paul-Émile-Victor, Rue BCV. . . . 330 W71
Paul-Gaudreau, Rue GRA 622 F2
Paul-Gauguin, Rue CAN 367 G47
Paul-Gauvin, Rue FAR . 624 C-D1
Paul-Gérin-Lajoie, Ch. VTV . . . 224 Z23-24
Paul-Gouin, Boul. SHE. 633 E13
Paul-H.-Frigon, Rue DMV . . . 609 E6 E6-7
Paul-Hus, Rue SRT . . . 530 A5
Paul-Laplante, Rue SJR. 530 A8
Paul-Lejeune, Rue DMV . 617 L8
Paul-Letondal, Rue BCV . . . 330 W-X72
Paul-Provost, Rue LNG . . . 349 D62-63
Paul-Sauvé, Rue COW . 626 D5
Paul-Sauvé, Rue SJU . . 350 C74
Paul-Sauvé, Rue VDR 224 V-W24
Paul-Sauvé, Rue des SJU . . . 520 D7-8 D-E7
Paul-VI, Rue CTG . . . 305 U34
Pauline, Rue CDL . . . 222 W7
Pauline, Rue DMV . . . 614 J10
Pauline, Rue SAM . . . 351 A83
Pauline, Rue SHE . . 638 P9 Q9
Pavillon, Rue du SLB . 348 B58-59
Payan, Av. SHY 520 D5
Payant, Rue SJR 512 P6
Payer, Boul. LNG . . . 349 E61 369 F61 G-H61
Payer, Pl. LNG 349 E61
Payer, Rue PDC 263 H20 264 H21
Payette, Rlle SJR 512 L6
Payette, Rue LNG . . . 329 Z63
Payette, Rue SHE . . . 638 Q9
Payette, Rue SJR 511 G4
Payeur, Rue ASB 647 B6
Payeur, Rue SHE 637 L22
Payne, Rue GRA 623 G6
Pays-Brûlé, Ch. du VAR . . . 530 D2-3
Paysan, Rue du SLZ. . 203 R19-20
Paysans, Rue des SHE . 636 K18
Paysans, Rue des SJU. . . . 350 B75-76
Pearl, Rue SVD 242 E10
Pease, Cr. SBM 369 G-H68
Pease, Rue SBM . . . 369 H68
Pedrix, Rue des GRA . 621 C-D7
Peel, Rue EAN 645 A-B3
Peel, Rue SHE 636 M16
Peerless, Rue ACV . . . 540 D2
Péguy, Av. LNG . . . 349 D62-63
Péladeau, Cr. NDP . . . 284 L28
Péladeau, Rue BHN . . 304 Q24
Péladeau, Rue CTG . . 325 X35-36

Péladeau, Rue MAG . . 631 C6-7
Péladeau, Rue SJR . . . 511 G3
Pelchat, Rue ACV . . . 540 B3
Pelchat, Rue COW. . . 626 C7
Pelchat, Rue VTV . . . 604 F-G7
Pèlerins, Ch. des SHE 636 H-K17
Pélicans, Rue des GRA 621 C-D7
Pélicans, Rue des SBG. 390 M71
Pélicans, Rue des SHE. 634 M7
Pellan, Rue BRS 348 B-C58
Pelland, Rue SHE . . . 637 M21
Pelland, Rue BRS . . . 348 C58
Pellerin, Rue PRN . . . 606 B3
Pellerin, Rue VTV . . . 605 J11
Pelletier, Av. SHY . . . 520 D6-7
Pelletier, Boul. BRS . . . 348 C-D58 D56-57 E56
Pelletier, Boul. GRA . . 622 F3
Pelletier, Pl. LNG 349 E61
Pelletier, Rue CTG . . . 306 R37
Pelletier, Rue DMV . . . 613 H7
Pelletier, Rue MAR . . . 560 A-B7
Pelletier, Rue MCM . . 391 M78
Pelletier, Rue SBG . . 390 L72-73
Pelletier, Rue SBM . . 370 F70
Pelletier, Rue SCT . . 347 D45
Pelletier, Rue SCW . . 611 A-B14
Pelletier, Rue SHE . . . 636 L17
Pelletier, Rue SJR. . . . 512 L7
Pelletier, Rue SVD . . 242 E5 E6
Pelletier, Rue VAR . . . 311 R78
Pelletier, Rue VTV. . . 605 G11
Pelletier, Rue (LNG) LNG 329 Z64
Pelletier, Rue (SHU) LNG 349 E61
Pelletier, Terr. SVD . . . 242 E6
Péloquin, Rue BRS . . . 348 C58
Péloquin, Rue SAM . . . 351 A83
Péloquin, Rue SRT . . . 530 A-B7
Peltrie, Rue la EAN. . . 645 B3
Pendale, Rue (GFP) LNG 348 B59
Penon, Rue SVD 242 C7
Pensées, Av. des PLS . 607 C-D3
Pensées, Rue des LNG 369 H62
Pensées, Rue des LPR . 368 H53
Pensées, Rue des PLS . 607 C-D3
Pensées, Rue des SHE . 637 K19
Pensées, Rue des SRT . 530 D-E3
Pente, Av. de la MAG . . . 630 A4 631 A5 E7
Pente-Douce, Rue de la MAG . . . 630 C2
Pente-Douce, Rue de la SJR. . . . 512 L1
Pente-Douce, Rue de la SRT. . . . 530 D2-3
Pépin, Rue des BRO . . 629 E6
Pépin, Rue COW 625 C-D4
Pépin, Rue DMV 613 H6-7
Pépin, Rue LNG 329 Z64
Pépin, Rue MAG 631 E6
Pépin, Rue SBM 370 F70
Pépin, Rue SJU 350 C76
Pépin, Rue VTV 604 F5-6
Pépinière, Rue de la SHE 638 Q9
Pépinière, Rue de la SJR . . . 511 H5-6
Percé, Rue BRS 348 C57
Percé, Rue de MER . . 325 Y31
Perce-Neige, Cr. des SJR 510 C4
Perce-Neige, Rue des OTT 391 O-P79
Perce-Neige, Rue des LNG . . . 369 G62
Perce-Neige, Rue des SHE . . . 636 K18
Perce-Neige, Rue des VDR . . . 224 Z22-23
Perche, Rue de la SHE . 633 F14
Perche, Rue du SLB . 348 B58-59
Perché, Rue du BCV . . 330 X69
Percheron, Cr. du SLZ. . 183 O19
Percy, Rue MAG 631 C5
Perdriole, Rue de la SLZ . . . 203 Q-R19
Perdrix, Rue des DMV . 613 K6-7
Perdrix, Rue des LNG 329 W-X65
Perdrix, Rue des MER . 325 W31
Perdrix, Rue des OTT. . . . 390 P76 391 P77
Perdrix, Rue des SBG . 390 M72
Perdrix, Rue des SHE . 634 M7
Père-Falvey, Rue de la SVD 263 H16
Père-Le-Jeune, Rue SRT . . . 530 D2-3
Père-Marquette, Rue BCV. . . . 330 V70
Père-Marquette, Rue du SJU . . . 350 D75
Père-Racine, Rue OTT. . 390 P76
Pères, Av. des DMV . . . 613 F8 614 F9
Pères, Ch. des MAG . . 630 B-D1
Perez, Pl. BRS 348 C55
Péridots, Rue des SHE . . . 637 L-M22
Périgny, Boul. de CHB . . . 389 P65 409 S66

Périgny, Rue LNG 329 Z63 349 A63-64
Périgord, Rue du LPR . 367 H50
Périgord, Rue du SBG . . . 370 K72-73
Perles, Rue des SHE . . 638 N7
Perles, Rue des LNG . . 348 D60
Pernet, Rue SHE 636 M18 637 M19
Pérodeau, Rue LNG . . 329 Z63
Pérodeau, Rue BRS . . 348 Q8
Pérodeau, Rue VDR . . 224 Y27
Pérou, Rue COW . . . 627 D11
Pérou, Rue BRS . . 348 C57-58
Perras, Pl. LNG 349 D63
Perras, Rue LPR 367 H52
Perras, Rue SCT . . . 347 D45
Perras, Rue SRE . . . 365 J-K32
Perras, Rue (GFP) LNG . 348 A59
Perras, Rue (SHU) LNG. . . . 349 D62-63
Perrault, Rue la LNG . 329 X61-62
Perrault, Rue VAR . . 311 R80
Perrault, Av. SHY. . . 522 G7-8
Perreault, Pl. CAR . . . 389 P62
Perreault, Pl. SJR. . . . 511 K1
Perreault, Rue BEL. . . 391 O78
Perreault, Rue BRS . . 348 B58
Perreault, Rue CON . . 550 C3
Perreault, Rue HUN . . 560 C-D2
Perreault, Rue SVD . . 242 B7
Perreault, Rue VTV. . . . 602 E8 604 F8 G8 605 G9
Perrette, Rue BRS . . 348 B57-58
Perrier, Rue BRS . . . 349 D63
Perrier, Rue LPR . . . 367 H50
Perrier, Rue NDP . . . 264 G27
Perrier, Rue SJR 512 N5-6
Perrier, Rue SPH . . . 367 K48
Perrière N. , Rue de la BCV . . . 310 T-U71
Perrière S. , Rue de la BCV. . . . 310 U72
Perron, Boul. LNG . . 329 Z62-63
Perron, Rue CTG . . . 305 S35-36
Perron, Rue LPR . . . 367 H52
Perron, Rue MER . . 325 Y30-31
Perron, Rue SBG . . . 390 L72
Perron, Rue SCT . . . 347 D45
Perron, Rue SJR 512 P4
Perron, Rue SMS . . . 390 P72
Perron, Rue SRT . . . 530 B-C5
Perron, Rue du DMV . . . 613 F5 F6
Perron, Rue (SNP) DMV . . . 619 M14 N14
Perrot, Boul. IPR . . . 244 D-E27
Perrot, Boul. NDP . . . 264 F-G23 H25 284 L27
Perrot N. , Boul. IPR . . 244 C26
Perry, Rue SHE. . . . 640 N-P16
Pervenche, Rue OTT. . . 391 O79
Pervenches, Rue des SJU. . . . 350 C-D76 351 D77
Pervenches, Rue des SLZ. . . . 203 R-S19
Pervenches, Rue des SVD. . . . 242 A-B6
Pervenches, Rue des (LNG) LNG 369 Y66
Pervenches, Rue des (SHU) LNG 369 G62
Peter, Rue MCM . . . 391 N77
Peter, Rue SJR 512 N5
Peter-McLellan, Rue SHE . . . 633 G13 635 H13
Petit, Av. SHY 522 F6
Petit, Rue BRS 348 C57
Petit, Rue LNG . . . 349 D62-63
Petit, Rue SJR 512 Q7
Petit, Rue VAR 311 R79
Petit-Bernier, Ch. du SJR . . . 512 M1 P-Q1
Petit-Bois, Ch. du VAR . . . 311 S78-79
Petit-Bois, Rue du LNG . 329 Y65
Petit-Bonheur, Rue MSH . . . 411 Q-R78
Petit-Prince, Rue du SJU . . . 510 E2
Petit-Saint-Régis N. , Ch. SCT . . 346 C44 347 C45
Petit-Saint-Régis S. , Ch. SCT . . 346 C-D44
Petit 6e Rang, Rue du ACV . . . 540 A1
Petit 7e Rang PLS . . . 607 A-B4
Petitclerc, Av. SHY . . 520 D7-8
Petite Allée VTV . . . 603 D10
Petite-Allée, Rue de la SJR . . . 512 N6-7
Petite-Côte, Ch. de la SCT . . . 366 G43-44
Petite-Côte, Ch. de la SMU . . . 366 J41

Petite-Côte, Mtée de la SMU. . .
. . . . 366 J-K41
Petite-Rivière, Ch. de la VDR. . .
. . . . 224 X21
Petite-Savane, Rang de la MAR. . .
. . . . 500 C1-2
Petrin, Rue DMV 618 M12
Pétunia, Rue du GRA. . 623 F-G8
Pétunias, Rue des CAR. 389 P68
Pétunias, Rue des LNG. 369 G62
Pétunias, Rue des VTV. . . . . . .
. . . . 601 E4 602 E5
Peupliers, Av. des DMV 613 G7-8
Peupliers, Pl. des FAR . . 624 D2
Peupliers, Rue des COA . 624 D2
Peupliers, Rue des GRA . 620 E1
Peupliers, Rue des IPR. . . . . . .
. . . . 244 E26-27 264 F26
Peupliers, Rue des SBG 390 L73
Peupliers, Rue SBM 370 H70
Peupliers, Rue des SCA . . . . . .
. . . . 347 C46-47
Peupliers, Rue des SHE 637 M21
Peupliers, Rue des SHY . 522 G5
Peupliers, Rue des SJR . 510 E5
Peupliers, Rue des SRE . . . . . .
. . . . 365 J32-33
Peupliers, Rue des SRT . 530 D4
Peupliers, Rue des VSL . . . . . .
. . . . 224 W25-26
Peupliers, Rue des VTV 601 E-F4
Phaneuf, Rue SJR 512 Q7
Phaneuf, Rue VDR. . 244 B22-23
Pharand, Rue CDL . . . 222 W8
Pharand, Rue SCL 202 B9
Phare, Rue du SCA . . . 347 C47
Phare, Rue du VTV . 640 Q16-17
Phare, Rue du SVD. . . 242 B10
Phénix, Rue du SHE . . . 638 N7
Philharmonique, Av. de la SHY. .
. . . . 522 F7-8
Philibert-Contant, Rue SJR . . . .
. . . . 511 K7
Philibert-Gibault, Rue SJR. . . . .
. . . . 511 G2
Philie, Av. SHY 522 G7
Philie, Pl. CTG. 325 V35
Philie, Av. LNG . . 349 D-E64
Philippe, Carré COW . . 626 D5-6
Philippe, Rue CTG . . . 305 T34
Philippe, Rue FAR 624 K1
Philippe, Rue SJR 511 G4
Philippe-Fortin, Pl. COW. 626 D8
Philippe-Gaumond, Rue SHE. . . .
. . . . 637 K20
Philippe-Kennes, Rue GRA . . . . .
. . . . 623 G8
Philippe-Musseaux, Rue BCV . . .
. . . . 330 V-W70
Philippe-Pariseault, Rue GRA . . .
. . . . 623 H8
Philippe-Parizeau, Rue LNG . . . .
. . . . 349 D63
Philippines, Rue BRS . . 348 D58
Phillippe, Rue CED. . . 203 S15
Philippe-Beaulieu, Rue SHE . . . .
. . . . 643 T8
Phillips St KAH 306 U42
Philomène-Desharnais, Rue VTV
. . . . 603 C9-10
Philomène-Ulrich, Rue CHB . . . .
. . . . 409 R62
Philp, Rue LNG 349 D61
Phipps, Rue SRT. . . . 530 A-B5
Phoenix, Rue GRA 622 F4 623 F5
Phyllis, Rue SJR 511 F4
Pic-Bois, Pl. du SLZ . . 183 P18
Picanoc, Rue de la DMV . 609 E8
Picard, Rlle SVD 242 B6
Picard, Rue BEL. 391 N80
Picard, Rue BRS . . 348 B57-58
Picard, Rue CTG. . . . 305 S-T34
Picard, Rue GRA . . 620 E3 622 F3
Picard, Rue HUN 560 C2
Picard, Rue NDP 264 G28
Picard, Rue SHE 640 P16
Picard, Rue SHY . . 520 D2-3 E1-2
Picard, Rue SJR. 512 L8
Picard, Rue SMS 390 P72
Picard, Rue SRT 530 A7
Picard, Rue VTV 601 F3-4
Picardie, Av. de CAN . . 367 F50
Picardie, Av. de SLB . . 348 A58
Picardie, Rue VAR 311 Q-T80
Picardie, Pl. de VDR. 224 Y26-27
Picardie, Rang de VAR . . . .
. . . . 311 S81-82
Picardie, Rue de BCV. 330 X72
Picardie, Rue de LNG . 329 W63
Picardie, Rue de SBG. 390 J-K73
Picardie, Rue de SJU. 350 D75
Picardy, Rue VTV . . 224 Y26-27
Picasso, Rue BEL 391 M82
Picasso, Rue BRS . . . 348 C57
Picasso, Rue LPR . . . 367 H50-51
Picasso, Rue NDP . . 264 G27-28
Piccolo, Pl. du SLZ . . 203 Q19
Piche, Rue TVD 244 C26
Piché, Pl. BRS 348 C58

Piché, Rue CON 550 C2
Piché, Rue SCL 202 Q10
Piché, Rue VTV 605 F9
Pichette, Rue MAR. . . . 500 B4
Picotin, Rue DMV. 609 C-D7 D8
Pie-IX, Rue SJS 512 K8
Pie-X, Av. SCH. 605 H9-10 H-J10
Pie-X, Rue DMV . . . 619 N13-14
Pie-X, Rue SJS 530 A3-4
Pie-XI, Rue LMG 648 A3
Pie-XI, Rue MAG 645 B3
Pie-XII, Boul. MAG . . . 631 C5-6
Pie-XII, Rue OMV . . . 631 A8 B7
Pie-XII, Rue VDR 244 A22 B21-22
Pie-XII, Rue (SCD) DMV . . . . . .
. . . . 610 E10 614 F10 F9
Pie-XII, Rue (SNP) DMV . . . . . .
. . . . 619 N13-14
Pie-XII N. Rue MAG . . 631 A8
Pie-XII S. , Rue MAG . . 631 B7
Pie-XII, Boul. SVD
. . . . 263 F14 G-H13
Pie IX, Boul, Rue GRA. 620 E4 622 F4
Piedmont, Pl. BRS . . . 348 C58
Piedmont, Rue MSH . 391 N-082
Piémont, Rue de MER. 325 Y31
Piémont, Rue du SJU 370 F74-75
Pierce, Rue SHE 640 R-S18
Pierce, Rue SJR. 511 J4
Pierre, Rue ASB. 647 E5
Pierre, Rue BHN 304 Q22
Pierre, Rue SJU 351 A80
Pierre-Avon, Rue VRC 292 O90
Pierre-Bellefleur, Rue BRO . . . .
. . . . 629 C5
Pierre-Biard, Rue BCV . 330 V72
Pierre-Boisseau, Rue VRC . . . . .
. . . . 292 P91
Pierre-Boissier, Rue BCV . . . . .
. . . . 330 V70-71
Pierre-Boucher, Rue BCV . . . . .
. . . . 310 U71
Pierre-Boucher, Rue VAR311 Q79
Pierre-Bourdeau, Rue BCV. . . . .
. . . . 367 H52
Pierre-Bourgery, Rue BCV. . . . .
. . . . 310 U72
Pierre-Boursier, Boul. CTG . . . .
. . . . 325 X35-36
Pierre-Brosseau, Rue BRS . . . . .
. . . . 348 E56
Pierre-Brosseau, Rue SJR. . . . .
. . . . 511 G1-2
Pierre-Brunet, Pl. PIN . . 244 D23
Pierre-C.-Le Sueur, Rue BCV . . .
. . . . 330 V72
Pierre-Caisse, Rue SJR 511 H2-4
Pierre-Chaperon, Rue BCV . . . .
. . . . 310 S-T74
Pierre-Cognac, Rue CHB 409 R65
Pierre-Conefroy, Rue BCV . . . . .
. . . . 330 W69
Pierre-Curie, Rue CTG . . . .
. . . . 325 W36 326 W37
Pierre-Curie, Rue EAN . . 645 A2
Pierre-Cusson, Rue SJR . 511 G2
Pierre-D'Avignon, Rue BCV. . . . .
. . . . 310 T73
Pierre-D'Iberville, Rue SJU . . . .
. . . . 370 F74
Pierre-de-Lune, Rue de la DMV. .
. . . . 613 K6
Pierre-de-Saurel, Rue CAR . . . .
. . . . 635 K14 636 K15
Pierre-De Caumont, Rue BCV . . .
. . . . 310 T-U72
Pierre-De Coubertin, Rue SJU. . .
. . . . 350 C-D75
Pierre-Desranleau, Rue SJR . . . .
. . . . 512 P5-6
Pierre-Dionne, Rue SJR . . . . . .
. . . . 511 K8 512 L8
Pierre-Dupont, Rue SHY. 520 D8
Pierre-Dupuis, Rue SJR 346 K42
Pierre-Dupuy, Rue LNG. 329 V61
Pierre-Falcon, Rue LPR . . . . . .
. . . . 367 H51-52
Pierre-Floquet, Rue SHE 520 D3
Pierre-Gasnier, Rue LPR 368 G54
Pierre-Germain, Rue MSH. . . . . .
. . . . 391 O82
Pierre-H.-Lambert, Rue BEL . . . .
. . . . 391 M81
Pierre-Hammel, Rue MAG630 D2
Pierre-Hétu, Rue BCV. . 330 X72
Pierre-Hudon, Rue CAR 389 N62
Pierre-Jean-Perrin, Pl. BHN . . . .
. . . . 304 O26
Pierre-Joffrion, Rue BCV310 T73
Pierre-Joffrion, Rue VRC 292 P91
Pierre-Laniel, Rue BHN. 304 Q23
Pierre-Laporte, Boul. BRO. . . . .
. . . . 628 C-D1
Pierre-Laporte, Boul. COW . . . .
. . . . 627 B10-11
Pierre-Laporte, Boul. GRA. . . . .
. . . . 623 G-K7

Pierre-Laporte, Rue ASB. . . . . .
. . . . 646 D4 647 D5
Pierre-Laporte, Rue BHN. . . . . .
. . . . 304 P25
Pierre-Laporte, Rue SBM370 F69
Pierre-Larocque, Rue SLZ . . . . .
. . . . 203 U19
Pierre-Larrivé, Rue BCV . . . . . .
. . . . 330 W-X70
Pierre-Lebeau, Rue FAR . 624 D1
Pierre-Leclerc, Av. SHY. 521 B10
Pierre-Lefebvre, Rue LPR . . . . .
. . . . 367 H52
Pierre-Martin, Rue BCV. 330 X70
Pierre-Mercan, Rue CAR . . . . . .
. . . . 388 M-N60
Pierre-Montpetit, Rue NDP. . . . .
. . . . 264 G27
Pierre-Nolin, Rue SJR. . . 511 G2
Pierre-Olivier, Rue DMV 610 E10
Pierre-Paul-Demaray, Rue SJR . .
. . . . 511 G2
Pierre-Piché, Rue BCV . 310 U72
Pierre-Radisson, Rue SJR 510 D1
Pierre-Radisson, Rue SJR 511 F2
Pierre-Ricard, Rue NDP . . . . . .
. . . . 264 F26-27
Pierre-Richard, Rue BAG 330 B1
Pierre-Robert, Rue FAR . 624 D1
Pierre-Roy, Rue SMU . 366 K42
Pierre-Sauchet, Rue BCV310 T74
Pierre-Thomas-Hurteau, Rue
LNG 369 G62-63
Pierre-Thuot, Rue SJR . 511 J-K7
Pierre-Tremblay, Boul. SJR . . . .
. . . . 512 L8
Pierre-Vézina, Rue SJR 510 D1-2
Pierre-Viger, Rue BCV. . 310 T73
Pierre De Rigaud, Cr. NDP . . . . .
. . . . 264 F27
Pierre Letendre, Rue SRT 530 A5
Piette, Rue SBM. 370 F70
Piette, Rue SMM 522 J1
Pigalle, Rue de SJR . . . 511 K2
Pigeon, Pl. BRS 348 C58
Pigeon, Rue BEL . . . 391 M-N80
Pigeon, Rue HUN . . . 560 B-C3
Pigeon, Rue VRC . . . 292 O-P90
Pigeons, Rue des LNG . 329 W65
Pigeons, Rue des LPR . . . .
. . . . 368 G53-54
Pignons, Rue des SBG . 390 M71
Pignons, Rue des SAM . 351 B83
Piionniers, Rue des SVD. . . . . . .
. . . . 242 A8 A-B7
Pilets, Rue des COW. 224 Y25-26
Pilette, Rue SHE 637 L-M21
Pilon, Av. SVD 263 J18
Pilon, Mtée CED. 223 Z17
Pilon, Rue SVD. 263 J17
Pilon, Rue BRS 348 C57
Pilon, Rue CTG. . . . 325 W-X36
Pilon, Rue HUN 560 C-D2
Pilon, Rue LNG 349 E63-64
Pilon, Rue SJR. 512 L2
Pilon, Rue SLZ. 203 R19
Pilon, Rue VDR 224 Y25
Pimlhlösek, Rue SHE . . 633 C12
Pimlico, Pl. de SLZ. . . 183 P20
Pin-Rouge, Ch. du MAR . 500 A5
Pin-Solitaire, Rue du SHE . . . . .
. . . . 636 L16
Pinacle, Rue du SLZ. 203 R17-18
Pinard, Av. SHY . . 520 E1 522 F1
Pinard, Rue BRS 348 C57
Pinard, Rue GRA 622 F2
Pinard, Rue LNG . . . 369 H64-65
Pinard, Rue SHY . 520 C-D2 D-E1
Pinard, Rue VTV 620 E9 605 F9
Pinard, Rue (Danville) ASB . . . .
. . . . 647 A8
Pinard, Rue (DMV) DMV 613 H6-7
Pinard, Rue (SNP) DMV 617 P6-7
Pinard, Rue (Trois-Lacs) ASB. . .
. . . . 647 A8
Pinault, Rue VDR . . . 224 X23
Pincourt, Boul. PIN . . 244 D26
Pincourt, Rue de MER. 325 Y31
Pine, Av. SLB 328 Y59
Pine, Cr. CTG . . 305 T36 306 T37
Pine, Rue COW . . . 627 C-D9
Pine, Rue CTG 306 T37
Pine, Rue HUD 184 N23
Pine, Rue HUN 560 C5
Pine, Rue LNG 348 B60
Pine, Rue OTT 391 P79
Pine, Rue SLB 328 Y58
Pine Ridge, Rue SLZ 183 P15-16
Pine Run, Rue SLZ . . 183 P20
Pine Tree, Rue SLZ. . . 183 N19
Pineault, Rue MSH . 391 O-P80
Pinède, Rue de la SJR . 510 D5
Pineraie, Rue de la SLZ . . . . . .
. . . . 203 U19-20
Pins, Av. des LNG . 328 Y-Z60
Pins, Av. des MAG . . . 630 C2
Pins, Av. des RIG 580 C6
Pins, Av. des SHY. . . . 521 D10
Pins, Av. des SVD. . . . 242 E6
Pins, Av. des EAN . . 645 B2-3

Pins, Boul. des DMV . 613 F6-7
Pins, Cr. des SCA . . . 347 C46
Pins, Îlot des DMV . . . 613 F7
Pins, Rue des BEL. . . . 391 M78
Pins, Rue des BHN . . . 284 P25
Pins, Rue des BRO . . 628 C2-D3
Pins, Rue des CAR . . . 389 P67
Pins, Rue des CHB. . . 409 S66
Pins, Rue des FAR . . . 624 D2
Pins, Rue des GRA . . . .
. . . . 621 E5 623 F5
Pins, Rue des IPR . . 264 F26-27
Pins, Rue des LMG. . 648 C-D4
Pins, Rue des LNG . . 329 X64
Pins, Rue des LPR . . . 368 H53
Pins, Rue des MAR . . . 500 A1
Pins, Rue des OMV . . . 631 B7
Pins, Rue des PLS . . . 607 C3
Pins, Rue des SAM. . . 351 B82
Pins, Rue des SBG . . . 390 L72
Pins, Rue des SBM. . . 370 J70
Pins, Rue des SCT . . 346 D-E43
Pins, Rue des SHE . . . 633 D12
Pins, Rue des SLZ . . 223 W20
Pins, Rue des SMS . 390 P71-72
Pins, Rue des SRE . . . 365 J33
Pins, Rue des WIN . . 632 B2-3
Pins-Blancs, Rue des SHE . . . . .
. . . . 637 M21
Pinsonnault, Rue COW . 627 C11
Pinsonnault, Rue SJR . 512 L-M5
Pinsonnault, Rue LPR . 367 H52
Pinsonneault, Rue SCT. . . . . . .
. . . . 347 D46 E45
Pinsons, Av. des SBG. . 390 M71
Pinsons, Pl. des SBM . 370 J72
Pinsons, Rue des BCV . 330 X70
Pinsons, Rue des BEL 391 L-M79
Pinsons, Rue des GRA . 621 D6
Pinsons, Rue des LNG . 329 W66
Pinsons, Rue des MER. 325 W30
Pinsons, Rue des SGG 616 N2-3
Pinsons, Rue des SHE 638 N7-8
Pinsons, Rue des SJU. 350 D75
Pinsons, Rue des SRT . 530 D3
Pinsons, Rue des VDR. 183 L20
Pinsons, Rue des VTV. . 602 B8
Pion, Av. SHY 520 C-D3
Pion, Rue ACV. 540 C2
Pionis, Rue des DMV . . 613 K6
Pionniers, Allée des BCV310 U71
Pionniers, Av. des SHY . 520 C7
Pionniers, Cr. des IPR . . 244 D27
Pionniers, Rue des SJR . . 511 F4
Pionniers, Rue des DMV. . . . . . .
. . . . 614 K10 618 L10
Pionniers, Rue des SRE. 365 J33
Pionniers, Rue des VSL. . . . . . .
. . . . 224 W-X25
Pise, Rue BRS. . . 348 C57-58
Pitre, Rue CTG 325 W34
Pitre, Terr. SVD 242 E6
Piverts, Rue des GRA. . 621 C6
Pivoines, Rue des CDL. . 222 X7
Pivoines, Rue des DMV. 614 K12
Pivoines, Rue des LNG . 369 G62
Pivoines, Rue des LPR . 368 H53
Pivoines, Rue des SHE637 K-L19
Pivoines, Rue des VDR . 224 Z23
Place, Rue de la SJU. . . 370 F74
Plage, Av. de la MAG. . 630 C-D2
Plage, Ch.de la COW . 627 D9-10
Plage, Rue de la SRT . . 530 D3
Plage-Beauchesne, Rue de la
SCH. 605 J9
Plage-des-Cantons, Ch. de la
MAG. 304 Q26-27
Plaine, Rue de la PIN . 244 D-E25
Plaines, Av. des SHY. . . 522 F7
Plaines, Rue des COW . 627 C9
Plaines, Rue des DMV . 613 F7
Plaines, Rue des GRA. . 620 E1
Plaines, Rue des MAG . 325 Y30
Plaines, Rue des MSH . 391 P82
Plaines, Rue des SJR . . 511 F2
Plaines, Rue des SJU. . 350 B76
Plaines, Rue des SLZ . 223 W20
Plaines, Rue des SRT . . 530 D4
Plaines, Rue des SVD 263 F-G15
Plaines, Rue des VTV . 602 E5
Plaisance, Av. BRS. . . . .
. . . . 348 C57 D57-58
Plaisance, Rue VTV . 603 E9-10
Plaisance, Rue de LNG. . . . .
. . . . 329 Z63 349 A63
Plaisance, Rue de SHE. 638 Q8
Plamondon, Av. DMV . 613 G7-8
Plamondon, Av. EAN . . 645 D1
Plamondon, Boul. BRS . 348 B58
Plamondon, Rue ASB . 647 A7
Plamondon, Rue LNG. . . . .
. . . . 329 Z63 349 A63
Plamondon, Rue SHE. 638 Q8
Plamondon, Rue VTV. . . . .
. . . . 603 E10 605 F10
Planches, Ch. de HUN . 560 B1

Planètes, Rue des CTG. . . . . . .
. . . . 325 W35-36
Plantation, Rue de la SLZ . . . . .
. . . . 203 R-S18
Plante, Ch. SHE. . . . .
. . . . 637 M20 641 N20
Plante, Rue BRS 348 D57
Plante, Rue LNG 349 D63
Plante, Rue MSH 391 N82
Plante, Rue OMV 631 A7-8
Plante, Rue SHY. 522 F7
Plante, Rue SJR. 511 H4
Plante, Rue SRT. 530 B6
Plante, Rue VTV 604 F6
Plante, Terr. de LNG . 348 C59
Platanes, Pl. des SHE. 641 N21
Platanes, Rue des SHE. . . . .
. . . . 641 N20-21
Plateau, Rue des MSH . 391 P81
Plateau, Rue du MAG . 631 E8
Plateau, Rue du PIN . . 244 D25
Plateau, Rue des SBM . 635 M12
Plateau, Rue du SJU. . 370 F74
Plateau, Rue du VDR . . . .
. . . . 223 X20 224 X21
Plateau-Saint-Joseph, Boul. du
SHE. 634 K10 635 K11
Platon, Av. BRS 348 C58
Platon, Rue LNG 349 D63
Platon, Rue du SHE . . 633 G14
Plaza, Av. de la SRT . . . 530 D2
Plaza, Boul. de la SRT . 530 D2
Plaza, Rue SJR . . 511 K2 512 L2
Plaza, Rue la SMS . . 390 P71-72
Pléiade, Rue de la SJR . 511 F3
Plessis, Rue DMV . . 618 L10-11
Plessis, Rue LNG. . . . .
. . . . 329 263 349 A63
Plessis, Rue SHE. 640 N17
Plessis, Rue SJR 510 E2
Plessis, Rue SRT. 530 C3
Plouffe, Ch. COW. . . . 625 E4
Plourde, Rue BRS. . . . 348 C58
Plourde, Rue VTV . . . 605 F9
Pluie, Rue MER. 325 W33
Pluviers, Av. des CED . 263 F19
Pluviers, Pl. de GRA. . 621 C6
Pluviers, Rue des CON. . 550 A4
Pluviers, Rue des LNG . 329 W65
Pluviers, Rue des SJU. 350 D75
Pluviers, Rue des VTV. . 602 B8
PME, Rue des SHE. . . 633 E12
Pocquette, Rue de SVD 242 A8
Poètes, Rue des VTV. . 602 E5
Poincaré, Rue LNG. . . 329 Z63
Pointe, Rue de la SHE . . . .
. . . . 639 N13-14
Pointe-Arthur-Laberge, Ch. de la
BHN. 304 Q27
Pointe-aux-Pruches, Ch. de la
VAR. 311 T83-84
Pointe-aux-Renards, Ch. de la
PIN. . . . 244 E23 264 F23
Pointe-Beaudet, Rang de la VTV
. . . . 522 G4-5
Pointe-Bourdon, Ch. de la BHN . .
. . . . 602 A3 B7-8 C6-7
Pointe-Bourdon, Ch. de la BHN . .
. . . . 304 Q-R27
Pointe-Brodeur, Av. de la VDR . .
. . . . 244 A24
Pointe-Burgoyne, Ch. de la BHN
. . . . 304 Q27
Pointe-Cervais, Rue de la SHE. . .
. . . . 642 W6
Pointe-Charlebois, Ch. de la BHN
. . . . 284 P25
Pointe-de-Chemise, Ch. de la
SMS. . . . 409 S68 410 S69
Pointe-Dickner, Rue de la BHN . .
. . . . 304 Q26-27
Pointe-du-Jour, Rang de la SHY.
. . . . 520 A1 B-C1
Pointe-du-Sable, Ch. de la RIG .
. . . . 580 A4-5
Pointe-Hector-Goyette, Ch. de la
BHN 304 Q27-28
Pointe-Matty, Ch. de la BHN . . .
. . . . 304 Q27
Pointe-Olivier, Rue de SMS . . . .
. . . . 410 O69
Pointe-Percival-Hébert, Ch. de la
BHN. 284 P26
Pointe-Raoul-Hébert, Ch. de la
BHN. 304 Q26
Pointe-Séguin, Rue de la RIG . . .
. . . . 580 A2
Pointe Hillcrest, Rue de la COW
. . . . 627 D10-11
Poirier, Boul. MAG . . . 631 C8
Poirier, Boul. MAG . . 631 A-B8
Poirier, Ch. RIG 580 A5
Poirier, Mtée CDL . . 222 X6
Poirier, Rue BRS . . 348 C57-58
Poirier, Rue CDL 222 X6
Poirier, Rue CHB. . . 409 Q64-65
Poirier, Rue CTG. . . 325 W36
Poirier, Rue DMV . . . 614 H9-10
Poirier, Rue GRA 623 G7

Poirier, Rue HUN 560 D2
Poirier, Rue MAG . . . 631 E5-6
Poirier, Rue MCM. . 391 M77-78
Poirier, Rue MER 325 Y31
Poirier, Rue SCT 347 C-D45
Poirier, Rue SJR 512 Q6
Poirier, Rue SLZ. . . 203 S18-19
Poirier, Rue SRT. 530 E4
Poirier, Rue SVD. 242 E11
Poirier, Rue VDR 244 A23
Poissant, Boul. NAP . . 570 B-C3
Poissant, Ch. SMU. . . 366 K43
Poissant, Rue DEL . . . 367 G46
Poissant, Rue SJR. . . 510 C5-6
Poissant, Rue SMS. . . 390 P70
Poissant, Rue SVD.
. . . . 241 C4 242 C5 D5
Poisson, Rue ASB. . . . 647 C6-7
Poisson, Rue PRN . . . 606 C2
Poisson, Rue SHE . . . 638 Q8
Poisson, Rue VTV . . . 605 H11
Poitiers, Pl. de SJR. . . 510 E2
Poitiers, Rue MSH . . . 411 R78
Poitiers, Rue de CAN . 367 F50
Poitiers, Rue de SJU. . 370 F75
Poitou, Rue BRS. . . . 348 C57
Poitou, Rue de SLB . . 348 A58
Poitou, Rue du BCV. . 310 T-U74
Poitou, Rue du SBG. 370 K72-73
Poitou, Rue du SHE . . 633 G14
Poitou, Rue du SHY. . . 520 D7
Poitou, Rue du SJU . . 350 D75
Poitras, Rue ASB. . . . 647 C6
Poitras, Rue BRS . . . 348 C58
Poitras, Rue GRA. . . . 621 B5
Poitras, Rue MAG . . . 630 C4
Poitras, Rue VAR. . . 311 R-S79
Poitras, Rue VTV. . . . 604 F7
Poliquin, Boul. SRT . . . .
. . . . . . 530 A-B7 C6-7 D6 D-E5
Poliquin, Rue VTV 601 F4 604 F5
Polo Drive, Rue du SLZ. 183 O20
Polyvalente, Rue ASB. . . . .
. . . . 646 D4 647 D5
Pomerleau, Rue EAN . . 645 A3
Pomerleau, Rue MAG. . 631 C7
Pommard, Pl. du SLZ . 203 Q18
Pomme d'Or, Mtée de la CON. .
. . . . 550 D2 E3-4
Pommeraie, Rue de la MSH . . . .
. . . . 411 R78
Pommeraie, Rue de la SRE . . . . .
. . . . 365 H32
Pommetiers, Pl. des LNG . . . . . .
. . . . 369 G61
Pommetiers, Rue des DEL . . . . . .
. . . . 367 F45
Pommetiers, Rue des GRA . . . . .
. . . . 622 J4
Pommetiers, Rue des LNG . . . . .
. . . . 369 G61
Pommetiers, Rue des PIN. . . . . .
. . . . 244 E24
Pommetiers, Rue des SHY . . . . .
. . . . 522 G4-5
Pommettes, Cr. des OTT 391 P79
Pommiers, Rue LMG . 648 B2
Pommiers, Rue des MSH391 P80
Pommiers, Rue des OTT 391 P79
Pommiers, Rue des SBM370 J69
Pommiers, Rue des SLZ 203 Q17
Pommiers, Rue du VDR 204 Q22
Pommiers, Rue des VTV 601 E-F4
Pompidou, Boul. LPR . 367 H50
Pompons, Rue des SHE . . . .
. . . . 330 W71
Ponce-De Léon, Rue BCV. . . . . .
. . . . 330 W71
Ponceau, Rue du SJU. . 350 E75
Ponceau, Rue du SVD . . . .
. . . . 242 E10-11
Poncelet, Rue NDP . . . 264 G27
Ponsard, Rue SHE . . . 638 Q8
Ponsard, Rue BRS. . 348 B57-58
Ponsard, Rue NDP . . . 264 G28
Pont, Rue des SHE . . . 642 S-T4
Pont, Rue du DMV. . . . .
. . . . 613 G8 614 G9
Pont, Rue du MAR . . . 500 B4-5
Pont-Château, Rue CDL 202 S-T9
Pontbriand, Rue SCT . . . .
. . . . 346 D44 347 D45
Pontbriand, Rue SHE . 638 Q9
Pontbriand, Rue de SBM . . . . . .
. . . . 370 F69-70
Pontédérie, Rue de la GRA . . . . .
. . . . 623 G7
Pontgravé, Rue SBM . 370 H70
Pontiac, Pl. BRS. 348 C58
Pontiac, Rue de BRO . . 629 C6
Ponton, Rue SHE. . . 633 D11-12
Populage, Rue du GRA . 623 G7
Port-Joli, Rue IPR . . . 264 F27
Port-Royal, Pl. BRS . . 348 C58
Port-Royal, Rue LNG 349 D62-63
Port-Royal, Rue de CHB . . . . . .
. . . . 389 P64-65
Port-Royal, Terr. de LNG 349 D63
Portage, Av. du SCA. . 347 C47
Portage, Ch. du CAR . 409 T-U66
Portage, Pl. du PDC. . 263 H20

Portage, Rue *LNG* . . . 349 D61-62
Portage, Rue du *SCT* . . . 347 C46
Portage, Terr. du *SVD* . . . 222 Z7
Portail, Rue du *DMV.* . . .
. . . . 613 K7 617 L7
Portland, Boul. de *SHE* . . .
. . . . 635 M13-14 636 M15
Portneuf, Rue *LNG.* . 329 Z63-64
Post, Rue *SLZ* 183 O20
Postillon, Rue du *SJR* . . . 510 E4
Potentille, Rue de la *GRA* 623 G7
Pothier, Rue *BRS* . . 348 C57-58
Pothier, Rue *NDP* . . . 264 G27
Pothier, Rue *SHY* 520 E3
Pothier, Rue *VTV* 604 F7
Potvin, Rue *BEL* . . 391 L-M81
Potvin, Rue *CEL* 347 E46
Potvin, Rue *FAR.* 624 B2
Potvin, Rue *SVD.* . . . 263 G14
Potvin, Rue *VTV.* 604 F8
Potvin-Lazure, Rue *SRE.* 365 J32
Poudrette, Rue *MSH.* . . 391 O81
Poudrier, Rue *PLS* . . . 607 C1
Poudrier, Rue *VTV* . . . 604 F5
Poudrier, Rue de la *DMV.* . . .
. . . 614 K10 618 L10
Poudrière, Rue de la *WIN* 632 B3
Poulin, Pl. *SHE* . . 636 K17-18
Poulin, Rue *BRS* 348 C57
Poulin, Rue *DMV* . . . 609 D-E5
Poulin, Rue *GRA* . 622 J4 623 J5
Poulin, Rue *LNG* . . . 349 D61
Poulin, Rue *SHE* . . . 636 K-L18
Poulin, Rue *SHY.* . . 520 C-D1
Poulin, Rue *VTV.* 605 F9
Pouliot, Av. *SHY.* 520 E7
Pouliot, Rue *MAG* . . . 630 E1
Pouliot, Rte *SCH* . . 605 J-K10
Poupart, Rue *CTG* . . . 325 W35
Poupart, Rue *LPR* . . 367 F-G52
Poupart, Rue *NAP.* . . . 570 B3-4
Poupart, Rue *SRE.* . . . 365 J32
Pourpiers, Rue des *SJU* . . . . .
. . . . 350 C-D76
Poutré, Rue *SJR* . . 512 P-Q5
Power, Rue *CAR.* . . . 409 T66
Power, Rue *DMV* 613 H6
Pradier, Rue *BRS* . . . 348 C58
Prague, Rue de *DMV.* . . 613 F-G5
Praires, Rue des *SJU* 350 B75-76
Prairie, Rue de la *DMV.* 613 J6-7
Prairie, Rue de la *GRA* 621 C-D5
Prairies, Av. des *SHY* . . 520 D2
Prairies, Ch. des *BRS.* . . . . .
. . . 348 E54-55 368 F55 G56 J57
Prairies, Rue des *BEL* 391 M-N81
Prat, Rue du *SJR* 512 P7
Pratt, Rue *LNG.* . . . 329 V-W63
Pratte, Av. *SHY* . 520 D4 D5 E5-6
Pratte, Rue *PRN* 606 C2
Pratte, Rue *VTV* 602 E6-7
Pré-vert, Rue du *SJU* . . 370 F74
Précourt, Rue *DMV* . . . . . .
. . . . . 613 K8 614 K9
Précourt, Rue *SHE.* . . . 635 M13
Préfontaine, Rue *LNG.* . . . . .
. . 329 W-X61 X61 Y61 349 A61
Préfontaine, Rue *SBG* . . 390 L72
Préfontaine, Rue *SVD.* . . 242 D7
Prémontrés, Rue des *SCT.* . . . .
. . . . 346 D43-44
Prés, Rue des *BHN.* . 304 Q-R26
Prés, Rue des *BRO* . . . 629 D8
Prés, Rue des *CDL* . . 222 X5-6
Prés, Rue des *COA* . . . 644 A-B2
Prés, Rue des *DMV* . . . . . .
. . . . . 608 E4 609 E5
Prés, Rue des *MAG* . . 631 E7
Prés, Rue des *MCM* . . 391 M77
Prés, Rue des *SBG* . . 370 K73
Prés, Rue des *SJU* . 350 B75-76
Prés, Rue des *VSL* . . 224 W-X25
Prés, Rue des *WIN* . . 632 A-B2
Prés-Verts, Boul. des *LPR* . . . .
. . . . 368 G-H53
Prés-Verts, Rue des *COW* 626 B5
Prés-Verts, Rue des *SRT* . 530 E3
Presbytère, Rue du *VTV.* 602 E7
Prescott, Rue *SJR* . . . 511 G3
Présentation, Rue de la *ACV* . .
. . . . 540 C2-3
Président-Kennedy, Rue *LMG* . .
. . . . 648 C-D4
Président-Kennedy, Rue du *SHE*
. . . . 638 R-S8
Presqu'île, Rue de la *VAR* . . . .
. . . . 291 P79
Prévert, Mtée du *BEL.* . 391 L84
Prévert, Rue *BRS* . . 348 C57-58
Prévert, Rue *DMV.* . . 619 M14
Prévert, Rue *LNG.* . . . 329 Z63
Prévert, Rue *SBG.* . . . 370 K72
Prévert, Rue *SHY.* . . . 520 C1
Prévost, Rue *HUN* . . . 560 D3
Prévost, Rue *LNG.* . . . 329 X63
Prévost, Rue *SBM* . . . .
. . . . . 350 E69 370 F69
Prévost, Rue *VDR* . . . 224 W24
Prévost, Rue de *MER* . . 325 Y31
Prieur, Rue *LNG* . . 329 X63-64
Prieur, Rue *SVD.* . . . 242 E10
Primard, Rue *DMV.* . . 610 E9-10

Primeau, Boul. *CTG* . . . 305 T34
Primevères, Rue des *LNG.* . . . .
. . . . 329 Y66-67
Primot, Av. *LNG* . . . 349 D-E63
Prince, Rue *CTG* . . . .
. . . . . . 305 U35 325 V35
Prince, Rue *DMV.* . . . 614 H9-10
Prince, Rue *HUN* . . . 560 C-D2
Prince, Rue *LNG* . . . 348 A60
Prince, Rue *PRN* 606 B3
Prince, Rue *SCT* 347 D45
Prince, Rue *SHE.* . . . 640 P16
Prince, Rue *SHY* 520 D4
Prince, Rue *VTV.* . . . 604 F7
Prince, Rue du *SRT.* . 530 A-B5
Prince-Albert, Rue *OTT.* . . . . .
. . . . 391 O-P77
Prince-Arthur, Rue *OTT.* . . . . .
. . . . 391 O-P77
Prince-Arthur, Rue *SLB.* . . . . .
. . . . . . 328 Y59 Z58-59
Prince-Charles, Rue *LNG* . . . .
. . . . 349 E62-63
Prince-Claude, Rue *DMV.* 617 N7
Prince-De-Galles, Boul. du *SHE.*
. . . . 633 G12-13
Prince-Edward, Rue *OTT* . . . . .
. . . . 391 O-P78
Prince-George, Rue *OTT.* . . . . .
. . . . 391 O-P77
Prince-Philip, Rue *BRS* . 348 C58
Prince-Rupert, Rue du *SHE.* . . .
. . . . 640 N18
Princess, Rue *LNG* . . 348 A59
Princess, Rue du *SCA.* 347 E47
Princesse, Rue de la *SHE.* . . . .
. . . . 640 N-P16
Princeton, Rue *OTT* . . 391 P79
Principale, Boul. *COW* . 627 D11
Principale, Ch. *MAG* . . 630 C3-4
Principale, Rue *BHN* . . . . . .
. . 264 K21 284 L21 L-M22
Principale, Rue *CDL.* . . 222 X7
Principale, Rue *COW* . . . . . .
. . 626 C-D8 F7 627 C9
Principale, Rue *CTG.* 305 T33-34
Principale, Rue *GRA* . . . . . .
. . . . . 620 E3 622 F4
Principale, Rue *SAM* . . . . . .
. . . 351 A80-81 A84
Principale, Rue *SAM.* . . 351 D81
Principale, Rue *SBG* . . . . . .
370 K70 K75-76 390 L70 L72-73
Principale, Rue *SCW.* 611 A-B13
Principale, Rue *SJU* . . . . . .
350 C73-76 351 C77-78 D79-80
Principale, Rue *SMU.* . 366 K43
Principale, Rue *WIN* . . 632 B1-2
Principale E. , Ch. *MAG* . . . . .
. . . . . 631 D7-8 D-E6
Principale E. , Rue *FAR.* . . . . .
. . . . . 624 C2 D3-4
Principale N. , Rue *DEL* . . . . .
. . . . 370 D-E48
Principale O. , Ch. *MAG* . 631 D5
Principale O. , Rue *FAR* 624 C1-2
Principale S. , Rue *DEL.* . . . . .
. . . . 367 F46-47
Principale S. , Rue *WIN.* . . . . .
. . . . 632 D2-3 E3
Printemps, Rue du *SLZ.* . . . . .
. . . . 203 T19-20
Progrès, Rue du *DMV* . 619 P13
Promenade, Av. de la *PIN* 244 C24
Promenade, Av. de la *SHY.* . . .
. . . . 522 H3-4
Promenade, Rue de la *DMV* . . .
. . . . . 614 K10 618 L10
Promenade, Rue de la *GRA* . . .
. . . . . 621 C6-7 D6
Promenade, Rue de la *SLZ* . . . .
. . . . 183 P19
Promenade, Rue de la *VTV* . . . .
. . . . . 601 F-G3 G3-4
Promenade, Terr. de la *DMV* . . .
. . . . . 614 K10 618 L10
Promenades, Boul. des *SBM.* . .
. . . . 369 F65-66
Promenades, Boul. des *LNG.* . .
. . . . 369 G63
Promenades, Mtée des *SBM.* . .
. . . . 369 G66
Promenades, Terr. des *DMV* . . .
. . . . 613 F6
Pronovost, Rue *VTV.* . 603 B-C10
Prospect, Rue *MAG* . . 631 D-E6
Prospect, Rue *SHE* . . . .
. . . . 635 L12-14 636 L15
Proteau, Rue *LMG* . . . 648 B3
Proulx, Ch. *RIG.* 580 A5-6
Proulx, Rue *CDL.* . . . 222 W7
Proulx, Rue *CED.* . . . 243 W17-18
Proulx, Rue *DMV* . . . 614 F10
Proulx, Rue *LNG* . . . 329 Z64
Proulx, Rue *SCT.* . . . 347 C45
Proulx, Rue *SHE.* . . . 643 U7
Proulx, Rue *SJR* 512 P5
Provençal, Rue *SJR* . . . .
. . . . . 511 K2 512 L2
Provence, Rue de *BCV* . 330 Z70
Provence, Rue de *IPR* 264 F26-27
Provence, Rue de *LNG* . 329 W63

Provence, Rue de *SBG* . 370 K73
Provence, Rue de *SBM.* 370 H70
Provence, Rue de *SHE* . . . . . .
. . . . 635 K14 636 K15
Provence, Rue de *SHY* . 520 D7
Provence, Rue de *SJU* . 350 D75
Provence, Rue de *SLB* . 348 A57
Provence, Rue de *SLZ.* . 203 O18
Provencher, Boul. *BRS* . . . . . .
. . . . . 348 B57 C58
Provencher, Rue *MSH* . . . . . .
. . . . . 391 O80-82
Provencher, Rue *SHE* . 633 E13
Provencher, Rue *SVD* . 242 D10
Provencher, Rue *VDR.* . 224 Y24
Provencher, Rue *VTV* . 602 D9
Providence, Pl. de la *GRA.* . . . .
. . . . 621 C-E6
Providence, Rue *LNG* . 328 X60
Providence, Rue *SAM.* . . . . . .
. . . . 351 A81-82
Providence, Rue de *SHE* 636 K18
Providence, Rue de la *GRA.* . . .
. . . . 621 D6 E5-6
Providence, Rue de la *LPR* . . . .
. . . . 367 H52
Providence, Rue de la *SCA* . . . .
. . . . 347 D48
Province, Rue de la *LNG.* . . . .
. . . . 329 W66-68
Provost, Av. *SJR* . . . 512 L7-8
Provost, Rue *ACV* . . . 540 B-C2
Provost, Rue *BRS.* . . . 348 C58
Provost, Rue *CTG.* . . . 305 S35
Provost, Rue *LPR* . . 367 H50-51
Provost, Rue *NAP.* . . . 570 C4
Provost, Rue *SJU.* . . . 350 B75
Provost, Rue *SRE* . . 365 J-K32
Provost, Rue *SRT* . . . 530 A5-6
Provost, Rue *VAR.* . . 311 R78-79
Provost, Rue *VRC.* . . 292 O-P91
Pruches, Imp. des *VTV* . . . . . .
. . . . . 601 F4 604 F5
Pruches, Rue des *GRA* . 620 E1
Pruches, Rue des *OTT.* 391 P77
Pruches, Rue des *SJR* . 510 E5
Pruches, Rue des *VTV* . . . . . .
. . . . . 224 Z22 244 A22
Prud'homme, Rue *MER* . 325 Z31
Prud'homme, Rue *SCT.* 347 D45
Prudhomme E. , Rue *SRE* . . . .
. . . . 365 J-K32
Prudhomme O. , Rue *SRE* . . . .
. . . . 365 J32
Pruneau, Rue *ASB.* . . 647 A6
Pruneau, Rue *SHE.* . . 642 U5
Prunelliers, Rue des *SHE.* . . . .
. . . . 639 P13
Prunier, Rue *SHE* . . . 639 P13
Pruniers, Rue des *LMG.* 648 B2
Pruniers, Rue des *SRT.* . 530 D3
Pruniers, Rue des *VTV* . . . . . .
. . . . . 602 E5 604 F5
Pryce, Ch. *SHE.* . . . 635 K12-13
Puits, Rue du *BCV* . . . 310 U72
Puits, Rue du *SLZ.* . . 203 R17-18
Purvis, Rue du *SHE.* . . 643 U7
Purvis Club, Rue du *MCM.* . . . .
. . . . 391 N77
Putney, Av. *SLB.* . . . 328 X-Y60
Pyke Ct. *HUD* 184 M23
Pyrénées, Av. des *SLB* . 348 B58

Q

Quai, Rue du *LPR* . . . 347 E52
Quai, Rue du *SJR.* . . . 512 L6
Quai, Rue du *SVD.* . . . 242 B10
Quais, Rue des *SCA.* . . 347 A45
Quarry Pt. *HUD* 184 O-P24
Quarry Rd *KAH* 306 U42
Quartz, Rue des *SHE.* . 637 M22
Quatre, Pl. des *DMV.* . . 608 E4
Quatre-Pins, Rue des *SHE* . . . .
. . . . 639 N13
Quatre-Saisons, Rue des *LNG.* . .
. . . . 369 G63
Quatre-Saisons, Rue des *SBG.* . .
. . . . 370 J-K73
Quatre-Saisons, Rue des *SJR* . .
. . . . 510 E2
Quatre-Saisons, Rue des *SLZ* . .
. . . . 203 U19
Quatre-Saisons, Rue les *MAG.* . .
. . . . 631 D6
Quatre-Temps, Rue des *SCH.* . .
. . . . 605 H12
Quatre-Vents, Rue des *SBM.* . .
. . . . 351 A82-83
Quatre-Vents, Rue des *ASB.* . . .
. . . . 647 E5-6
Quatuor, Rue du *SLZ* 183 P18-19
Québec, Rue de *BRO.* . 629 D6-7
Québec, Rue de *COW.* . 626 E8
Québec, Rue du *SHE.* . 636 M15
Québec-Central, Rue *LMG* . . . .
. . . . 648 C3-4
Québécoise, Rue de la *SJR.* . . .
. . . . 511 K1

Queen, Boul. *SLB.* . . . .
. . . . 328 Z58-59 348 A58
Queen, Pl. *CTG* 325 V34
Queen, Rue *LNG* . . . 348 B59
Queen, Rue *SHE.* . . 641 Q-R19
Queen Victoria, Boul. *SHE.* . . .
. . . . 636 J-K15
Quenneville, Rue *SVD* . 242 D-E7
Quenouille, Cours de la *DMV.* . .
. . . . 614 F-G9
Querbes, Rue *VDR* . . 244 A23
Quesnel, Rue *BCV* . . 330 V71
Quesnel, Rue *SRT* . . . 530 C5
Quesnel, Rue *VTV* . . . .
. . 603 E10 605 F10 F10-11
Quévillon, Boul. *SVD.* 242 C-D5
Quévillon, Rue *GRA* . . 623 F7
Quévillon, Rue *LNG* . . . .
. . 368 G60 369 G61-64
Quévillon, Rue *VDR.* . . 224 Y24
Quévillon, Rue *VRC.* . 292 O-P90
Quimet, Rue *PIN* . . . 244 D23
Quimper, Rue de *BCV* 330 X-Y70
Quinella, Pl. de la *SLZ.* . . . . . .
. . . . 183 P19-20
Quinlan, Rue *CDL* . . . 222 X6
Quinn, Boul. *LNG.* . . . .
. . 329 V62 W-X62 X-Y62
Quintal, Ch. *ACV* 540 E1
Quintin, Rue *SBM.* . . . 370 F71
Quintin, Rue *SJM.* . . 510 E7-8
Quirion, Rue *SHE.* . . 636 K18

R

R-100, Rue du *LNG.* . . 349 B-C65
R.-A.-Clément, Rue *MCM.* . . . .
. . . . 391 N-O78
R.-Girard, Rue *LNG* . . . .
. . . . 348 B59
Rabaska St *KAH* 306 U42
Rabatalière, Pl. de la *SBM.* . . . .
. . . . 370 G71
Rabatalière E. , Ch. de la *SBM.* .
. . . . 370 G70-71
Rabatalière O. , Ch. de la *SBM.* .
. . 369 H68 370 G69 H69
Rabeau, Rue *NDP.* . . 264 F27
Rabelais, Pl. *BRS* . . . 348 E55
Rabelais, Rue *MSH* . . 411 R78
Raby, Rue *SHE.* 637 L20-21 M21
Raccourci, Ch. du *SHY* 521 D9-10
Rachel, Pl. *NAP.* 570 C3
Rachel, Rue *CTG.* 305 U34-35
Rachel, Rue *GRA* . . . 621 D-E5
Rachel, Rue *MAR.* . . . 500 B4
Rachel, Rue *SAM.* . . . 351 A83
Rachel, Rue *SGG.* . . . 617 N-P6
Rachel, Rue *SJR* 510 C5
Rachel-Turgeon, Av. *SHY.* 521 C9
Rachelle, Rue *CED* . . 243 C-D14
Racicot, Rue *BEL* . . 391 M78-79
Racicot, Rue *BRS.* . . . 348 E55
Racicot, Rue *CHB* . . 409 R64
Racicot, Rue *LNG.* . . . 349 A63
Racicot, Rue *SJR.* . . . 512 P5
Racicot, Rue *SVD.* . . 242 E11-12
Racicot, Rue *VAR.* . . 311 R-S79
Racine, Ch. *BRO* 628 A1
Racine, Pl. *BRS* 348 E56
Racine, Rue *ASB.* . . 647 B-C6
Racine, Rue *BRS.* . . 348 E55-56
Racine, Rue *CTG.* . . 305 S-T33
Racine, Rue *FAR.* . . . 624 D2-3
Racine, Rue *GRA* . . . 622 F4
Racine, Rue *PIN* . . . 244 D24-25
Racine, Rue *SHE.* . . 633 C-D12
Racine, Rue *SJR* 512 P3
Racine, Rue (LNG) *LNG* 349 B63
Racine, Rue (SHU) *LNG* . . . . . .
. . . . 369 F-G64
Racine E. , Rue *PRN.* . . 606 B3
Racine O. , Rue *PRN.* . 606 B-C2
Radisson, Av. *BRS* . . . .
. . . 348 E54 368 F54
Radisson, Pl. *CTG* . . 305 U36
Radisson, Pl. *SBM* . . 370 F70
Radisson, Pl. *SCA* . . . 347 D47
Radisson, Rue *BCV* . . 330 W72
Radisson, Rue *BEL* . . 391 M80
Radisson, Rue *CAN* . . 367 F47
Radisson, Rue *CHB* . . 389 P65
Radisson, Rue *COW.* . . 626 C7
Radisson, Rue *CTG* . . 305 U36
Radisson, Rue *LNG* . 349 B62-63
Radisson, Rue *MSH* . . 391 P80
Radisson, Rue *PIN* . . 244 D25
Radisson, Rue *SAM.* 351 A82-83
Radisson, Rue *SHE* . . 639 N12
Radisson, Rue *SLZ.* . 223 V18-19
Radisson, Rue *SRT* . . 530 C6
Radisson, Rue *VDR.* . . 183 L20
Raffinerie, Cours de la *MSH* . . .
. . . . 391 O82-83
Raffles, Rue *HUD* . . . 184 L22
Rag Apple, Rue *HUD* . 184 L22
Raiche, Rue *SGG.* . . . 616 N2
Raimbault, Rue *DMV* . 614 H9-10
Raimbault, Rue *SHE.* . 639 N13
Raimbeau, Rue *NDP.* . 264 F26
Rainier, Pl. *BRS* 348 E55

Rainville, Cr. *BRS* . . . 348 E54
Rainville, Rue *BEL* . . 391 O78
Rainville, Rue *CTG* . . 325 W36
Rainville, Rue *GRA.* . . 620 D1
Rainville, Rue *MAR.* . . 500 C-D5
Rainville, Rue *SJR* . . . 512 N7
Rainville, Rue *VTV.* . . 603 E9-10
Rajotte, Av. *SHY.* . . . 522 G5
Rajotte, Rue *DMV* . . . 613 H7
Rajotte, Rue *SRT.* . . . 530 C5
Ralève, Rue du *VTV* . . 604 F5
Rameau, Boul. *CTG.* . . 325 W35
Rameau, Rue *BRS* . . . 348 E54
Ramezay, Rue *LNG.* . . 349 B63
Ramezay, Rue de *SLZ.* . 183 P18
Ramsay, Rue *LNG* . . . .
. . 368 F60 G60 369 G61
Ramsay, Rue *VTV* . . 605 G9-10
Ramsay, Rue de *MSH* 391 O-P80
Rancourt, Rue *SAM.* . . 351 A83
Rancourt, Rue *SJR* . . 511 G-H4
Rand, Rue de la *SHE.* . 640 N16
Randall, Rue *CTG.* . . . 325 V36
Randonée, Rue de la *SLZ* . . . . .
. . . . 183 N18
Randonnai, Rue de *BCV* 330 X69
Randonneurs, Rue des *BRO* . . . .
. . . . 628 C2
Ranger, Av. *VDR* 244 A22 B22-23
Ranger, Rue *CED* . . 243 D14
Ranger, Rue *IPR.* . . . 244 D26
Ranger, Rue *SAM.* . . . 351 A83
Ranger, Rue *SHE* . . . 636 K18
Rankin, Rue *WIN* 632 B2
Raoul, Av. *LNG* . 349 D-E64 E65
Raoul, Rue *VTV.* 604 F5
Raoul-Blais, Rue *VDR* . 244 A-B22
Raoul-Bruneau, Rue *SHE* 640 P16
Raoul-Lassonde, Av. *SHY* 520 C3
Raphaël, Rue *BEL* . . . 391 M82
Raphaël-Barré, Rue *RCH* 409 U67
Rapide-Plat N. , Ch. du *SHY* . . .
. . . . 520 A-B6
Rapide-Plat S. , Ch. du *SHY* . . .
. . . . 520 A-B7
Rapides, Av. des *SCA* 347 C47-48
Rapides, Rue des *SVD.* 222 Z7-8
Rapin, Rue *SVD.* 242 D10
Rarus, Rue *SHE.* . . 637 J20-21
Ratté, Rue *ASB.* . . . 647 C5-6
Ratté, Rue *FAR* 624 D2
Ravel, Rue *BRS* 348 E54
Ravel, Rue *CTG.* 325 X35
Ravel, Rue *DMV.* . . . 613 K7
Ravel, Rue *SHE.* 643 T9
Ravel, Rue *SJR* 512 P5
Ravin, Rue du *SHE.* . . 640 P17
Ravin, Rue du *SLZ* . . . 183 P15
Raymar, Rue *LNG.* . . . 348 B59
Raymond, Pl. *SHE* . . 639 P13
Raymond, Rue *BHN* . 284 P24
Raymond, Rue *CHB* . . 389 P65
Raymond, Rue *MCM* . . 391 M78
Raymond, Rue *SAM* . . 351 A83
Raymond, Rue *SBM* . . 370 J70
Raymond, Rue *SJR* . . 511 J4-5
Raymond, Rue *SVD* . . 242 A-B10
Raymond, Rue *VDR* . . . .
. . . 224 Z23 244 A23
Raymond, Rue *VTV* . . 601 E3
Raymond, Rue (LNG) *LNG* . . . .
. . . . 329 Z63
Raymond, Rue (SHU) *LNG.* . . . .
. . . . 348 B-C60
Raymond-Bergeron, Rue *SHE.* . .
. . . . 635 L11
Raymond-Blais, Rue *SJU* . . . . .
. . . . 350 E74-75
Raymond-Dupuis, Boul. *MSH* . .
. . . . 391 O80-81
Raymond-Robillard, Pl. *MCM* . .
. . . . 391 M-N77
Raymond-Trudel, Rue *NDP* . . . .
. . . . 285 L30
Réal, Rue *CTG.* 325 V34
Réal, Rue *SHY.* 521 B10
Réal, Rue *VTV.* 601 F4
Réal, Rue (SCD) *DMV* . 615 J14
Réal, Rue (SNP) *DMV* . 619 M13
Réal-Trépanier, Rue *SJR.* . . . . .
. . . . 510 C5-6
Rébec, Rue *IPR* 244 E27
Récifs, Rue des *SCA* . 347 C48
Récital, Pl. du *SLZ.* . . 203 Q20
Récollet, Rue *BRS* . . 348 E54-55
Récollet, Rue *SVD* . . . 242 C7
Récollets, Rue des *CHB* . . . . . .
. . . . 409 O63-64
Récollets, Rue des *LNG* 349 B62
Récollets, Rue des *SHY* 521 B10
Redbird St *KAH* 326 V43
Redmond, Rue *LNG* . . . .
. . 348 E60 349 E61-62
Régence, Ch. de *NDP.* . 264 F28
Régence, Rue de la *SBM* . . . . .
. . . . 370 H-J70
Regent, Rue *PIN* 244 D24
Régent, Av. du *LNG* . . 348 B59
Régent, Av. du *SLB* . . 328 Z58

Régent, Rue *LNG.* . . . .
. . . 348 B60 349 B61
Régent, Rue du *SJR* . . 511 F2
Régina, Rue *BRS.* . . . .
. . . 348 E55 368 F55
Régina-Gagnon, Rue *SHE* 642 U6
Régis St *KAH* 306 U43
Régnier, Rue *SJR.* . . . 511 K7
Reid, Rue *BHN* 304 P27
Reid, Rue *CTG.* 305 U35
Reid, Rue *DMV.* . . . 614 H-J10
Reid, Rue *EAN.* 645 B-C3
Reid, Rue *HUD* 184 N24
Reid, Rue *MER* 325 X-Y30
Reid, Rue *SHE* . . . 641 R19-20
Reid, Rue *SJR.* 512 N-P7
Reid, Rue *SLB* 328 Z59
Reid, Rue *VDR.* 184 O22
Reine, Rue de la *SRT.* . 530 A5
Reine, Rue de la *NDP.* . . . . . .
. . . . 264 F27-28
Reine-des-Près, Rue de la *NDP.* .
. . . . 368 H53
Reine-des-Prés, Rue *LPR* . . . . .
. . . . 368 H53
Réjean, Pl. *SHE.* . . . 636 J18
Réjean, Rue *DMV.* . . . 613 H5
Réjean, Rue *MAR* . . . 500 C4
Réjean-Auger, Rue *SRT* . 530 D5
Réjean-Grégoire, Rue *SJR*512 P7
Relais, Pl. du *SJR.* . . . 183 P19
Relais, Rue du *SRT.* . . 530 A7
Relais, Rue du *SLZ.* . . 203 U19
Rembrandt, Rue *BRS* . . 348 D55
Rembrandt, Rue *MSH.* . 411 R78
Remembrance, Cr. *SLZ.* . . . . . .
. . . . 203 R16-17
Rémi, Rue *SAM.* 351 A81-82 A83
Rémillard, Rue *LNG* . . 329 Z63
Rémillard, Rue *NDP* . . 264 F27
Rémillard, Rue *SJR.* . 511 K4-5
Rémillard, Rue *SPH* . . 367 K48
Remparts, Rue des *SJU* 350 C73
Rémy, Rue *LNG* 349 A63
Renaissance, Cr. de la *SLZ.* . . .
. . . . 203 Q-R17
Renaissance, Rue de la *PIN.* . . .
. . . . 244 D25
Renard, Rue *BRS.* . . 348 E55-56
Renard, Rue du *MER* . 325 W30
Renard-Roux, Rue des *LNG* . . .
. . . . 349 A65
Renards, Rue des *SJR* . 511 F4
Renaud, Pl. *ACV* 540 B2
Renaud, Rlle *VTV* 520 E54 522 F5
Renaud, Rue *ACV* . . . 540 B2
Renaud, Rue *BRS.* . . . 348 E54
Renaud, Rue *CON* . . . 550 C3
Renaud, Rue *LMG* . . . 648 D3
Renaud, Rue *NDP* . . 264 F27-28
Renaud, Rue *VTV.* 602 E7 604 F6
Renaud, Rue *ASB.* . . . 647 B-C6
René, Rue *CED* 243 D14
René, Rue *CTG* 325 V35
René, Rue *MAG.* 631 B5
René, Rue *SAM.* 351 A83
René, Rue *SHE.* 637 L-M21
René, Rue *SJR* 511 G7
René-Bastarache, Rue *SRT.* . . .
. . . . 530 D5-6
René-Boileau, Rue *SJR*512 M-N5
René-Descartes, Rue *LNG* . . . .
. . . . 349 E67 369 F67
René-Émard, Rue *IPR.* . 244 D26
René-Gaultier, Av. *VAR* . 311 R80
René-Gaultier, Boul. *VAR* . . . . .
. . . . 311 Q78-79 Q-R80 R78-79
René-Goupil, Rue *SJR* 512 M4-5
René-Hertel, Rue *MSH* 411 Q79
René-Lévesque, Boul. *CTG* . . . .
. . . . . 305 T32 325 V33-34
René-Lévesque, Boul. *LER* . . . .
. . . . . 609 E6-7 613 F16
René-Lévesque, Pl. *SJU* 350 C74
René-Lévesque, Rue *SJU* . . . . .
. . . . 305 S32
René-Lévesque, Rue *VDR.* . . . .
. . . . . . 224 V23-24 W23
René-Parenaude, Rue *MAG* . . .
. . . . 631 B-C5
René-Pépin, Rue *SHE.* 639 R13
René-Philippe, Rue *LNG* . . . . .
. . . . 328 Z59-60
René-Rémy, Rue *BCV* . 330 V70
René-Verrier, Rue *DMV.* 609 E6
Renne, Rue du *LNG* . . 329 X66
Renoir, Rue *BRS.* . . 348 D-E55
Renoir, Rue *MSH* . . . 411 R78
Repentigny, Rue *LNG.* . 349 B63
Repentigny, Rue *SHE* . 637 M19
Repentigny, Rue *VDR.* . . . . . .
. . . . 224 Z21 244 A21
Repentigny, Terr. *LNG.* . 349 B63
Repos, Rue du *DMV.* . 615 J-K16

Repos, Rue du VTV 604 G8
Réserve, Côte de la DMV. 614 F9
Rester, Rue NDP 264 F27
Réveillon, Pl. de SLZ. 203 Q-R17
Réveillon, Rue de BCV 330 X-Y69
Révérend, Ch. du SCT . . 366 G44
Rexford, Rue MAG. . . . .
. . . . 630 C4 631 C5
Reynolds, Rue GRA 620 C-E4
Rhapsodie, Rue de la NDP . . . . .
. . . . 264 F27-28
Rhapsodie, Rue de la SLZ. . . . .
. . . . 183 P19
Rhéa, Rue DMV. 612 G4
Rheault, Rue VTV. 602 E7
Rhéaume, Rue LNG 349 B62
Rhéaume, Rue NDP . . 264 F27-28
Rhéaume, Rue SBG 616 M2-3
Rhéaume, Rue SJR 511 H3
Rhoda, Pl. BRS 348 D54
Rhône, Av. du SLB 348 A57
Rhône, Cr. BRS 348 E55
Riata, Pl. SLZ 183 O20
Riata, Rue SLZ 183 O20
Ricard, Rue ACV 540 B-C3
Ricard, Rue SJR 510 C5
Ricard, Rue VTV. 604 F6
Rice St KAH 306 U42
Richard, Carré CTG . . . 305 T-U34
Richard, Pl. DMV 613 F5
Richard, Rue ACV 540 A-B2
Richard, Rue BHN 284 P24
Richard, Rue CED 243 C-D14
Richard, Rue COW 550 C2-3
Richard, Rue CTG 325 W35-36
Richard, Rue DMV 609 E5 613 F5
Richard, Rue GRA 620 E3
Richard, Rue PRN 606 B3
Richard, Rue SBG 390 L74
Richard, Rue SGG 617 N6-7
Richard, Rue SHE . . . .
. . . . 635 L12 M11-12
Richard, Rue SJR 511 K4 512 L4
Richard, Rue SJU . . 350 B75-76
Richard, Rue SLZ 203 R18
Richard, Rue SPH 367 K49
Richard, Rue VTV 604 J6
Richard, Rue (LNG) LNG 349 A63
Richard, Rue (SHU) LNG 349 E61
Richard-Bérube, Rue VTV . . . . .
. . . . 204 F6-7
Richard-Dubreuil, Rue SJR . . . .
. . . . 512 L7-8
Richard-Hogen, Rue LNG . . . . .
. . . . 369 G63
Richardson, Rue BHN . . 284 P24
Richelieu, Av. SHY. . . . 522 G4-5
Richelieu, Boul. RCH . . 409 T67
Richelieu, Boul. SBG . . . .
. . . . 390 O73-74 P69-70
Richelieu, Boul. SMS 409 R67-68
Richelieu, Carré CTG . . 305 T34
Richelieu, Ch. du MCM . 391 O78
Richelieu, Cr. CTG 305 T34
Richelieu, Pl. BRS 348 E55
Richelieu, Pl. LNG 328 Z59
Richelieu, Rue BEL . . 391 M-N82
Richelieu, Rue BRS . . 348 E54-55
Richelieu, Rue CDL . . . 222 X8
Richelieu, Rue CTG . . . 305 T34
Richelieu, Rue GRA . . . 622 F4
Richelieu, Rue LMG . . . 648 D3
Richelieu, Rue LNG 349 B63 C62
Richelieu, Rue SBM . . . 370 H69
Richelieu, Rue SHE . . . 640 N17
Richelieu, Rue SJR . . . .
. . . . 511 K6 512 L6
Richelieu, Rue SJS . . 530 A-B4
Richelieu, Rue VTV . . . 602 E5-6
Richelieu, Rue de CHB 409 R-S66
Richelieu, Rue du DMV. 609 E8
Richer, Av. SHY. 520 D-E7
Richer, Pl. SCT 347 D-E46
Richer, Rue NDP . . . 264 F27-28
Richer, Rue SCT 347 E46
Richerville, Rue SJR . . 510 B1-2
Richmond, Cr. BRS . . . 348 E55
Richmond, Rue LNG . . . 349 B62
Richmond, Rue SHE. . . . .
. . . . 636 M16 640 N16
Richmond, Rue de GRA 620 C-D1
Rideau, Rue CTG 306 U37
Rideau, Rue LNG 369 J62-63 J64
Ridge, Ch. HUN 560 C1
Ridge, Rue HUD . . . 184 N-O23
Ridge, Rue de la SVD . . 242 D-E7
Ridgewood, Pl. PIN . . . 244 D24
Riel, Imp. SHY 522 F7
Riel, Rue BRS 348 E54
Riel, Rue CTG 305 U35
Riel, Rue LNG 349 A63
Riel, Rue SHE 640 R16
Riendeau, Rue BHN . . . .
. . . . 284 P23 304 Q23
Riendeau, Rue CHB. 409 R63-64
Riendeau, Rue GRA . . . 644 D2
Riendeau, Rue GRA . . . 623 G8
Riendeau, Rue SJR . . . 511 K7
Riendeau, Rue SJU . . 350 B75

Riendeau, Rue SRE . . . 365 H-J32
Riendeau, Rue VAR . . . 311 Q80
Riendeau, Rue WIN . . . 632 E2-3
Rigaud, Av. SHY . 520 D6-7 D-E7
Rigaud, Rue BRS . . 348 E54-55
Rigaud, Rue (LNG) LNG. 349 B63
Rigaud, Rue (SHU) LNG . . . . . .
. . . . 349 B-C65
Rigoles, Rue des SHE. . 641 P20
Rigolets, Rue des VSL . 224 X26
Rimbaud, Rue BRS . 348 E55-56
Rimbaud, Rue MSH . . . 391 P82
Rimbaud, Rue SJR 511 F3
Rimouski, Cr. BRS 348 E55
Ringuet, Av. SHY 520 E6
Ringuet, Rue DMV. . . . 613 H7-8
Ringuet, Rue MSH 411 R78
Ringuet, Rue SBM 370 H69
Ringuet, Rue SJU . . . 350 B76
Ringuette, Rue SHE . . . 639 S11
Ringuette, Rue SHE . . 643 U-V8
Rio, Rue de BRS 348 E55
Riopel, Terr. LNG 348 C59
Riopelle, Rue BRS . . 348 D-E55
Riopelle, Rue SHE . . . 643 T9
Rioux, Rue SHE. 635 M14
Rioux, Rue VAR 291 P79 311 Q79
Rita, Rue SGG 616 M-N3
Rita, Rue SJR 511 F4
Rita, Rue WIN. 632 E2-3
Ritchie, Rue LNG 349 B62
Rivage, Rue du OTT . . . 391 P78
Rivard, Boul. BRS . . . .
. . . . . . 348 D55 E54 E55 368 F54
Rivard, Rue DMV 613 F6
Rivard, Rue MAG 631 B6
Rivard, Rue PRN 606 C2-3
Rivard, Rue SCA 347 B-C47
Rivard, Rue SJS 530 A-B4
Rivard, Rue SRT 530 B4
Rivard, Rue VTV 602 E8
Rive, Ch. de la LNG . 329 V61-62
Rive, Cr. de la COW . . . 626 C6
Rive, Rue de la SBG . . 390 M71
Rive, Rue de la SPH . . 367 K48
Rive, Rue de la SRT . . . 530 A7
Rive, Rue de la SVD . . 580 B3
Rive, Terr. de la SVD . . 222 Z7-8
Rive-Boisée, Rue CAR. . 389 P67
Rive-Droite, Rue de la BRO. . . .
. . . . 629 A5
Rive-Sud, Ch. de la FAR 624 B-D4
Rivelaine, Rue de la NDP . . . . .
. . . . 264 F27-28
River, Rue SLB. 328 X59
River Front St KAH. . . . 306 U43
Riveraine, All. de la SJR 348 A6
Riverains, Ch. des RIG . 580 A6
Riverains, Terr. des SVD . . . . .
. . . . 222 Z9 242 A9
Riverdale, Rue SLB . 328 X59-60
Riverin, Rue BRS 348 E54
Riverin, Rue LNG 349 B62
Rivermead, Rue SHE 641 Q21-22
Rivermere, Av. SLB . 328 Z58-59
Riverside, Rue SLB . . . .
. . . 328 X59-60 Y-Z58 348 A57-58
Riverside, Rue SVD. . . 242 C-D7
Riverside, Rue SVD. . . 242 C-D7
Riverview, Ch. SHE 641 P22 Q21
Riverview, Rue LNG . 560 C3-4
Riverview, Rue OTT . . . 391 O77
Riverview, Rue SVD. . . 242 D-E10
Rivier, Rue SHE. 637 M19
Riviera, Rue SJR. 510 D-E5
Riviéra, Pl. BRS 348 D55
Riviére, Rue BEL 391 M81
Riviére, Av. de la DMV . 613 F-G7
Riviére, Ch. de la SHE. 633 D11
Riviére, Pl. de la CTG . 305 S-T37
Riviére, Rang de la SMG. 609 A5
Riviére, Rue de la BRO . 628 E1
Riviére, Rue de la COA 644 C-D3
Riviére, Rue de la COW . . . . . .
. . . . . 625 C4 626 C5 D6-7
Riviére, Rue de la DEL 347 D-E49
Riviére, Rue de la PIN . 244 D23
Riviére, Rue de la SCA . 347 C47
Riviére, Rue de la VAR . 311 R78
Riviére-aux-Cerises, Ch. de la
MAG. 630 A-B4
Riviére-aux-Pins, Ch. de la VAR .
. . . . 330 V76
Riviére-aux-Pins, Rue de la BCV
. . . . 310 U73 330 V71-72
Riviére-Delisle N., Ch. de la CDL
. . . . 222 V5 W7
Riviére-Delisle S., Ch. de la CDL
. . . . 222 V5 W7
Riviére-des-Hurons E., Ch. de la
SMS . . 409 R-S68 410 R-S69
Riviére-Magog, Rue de la SHE. .
. . . . 639 R11
Riviére-Rouge, Ch. de la CDL . .
. . . . 202 T-U9 222 V-W8
Riviéres, Rue des SBM . 369 H68
Rivoli, Rue LNG 349 D61

Roach, Rue DEL 347 E46
Robb, Ch. HUN 560 E1
Robb, Rue (STI) SVD . 242 D10
Robb, Rue (SVD) SVD . . 242 B7
Roberge, Rue DMV. . . . 613 G6
Roberge, Rue LMG . . . 648 B4
Roberge, Rue SHE 638 Q10
Roberge, Rue SRT 530 E4
Robert, Av. VDR 244 B24
Robert, Boul. GRA . . . 623 G7
Robert, Mtée SBG . . . 390 L-072
Robert, Rue BHN . . . 284 P23-24
Robert, Rue BRS . . . 348 E54-55
Robert, Rue CED 243 E15
Robert, Rue CHB 389 P64
Robert, Rue CON . . . 550 B3-4
Robert, Rue COW 626 E-F7
Robert, Rue IPR 264 F27
Robert, Rue MAR 500 A-B3
Robert, Rue MSH. 391 N82
Robert, Rue OMV. 631 A6
Robert, Rue SAM 351 A83
Robert, Rue SBM 370 F71
Robert, Rue SHE 639 S11
Robert, Rue SJR 511 F4
Robert, Rue SJU 350 C76
Robert, Rue SMS 390 P70
Robert, Rue SVD 263 F14
Robert, Rue VAR 311 S79
Robert, Rue VTV 603 E9
Robert, Rue (DMV) DMV . 617 N7
Robert, Rue (LNG) LNG . 349 A63
Robert, Rue (SHU) LNG . . . . . .
. . . . 348 C60 349 E61
Robert, Rue (SNP) DMV . . . . . .
. . . . . . 618 M12 619 M13
Robert E., Rue CTG . . . 306 T-U37
Robert O., Rue CTG . . . 306 S-T37
Robert-Bernard, Rue DMV 609 E7
Robert-Bourassa, Rue VDR . . . .
. . . . 224 V-W23
Robert-Côté, Rue SRT . 530 D-E1
Robert-Demers, Pl. VTV. 601 F3
Robert-Frigon, Rue BRS. 348 E54
Robert-Giffard, Rue BCV 310 U72
Robert-H.-Goddard, Rue BCV . .
. . . . 329 Z68
Robert-Lamonde, Rue SRT . . . .
. . . . 530 D6
Robert-Lionel-Séguin, Ch. de la
. . . . 580 B5-6 C6
Robert-Peel, Rue SHE . 641 S19
Robert-Vincent, Rue SVD 242 D8
Roberval, Av. BHN . . . 244 C-D25
Roberval, Cr. BRS. . . . 348 E55
Roberval, Rue SBM . 370 G-H69
Roberval, Rue de BCV . . . .
. . . . 391 W71-72
Roberval, Rue de BRO. 629 D6-7
Roberval E., Boul. LNG . . . .
. . . . 349 B63-64
Roberval N., Rue de GRA 620 D1
Roberval O., Boul. LNG . . . .
. . . . 349 B62-63
Roberval S., Rue de GRA. . . . . .
. . . . 620 D-E1
Robespierre, Pl. BRS . . 348 D55
Robichaud, Pl. DMV. . . 613 F5
Robichaud, Rue GRA . . 621 D5
Robidas, Rue VTV . . . 605 F-G11
Robidoux, Rue DEL . . . 347 E47
Robidoux, Rue MAR . . 500 A3
Robidoux, Rue SHE . . . .
. . . . 635 M14 639 N14
Robillard, Rue BHN . . . 284 P23
Robillard, Rue CTG. . . 305 T35
Robillard, Rue FAR . . . 624 B3
Robillard, Rue LNG . . . .
. . . . 348 C60 349 C61
Robillard, Rue NDP . 264 F27-28
Robillard, Rue SRT . . . 530 C6-7
Robin, Rue CTG 306 S-T37
Robin, Rue LNG 329 Z66
Robins, Rang de la SMG. 609 A5
Robineault, Rue SVD . . 242 D8
Robins, Rue DMV. 613 G8
Robinson, Av. LNG . . . 369 G-H62
Robinson, Rue CTG . . . 325 V35
Robinson, Rue GRA . . . 620 D-E3
Robinson, Rue MSH . . . 411 Q78
Robinson N., Rue GRA . 620 E3
Robinson S., Rue GRA . . . .
. . . . 622 F3 F-H4
Robitaille, Rue ASB . . . 647 B6
Robitaille, Rue GRA. . . 623 H7-8
Robitaille, Rue LNG . 349 A-B63
Robitaille, Rue MAR . . 500 B4
Robitaille, Rue SHE . . 638 N10
Robitaille, Rue SLB. . . 328 X60
Robitaille, Rue VTV . . . .
. . 602 E8 603 E9 605 F9
Rocaille, Rue de la SHE 639 N14
Rocailles, Rue des MAG. 631 E7
Roch, Ch. SRT 530 E2
Roch-Bradley, Pl. SLZ 203 U19-20
Rochebaron, Rue de SLZ 183 P17
Rochefort, Pl. BRS . 348 D54-55

Rochefort, Rue DMV . . . .
. . . . . . 610 E10 614 F10
Rochefort, Rue GRA . . . 623 G8
Rochefort, Rue SVD . . . 242 C5
Rochefort, Rue de COW . 626 C5
Rochefort, Rue de SRT . 530 E2
Rocheleau, Rue DMV . . . .
. . . . 612 H-J4 613 J5
Rocheleau, Rue LNG . . . .
. . . . . 349 D-E64 E62 E63-64
Rochelle, Rue SBG . . 390 L72
Rochelle, Cr. BRS . . . .
. . . . 348 E54 368 F54
Rochelle, Rue de la SRT . 530 E2
Rochelle, Rue la EAN . . 645 B3
Rocher, Rue du PIN . . . 244 D25
Rocher-Fendu, Rue du PDC . . . .
. . . . 263 H20
Roches, Rue des SHE. . 637 L21
Rocque, Rue de la MSH 391 N83
Rodéo, Pl. du SLZ. . . 183 N-O19
Roderic, Rue SHE 643 U7
Rodier, Pl. BRS 368 F55
Rodier, Rte SMG 646 B2
Rodier, Rue DEL 367 F45-46
Rodier, Rue SJR 511 H7
Rodin, Rue BEL 391 N78-79
Rodolphe, Av. VDR . . . 244 B24
Rodolphe-Besner, Rue VDR . . . .
. . . . 224 Z21
Rodolphe-Duguay, Pl. DMV . . . .
. . . . 609 E6-7
Rodolphe-Fournier, Av. SJR . . . .
. . . . 512 M6-7
Rodolphe-Fournier, Rue MAR . .
. . . . 391 O81
Rodolphe-Racine, Rue SHE . . . .
. . . . 638 P7
Rodrigue, Rue COW . . . 626 E8
Rodrigue, Rue CTG . . . 326 V-W37
Rodrigue, Rue SHE . . . .
. . . . 642 U6 643 U7
Rodrigue, Rue SVD . . . .
. . . . 222 Z9 242 A9
Rodrigue, Pl. GRA 621 E5-6
Rogeau, Rue SHE. 640 R16
Roger, Imp. SVD. 222 Z6
Roger, Rue ACV 540 C4
Roger, Rue BRS . . . 348 E54-55
Roger, Rue GRA 620 D-E3
Roger, Rue LNG 349 B-C66
Roger, Rue SBG . . . 350 B-C76
Roger, Rue SPH 367 J-K49
Roger, Rue SVD 242 A6
Roger, Rue VTV 602 E6
Roger, Rue (DMV) DMV 617 M7-8
Roger, Rue (SNP) DMV. . . . . . .
. . . . 619 P13-14
Roger-Bélisle, Rue SMS 410 Q69
Roger-Boisvert, Rue SHE . . . . .
. . . . 637 L-M21
Roger-Caron, Rue SHE . 637 K21
Roger-Deslauriers, Av. SJR . . . .
. . . . 512 M6-7
Roger-Doucet, Rue BCV. . . . . . .
. . . . 330 X71-72
Roger-Gervais, Rue SJR . 512 N6
Roger-Landry, Rue SHE. 633 F13
Roger-Lelièvre, Rue SJU. . . . . .
. . . . 350 C74-75
Roger-Levasseur, Rue MCM . . . .
. . . . 391 M77
Roger-Lussier, Rue VTV. 605 F11
Roger-Maillet, Rue NDP 264 G28
Roi, Rue du ASB . 646 C4 647 C5
Roi, Rue du SRT. . . . 530 A-B5
Roies, Rue des BHN . . 284 P24
Roissy, Rue de BRS . . . 348 E54
Roitelets, Pl. des SLZ . 203 R17
Roitelet, Rue de la SHE. 643 U-V10
Roitelets, Rue des DEL 367 F-G45
Roitelets, Rue des PIN . 244 D25
Roitelets, Rue des SBG . . . .
. . . . 390 M71-72
Roitelets, Rue des SBM . . . .
. . . . 370 H-J72
Roitelets, Rue des SRT 530 E2-3
Roland, Rue COW 626 C8
Roland, Rue LNG . . . 369 H61-62
Roland, Rue NAP 570 B2
Roland, Rue SHE. . . . .
. . . . 638 S10 643 T10
Roland, Rue VTV 601 G3
Roland-Chagnon, Rue SBG . . . .
. . . . 370 K72
Roland-Gagnon, Rue CHB. . . . . .
. . . . 409 Q64
Roland-Marcoux, Rue LNG . . . . .
. . . . 369 F64
Roland-Saint-Pierre, Pl. MCM . .
. . . . . . 390 M76 391 M77
Roland-Salvail, Av. SHY 522 G-H2
Roland-Therrien, Boul. LNG . . . .
. . . . . . 329 W64-V-Z64 349 W64
Rollan-Dion, Rue MAG. 631 E6-7
Rolland, Rue CED . . . 203 U16-17
Rolland, Rue MAR . . . 500 B3

Rolland, Rue NDP 264 F27
Rolland, Rue SJR 511 H7
Rolland, Rue SVD 242 D7
Rolland, Rue (GFP) LNG 348 C59
Rolland, Rue (LNG) LNG . . . . . .
. . . . 349 B62-63
Rolland, Rue (RIG) LNG. 580 B2-3
Rollin, Cr. BRS . 348 E55 368 F55
Rollinet, Rue NDP. . . . 264 F27
Romaine, Rue BRS . . 348 D-E54
Romaine, Rue de la DMV 608 E8
Roman, Rue SJR 512 P5-6
Rome, Boul. BRS . . . .
. 348 D56-57 E57 368 F57 G-H57
Rome, Rue de SJU. . 350 C73-74
Roméo, Rue LNG 369 G64-65
Roméo-Adam, Rue DMV. 613 F7
Romuald, Rue SAM . . 351 A84
Romuald-Rémillard, Rue SJR . .
. . . . 512 Q7
Romulus, Rue VTV 602 E8 603 E9
Ronde, Pl. de la VTV . 602 E6-7
Rondeau, Rue MAR . . 500 C4
Rondeau, Rue SHE . . . 636 L18
Ronsard, Rue SJU . 350 E75
Ronsard, Rue de SJR . 511 F3-4
Roosevelt, Rue HUN . 560 C-D2
Roosevelt, Rue LNG . . . .
. . . . . . 348 B60 349 B61
Roper, Rue CTG 305 T35
Roquebrune, Rue MSH . 411 Q79
Roquemaure, Rue SJR . 512 Q5
Rosaire, Rue du SHE. . . 640 P15
Rosaire-Circé, Rue CFP . . . .
. . . . . . 367 G52 368 G53
Rosalie, Rue DMV. . . . 610 E10
Rosalie, Rue VDR 184 P22
Rosalie-Cherrier, Rue MSH . . . .
. . . . 391 O81
Rose, Rue DMV 612 F2
Rose, Rue MAG 631 B5-6
Rose, Rue OTT. 391 P78
Rose-Ellis, Rue DMV. . . 609 E6
Roseau, Cours du DMV . 611 F4
Roseaux, Ch. des RIG . 580 A4-5
Roseaux, Pl. des BRS . 348 E54
Roseaux, Rue des LPR . 368 H53
Roseaux, Rue des PIN . 244 D25
Roseaux, Rue des SBG 390 M71
Rosedale, Cr. SLZ . . . 203 R18-19
Roselières, Pl. des BRS. 348 E54
Roselin, Rue du DMV . 615 J14
Roselins, Rue des LNG. 329 W65
Roselle, Rue du SVD . . 242 D-E10
Roseraie, Rue de la GRA. 622 J4
Roseraies, Pl. des SHE . 640 Q16
Roseraies, Rue des SRT . 530 D3
Roseraies, Rue des VDR 224 Z23
Roses, Av. des PLS . . . 607 D3
Roses, Rue des CAR. . . 389 P68
Roses, Rue des SBG. . . 390 L72
Roses, Rue des SCA . . 347 C47
Roses, Rue des SHE . 637 J-K19
Roses, Rue des SJR . . . 511 F4
Roses, Rue des (LNG) LNG . . . . .
. . . . 329 Y66
Roses, Rue des (SHU) LNG . . . . .
. . . . 369 G63
Rosiers, Rue des FAR . . 624 B2
Rosiers, Rue des IPR 264 F26-27
Rosiers, Rue des LPR . 368 H53
Roslyn, Rue HUD 184 N22
Ross, Av. LER 305 R32
Ross, Rue CTG 305 T35
Ross, Rue DMV 614 G9
Ross, Rue SJR. 510 C5
Ross, Rue VTV 604 F5
Rosseaux, Rue des SPH 367 K48
Rossignol, Rue BRS . . 348 D55
Rossignol, Rue du OTT . . . .
. . . . . . 390 P76 391 P77
Rossignol, Rue du SJU . 350 C75
Rossignols, Rue des BCV. . . . . .
. . . . 330 X-Y70
Rossignols, Rue des COW 627 C9
Rossignols, Rue des GRA 623 F7
Rossignols, Rue des MER . . . . . .
. . . . 325 W30-31
Rossignols, Rue des SGG 616 N2
Rossignols, Rue des SHE 634 M7
Rossignols, Rue des VTV. 602 B8
Rossini, Pl. BRS 348 E55
Rossini, Rue CTG 325 W35
Rossiter, Rue SJR . . . 511 H-J2
Rostand, Rue BRS . . . 348 E55
Rostand, Rue LNG . . . 369 G63
Rothesay, Av. SLB . . . 328 Z59
Rouen, Rue de BCV . 330 W70
Rouen, Rue de SHE . 637 M19
Rouen, Rue de SJU. . . 350 F75
Rougemont, Cr. BRS . . 348 E55
Rougemont, Rue LNG 329 X-Y63
Rougemont, Rue SJR . 512 N6-7
Rougemont, Rue de CHB . . . . . .
. . . . 409 R64-65
Rouges-Gorges, Rue des DMV . .
. . . . 621 D6

Rouillard, Rue VTV 604 J6
Rouillard, Rue WIN . . . 632 D-E3
Rouiller, Rue LPR 368 J53
Rouiller, Rue SPH 367 K50
Rouleau, Rue GRA . . . 622 H3
Rouleau, Rue LNG . . . 349 A63
Rouleau, Rue NDP . . . 264 F27
Rouleau, Rue SHE. . . . .
. . . . . . 638 P10 639 P11
Rouleau, Rue SHY . . . 520 D4
Rouleau, Rue SLZ. . . . 184 P21
Rouleau, Rue SRT. . . . 530 D1-2
Rouleau, Rue SVD . . . 605 F9
Round Robin, Pl. SLZ . 183 O19
Rousse, Rue SVD . . . 242 A-B10
Rousseau, Av. PLS . . . 607 C2-3
Rousseau, Boul. CTG . 305 S33
Rousseau, Cr. BRS . . . 348 E56
Rousseau, Rue ACV . . 540 C2
Rousseau, Rue BEL . . 391 M81
Rousseau, Rue COA. . . 644 D1
Rousseau, Rue DMV . . 614 F9-10
Rousseau, Rue EAN . . 645 C1
Rousseau, Rue PIN. . . 244 D23
Rousseau, Rue SHE. 635 L11-12
Rousseau, Rue SMS 390 P71-72
Rousseau, Rue SRE . . 365 J32
Rousseau, Rue SRT . . 530 C6
Rousseau, Rue SVD . . 241 B4
Rousseau, Rue VAR. . . 311 R-S79
Rousseau, Rue VDR . . 244 E22
Rousseau, Rue VTV . . 602 E8
Roussel, Cr. BRS . . 348 E54-55
Rousseillon, Cr. du NDP. 264 F28
Rousseillon, Rue du LNG 329 W63
Rousseillon, Rue du NDP 264 F28
Rousseillon, Rue du SJU. 350 D75
Roussin, Cr. BRS 348 E55
Roussin, Rue LNG . . . 349 A63
Roussin, Rue RIG. . . . 580 C5
Roussin-Vigneux, Rue WIN . . . . .
. . . . 632 B2-3
Routhier, Rue GRA . . . 622 H3
Routhier, Rue LNG . . . 349 A63
Routhier, Rue MAG. . . 631 B-C6
Routhier, Rue SHE . . . 635 M14
Rouvière, Rue LNG. . . 349 B63
Rouville, Rlle de MSH . 391 O80
Rouville, Rue LNG . . 328 W-X60
Rouville, Rue MAR . . . 500 B5
Rouville, Rue SBG . . . 390 L73
Rouville, Rue de BCV . 330 W70
Rouville, Rue de BEL . 391 N-O78
Rouville, Rue de BRO . 628 E-F7
Rouville, Rue de MSH . 391 O80
Rouville Tessier, Pl. RCH 409 U66
Roux, Rue ASB. 647 D-E5
Roux, Rue DMV 618 L11
Roux, Rue PRN 606 D2
Roux, Rue VTV 602 E8
Rouyn, Cr. BRS 348 E55
Rouyn, Pl. BRS 348 E55
Rouyn, Rue de GRA . . 620 D1
Rowel, Rue SLZ . . . 183 O-P20
Roxboro, Rue de COW . 626 E-F7
Roxton, Rue de ACV . . 540 C-D2
Roy, Av. SHY 522 G4-5
Roy, Ch. MAG. 630 A-B3
Roy, Ch. du LMG 648 B2
Roy, Rue ACV 540 C2
Roy, Rue BHN 304 Q23
Roy, Rue CDL 222 X7
Roy, Rue CHB 409 Q64
Roy, Rue COA 644 B2
Roy, Rue CON 550 B3
Roy, Rue CTG 305 S34-35
Roy, Rue DEL . . . 347 E47 367 F47
Roy, Rue DMV . . . 615 K14 619 L14
Roy, Rue EAN 645 C2
Roy, Rue GRA 620 E4
Roy, Rue MAG 631 C7
Roy, Rue MSH 391 P84
Roy, Rue OMV. 631 A8
Roy, Rue PLS. 607 C2
Roy, Rue SHE . . . 639 N13 P13-14
Roy, Rue SJR 510 E5
Roy, Rue TVD 244 B-C26
Roy, Rue VTV 602 E8
Roy, Rue WIN 632 D-E3
Roy, Rue (LEM) LNG . 328 Z59-60
Roy, Rue (SHU) LNG . . 349 C63
Roy-Audy, Rue BCV . . 330 W70
Roy-Audy, Rue VAR . . 311 Q-R80
Royal Mews, Rue SLZ . 183 O19
Royal Oak, Rue HUD . 204 O24
Royale, Rue COW . . . 626 E8
Royale, Rue CTG . . 305 U35-36
Royale, Rue FAR 624 C2
Royale, Rue VTV 601 E3
Royer, Rue le SHE . . 639 P12-13
Rozon, Rue SLZ. 203 R18
Rubanier, Rue du GRA . 623 G7
Rubaniers, Rue des BRS 348 E54
Rubin, Rue VTV 606 B1
Rubis, Rue des CED . . 243 D15
Rubis, Rue des LNG . . 349 A61
Rubis, Rue des SHE 637 M21-22
Rubis, Rue du BRO . . 628 D1
Rubis, Rue du GRA . . . 621 D6

St-Laurent, Rue SCW . . 611 B13
St-Laurent, Rue SHE . . 633 D13
St-Laurent, Rue SHY . . 520 E4
St-Laurent, Rue SJR . . 511 J3-5
St-Laurent, Rue SRT . . . .
. . . . . . 530 C1 D1-2 E1
St-Laurent, Rue SVD 263 F13-14
St-Laurent, Rue VRC . . 292 091
St-Laurent, Rue WIN632 D3 D-E3
St-Laurent, Rue (BHN) BHN . .
. . . . . . 284 N-023 O-P24
St-Laurent, Rue (MAP) BHN . .
. . . . 304 Q-R27
St-Laurent E., Rue LNG 329 W63
St-Laurent O., Rue LNG. . . . . .
. . 328 X60 329 W61-62 X63
St-Lazare, Mtée SLZ 203 S17-18
St-Léon, Rue CTG . . 305 T-U34
St-Léon, Rue SGG. 616 M2
St-Louis, Av. PLS. . . 607 C2 D3
St-Louis, Av. SHY. . 522 F6-7 H8
St-Louis, Boul. ASB . . . 646 D4
St-Louis, Boul. SJR . . 511 K4-5
St-Louis, Carré CTG . . 305 T33
St-Louis, Ch. BHN . . . .
. . . . 284 P23 304 Q21-22
St-Louis, Ch. SBG . . 390 L71-72
St-Louis, Ch. SLZ. . . 183 O20
. . . . . . 184 021 P21 203 U20
. . 204 Q-S21 223 V20 W19
St-Louis, Cr. NDP . . . 285 L29
St-Louis, Prom. NDP. . 285 L29
St-Louis, Rue BCV. . 310 U71-72
St-Louis, Rue BHN. . . . 304 Q27
St-Louis, Rue CHB. . . 409 S66
St-Louis, Rue CTG . . 305 S-T33
St-Louis, Rue DMV . . . .
. . . . . . 613 J8 614 H-J9
St-Louis, Rue EAN . . . 645 A-B3
St-Louis, Rue FAR . . . 624 C-D2
St-Louis, Rue GRA . . . 622 F4
St-Louis, Rue LNG. . 328 Z59-60
St-Louis, Rue LPR . . . 367 F52
St-Louis, Rue MER . . . 325 X30
St-Louis, Rue MSH . . 391 O-P79
St-Louis, Rue NAP . . . 570 C3
St-Louis, Rue PLS . . 607 D3 E4
St-Louis, Rue SCW . . 611 A-B13
St-Louis, Rue SHE . . 640 N-P16
St-Louis, Rue SJU . . 350 C76
St-Louis, Rue SMS. . . 390 P71
St-Louis, Rue SRT . . . 530 C3
St-Louis, Rue SVD. . . . .
. . 241 B-C4 242 C5
St-Louis, Rue VDR . . . 224 Z24
St-Louis, Rue VRC . . . 292 091
St-Louis, Rue VTV. . . 602 E7-8
St-Louis, Rue WIN. . . 632 C2-3
St-Louis E., Rue SRE . . 365 J32
St-Louis O., Rue SRE 365 H-J32
St-Luc, Av. PLS 607 D3
St-Luc, Rue SHY. . 520 E6 522 F6
St-Luc, Boul. ASB . . . 646 D3-4
St-Luc, Boul. SLR . . . .
. . . . . . 510 E1-2 511 G3-4
St-Luc, Rue BHN . . . 304 Q26
St-Luc, Rue CTG . . . 305 T33
St-Luc, Rue GRA . . . 622 F4
St-Luc, Rue MAG. . . . 631 D6
St-Luc, Rue SHE . . . 640 P15
St-Luc, Rue SMS. . . 390 P71-72
St-Luc, Rue SRE. . . . 365 J32
St-Lucien, Rue DMV. . . 613 H8
St-Malo, Rue de BCV . . 330 Y69
St-Malo, Rue de SJU. . 378 P75
St-Marc, Rue COA . . . 644 A-B3
St-Marc, Rue de CTG . . 626 E7-8
St-Marc, Rue CTG . . . 325 V36
St-Marc, Rue DMV. . . 613 H8
St-Marc, Rue PLS . . . 607 C2
St-Marc, Rue SHE. . 639 N-P14
St-Marc, Rue SRT . . . 530 B4
St-Marc, Rue VAR . . . .
. . . . . . 291 P79 311 Q79
St-Marcel, Rue DMV . . 613 H8
St-Martin, Rue BRO. . 629 A5
St-Martin, Rue NAP . . 570 C3
St-Martin, Rue SHE . . 640 N16
St-Mary's, Rue CTG . 325 V-W34
St-Mathieu, Rue BEL . . 391 N81
St-Mathieu, Rue MAG. 631 C-D7
St-Matthieu, Rue SHE . . 638 N8
St-Maurice, Rue ASB . . 646 D-E4
St-Maurice, Rue BRS . . 348 C56
St-Maurice, Rue CTG. 305 T-U34
St-Maurice, Rue DMV. . 614 J9
St-Maurice, Rue SHY. . 520 D7
St-Maurice, Rue SJR . . 512 P6
St-Michael, Rue CTG 5 V-W35
St-Michel, Av. SHY . . 522 F-G6
St-Michel, Rue ACV . . . 540 C2
St-Michel, Rue DMV . . 609 C7-8
St-Michel, Rue FAR . . . 623 F6
St-Michel, Rue LNG 329 X63 X64
St-Michel, Rue OMV/631 A7-8 B7
St-Michel, Rue SHE . . 636 L17
St-Michel, Rue SJR . . . 511 K4
St-Michel, Rue SVD. . 242 D9-10

St-Michel, Rue VDR . . 224 Z24
St-Nazaire, Rue VRC . . 292 091
St-Nicolas, Rue DMV . . 613 K7
St-Nicolas, Rue NAP . . . .
. . . . . . 570 B-C3 C-D2
St-Nicolas, Rue SHE . . 638 N8
St-Nicolas, Rue SRT. . . 530 C5
St-Norbert, Rue DMV . . 614 H9
St-Omer, Rue DMV . . 613 G-H7
St-Onge, Av. SHY 522 F7
St-Onge, Pl. PRN 606 C2
St-Onge, Rue GRA . . . 409 S66
St-Onge, Rue CTG . . . 305 T35
St-Onge, Rue SLZ . . . 620 D1
St-Onge, Rue SMS . . . 410 Q69
St-Onge, Rue SVD . . . 242 B6
St-Onge, Rue (DMV) DMV . . . .
. . . . 613 J-K6
St-Onge, Rue (SNP) DMV . . . . .
. . . . . . 617 L8 618 L9
St-Ours, Rue MAG . . . 631 E7
St-Ours, Rue de SJR . . 512 M7
St-Pascal, Rue VRC . . . 292 091
St-Patrice, Rue SHY. . . 522 F5
St-Patrice, Rue SJR . . . 512 N8
St-Patrice E., Rue MAG. . . . . .
. . . . 631 D5-6
St-Patrice O., Rue MAG . 631 D5
St-Patrick, Carré CTG. . 325 V35
St-Patrick, Rue COW. . . 627 D9
St-Patrick, Rue CTG . . . 325 V35
St-Patrick, Rue GRA. . . 622 F4
St-Patrick, Rue PIN . . . 244 D24
St-Patrick, Rue SJR . . . 512 N8
St-Patrick N., Rue FAR 624 D2
St-Patrick S., Rue FAR. 624 D2
St-Paul, Rue PIN 606 B3
St-Paul, Rang SRE. . 365 K33-34
St-Paul, Rang VDR . . . 223 Y19
St-Paul, Rue BEL 391 N81
St-Paul, Rue BHN . . . 304 Q24
St-Paul, Rue CED . . 243 E14-15
St-Paul, Rue CTG . . . 305 T35
St-Paul, Rue COW . . . 626 C8
St-Paul, Rue DMV . . . 613 H8
St-Paul, Rue FAR . . 624 B-C3 C2
St-Paul, Rue GRA . . . 623 F6
St-Paul, Rue LNG. . . 328 Y60
St-Paul, Rue LPR . . . 367 F-G52
St-Paul, Rue MAG . . . 631 E7
St-Paul, Rue OTT . . . 391 P78
St-Paul, Rue PLS. . . . 607 C2
St-Paul, Rue SHE . . . 640 N16
St-Paul, Rue SHY. . . . 522 G5
St-Paul, Rue SJR. . . . 511 K5
St-Paul, Rue SRT. . . . 530 B6
St-Paul E., Rue FAR 624 B2-3
St-Paul O., Rue COA . . 644 B2
St-Philippe, Rue ASB . . 646 C2
St-Philippe, Rue DMV . 614 H-J9
St-Philippe, Rue LPR. . . 367 F52
St-Philippe, Rue SCT . . 346 D44
St-Philippe, Rue SGG . . 616 M2
St-Philippe, Rue SVD . . 242 B6-7
St-Philippe, Rue VTV. . . 602 E7
St-Philippe, Rue WIN . . 632 C2
St-Pierre, Av. EAN . . . 645 B2-3
St-Pierre, Ch. SMU. . . 366 K43
St-Pierre, Ch. VDR . . . 223 Y20
St-Pierre, Imp. PIN . . 244 E22-23
St-Pierre, Pl. GRA . . . 620 D4
St-Pierre, Rang SCT . . . 346 E42
St-Pierre, Rue BEL . . . 391 N81
St-Pierre, Rue CHB . . . .
. . 389 P64-65 P65 409 Q65
St-Pierre, Rue DMV . . 613 H7 J6
St-Pierre, Rue FAR. . . . 624 C2
St-Pierre, Rue IPR . . . 244 D27
St-Pierre, Rue LNG. . . 328 Z60
St-Pierre, Rue MAG . . . 631 D6
St-Pierre, Rue MSH. 391 O-P79
St-Pierre, Rue PLS. . . . 607 D3
St-Pierre, Rue RIG . . 580 C5 D4-5
St-Pierre, Rue SHE. . . . .
. . . . 346 E43-44 347 D45-46
St-Pierre, Rue SGG . . 616 M-N2
St-Pierre, Rue SHE. . . 640 N16
St-Pierre, Rue SJR . . . 512 L5
St-Pierre, Rue SJS . . . 530 A4
St-Pierre, Rue SRE . . 365 J-K32
St-Pierre, Rue SRT . . . 530 A5-6
St-Pierre, Rue VTV. . . . 602 E7
St-Pierre, Rue WIN . . 632 D-E3
St-Pierre E., Rue SHY . . . .
. . . . . . 526 E6-7 522 F5
St-Pierre N., Rang SCT . . . .
. . . . 512 L-M8
St-Pierre N., Rue COA . . 644 C3
St-Pierre O., Rue SHY . . . .
522 F5 F6 G4-5 G-H4 H4 J3-4 K3
St-Pierre S., Rang SCT . . . .
. . . . . . 346 E41 366 F41

St-Pierre S., Rue COA . . . 644 C3
St-Prosper, Rue SHY . . . 522 F4
St-Raphaël, Ch. SJR 510 A2 B-C1
St-Raphaël, Rue SVD . . . 242 D5
St-Raymond, Rue SHE . . 639 P14
St-Régis, Mtée SCT . . . .
. . . . . . 346 B-C43 D-E44
St-Régis N., Rang SCT . . . .
. . . . 346 B42 B-C40
St-Régis S., Rang SCT. . . . .
346 B-C40 C41-43 410
St-Remi, Rue COW . . . 626 C7-8
St-Rémi, Boul. SHE . . . .
. . . . 365 G34-35 K32
St-Rémi, Rue SJR . . . 510 C6
St-Rémi, Rue SRE . . . 365 J32
St-René, Rue CHB . . . 409 Q65
St-René, Rue MER . . . 325 X30
St-Robert, Mtée SLZ 203 R15-17
St-Roch, Ch. SJS . . . 530 A-B4
St-Roch, Ch. SRT. . . 530 B4 E3
St-Roch, Rue ASB. . . 646 D-E4
St-Roch, Rue LNG . . . 328 Z60
St-Roch, Rue SCT . . . 346 E44
St-Roch N., Ch. SHE. . 642 T4-5
St-Roch N., Rue DMV . . 609 E5
St-Roch S., Ch. SHE . . . .
. . 642 T6 643 T7-9 U9 V10
St-Roch S., Rue DMV . . . .
. . . 612 F-G4 613 F5
St-Rodolphe, Rue DMV. 614 K9
St-Romuald, Rue FAR . 624 D-E3
St-Sacrement, Rue BCV 310 U72
St-Saveur, Rue SRE . . 365 K32
St-Sébastien, Rue du SRT530 C2
St-Simon, Av. SHY . . . 522 F6
St-Simon, Rang SMM. . 522 K1
St-Simon, Rue RIG . . . 580 B3
St-Simon, Rue SRE. . . 365 J32
St-Stephen, Rue PLS. . 409 R66
St-Sylvestre, Rue LNG329 V-W62
St-Théodore, Rue du SHY 242 B-C5
St-Thomas, Av. SHY . . 522 F6
St-Thomas, Ch. RIG . . 580 D2
St-Thomas, Cr. SLB . . 348 A58
St-Thomas, Rue CED. 243 D-E14
St-Thomas, Rue DMV. . 614 K9
St-Thomas, Rue SHE . . 640 N16
St-Thomas, Rue SLB . . . .
. . . . 328 Z58 348 A58
St-Thomas, Rue SVD . . . .
. . . 242 C6 D5-6 E5
St-Thomas, Rue (LEM) LNG. . . .
. . . . 328 Y-Z60
St-Thomas, Rue (LNG) LNG. . . .
. . . . 329 W62 X62 Y63
St-Urbain, Rue COW . . 626 F7-8
St-Urbain, Rue GRA . . 622 F-G3
St-Urbain, Rue SVD . . . 242 E8
St-Ursule, Rue CED . . 243 A-B13
St-Valier, Rue GRA . . 622 F-G3
St-Viateur, Ch. BHN . . 284 P24
St-Viateur, Rue GRA. . . 620 E4
St-Viateur, Rue PLS. . 580 C5 D5
St-Viateur, Rue SRE. . 365 J-K32
St-Viateur, Rue SVD . . 263 F14
St-Viateur E., Rue GRA620 D-E4
St-Viateur O., Rue GRA620 D-E4
St-Vincent, Rue FAR. . . 624 C2
St-Vincent, Rue GRA. . 622 G-H4
St-Vincent, Rue SVD . . 234 A-B6
St-Vincent-de-Paul, Rue COA . . .
. . . . 644 B-C2
St-Yves, Rue SVD. . . . 242 E10
St-Zénon, Rue SVD . . . 242 D7
St-Zéphirin, Rang BHN. . . . . . .
. . . . 304 S24-25
St-Zéphirin, Rue VTV . . . .
. . . . . . 602 E8 604 F8
Ste-Angèle, Rue GRA. . 622 H4
Ste-Angélique, Mtée SLZ. . . . . .
. 183 M-N15 P17 203 R18 S-U19
Ste-Angélique, Rue VDR. . . . . . .
. . . . 224 Z24-25
Ste-Anne, Av. SHY . . . .
. . . . 520 E4-5 522 F5-6
Ste-Anne, Ch. DMV . . 609 A6
Ste-Anne, Ch. SRT . . 530 A6-7
Ste-Anne, Pl. VTV. . . . 604 F8
Ste-Anne, Rang DMV. 609 A6 B8
Ste-Anne, Rue COA 644 B-C3 C4
Ste-Anne, Rue GRA . . 622 G4
Ste-Anne, Rue MAR . . 500 A-B3
Ste-Anne, Rue MSH . . 391 081
Ste-Anne, Rue OMV . . 631 A8
Ste-Anne, Rue PLS. . . 607 C2
Ste-Anne, Rue SRE . . 365 J-K32
Ste-Anne, Rue SVD . . 242 C5-6
Ste-Anne, Rue VAR . . 291 P79
Ste-Anne, Rue de la DMV 609 E8
Ste-Augustine, Rue SMM 370 H69
Ste-Bernadette, Rue SHE . . . . .
. . . . 838 P-Q10

Ste-Catherine, Imp. SHY . 520 E3
Ste-Catherine, Rue BCV 310 T72
Ste-Catherine, Rue BHN. . . . . .
. . 284 P24 304 Q24
Ste-Catherine, Rue CED 243 E14
Ste-Catherine, Rue GRA. . . . . .
. . . . 622 G3-4
Ste-Catherine, Rue LNG . . . . . .
. . . . 329 X62-63
Ste-Catherine, Rue LPR. 367 F52
Ste-Catherine, Rue MAG. 631 D5
Ste-Catherine, Rue SCT . . . . . .
. . 346 B43-44 347 B-D45
Ste-Cécile, Rue GRA . . 622 G4
Ste-Cécile, Rue SHY . . . 522 F5
Ste-Cécile, Rue SVD . . . 242 C6
Ste-Célanie, Rue SLZ. 203 R-S18
Ste-Claire, Rue SHE . . 638 P8
Ste-Claire, Rue SVD . . 242 B5-6
Ste-Croix, Av. VTV 604 F7
Ste-Élizabeth, Rue FAR . . 624 C2
Ste-Élisabeth, Ch. SLZ203 Q-R19
Ste-Élizabeth, Rue LNG 329 W70
Ste-Émilie, Rlle SVD. . . 242 C6
Ste-Famille, Imp. CON . . 550 C2
Ste-Famille, Rue BCV. . 310 T72
Ste-Famille, Rue CON . . 550 B3
Ste-Famille, Rue SRE . . 365 J32
Ste-Famille, Rue VRC. . 292 091
Ste-Famille, Rue de la SHE. . . . .
. . . . . 636 L18 637 L19
Ste-Foy, Boul. LNG . . . .
. . . . 329 X62 Y61-63
Ste-Foy, Pl. de SBM . . 370 G69
Ste-Foy, Rue CTG . . . 305 S35
Ste-Foy, Rue de SBM . 370 G69
Ste-Geneviève, Rue CED . . . . . .
. . . . 243 D14-15 E15
Ste-Geneviève, Rue VRC292 091
Ste-Hélène, Rue CTG . . 305 U35
Ste-Hélène, Rue LNG . . . .
. . . . 329 X-Y61 349 A61
Ste-Hélène, Rue SHE . . 636 J17
Ste-Hélène, Rue SLB. . 328 Z59
Ste-Hélène, Rue SRT. . 530 D4-5
Ste-Jeanne-d'Arc, Rue LNG . . . .
. . . . 328 Z60 329 Z61
Ste-Julie, Mtée SJU . . . .
. . . 330 Y-Z76 311 S77
Ste-Julie, Rue VDR . . 224 Y-Z24
Ste-Lucie, Rue LNG . . 348 E60
Ste-Lucie, Rue SHE . . 638 P8
Ste-Madeleine, Rue RIG . 580 C5
Ste-Madeleine, Rue SHY. . . . . .
. . . . 522 G5-6
Ste-Marguerite, Boul. CTG . . . . .
. . . . 325 W-X36
Ste-Marguerite, Boul. MER. . . . .
. . 325 Y31-34 Z29-30
Ste-Marguerite, Rue BCV . . . . .
. . . . 310 U71-72
Ste-Marguerite, Rue LMG 648 D3
Ste-Marguerite, Rue LNG . . . . . .
. . . . 328 Z60
Ste-Marguerite, Rue SVD . . . . . .
. . . . 242 C-D7
Ste-Marguerite, Rue VDR . . . . . .
. . . . 224 Y-Z24
Ste-Maria-Goretti, Rue BEL. . . . .
. . . . 391 N79
Ste-Marie, Av. SHY. . . 522 F6
Ste-Marie, Boul. SVD. . . . .
. . . . . . 242 D-E5 E6-7
Ste-Marie, Rue CHB 409 Q64-65
Ste-Marie, Rue COW . . 626 D8
Ste-Marie, Rue GRA. . . 622 G4
Ste-Marie, Rue LNG. . . 329 W63
Ste-Marie, Rue LPR . . . 367 F52
Ste-Marie, Rue MAG . . 631 D6
Ste-Marie, Rue MAR . . 500 B-C4
Ste-Marie, Rue PLS . . . 607 D2
Ste-Marie, Rue SCT . 347 D45-46
Ste-Marie, Rue SHE . . 640 N17
Ste-Marie, Rue SJR. . . 511 J4-5
Ste-Marie, Rue SLZ . . 203 R-S18
Ste-Marie, Rue SVD . . 241 C3-4
Ste-Marie, Rue VAR . . 311 Q78
Ste-Marie, Rue VTV. . . 602 E8
Ste-Marie, Rue WIN . . 632 B2
Ste-Marie, Rue (BHN) BHN . . . .
. . . . 284 P24
Ste-Marie, Rue (MAP) BHN . . . .
. . . . 304 Q26
Ste-Marie E., Rang BHN 284 L21
Ste-Marie E., Rang SVD. . . . . . .
. . . . 512 P5-6
Ste-Marthe, Rue FAR . . 624 C2
Ste-Marthe, Rue SHY . . 522 F-G7
Ste-Pauline, Rue DMV. . 614 J10
Ste-Praxède, Rue SHE . . . .
. . . . 633 D12-13
Ste-Rose, Rue LNG. . . . .
. . . . . . 389 P65 409 Q65
Ste-Sophie, Rue CHB . . . .
. . . . . . 389 P65 409 Q65
Ste-Thérèse, Ch. CAR . . . .
. . . . . . 409 U65-66

Ste-Thérèse, Rang SRE . . . .
. . . . 365 G33-34
Ste-Thérèse, Rang SRT . . . .
. . . . 530 C8 C-D7
Ste-Thérèse, Rue CON . . . .
. . . . 550 B4 B-C3
Ste-Thérèse, Rue COW 626 D7-8
Ste-Thérèse, Rue DEL. . 367 F46
Ste-Thérèse, Rue GRA. 622 F3-4
Ste-Thérèse, Rue MSH . 391 077
Ste-Thérèse, Rue PLS . 607 C-D3
Ste-Thérèse, Rue SHE 639 N-P14
Ste-Thérèse, Rue SJR . . . .
. . . . . . 510 C-D5 E4-5
Ste-Thérèse, Rue SRE 365 H-J32
Ste-Thérèse, Rue SVD. . 242 E10
Ste-Thérèse, Rue VAR . 311 Q78
Ste-Victoire, Av. VTV. . . 604 F7
Ste-Élizabeth, Rue de BCV 330 W70
Saintonge, Rue de SHE 633 F14
Salaberry, Ch. CAR . . 389 O-P62
Salaberry, Rue BHN . . 304 Q24
Salaberry, Rue DMV . 619 M-N13
Salaberry, Rue LMG . . . 648 C5
Salaberry, Rue LPR. . . . 367 F51
Salaberry, Rue SHE . . 636 L18
Salaberry, Rue (LNG) LNG . . . . .
. . . . 349 A-B63
Salaberry, Rue (SHU) LNG. . . . . .
. . . . 349 B-C65
Saratoga, Cr. de SLZ. . 203 Q16
Saratoga, Pl. de SLZ. . 203 Q16
Salaberry, Rue de COW 626 E-F7
Salaberry, Rue de SBM . 391 N83
Salaberry, Rue de SBM . 370 J70
Salaberry, Rue de VAR . 311 R77
Salaberry, Rue de la SJR . 511 K5
Salaberry, Rue de SLZ. . . . .
. . 305 U22 325 V30-31
Salaberry N., Boul. CTG. . . . . . .
. 305 T35 306 R37-38 R-S37
Salaberry O., Boul. MER . . . . . .
. . 304 U27-28 305 U29
Salaberry E., Rue SVD. . . . .
. . 634 M7 N6 638 N7
Salaberry, Rue des VDR . . . .
. . . . 224 Y25-26
Salières, Rue de CAR . . 389 O62
Salières, Rue de la LNG . 389 L64
Saline, Rue de la VAR . . . .
. . 310 S76 311 S77
Salines, Rue des SHY . . 520 C5
Salls, Rue SHE 640 N15
Salomon, Cr. BRS . . . 348 D56
Salomon, Rue BEL. . . 391 M81
Salvador, Cr. BRS . . 348 D55-56
Salvail, Pl. SRT 530 A7
Salvaski, Rue DMV. . . 619 N13
Salzbourg, Cr. BRS . . 348 D56
Samare, Rue de la DMV. . . . . . .
. . 612 G4 613 G5
Samares, Av. des PLS. . 607 E2
Samares, Rue des SHY. 520 C5
Sambault, Rue SJR . . 511 K2-3
Samentide, Rue SJR . 511 K2-3
Samson, Cr. BRS . . 348 D56
Samson, Rue VTV. . . 605 J11
Samuel, Rue SCW . . 614 F10-11
Samuel-Bessette, Rue RCH . . . .
. . . . 409 U66
Samuel-Brisson, Rue SHE . . . . .
. . . . 637 K21
Samuel-Brisson, Rue SHE . . . . .
. . . . 640 P18
Samuel-de-Champlain, Rue LPR . .
. . . . 367 G-H51
Samuel-de-Champlain, Rue SJR. .
. . . . 512 L7
Samuel-de-Champlain, Rue SJU. .
. . . . 350 C-D75
Samuel-de-Champlain, Pl. BCV . . .
. . . . 330 V70
Samuel-De Champlain, Rue BCV . . .
. . . . 330 V70-72
Samuel-Hatt, Rue CHB. . . . .
. . . . . . 409 S-T63 T62-63
Samuel-Hoyt, Rue MAG . 630 A2
Samuel-Provost, Rue BCV . . . . .
. . . . 310 U71
San-Francisco, Av. BRS . . . .
. . . . . . 348 D-E55 E56-57
Sanborn, Rue COW . 627 D10-11
Sanborn, Rue SHE. . 640 N16-17
Sancerre, Pl. de SLZ . . 203 Q18
Sanctuaire, Ch. du SMG608 A-B2
Sanctuaire, Ch. du SHE . . . .
. . . . 636 H15-16
Sanctuaire, Rue du SHE 636 H16
Sanctuaire, Rue du SLZ . . . .
. . . . 630 O-P18
Sanctuaire, Rue du SVD 242 L10
Sanderson, Rue HUD. . 204 R24
Sandmere, Rue SLZ. 183 O-P19
Sandridge, Rue VDR 184 Q21-22
Sanford, Av. SLB . . 328 X59 Y60
Sanguinet, Av. VAR . . 311 Q80
Sansoucy, Av. SHY. . . 520 C-D1
Sansoucy, Rue de CAN . 367 H47
Santerre, Pl. BRS . . 348 D55-56
Santiago, Rue BRS. . . 348 D56
Santoire, Rue SVD . . . 242 B6
Santorin, Rue de CAN . . . .
. . . . 367 H46-47

Saphir, Rue DMV 613 K6
Saphir, Rue du BRO . . 628 D1
Saphir, Rue du SLZ . . 621 D-E6
Saphirs, Rue des IPR . . 244 D26
Saphirs, Rue des LNG. . 349 A61
Saphirs, Rue des SHE . 637 M22
Saphirs, Rue des SHE . 638 N7
Sapinière, Rue de la COA . . . . . .
. . . . 644 C-D1
Sapinière, Rue de la HUD . . . . . .
. . . . 184 O24
Sapinière, Rue de la SLZ . . . . . .
. . . . 223 W20
Sapinière, Rue de la SRT 530 D5
Sapins, Rue de la SHE . . . .
. . . . 635 M14
Sapins, Carré des DMV 619 L14
Sapins, Rue des DMV. . . . .
. . . . . . 615 K14 619 L14
Sapins, Rue des GRA. . 620 E1
Sapins, Rue des MER 325 X-Y30
Sapins, Rue des SBG. . 390 M32
Sapins, Rue des SJR . . 530 D5
Sapins, Rue des VDR . . 204 Q22
Sapins, Rue des VTV . . 602 E5
Sara, Rue SHE 640 O16-17
Sara-Adam, Rue SHE 639 N-P11
Sarah, Rue SCW 614 F11
Saratoga, Cr. de SLZ. . 203 Q16
Saratoga, Pl. de SLZ. . 203 Q16
Sarcelle, Rue de la SBG 390 M71
Sarcelles, Rue de la VAR 311 R77
Sarcelles, Rue des CDL. 222 Y10
Sarcelles, Rue des CON . 550 A4
Sarcelles, Rue des DMV . 613 K6
Sarcelles, Rue des SCA 347 C46
Sarcelles, Rue des . . . .
. . . . . . 634 M7 N6 638 N7
Sarcelles, Rue des VDR . . . .
. . . . 224 Y25-26
Sardaigne, Av. des CAN . . . .
. . . . 367 H46-47
Sardaigne, Pl. BRS . . . 348 D56
Sarcq, Rue SHE 642 V-W4
Sarre, Rue de la SJR . . 510 E1-2
Sartre, Av. de BRS . . . .
. . . . . . 348 D56-57 E56
Satellites, Rue des CTG . . . .
. . . . 325 W35-36
Saturne, Cr. BRS . . . 348 D56
Saturne, Rue de CTG. . 325 W35
Saudrays, Rue de la BCV . . . .
. . . . 330 V69-70
Saule, Rue du SVD . . . 263 F-G15
Saule, Rue du SHE . . . 613 G7
Saules, Pl. des SLZ . . 203 Q18
Saules, Rue FAR. . . . 624 D2-3
Saules, Rue des BRS . . 348 C56
Saules, Rue des COA . . 644 E2
Saules, Rue des CON . . 550 D2
Saules, Rue des CTG . . 325 V34
Saules, Rue des IPR . . 244 E27
Saules, Rue des MAG . 631 E7-8
Saules, Rue des MCM . 391 N77
Saules, Rue des SAM . 351 B82
Saules, Rue des SBG . . 390 L72
Saules, Rue des SBM 370 J70-71
Saules, Rue des SCA . 347 C46
Saules, Rue des SHE . 637 M21
Saules, Rue des SJR . . 510 E5
Saules, Rue des SMS. . . . .
. . 390 P72 410 Q72
Saules, Rue des SRE . . 365 J32
Saules, Rue des SRT. . 530 D2-3
Saules, Rue des VDR . . 204 R22
Saules, Rue du CA. . . 347 C48
Sault-Saint-Louis, Ch. du LPR . . .
. . . . 367 F50-51
Saumier, Rue HUN. . . 560 C2
Saumur, Cr. du SLZ . . . .
. . . 183 P18 203 Q18
Saumur, Pl. de SLB . 348 B58-59
Saumur, Rue de DMV . 619 M14
Saumur, Rue de SLZ. . 203 Q18
Sauternes, Rue de VDR. 224 X26
Sauterelles, Rue de la SVD . . . . .
. . . . 263 A7 B6
Sauvé, Cr. du SCA . . 347 H47
Sauvé, Cr. BRS . . . 348 E57
Sauvé, Rue CED. . . . 263 F16
Sauvé, Rue CTG . . . 325 W35
Sauvé, Rue du SVD. . 242 B6
Sauvé, Rue LNG349 E63 369 F63
Sauvé, Rue MER. . . . 325 X29-30
Sauvé, Rue SHE. . . 639 N-P11
Sauvé, Rue VDR . . . 224 Y23-24
Sauvé, Rue (STI) SVD . . . 242 D9
Sauvé, Rue (SVD) SVD . . 242 C7
Sauvé, Rue de CAN . 367 H47
Sauvignon, Rue du LNG . . . .
. . . . 349 B64-65
Sauvignon, Rue du SHE 635 L12
Sauvignon, Rue du SLZ. 203 Q16
Savage, Rue GRA . . 621 D6 E5

Savane, Ch. de la LNG . . . .
. . . . 349 C64-68
Savane, Pl. de la LNG . . . .
. . . . 349 C65-66
Savane, Rue de la SJU . 350 E74
Savane, Rue de la SRT . 530 E4
Savard, Av. SHY. 522 G6
Savard, Cr. BRS 348 D55
Savard, Rue CTG . . 305 S-T33
Savard, Rue DMV. . . . 613 H7
Savard, Rue LNG 369 F63
Savard, Rue SHE 639 P12
Savard, Rue SJR . . . .
. . . . 510 E1 511 F1-2
Savaria, Rue SBG. . . . 390 L72
Savaria, Rue SJU . . . .
. . . . . . 350 B-C74 B-C75
Savaria, Rue VAR. . . . 311 R78
Savignac, Rue SGG . . . 616 M2
Saville, Rue LNG . . . .
. . . . . . 348 D60 349 D61
Savio, Rue SHE 635 M12 639 N12
Savoie, Av. SHY 522 F6
Savoie, Pl. BRS 348 D56
Savoie, Rue PLS. . . 607 C2-3 D2
Savoie, Rue de LNG. . 329 W63
Savoie, Rue de SHE . . 633 G14
Savoie, Rue de SLB . . 348 A58
Savoie, Rue de la SJU. . 350 C75
Savoy, Rue MSH 391 O81
Savoy, Rue SJR 511 J3
Savoyane, Rue de la DMV 613 G5
Savoyane, Rue de la SBM. . . . .
. . . . 370 J69
Savoyards, Rue des LNG . . . . . .
. . . . 349 B64-65
Scalabrini, Rue SHE. . 633 E-F13
Scheffer, Rue CHB . . 409 R-S64
Scheffer, Terr. CHB. . . 409 R64
School, Rue SHE 636 M17
Schubert, Rue BRS . . 348 D55
Schubert, Rue CTG . . 325 W35
Schubert, Rue DMV. . . 613 K7
Schumann, Pl. BRS. . 348 C-D56
Scott, Av. SHY 520 B6
Scott, Rue CTG 306 S37
Scott, Rue DMV 614 J9
Scott, Rue LNG 369 J63
Scott, Rue MCM 391 M77-78
Scottsmore, Ch. COW . . . .
. . . . 627 E11 F12
Scouts, Av. des LNG . . 630 D2
Sébastien, Rue BRS . . 348 E56
Sébastien, Rue CTG . . 305 U34
Sébastien, Rue SCW . . 610 D12
Sébastien, Rue SJR . . 510 C1
Sébastien, Rue SLZ . . 203 Q16
Sébastien, Rue VTV . . 603 D9
Secrétaires, Rue des SHE . . . . .
. . . . 637 L21
Seers, Rue CTG . . . 305 S34-35
Ségovie, Rue de CAN . . 367 H47
Séguin, Av. LNG 369 F63
Séguin, Cr. BRS 348 D-E57
Séguin, Imp. SVD. . . . 242 A5
Séguin, Mtée CED. . . 263 G18-19
Séguin, Pl. SCA 347 C47
Séguin, Rue CDL 222 X7
Séguin, Rue LNG 369 H68
Séguin, Rue RIG. 580 C4-5
Séguin, Rue SBM. . . . 390 H70
Séguin, Rue SCA 347 C47
Séguin, Rue SCL 202 Q10
Seigneurial, Pl. SBM . . 370 H70
Seigneurial E. , Boul. SBM . . . .
. . . . 370 H70
Seigneurial O. , Boul. SBM . . . .
. . . . 369 H68 370 H69
Seigneuriale, Rue VTV . 601 F-G3
Seigneurie, Allée de la BCV. . . .
. . . . 330 W70
Seigneurie, Pl. de la SLZ 183 P17
Seigneurie, Rue HUD 204 O23-24
Seigneurie, Rue de la ACV . . . .
. . . . 540 C1
Seigneurie, Rue de la MAG. . . . .
. . . . 630 D1
Seigneurie, Rue de la SJU . . . . .
. . . . 350 C76
Seigneurs, Mtée des GRA. . . . . .
. . . . 622 H3-4
Seigneurs, Pl. des SHE . 640 P15
Seigneurs, Rue des CTG 310 U71
Seigneurs, Rue des BEL 391 M80
Seigneurs, Rue des SHE. . . . . . .
. . . . 640 P15-16
Seigneurs E. , Rue des SHY . . . .
. . . . . 521 C9-10 D9 522 F7-8
Seigneurs O. , Rue des SHY . . . .
. . . . 522 G6-7 H5
Seigniory, Rue CTG . . . .
. . . . . . 306 U37 326 V37
Seigniory, Rue MSH . 391 O-P80
Seine, Rue de la BCV 310 T73-74
Seine, Rue de la CAN. . 367 H47
Selkirk, Rue HUD. . . . 184 N23
Semailles, Rue des SHY. . . . . . .
. . . . 520 D1-2
Semailles, Rue des VAR 311 S77
Semences, Rue SLZ 203 T19
Séminaire N. , Boul. du SJR . . . .
. . . . 511 G-H4 J-K5 512 L-M4

Séminaire S. , Boul. du SJR . . . .
. . . . 512 M-Q4
Séminaristes, Rue des SHY. . . . .
. . . . 520 D6 E5-6
Sénécal, Rue BRS . . . 348 D56
Sénécal, Rue CHB. . . . .
. . . . . . 389 P65 409 Q65
Sénécal, Rue LNG . . . 329 V67
Sénécal, Rue SJR . . 511 G3-4
Sénécal, Rue VAR . . . 311 R79
Sénéchal, Rue du LNG. . 611 L7
Senneville, Rue LNG. . 349 C65
Senneville, Rue SCW . 611 A14
Sentier, Pl. du SLZ . . 203 T19
Sentier, Rue du BEL. . 391 M82
Sentier, Rue du LNG. . 329 Y65
Sentier, Rue du PIN . . 244 D24
Sentier, Rue du SCT . . 347 E46
Sentier, Rue du SVD . . 242 B7
Sentinelle, Rue de la DMV . . . . .
. . . . . . 614 K10 618 L10
Séraphin, Rue SRT . . . 530 A6
Séraphin-Marion, Rue BCV . . . . .
. . . . 330 W69
Sérénac, Rue SVD . . . 241 B4
Sérénité, Rue de la SLZ 183 P19
Sérénité, Rue de la VTV 603 D10
Serey, Rue NDP. 264 G28
Serge-Garant, Rue SHE. 639 Q11
Sergent-Arthur-Boucher, Rue du
MAG. 631 B-C5
Sérigny, Rue de LNG . 348 B60
Serré, Rue VTV 604 F7
Serres, Rue des SBM 369 G-H68
Service, Ch. de SCA . . 327 Z45
Sève, Rue de la DMV . . . .
. . . . . . 612 G4 613 G5
Sévigny, Rue LMG . . . 648 A1
Sévigny, Rue LNG. . . . 369 J64
Sévigny, Rue SVD . . . 241 B1
Séville, Cr. BRS 348 D56
Séville, Rue SHE . . . 636 K18
Séville, Rue de CAN . . 367 J47
Sexton, Rue LNG . . . 348 C59
Seyval, Rue du SHE . . 635 L12
Shamrock, Pl. PIN. . . 244 C-D24
Shamrock, Rue PIN . . 244 C-D24
Shannon, Rue SJR . . 511 G3-4
Shannon, Rue du SJR. . 241 C3
Shawinigan, Rue de CTG325 V36
Shea, Rue BEL 391 M79
Sheepwash, Rue DEL. 367 F-G45
Sheffington, Rue de BRO . . . . . .
. . . . 629 C7-8
Shefford, Rue BRO . . . .
. . . . . . 628 C3-4 D3 E2 629 B6
Sheldon-Ross, Rue GRA . 623 H8
Shepherd, Rue HUD. . 184 O23
Shepherd Cir. HUD . . 184 O-P23
Sheppard, Rue SRT. . . 530 C4-5
Sheraton, Rue CTG. . . 325 V35
Sherbrooke, Ch. MAG . 631 C-D6
Sherbrooke, Rue GRA. . 623 F5
Sherbrooke, Rue de BRO 629 C6
Sherbrooke, Rue de COA 644 A3
Sherbrooke, Rue de COW 626 E7
Sherringham, Rue NDP . 264 F28
Sherwood, Pl. CTG . . 325 V-W35
Sherwood, Rue COW. . 626 D6
Sherwood, Rue VDR. . . . .
. . . . 224 Z23 244 A23
Sherwood, Rue de la SHE. . . . . .
. . . . 639 P12-13
Shetland, Rue du SLZ 183 P20
Shirley, Rue LNG . . . 349 C63-64
Short, Rue SHE 640 N16
Sibérie, Cr. de la BRS . . 348 E56
Sicard, Rue SRE 365 H-J32
Sicile, Rue de CAN. . . 367 H46
Sicotte, Rue DMV. . . . 613 G7
Sicotte, Rue LNG. . . . 369 F63
Sicotte, Rue SHY . . 522 F4-5 F-G4
Sicotte, Rue SVD 242 E6
Sideleau, Pl. SHE . . . 636 K17
Sideleau, Rue SHE . . 636 K17-18
Sideleau, Rue SHE . . 636 K18
Sideman, Rue GRA . . 622 G4
Sidney, Av. LNG 369 F62
Sieur-Antoine, Rue du SRT . . . .
. . . . 530 C7-8
Sieur-d'Iberville, Rue du SHE . . .
. . . . 640 Q-R15
Siffleurs, Cr. des VDR . . 224 Y25
Siffleurs, Rue des VDR . 224 Y25
Sigouin, Rue DMV . 613 H6 J5-6
Sillery, Pl. BRS 348 D56
Sillery, Rue COW. . . . 626 C7
Sillery, Rue GRA. . . . 620 C-D3
Sillery, Rue LNG . . . 349 A-B63
Sillons, Av. des SHY . . 522 J3
Simard, Av. CHB . . . 409 S65
Simard, Boul. SLB . . . 348 B58
Simard, Rue COA . . . 644 C3
Simard, Rue DMV . . . 609 E5
Simard, Rue LNG . . . .
. . . . . . 349 E63 369 F63
Simard, Rue SHE. . . . .
. . . . . . 635 K14 636 K15
Simard, Rue SJR . . . 512 N5-6
Simard, Rue SRT . . . 530 C-D5
Simard, Rue SVD. 222 Z8 242 A7

Simard, Terr. LNG. . . . 369 F63
Simcoe, Rue PIN . . . 244 C-D25
Siméon-Brais, Rue VDR. 224 Y24
Simms, Rue SLB . . . .
. . . . . . 328 Z59 348 A59
Simon, Rue BHN 284 L21
Simon, Rue BRS 348 D56
Simon, Rue LNG 369 F62
Simon, Rue SHE 642 T3
Simon-Calouet, Rue BCV330 V71
Simon-Perreault, Rue SBM 370 J70
Simon-Pierre-Tremblay, Rue RIG
. . . . 580 C4-5
Simon-Saladin, Rue BCV . . . . . .
. . . . 330 W70
Simonds N. , Rue GRA. 620 D-E3
Simonds S. , Rue GRA . 620 E2
622 F2 F-H2 H2-3 J3-4 623 J5-6
Simone, Rue DEL . . . 242 C6
Simone-de-Beauvoir, Rue NDP . .
. . . . . . 264 J25-26 K25-26
Simone-De Beauvoir, Rue SJU. . .
. . . . 350 D74-75
Simoneau, Boul. ASB. . . . .
. . . . . . 646 D4 647 C5-6 D5 D6
Simoneau, Rue PLS . . . 607 C2
Simoneau, Rue VTV . . 605 F9
Simonneau, Rue WIN . . 632 B2
Simpson, Rue SLZ . . . 183 O20
Simpson, Rue SVD . . 242 C7-8
Sinclair, Rue LNG . . . 349 E63
Sir-Wilfrid-Laurier, Boul. BEL. . .
. . . . 391 N79-80
Sir-Wilfrid-Laurier, Rue LNG . . . .
. . . . 349 A61 C63 D64
Sir-Wilfrid-Laurier, Boul. MCM. . .
. . . . 390 N76 391 N77-78
Sir-Wilfrid-Laurier, Boul. SHY . . .
. . . . 381 O81-82 P84
Sir-Wilfrid-Laurier, Boul. SJR. . . .
. . . . 370 K70-71 390 L-M74
Sir-Wilfrid-Laurier, Boul. SBM. . .
. . . . 349 E65 369 F66 H68
Sir-Wilfrid-Laurier, Boul. SHE. . .
. . . . 328 Y58 Z58-59
Sir-Wilfrid-Laurier, Rue LNG . . . .
. . . . 349 B61-62 C63
Sirocco, Cr. du SLZ . . . 510 E1
Sirocco, Rue du SJR. . . 510 E1
Sirois, Rue LNG 369 F62
Sirois, Rue MCM 391 N77
Sirois, Terr. LNG 369 F62
Sitelles, Pl. des SCA . . 347 C46
Sitelles, Rue des ASB. 647 A7-8
Sitelles, Rue des CDL . 222 X6-7
Sitelles, Rue des DMV. . . . .
. . . . 609 C-D8 D7
Sitelles, Rue des LNG . . . .
. . . . 329 X64-65
Sitelles, Rue des MSH. . . . .
. . . . 391 P82-83
Sitelles, Rue des SBG . 390 N71
Sitelles, Rue des SJR . . 183 O17
Sitelles, Rue des SLZ. . 203 R17
Sizerins, Rue des SLZ. . 203 R17
Sleeper, Rue COA . . . 644 B3
Small, Rue LNG 349 C61
Smiley, Rue SLB 328 X60
Smith, Rue CTG . . . 305 S-T36
Smith, Rue DMV 613 F7
Smith, Rue MAG. 630 D4 631 D5
Smith, Rue SJR 512 P6
Socrate, Rue SHE . . . 348 D56
Soeur-Hélène, Rue du MAG . . . .
. . . . 631 B-C5
Soeurs, Rue des VTV . 603 D9-10
Soeurs-de-Saint-Joseph, Rue des
BRO 629 B-C5
Sofia, Rue de CAN. . . 367 H47
Soissons, Rue de LNG. . 349 B63
Solange-Gobeil, Rue SHE . . . . . .
. . . . 639 R13
Soleil, Rue du MAR. . . 500 A1-2
Soleils, Rue des SRT . . 530 D3
Solfège, Pl. du SLZ . . . .
. . . . . . 183 P19 203 Q19
Soligny, Rue de BCV . . 330 X60
Solis, Rue SHY 522 F6-7
Soliste, Pl. du SLZ . . . 203 Q19
Somers, Rue MAG . . . 631 C-D5
Somerset, Rue HUD . . 184 O23
Sommerville, Rue HUN . 560 C2
Sommet, Rue du IPR 244 E26-27
Sommet, Rue du MSH . 391 P81
Sommet-Trinité, Pl. du SBM . . . .
. . . . 370 J72-73
Sommet-Trinité, Rue du SBM . . .
. . . . 370 J72
Sonate, Pl. de la SLZ . 203 Q20
Sonia, Rue SCW 610 A10
Sonia, Rue VTV 603 B10
Sophie, Rue CED243 C14-15 D14
Soprano, Rue du SLZ . 203 Q19
Sorbier, Rue du SJU. . 350 E74
Sorbiers, Allée des PIN 244 D24
Sorbiers, Cr. des LNG . 369 G61
Sorbiers, Rue des BRO. 629 A8
Sorbiers, Rue des BRS . 348 C56
Sorbiers, Rue des DEL . 367 F45
Sorbiers, Rue des DMV 613 G5-6
Sorbiers, Rue des MER. 325 Y30
Sorbiers, Rue des OTT . 391 P77

Sorbiers, Rue des PIN . . . .
. . . . 244 D23-24
Sorbiers, Rue des SBG . 390 L73
Sorbiers, Rue des SHY . 522 G5
Sorbiers, Rue des VTV . 602 E5
Sorbonne, Av. BRS . . 348 E55-56
Sorbonne, Av. de la CAN. . . . . .
. . . . 367 H-J46 J47
Sorel, Rue BRS 348 E56
Sorel, Rue SMS 410 S69
Sorel, Rue SRE 365 J32
Sorel, Rue de BRO. . . 629 D6
Sorel, Rue de SBM. . . 370 F69
Sorel, Pl. du SLZ 183 P20
Sorrente, Rue de CAN 367 H-J47
Souchets, Cr. des VDR . 224 Y28
Soucy, Rlle SVD 242 C6
Soucy, Rue DEL 347 D48
Soucy, Rue LNG 349 C61
Soulanges, Boul. des PDC . . . . .
. . . . 263 G-H20
Soulanges, Pl. BRS . . 348 C56
Soulanges, Rue de BRO . 628 E1
Soulière, Rue PLS . . . 607 A2-3
Soupras, Rue SMS. . . 410 Q69
Source, Av. de la SHY. . 520 C5
Source, Rue de la COW . 625 E4
Source, Rue de la SLZ . 203 R19
Source, Rue de la SVD . . . .
. . . . . . 242 A6-7 B6-7
Sources, Rue des ASB . 647 E5
Sources, Rue des BEL . 391 M80
Sources, Rue des CON. . 550 G2
Sources, Rue des SCA347 C-D48
Sources, Rue des SJU . 350 B75
Sources, Rue des SRT . . 530 E4
Sources, Rue des WIN. 632 D1-2
Sourcier, Rue du DMV. . 610 E9
Sous-Bois, Av. du SHE . 639 S11
Sous-Bois, Rue du LNG . . . .
. . . . 329 Y64-65
Sous-Bois, Rue du PIN . 244 D23
Sous-Bois, Rue du SLZ . 203 T19
Sous-Bois, Rue du SRT 530 D2-3
Sousbretonne, Rue de la SJR . . .
. . . . 511 H4
South Creek St KAH. . . . .
. . . . 306 U43 326 V43
Southière, Ch. MAG. . 630 C2 D1
Southmount, Rue SBM. . . . .
. . . . 370 H70-71
Souvenir, Autoroute du CDL . . . .
. . . . 222 W8-9
Souvenir, Autoroute du CED . . . .
. . . . 223 Y14 243 A18
Souvenir, Autoroute du VDR . . . .
. . . . 243 A20 244 A21
Souvenir, Pl. du SLZ . 203 Q-R17
Souvenir, Rue du PIN . . 244 D25
Souvenir, Rue du MER 304 U-V27
Souvenir, Rue du SHE 636 K17
Souvenir, Rue du SRT. . 530 B4
Souvenir, Rue du VAR 311 Q-R78
Souvenir, Rue du WIN. 632 D-E2
Soyez, Rue CTG . . . 305 S35-36
Speid, Rue SHE640 R18 641 R19
Spenard, Rue VTV . . . 603 E10
Sphinx, Rue du SHE . . 637 J18
Spiller, Rue OTT. 391 O77
Spirées, Rue des BRS . 348 C56
Spoor, Rue FAR 624 B-C3
Spriggs, Rue LNG . . . 369 G61
Spring, Ch. SHE 641 Q-R22
Spring, Cr. CTG 325 V36
Spring, Rue COW 627 C9
Spring Garden, Rue SHE. . . . . . .
. . . . 640 R18 S18 641 R19
Springfield, Av. LNG. 348 A-B59
Springhill, Rue MAG. . . 630 E4
Spruce, Rue CTG . . . 306 U37
Stagecoach, Rue SLZ . . . .
. . . . . . 183 P20 184 P21
Stallion, Rue SLZ 183 P20
Stanislas-Grondin, Rue SHE . . . .
. . . . 638 R7
Stanley, Av. SLB . . . 328 Y-Z59
Stanley, Rue MAG. . . . 631 D5-6
Stanley, Rue SHE . . 636 M15-16
Stanley, Rue WIN . . . 632 D3
Stanstead, Rue de BRO 629 D6-7
Stanton E. , Rue CTG . 305 T36
Stanton O. , Rue CTG. 305 S-T36
Star, Rue LNG 349 C63
Station, Ch. de la SGG 616 M1-3
Station, Ch. de la SHE . 634 M6
Station, Ch. de la MSH . 391 O82
Station, Rue de la DEL . 367 F45
Station Rd KAH. 306 U43
Staveley, Rue SBM . 370 G69-70
Stearns, Rue LMG . . . 648 C3
Steeplechase, Rue SLZ 183 O19
Stéfoni, Rue SJR 511 K3
Stein, Rue VTV . . . 603 E10-11
Stéphane, Rue DMV. . 619 G13
Stéphane, Rue du SLZ . 183 P20
Stéphane, Rue SCW . . 610 A-B10
Stéphane, Rue SPH . . 387 J-K48
Stéphane, Rue VTV. . . 603 C10

Stéphanie, Rue NAP. . . 570 B4
Stephen-Leacock, Pl. SBM . . . . .
. . . . 369 G68
Stephenson, Rue HUD . . . .
. . . . 184 N23-24
Steve, Rue DMV . . . 613 J-K6
Steve, Rue VTV 603 C10
Stevenson, Rue ASB . . 646 C4
Stevenson, Rue COW. . . . .
. . . . 626 D8 627 D9
Stevenson, Rue SVD . . 242 C7
Stewart, Rue SVD . . . 242 B7
Stirling, Rue HUD . . 184 N21-22
Stocker, Rue NDP. . . . 264 F28
Stonecrest, Rue HUD . 184 O23
Stonehouse, Rue CTG . 306 R37
Strasbourg, Pl. de SLB348 B-C58
Strasbourg, Rue SJU . . 350 C74
Strasbourg, Rue de GRA . 622 J4
Strathcona, Rue CHB 409 T65-66
Stratton, Rue LNG . . . .
. . . . . . 348 B60 349 B61-62
Strauss, Av. BRS . . . 348 D56
Strauss, Rue CTG . . . 325 X35
Strauss, Rue DMV . . . 613 J-K7
Stravinski, Av. BRS . . . .
. . . . . . 348 D55 D-E54
Strom, Rue GRA 620 D1
Stroud, Av. VDR 244 B23
Stuart, Rue SGG 616 P1
Sucrerie, Cr. de la NDP. 265 G29
Sucrerie, Rue de la DMV. 613 G5
Sucrerie, Rue de la SHE . . . .
. . . . 637 M21-22
Sucrerie, Rue de la SLZ . . . .
. . . . 183 M16-17
Sucreries, Boul. des PLS . . . .
. . . . . . 607 D3-4 E2-3
Sud, Rue du COW . . 626 D-E8
Suède, Cr. BRS 348 E56
Suez, Pl. BRS 348 D56
Sugar Bush, Rue HUD . 184 O24
Suisses, Rue des SHE . . . .
. . . . 637 J20-21
Sullivan, Mtée CED. . . 223 X16
Sullivan, Rue CTG . . . 325 V35
Sullivan, Rue LNG . . . 369 F62
Sullivan, Rue SVD. . . . 242 C-D7
Sumac, Rue du SBM . 370 J70
Summer, Rue SHE . . . 641 R19
Summerfield, Rue HUD. 184 O23
Sunrise, Pl. SLZ 183 P18
Sunrise, Rue HUD . . . 184 L22
Sunset, Pl. SLZ 183 P17
Sunset, Rue VDR 184 O22
Sunset E. , Rue CTG . . 325 W36
Sunset O. , Rue CTG 325 W35-36
Sureau, Rue du SHE . . 643 W9
Sureau, Rue du SLZ . . 530 E74
Sureaux, Rue BCV . . 330 Z71-72
Surle-Roc, Pl. PIN . . . 244 D24
Suroît, Rue du PIN . . 244 E23-24
Suroît S. , Rue du SLZ . 305 U33
Surprenant, Cr. BRS. 348 E56-57
Surprenant, Rue DMV . 613 H7-8
Surprenant, Rue SCA347 C47-48
Surprenant, Rue SJR . . 511 J1
Surrey, Pl. SLZ 183 O19
Sutherland, Rue DMV . 615 K16
Sutterlin, Boul. CTG. . 305 T33
Sutton, Rue DEL 367 G46
Suzanne, Rue MAG. . 631 B5-6
Suzanne-Bastien, Rue VTV . . . . .
. . . . 603 C-D9
Suzanne-Bouvier, Rue VAR . . . . .
. . . . 311 S80
Suzie, Rue VTV 603 B-C10
Suzor, Rue LNG 349 C65
Suzor-Côté, Rue VTV. . 605 G11
Suzor-Côté, Rue du SCA 347 B46
Suzor-Côté, Rue du SHE 639 Q11
Suzor-Côté, Rue du SJU. 350 E75
Suzor-Côté, Rue VAR . 311 R79
Suzor-Côté, Rue VDR . 224 Y23
Swail, Boul. RCH . . . 409 T67
Sweetsburg, Rue de COW. . . . . . .
. . . . 627 D11
Swett, Rue GRA. 623 F6
Sydney, Rue BRS. . . . 348 D55
Sydney, Rue COA . . . 644 C3
Syllybri, Rue SHE . . . 633 C12-13
Sylva-Clapin, Av. SHY . 520 E4-5
Sylvain, Rue BEL. . . . 391 M82
Sylvain, Rue MAG . . . 631 C5
Sylvain, Rue SBG . . . .
. . . . . . 370 K73 390 L73
Sylvain, Rue VTV . . . 603 D9
Sylvestre, Rue SHE. . 635 L13
Sylvestre, Rue SHY. . 520 D-E5
Sylvestre, Rue SRT. . . 530 E7
Sylvestre, Rue SGG . . . .
. . . . . . 612 K1 616 L1
Sylvestre, Rue SHE. . 635 L13
Sylvestre, Rue SHY . . 520 D-E5
Sylvia-Daoust, Rue LNG. . . . .
. . . . 329 Y-Z67
Sylvie, Rue VTV. 601 F3-4

Sylvio, Rue DMV . . . 619 M-N13
Sylvio-Blais, Rue SHE. . 633 D12
Sylvio-Frappier, Rue SRT 530 D6
Sylvio-Lacharité, Rue SHE . . . . .
. . . . 635 L11
Sylvio-Leduc, Rue NDP . 264 G28
Sylvio-Mantha, Rue VDR. . . . . . .
. . . . 224 X-Y23
Symphonie, Rue de la SLZ . . . . .
. . . . 183 P18-19 203 Q19
Syndics, Rue des SVD . . 242 D6
Syracuse, Rue de CAN. . . . .
. . . . 367 H46-47

T

T.-D.-Bouchard, Av. SHY. 520 D5
Tabot, Rue SHE 640 N-P18
Taché, Rue LMG 648 D3
Taché, Rue SHE 636 L17
Taché, Rue SHY. 520 E7
Taché, Rue SRT. 530 D1
Tadoussac, Pl. BRS . . 348 D57
Tadoussac, Rue de GRA620 C3-4
Tadoussac, Rue de OTT. . . . .
. . . . 391 O-P77
Tadoussac, Rue de SHE 639 R12
Taggart, Rue LNG. . . . 348 C59
Tahiti, Rue BRS 348 C56
Tailhandier, Rue BCV. 330 V-W69
Tailhandier, Pl. SBM. 370 H70-71
Tailhandier, Rue BCV. 330 V-W69
Tailhandier, Rue SBM370 H70-71
Taillefer, Rue SVD . . . 242 D5-6
Tailleur, Rue du CHB . . . .
. . . . 389 P62-63 409 Q62-63
Taillon, Rue DMV . 609 E6 613 F6
Taillon, Rue LNG. . . . 369 F-G64
Taillon, Rue PIN 264 F23
Taillon, Rue SRT 530 D5
Taillon E. , Rue SBG. . . . .
. . . . 370 K72 390 L72
Taillon O. , Rue SBG . . 370 K72
Talbot, Rue BRS. . . . 348 C56
Talbot, Rue GRA 620 E3
Talbot, Rue PRN 606 C2
Talbot, Rue SCW. . . . 615 H14-15
Talbot, Rue SVD 241 B-C4
Talbot, Rue VTV 601 J1
Talbot, Rue (LNG) LNG . 349 A64
Talbot, Rue (SHU) LNG. 369 F64
Talbot, Rue BRS. . . . 348 D57
Tally Ho, Rue SLZ . . . 183 O19
Talmesa, Rue CED. . . 243 A15-16
Talon, Ch. SHE 634 J10
Talon, Rue CHB 409 Q65
Talon, Rue LNG 329 W68
Talon, Rue SCA 347 D47
Tamaris, Rue du SBM . 370 J70
Tamias, Rue des LNG . 329 Y65
Tancarville, Rue de BCV 330 Y70
Tanger, Pl. BRS 348 C56
Tanguay, Rue MAG. . . 631 C7
Tanguay, Rue SHY. . . 521 D9
Tanguay, Rue SJR. . . . 511 H4
Tanière, Rue de la MAG . 631 B6
Tardif, Av. PLS. 607 C2-3 D3
Tardif, Rue ASB. 647 C-D5
Tardif, Rue BRS 348 D56
Tardif S. , Rue PLS. . 607 D-E3
Tarpan Heights, Cr. SLZ . . . .
. . . . 183 O-P20
Tarrant, Rue MAG 630 E4 631 E5
Tarte, Av. SHY 520 A7
Tascherau, Av. PLS. . . 607 C3
Taschereau, Boul. BRS . . . .
. . . . 348 C-D59 E56-57 368 F54-55
Taschereau, Boul. LNG. . . . .
. . . . 328 X-Z60 329 V-W61
. . . . 348 A-B60
Taschereau, Boul. LPR . . . .
. . . . . . 367 F52 368 F53
Taschereau, Rue DMV. . 613 F7
Taschereau, Rue GRA . 620 D4
Taschereau, Rue SGG . 616 M2
Taschereau, Rue SRT . 530 B3-4
Tassé, Rue SJR 512 L6
Tasserie, Rue de la VAR . . . .
. . . . 311 S-T77
Taylor, Rue CTG . . . 305 S35-36
Taylor, Rue LNG. . . . 369 H62
Tchad, Pl. BRS 348 C57
Télesphore-Daigle, Rlle de SHE . .
. . . . 640 N16-17
Tellier, Av. SHY 522 F-G4
Tellier, Rue SRT. 530 E7
Témiscamingue, Rue de GRA . . .
. . . . 620 C3-4
Témiscouta, Rue de GRA . . . . . .
. . . . 620 D3-4
Templeton, Rue LNG. . 348 B59
Tenancier, Rue du MAG. 631 B6
Tenure, Rue de la VAR. 311 T77
Terra-Jet, Boul. SCW. . . . .
. . . . . . 610 A11 B10
Terra-Jet, Ch. DMV . . 610 C9
Terrasse, Rue de la SHE. . . . . . .
. . . . 640 P-Q17

Terrasse, Rue de la SJU 350 B75
Terrasse-Boucher, Pl. PIN . . . .
. . . . 264 F23
Terrebonne, Rue de GRA . . . . .
. . . . 620 B-C3
Terrebonne, Rue de MER 328 X30
Terrier, Rue du MAG . . 631 B6
Terrill, Rue du SHE . . 636 L17-18
Terroir, Av. du SHY . . 520 C2
Terroir, Rue du VAR . . 311 S77
Terrois, Rue du SHE . . 636 H16
Terroux, Rue SLB 328 Z59
Terry-Fox, Imp. SHY. . . 520 D4
Tessier, Av. VDR . . 244 B21-22
Tessier, Pl. BRS 348 C56
Tessier, Rte SMG 608 B-C1
Tessier, Rue SGG 616 N1-2
Tessier, Rue SHE 640 Q16
Tessier, Rue SJR 511 F5-6
Tessier, Rue SVD 242 C6
Tessier, Rue VTV . . 602 E7 604 F7
Tether Ridge, Rue SLZ . . 184 P21
Tétrault, Rue BRS . . 348 D56-57
Tétrault, Rue RCH 409 U67
Tétrault, Rue SHE 639 P14
Tétreau, Rue DMV . . 613 H6-7
Tétreau, Rue SHE 530 B5-6
Tétreault, Rue MCM . . 391 N77
Tétreault, Ch. EAN 645 A44
Tétreault, Rue CON 550 B3
Tétreault, Rue MAR . . . 500 A3
Tétro, Rue GRA 621 A6
Textiles, Rue des COW 626 D6-7
Théberge, Pl. RCH 409 U67
Théberge, Rue BRS . . 348 D57
Théberge, Rue CTG . . 325 V36
Théberge, Rue DEL . . 367 G46
Théberge, Rue MAR . . 500 B4
Théberge, Rue RCH . . 409 U67
Théberge, Rue SJR . . 512 P4
Théode, Rue ASB. . . . 647 D5
Théode, Rue DMV 608 E4 609 E5
Théodore, Av. PLS . . 607 C-D3
Théodore-Aubin, Rue GRA . . . .
. . . . 623 G8
Théodore-Péladeau, Rue SJR . .
. . . . 511 F2
Théodore-Robitaille, Rue VAR . .
. . . . 311 Q-R80
Théorêt, Rue BRS . . 348 D-E57
Thérèse, Av. BRS 348 C56
Thérèse, Pl. BRS 348 C56
Thérèse, Rue CAR . . 389 O-P64
Thérèse, Rue IPR . . 244 E27-28
Thérèse, Rue VTV 602 C6
Thérèse-Casgrain, Rue SBM . . .
. . . . 350 E70
Thérèse-Casgrain, Rue SHE . . .
. . . . 639 N11
Thérèse-Lefebvre, Rue SHE . . .
. . . . 637 M19
Thériault, Rue PLS . . 607 A2
Théroux, Av. SHY 522 H2
Théroux, Rue DMV 614 F9
Théroux, Rue MAG 630 E4
Théroux, Rue SJR 512 Q7
Théroux, Rue VTV 605 F10
Therrien, Pl. VTV 602 E6
Therrien, Rue BRS . . 348 D-E57
Therrien, Rue SHE . . 369 F64
Therrien, Rue SCL 202 Q11
Therrien, Rue SCW . . 615 H14-15
Therrien, Rue SHE 636 M17
Therrien, Rue SHY . . 520 C-D1
Therrien, Rue SJR 512 P5
Therrien, Rue SLZ . . 223 V20
Therrien, Terr. LNG . 329 X63-64
Thibaudeau, Rue SRT . . 530 D4
Thibault, Av. BRS 348 D57
Thibault, Av. LNG . . 349 C62-63
Thibault, Rue COA . . 644 B3
Thibault, Rue SHE . . 348 A58
Thibault, Rue SVD . . 242 C8 D7-8
Thibault, Rue VTV . . 605 F-G11
Thibeault, Rue SJR . . 510 C5
Thibert, Rue CTG . . 305 T-U35
Thibert, Rue DEL . . 367 F-G45
Thibert, Rue MER . . . . .
. . . . 325 W32-33 X33
Thibert, Rue SCT 346 C44
Thibodeau, Rue LMG . 648 C3
Thibodeau, Rue PLS . . 607 C1-2
Thibodeau, Rue SJR . . 511 G-H4
Thibodeau, Rue VTV . . . . . .
. . . . 604 F8 605 F9
Thierry, Rue BRS 348 D57
Thierry, Rue LNG 328 W60
Thivierge, Rue SHE . 637 L21-22
Thomas, Av. SJR 511 K8
Thomas, Pl. BRS 348 C56
Thomas, Rue COA . . 644 C2
Thomas, Rue MAG . . 631 D5
Thomas, Rue VAR . . 311 U78
Thomas, Rue VDR . . 184 021-22
Thomas, Rue VTV 602 D8 603 D9
Thomas-Auguste-Brisson, Boul.
LPR 367 H-J51

Thomas-Chapais, Rue BCV . . . .
. . . . 330 W69
Thomas-Chapais, Rue SHE . . . .
. . . . 635 L11
Thomas-Chapais, Rue SJU . . . .
. . . . 350 C76
Thomas-Cyr, Rue MCM . . . . .
. . . . 391 077-78
Thomas-Dennis, Rue NDP. . . . .
. . . . 265 H30
Thomas-Édison, Rue SJU . . . . .
. . . . 350 D74
Thomas-Frérot, Rue BCV310 U73
Thomas-Pépin, Rue BCV 330 V70
Thomas-Tremblay, Rue SHE . . .
. . . . 641 N19
Thomas-Woodward, Ch. SHE. . .
. . . . 641 P20-21
Thompson, Rue COA . . 644 C-D2
Thorn-Crest, Rue HUD . 184 022
Thorncliff, Rue de SLZ . . . . . .
. . . . 203 R18-19
Thorncliffe, Pl. PIN . 244 D24-25
Thornton N. , Rue COA 644 A1-2
Thornton S. , Rue COA 644 A1-2
Thouin, Rue SRE 365 K32
Thuot, Av. VTV 522 G6
Thurber, Rue LNG . . 329 W63
Thurso, Rue de GRA . . 620 C3
Thuyas, Rue de RIG . . 580 C6
Tiercé, Rue du SLZ . 183 P19-20
Tiffin, Ch. SLB. 328 X-Y60
Tillemont, Rue BRS . . 348 D57
Tilleuls, Av. des DMV . 613 G7
Tilleuls, Av. des SHY . . 522 G4
Tilleuls, Av. des SVD . . 242 E6
Tilleuls, Pl. des CTG. 325 V34-35
Tilleuls, Pl. des SHE . 637 M20
Tilleuls, Pl. du SLZ . 203 R18-19
Tilleuls, Rue du VTV . . 602 E5
Tilleuls, Rue des BEL . 391 N79
Tilleuls, Rue des CAR . 389 P67
Tilleuls, Rue des MAG . 631 E7
Tilleuls, Rue des MAR . 500 B-C4
Tilleuls, Rue des MER 325 X-Y29
Tilleuls, Rue des SBG 390 L-M72
Tilleuls, Rue des SBM . . . . . .
. . . . 369 H68 370 H69
Tilleuls, Rue des SCA . 347 C46
Tilleuls, Rue des SHE . . . . . .
. . . . 637 M20 641 N20
Tilleuls, Rue des SJU F73-74
Tilleuls, Rue des SRT . . 530 D5
Tilleuls, Rue de VAR 311 X77-78
Tilleuls, Rue des VDR . 224 Z22
Tilleuls, Rue des VSL 224 X25-26
Timberlay, Rue de SLZ . 183 P18
Timonier, Rue du SCA 347 C-D47
Tire, Rue de la SLZ . . 183 M17
Tisserand, Av. BRS. . . . . .
. . . . 348 C56 C-E57
Tisserand, Pl. BRS. . 348 D57-58
Tisserand, Rue du CHB. 409 Q62
Tisserand, Rue du DMV . 610 E9
Tisserands, Pl. des SLZ . . . . .
. . . . 203 Q19-20
Tisserands, Rlle des SLZ . . . . .
. . . . 242 C6 C7
Tisseur, Rue BHN . . . . . .
. . . . 284 P22 304 Q22
Titanic, Rue du SCA . . 347 D-E47
Titanic, Rue du SCA. 347 D47-48
Tobin, Rue SHE 633 E12-13
Todoro, Pl. COW. . . . 625 C2-3
Toe-Blake, Pl. VDR . . 224 Y22
Toe-Blake, Rue VDR 224 Y22-23
Tolley, Rue COA. . . . 644 A3
Tolstoi, Cr. BRS. . . . 348 C-D56
Tomifobia, Rue SHE . . 638 N9
Tonnancour, Rue de LNG 349 Q64
Tonnancour, Rue de VDR . . . . .
. . . . 224 Z21 244 A21
Tonty, Rue de SBM . . 370 G70
Tooke, Rue VDR 244 B24
Topaze, Av. BRS 348 D-D57
Topaze, Pl. BRS 348 C57
Topaze, Rue de GRA . . 621 D6
Topaze, Rue de la BRO. . 628 D2
Topaze, Rue de la DMV. . 613 K6
Topazes, Rue des SHE . . . . . .
. . . . 637 M21-22
Torrent, Rue SHE 242 E11
Torrent, Rue du VDR. . 224 Y22
Tortue, Rue de la SLZ . 183 017
Toscane, Rue de LNG 329 Z66-67
Toscanini, Cr. BRS. . 348 C-D56
Toscanini, Rue de CTG 325 W34-35
Touchette, Av. BRS . 348 C-D57
Touchette, Rue SCW 610 E11-12
Touchette, Rue SJU . . 350 C75
Tougas, Rue CTG 305 S35
Tougas, Rue SCT 346 C44
Tougas, Rue SJR. . . . 512 M8
Toulon, Rue BRS 348 D57
Toulon, Rue de SHE . . 639 R12
Toulon, Rue de SHE . . 639 R12
Toulouse, Pl. BRS . . 348 B-C56

Toulouse, Rue LNG . . 329 Z64
Toulouse, Rue OTT . . 390 P76
Toulouse, Rue de GRA . . . . .
. . . . 620 E3 622 F3
Toulouse, Rue de SHE. . 635 K14
Toulouse-Lautrec, Rue GRA . . .
. . . . 622 K2-3
Toupin, Av. SHY 520 D7-8
Toupin, Rue DMV . . 613 G-H7
Toupin, Rue GRA 623 K7
Toupin, Rue SCT 346 C44
Toupin, Rue SJR 511 K4
Toupin, Rue SVD. . . . 242 D9-10
Tour, Rue de la PLS . . 607 E2
Tour-du-Parc, Rue du LNG . . . .
. . . . 329 Y65
Tour-Rouge, Rue de la MSH . . .
. . . . 391 P81
Touraine, Av. de SLB . 348 A58
Touraine, Rue de BCV 330 Z70-74
Touraine, Rue de la LNG 329 W63
Touraine, Rue de SBG . . . . .
. . . . 370 K72-73
Touraine, Rue de SJU . 351 A79
Touraine, Rue de SLZ . 203 019
Touraine, Rue de SRT . 530 E2
Tourangeau, Cr. BRS . 348 C56
Tourangeau, Rue LNG 369 F-G64
Tourangeau, Rue SCT . 346 C44
Tourant-des-Îles, Rue du FAR . .
. . . . 624 B-C1
Tourelle, Rue ACV . . 540 D7
Tourelle, Rue de la DMV . 609 E8
Tourigny, Rue BRS . . 348 D57
Tourigny, Rue PLS 607 A2-3
Tourigny, Rue VTV . . 602 E7-8
Tourmaline, Rue de la SJR510 D3
Tourmalines, Rue des SHE . . . .
. . . . 637 L21-22 M22
Tournesol, Av. du VTV . 520 D2
Tournesol, Rue du BRO. . 629 B8
Tournesol, Rue du SLZ 203 R-S19
Tournesols, Rue des LNG . . . . .
. . . . 369 G-H62
Tournesols, Rue des LPR368 H53
Tournesols, Rue des SJR. 511 F2
Tourouvre, Rue de BCV. 330 X69
Tourrraine, Pl. de GRA . 622 F-G3
Tours, Rue de BCV. . . . 310 U73
Tourterelle, Rue de la SLZ . . . .
. . . . 510 E3-4
Tourterelles, Av. des CED . . . . .
. . . . 243 018 263 F19
Tourterelles, Rue des DMV . . . .
. . . . 613 K7
Tourterelles, Rue des GRA . . . .
. . . . 621 C-D7
Tourterelles, Rue des LNG . . . .
. . . . 329 W66
Tourterelles, Rue des LPR. . . . .
. . . . 368 H54
Tourterelles, Rue des SBG . . . .
. . . . 390 M71
Tourterelles, Rue des SBM . . . .
. . . . 370 H-J71
Tourterelles, Rue des SLZ. . . . .
. . . . 183 018
Tourterelles, Rue des SRT 530 E2
Tourville, Ch. SHE . . . 617 N8
Tourville, Imp. VTV . . 605 F11
Tourville, Rue SHE . . 639 R12
Tourville, Rue de GRA 620 D3-4
Tousignant, Rue DMV. . 613 K7
Tousignant, Rue VTV. . 605 F10
Toussaint-Bénard, Rue BCV . . .
. . . . 310 T73
Toussaint-Rochon, Rue BHN . . .
. . . . 284 P22
Toussaint-Trudeau, Rue CHB. . .
. . . . 409 S64
Touterelles, Rue des SHE 634 M7
Towner, Rue SJR 512 N5-6
Townshend, Av. SLB . 348 A58
Townshend, Rue SBM 370 F-G69
Tracy, Boul. de SRT . . . . .
. . . . 530 D1-2 D-E3
Tracy, Pl. BRS 348 C56
Tracy, Rue LNG 618 L11
Tracy, Rue LNG . . . .
. . . . 349 E61-62 369 F61-62
Tracy, Rue SHE 639 N14
Tracy, Rue SJR 510 E5
Tracy, Rue de GRA . . 620 C4
Tracy, Terr. LNG 329 Z64
Trahan, Av. BRS 348 C57 D56
Trahan, Pl. BRS 348 C-D56
Trahan, Rue ACV 540 D2
Trahan, Rue SJR 512 L5
Trainer, Pl. SLZ 183 020
Tramontane, Cr. de la SJR 510 E1
Tramontane, Rue de la . . . . . .
. . . . 510 E1 511 F1
Trans-Canada, Rue LNG . . . . .
. . . . 329 V-X68
Transport, Rue CDL . . 222 V6
Transquébécois, Autoroute DMV
. . . . 618 M-N10
Transquébécoise, Aut. WIN . . . .
. . . . 184 023
Traversier, Boul. du PIN . 244 C25
Traversier, Rue du SRT . 530 A5

Traversy, Rue DMV. . . . . . .
. . . . 618 M12 619 N13-14
Trécarré, Rue du VAR. 311 S-T77
Trèfle, Rue du SHE . . 636 J16
Tremblay, Ch. du BCV . . 330 Z69
Tremblay, Ch. du LNG . . . . . .
. . . . 329 Y64-65 Z65 Z66-67
Tremblay, Pl. BRS . . 348 D57
Tremblay, Rue ACV. . 540 D2-3
Tremblay, Rue BRS . 348 D56-57
Tremblay, Rue CHB 389 065-66
Tremblay, Rue CON . . 550 A4
Tremblay, Rue CTG 325 V35-36
Tremblay, Rue DMV . . 619 M13
Tremblay, Rue GRA . . 621 E5
Tremblay, Rue MAR. . 500 A1-2
Tremblay, Rue SCT . . 367 F-G45
Tremblay, Rue SHE. . . 642 U15
Tremblay, Rue SHY . . 522 G7
Tremblay, Rue SJR . . 512 P7
Tremblay, Rue SVD . . 242 D9
Tremblay, Rue du SBM. . . . . .
. . . . 370 F69-70
Trembles, Pl. des FAR . . 624 D3
Trembles, Rue des CAR 389 P67
Trembles, Rue des CTG 306 U37
Trembles, Rue des SBG 390 M72
Trembles, Rue des SHE 637 M20
Trembles, Rue des SJU . . . . . .
. . . . 370 F74-75
Trembles, Rue des SRT 530 C6
Trembles, Rue des VTV 601 E-F4
Trempe, Rue SRT 530 C6
Trenet, Rue NDP 265 H30
Trente, Mtée des MSH391 0-P79
Trente, Rang des SBG . . 390 N72
Trenton, Rue CTG . . . .
. . . . 305 U34 325 V34
Trépanier, Av. BRS. . 348 D-E57
Trépanier, Rue DMV . . 613 J6
Trépanier, Rue GRA 623 G7 G-H8
Trépanier, Rue SHE . . 638 N8
Trestler, Rue VDR . . 244 A-B24
Trévi, Pl. BRS 348 C-D57
Trévi, Rue du SHE . . 617 N8
Trianon, Rue de LNG . 329 Y-Z66
Triest, Rue SHE. . . . 636 K-L17
Trigganne, Rue PLS . . 607 C1
Trille-Blanc, Rue du SBM . . . . .
. . . . 369 J68 370 J69
Trinidad, Rue BRS . . 348 D57
Trinitaires, Mtée des SBG. . . . .
. . . . 370 J-K72
Trinitaires, Rue des SJR . 512 L4
Triolet, Rue du SHY . . 522 J3
Triquet, Av. SHY . 520 D6-7 D-E7
Tristan, Rue SCW . . . .
. . . . 610 E11 614 F11
Trois-Lacs, Ch. ASB647 B6-8
Trois-Maison, Rue des DMV . . .
. . . . 614 K10 618 L10
Trois-Pistoles, Rue GRA620 D3-4
Trois-Rivière, Rue de GRA. . . . .
. . . . 620 C-D4
Trolley, Rue du SLZ . . 183 020
Trottier, Rue SJR 511 J3
Trotteur, Rue du SLZ. . 203 016
Trottier, Rue BRS . . 348 D57
Trottier, Rue SBM. . . . 369 H68
Trottier, Rue SJR 510 C5
Troyes, Rue de SHE . 639 P12-13
Troubadour, Rue du DMV. 617 L12
Trudeau, Av. LNG. . . . . . .
. . . . 349 D-E62 369 F62
Trudeau, Av. SHY 520 D-E3
Trudeau, Av. BHN 284 P24
Trudeau, Rue BRS . . 348 D57
Trudeau, Rue CTG . . 305 T36
Trudeau, Rue RCH . . 409 U67
Trudeau, Rue SBM . . 370 F71
Trudeau, Rue SJR . . 510 C5
Trudeau, Rue SJU . . 350 B75-76
Trudeau, Rue SVD . . 242 E5-6
Trudeau, Rue VAR . . 311 Q-R80
Trudel, Pl. BRS 348 D57
Trudel, Rue DMV . . 614 J12
Trudelle, Av. PLS. . . . 607 D2-3
Trudelle, Rue SHE . . 640 P18
Truteau, Rue LNG . . 349 A63
Tuilerie, Av. de la EAN . 645 B3-4
Tuileries, Rue des SJU350 B-C74
Tuileries, Rue des VDR244 A-B24
Tulipes, Rue des BHN 304 Q-R26
Tulipes, Rue des CAR . . . . . .
. . . . 389 P68 390 P69
Tulipes, Rue des CDL . . 222 X7
Tulipes, Rue des COA. 644 C-D3
Tulipes, Rue des CTG. 305 T-U36
Tulipes, Rue des FAR . . 624 B2
Tulipes, Rue des LPR. . . . . .
. . . . 368 G53 H54
Tulipes, Rue des OTT. 391 0-P79
Tulipes, Rue des PLS . 607 C-D3
Tulipes, Rue des SCA . 347 C47
Tulipes, Rue des SHE . . . . . .
. . . . 636 K18 637 K19
Tulipes, Rue des SJR. . 510 D-E1

Tulipes, Rue des SRT. . 530 E4-5
Tulipes, Rue des SVD . 263 F13
Tulipes, Rue des VDR . 224 Z23
Tulipes, Rue des VTV. . . . . .
. . . . 601 E4 602 E5
Tulipes, Rue des (LNG) LNG . . .
. . . . 329 Y66-67
Tulipes, Rue des (SHU) LNG . . .
. . . . 369 G-H65
Tully, Rue SVD 242 B6 C7
Tunisie, Rue BRS 348 D57
Tupper, Rue MAG 631 C-D5
Turcot, Rue SHY . . . .
. . . . . 520 E4 E4 E5 522 F4
Turcot, Rue VDR. . . . 224 Z24
Turcotte, Pl. BRS . . 348 B57-58
Turcotte, Rue DMV . . 613 G-H7
Turcotte, Rue SHE . . 635 L11
Turcotte, Rue SJR . . 512 L2
Turcotte, Rue SRT . . 530 C6
Turcotte, Rue VTV . . 602 E8
Turcotte, Terr. LNG. . 349 A63-64
Turenne, Pl. BRS . . 348 B-C56
Turenne, Rue CTG . . 325 W36
Turgeon, Cr. BRS . . 348 C56-57
Turgeon, Rue ASB . . 647 B6
Turgeon, Rue SCW . 611 B13-14
Turgeon, Rue SHE . . 643 T-U9
Turgeon, Rue SJR . . 512 P5
Turgeon, Rue VTV . . 602 D8
Turgeon, Terr. LNG . 349 A63-64
Turner, Pl. BRS 348 D57
Turner, Rue de SHE . . 639 R11-12
Turpin, Pl. BRS 348 D57
Turquoises, Rue des SHE. . . . .
. . . . 637 M22
Turtle Pond, Rue HUD. 184 P24
Tyne, Rue LNG. 329 X64
Tyrol, Rue BRS 348 D57

U

Ubald, Rue VTV 602 A6
Uldéric-Baril, Rue MSH . . . . . .
. . . . 391 N-083
Union, Boul. de l' SLB . . . .
. . . . 328 Y58 Z58-59
Union, Rue SCA 347 B46-47
Union, Rue de SHY . . 522 G7-8
Union, Rue de l' BEL . . 391 N78
Union, Rue de l' COA . 644 C-D2
Union, Rue de l' SRT . . 530 B-C3
Union, Rue de l' SHE 640 P16-17
Université, Boul. de l' SHE . . . .
. . . 639 P12-13 Q12 R11 643 T9
Université, Rue de l' LNG . . . . .
. . . . 369 J63 K62-63
Uplands, Rue SHE . . 641 R19
Upper-Edison, Pl. SLB. 328 Z59
Upper-Edison, Rue SLB . . . . . .
. . . . 328 Z59-60
Upper McNaughten, Rue HUD. .
. . . . 184 023
Upper Whitlock, Rue HUD. . . . .
. . . . 184 M22-23
Usine, Ch. SJR. . . . 510 D-E3

V

Vachon, Rue DMV . . 609 E6
Vachon, Rue SCT. . . . . . .
. . . . 346 C44 347 C45
Vadboncoeur, Rue SHY. 520 E5
Vadnais, Imp. SHY. . . 520 D6
Vadnais, Rue DMV. . . . . . .
. . 615 K14 618 M12 619 L14 M13
Vadnais, Rue de GRA . 622 G-H2
Vadnais, Rue SCT . . 346 B44
Vagues, Rue des SVD. 242 B10
Vail, Ch. COW. . . . 627 E10 F9
Vaillancourt, Rue de GRA . . . . .
. . . . 622 J4 623 J5
Vaillancourt, Rue MAG. 631 B5
Vaillancourt, Rue SGG. 616 L2-3
Vaillancourt, Rue SHE. 643 T9
Vaillancourt, Terr. SVD. 242 D10
Valcour, Rue CHB. . 409 063-64
Val-d'Or, Rue de GRA . 621 E7
Val-des-Bois, Rue PLS. 607 D3
Val-des-Chênes, Rue de VDR . .
. . . . 184 L21
Val-des-Pins, Rue du VDR. . . . .
. . . . 183 L20 184 L21
Val-du-Lac, Ch. de SHE 642 W6
Val-Joli, Rue SHE. . . 642 V4
Val-Monts, Imp. SHY. . 520 D5
Val-Royal, Rue BRS . 348 B-C57
Valade, Rue CDL 243 D10-11
Valade, Rue LNG . . 329 X-Y64
Valade, Rue SCT . . . .
. . . . 346 B44 347 B45
Valbert, Rue SCH. . . . 604 H7
Valcourt, Rue BRS . . 348 B57
Valcourt, Rue SCT . . 347 C45

Valcourt, Rue SHE 639 S12
Valençay, Pl. de SJU . . 350 C73
Valençay, Pl. de SLB . . 348 B58
Valençay, Rue de DMV . . . . .
. . . . 619 M-N14
Valençay, Rue de SHE . . . . . .
. . . . 637 M20-21 641 N20
Valence, Ch. de SHE. . 636 H15
Valentin, Rue du SLZ 203 Q18-19
Valérie, Rue SCW . . 615 H14-15
Valéry, Rue BRS 348 D57
Valiquette, Pl. BRS . . 348 B57
Valiquette, Rue MAG . 631 A-B5
Valiquette, Rue WIN . . 632 D2
Vallée, Av. PLS . . 607 B-C2-C3
Vallée, Pl. BRS 348 B57-58
Vallée, Rang de la SJU . . . . . .
. . . . . . 350 E76 351 E77
Vallée, Rue CHB 409 R64-65
Vallée, Rue MER . . 325 X-Y30
Vallée, Rue SCT346 C44 347 C45
Vallée, Rue SVD 242 C-D5
Vallée, Rue VDR 244 B22
Vallée, Rue de la PIN . . 244 E25
Vallée, Rue de la SLZ . 203 S18
Vallée N. , Av. PLS 607 B2
Vallée-de-la-Loire, Rue de la SLZ
. . . . 203 Q18
Vallée-des-Forts, Autoroute de la
SJR. 511 G-H3 J6-7
Vallée-des-Murmures, Rue de la
SHE 641 P22
Vallée-du-Rhône, Rue de la SLZ.
. . . . 203 018-19
Vallerand, Rue BRS . . 348 B57
Vallianci, Rue PLS . . 607 C2-3
Vallières, Rue LNG . . 348 C-D60
Vallières, Rue SCT . . 348 B44
Vallières, Rue SCW . . 610 E11-12
Vallières, Rue SHE . . 637 L22
Vallières, Rue VTV . . 605 F10
Valline, Rue de la NDP . . . . . .
. . . . . . 264 G28 265 G29
Vallon, Av. du MAG . . 630 C2
Vallon, Rue du BEL . . 391 M-N82
Vallon, Rue du COW. . 627 C9
Vallon, Rue du MAG . . 631 B-C7
Vallon, Rue du MSH . . 391 P81
Vallon, Rue du SHY . . 522 J3
Vallon, Rue du SJU. . 350 B75
Vallon, Rue du SRT . . 530 D7
Vallon, Rue du VTV . . 605 G11
Valmont, Rue BEL . . 391 M82
Valmont, Rue DMV . . 617 M7-8
Valmore-Boisseau, Rue BRS . . .
. . . . 620 E2
Valois, Rue BRS 348 B-C57
Valois, Rue CTG 325 V35
Valois, Rue DMV. . . . 613 H6-7
Valois, Rue LNG 329 X64
Valois, Rue SBM 370 F70
Valois, Rue SCT346 B44 347 B45
Valois, Rue SRT 530 E1
Valois, Rue VDR 244 A21-23
Valois, Rue de SHE . . 640 Q16
Van-Dyck, Rue BRS. . 348 B-C57
Van-Gogh, Pl. BRS. . 348 B57
Van Horne, Pl. SBM. . 370 G-H69
Van Horne, Rue SBM . . . . . .
. . . . . 369 G68 H68 370 G69
Van Horne, Rue SHE . 638 P-Q10
Vanasse, Rue VTV . . 602 A6
Vancey, Av. BRS 391 N77
Vancouver, Rue BCV. . 330 W71
Vandal, Rue SRT 530 B4
Vanier, Av. SHY . . 520 E4 522 F4
Vanier, Av. VTV 602 D8
Vanier, Boul. CTG . . 305 U35
Vanier, Pl. COW 625 C2-3
Vanier, Rue BRS 348 B57
Vanier, Rue LMG 648 B57
Vanier, Rue SBG . . 390 L72-73
Vanier, Rue SCT 346 B44
Vanier, Rue SHE 640 N15
Vanier, Rue SRT 530 C2-3
Vanier, Rue de GRA . . 621 E7
Vanier, Rue de MER . . 325 X30
Varennes, Rue LNG . . 329 Z64
Varennes, Rue SBM . . 370 F69
Varennes, Rue de SCA . 347 C47
Varennes, Rue de SHE638 P-Q10
Varin, Rue BRS 348 B57-58
Varsovie, Rue DMV . . 613 G5
Vasco-de-Gama, Rue BCV. . . . .
. . . . 330 W72
Vassal, Rue DMV 614 J9
Vauclin, Rue BRS 348 B57
Vaudreuil, Av. VDR. . 244 A-B24
Vaudreuil, Rue COW . . 626 C8
Vaudreuil, Rue LMG . . 648 C4
Vaudreuil, Rue LNG . . 329 Z63
Vaudreuil, Rue MSH . . 391 P79
Vaudreuil, Rue SHE. . 635 L-M13
Vaudreuil, Rue SJR. . . 512 L4
Vaudreuil, Rue VTV . . 601 F3-4
Vaudreuil, Rue de CTG . 305 S34
Vaudreuil, Rue de DEL . 620 D9
Vaudreuil, Rue de MER . 325 X30
Vaudreuil, Rue de SBM . 370 G69

5 pt
180 pgs